Le capitalisme avec compassion

Aider les gens à s'aider eux-mêmes

À Helen

Table des matières

✧   ✧   ✧

Partie IV
L'objectif : nous aider nous-mêmes et aider les gens

Le capitalisme avec compassion ?

Comment est-ce possible ? Le terme « capitalisme » n'évoque-t-il pas des loups qui se mangent entre eux, la loi de la jungle, le mot d'ordre « chacun pour soi » ?

Rich DeVos, cofondateur et premier président d'Amway, répond à cette perception négative par un retentissant NON !

À la place, il nous propose une vision originale et dynamique. Le capitalisme est vu ici comme le meilleur outil connu pour aider les gens à devenir ce qu'ils veulent être, à se prendre en main et à faire tout ce qu'ils peuvent pour les autres. Par sa fine analyse des racines historiques et philosophiques du capitalisme moderne, il nous démontre qu'il nous faut revenir à cette base morale qui sous-tend le système capitaliste si nous voulons établir un équilibre durable entre les intérêts des entreprises, des travailleurs, des clients, et l'environnement. Dans cette période de l'après-guerre froide, alors que le capitalisme gagne du terrain partout dans le monde, il est absolument impératif que la société dans son ensemble en tire avantage.

Mais il y a encore plus important. Ce que Rich DeVos propose dans ce livre extraordinaire n'est pas seulement une vision mais un programme pratique déjà éprouvé. Un programme qui a fait de lui l'un des hommes les plus riches d'Amérique. Un programme qui a fait d'Amway l'une des plus grandes entreprises à succès de notre temps. Un programme qui a permis aux innombrables membres de l'équipe d'Amway de réussir financièrement et de se réaliser sur le plan personnel au-delà de leurs espoirs et de leurs rêves les plus chers. Un programme qui a marché pour eux et qui peut marcher pour vous.

Dans *Le capitalisme avec compassion*, l'auteur énonce claire-ment et de façon éloquente les principes de base et les étapes concrètes pour améliorer votre vie et le monde qui vous entoure. Il vous montre comment votre énergie, votre ambition et votre esprit d'entreprise peuvent se conjuguer et comment vous pouvez pro-gresser en vous inspirant de ce principe : l'esprit du capitalisme et les valeurs morales sont indissolublement liés.

En racontant son cheminement personnel étonnant et les impressionnantes expériences d'hommes et de femmes des quatre coins de la planète, Rich DeVos met en lumière la façon d'accéder à la réussite et ce que cela signifie vraiment. Il nous montre comment le capitalisme avec compassion est la seule solution aux problèmes les plus cruciaux de notre époque — la pauvreté, les sans-abri, la faim, l'environnement et les nombreux autres défis à relever en cette dernière décennie du siècle et à l'aube du XXIe siècle. Nous devons prendre soin des ressources naturelles et hu-maines de la planète, de l'air que nous respirons, de la terre que nous foulons, des mers, des forêts, des déserts et de tout ce qui y vit, des produits que nous choisissons de mettre au point ou de commercialiser, et des installations que nous construisons ou que nous louons. Les employeurs se doivent d'être plus compatissants envers leurs employés. Nous devons nous laisser guider par la compassion dans l'utilisation de nos profits, de nos salaires, de nos primes, de notre temps et de notre talent. L'auteur nous montre à quel point l'égoïsme manque de vision et que la règle d'or qu'il nous propose demeure encore la meilleure ligne de conduite, non seulement dans la vie privée mais aussi dans le milieu de travail et auprès de la clientèle.

Que vous soyez propriétaire d'une très grosse entreprise, ou-vrier dans une chaîne de montage, étudiant sur le point d'obtenir son diplôme ou femme au foyer désirant réintégrer le monde du travail, cet important guide sur la façon la plus humaine d'accéder à la réussite, sera sans doute le livre le plus utile que vous lirez jamais.

Rich DeVos est le cofondateur et, jusqu'à récemment, le prési-dent d'Amway, l'une des plus grandes entreprises mondiales pri-vées actuelles, avec plus de deux millions de distributeurs indépen-dants à travers le monde. Il est également un écrivain et un conférencier très apprécié. Sa conférence « Selling America » lui a valu de nombreux prix et récompenses, dont l'Alexander Hamilton Award for Economic Education de la Freedom Foundation. Auteur du best-seller *Croyez!* Il vit à West Palm Beach, en Floride.

Le capitalisme avec compassion : la meilleure façon de s'occuper des autres et de la planète

« Le capitalisme avec compassion ? » s'exclama avec un sourire cynique un étudiant d'université. « N'y a-t-il pas dans ces termes une contradiction, tout comme dans « gentillesse cruelle » ou « mort vivante » ? Ces deux mots ne vont tout simplement pas ensemble ! »

Durant ces quatre ou cinq dernières années, les gens ont plaisanté avec mon obsession du capitalisme avec compassion. Je ne me doutais pas que le mot « capitalisme » était aussi dangereux, semait tant la discorde et rappelait des souvenirs de requins de l'industrie ou de la finance, de main-d'œuvre enfantine exploitée, de rivières empoisonnées et de fumée polluante crachée par des cheminées d'usines dans un ciel bleu pastel.

« Les capitalistes réussissent parce qu'ils ne sont pas compatissants », affirma avec emportement un professeur d'université après que j'eus prononcé mon exposé devant sa classe.

« Sans capitalisme il ne pourrait pas y avoir de compassion », répondis-je, et les étudiant me fixèrent, incrédules, comme si je venais d'affirmer que la Terre était plate ou que la mer était habitée par des dragons.

Durant cet instant de silence, je réalisai une fois de plus à quel point ce projet de capitalisme avec compassion était devenu important pour moi. Alors que le monde entier ou presque s'empresse de se convertir au capitalisme, nous qui en avons le plus tiré profit sommes préoccupés par ses défauts et mettons l'accent sur ses échecs. Pire encore, des millions de nos propres concitoyens ne savent pas comment fonctionne le capitalisme avec compassion ni comment ce système peut les aider à améliorer leur niveau de vie et leur existence.

Pourquoi tant de professeurs d'université et de chroniqueurs oublient-ils ou refusent-ils de reconnaître les incroyables qualités et réussites du capitalisme? Pourquoi se cramponnent-ils à des notions dépassées, telles que le socialisme ou même le communisme, quand on sait que les promesses de ces systèmes économiques n'ont pu être tenues dans les pays qui les ont adoptés au cours de l'histoire.

Le capitalisme a ses défauts, c'est certain. Les échecs passés sont indiscutables, et nous devons tous chercher à ne pas les répéter dans l'avenir. Cependant, malgré ses défauts, le capitalisme est devenu le système économique privilégié dans le monde entier, et il est facile de comprendre pourquoi. Et bien que ce livre ne traite pas exclusivement de la Corporation Amway, l'histoire de la réussite d'Amway au cours des 30 dernières années est un bon exemple de l'efficacité et de la force du capitalisme avec compassion.

Fidel Castro et ses alliés communistes révolutionnaires prirent le pouvoir à Cuba le 16 janvier 1959, en promettant de redresser l'économie de cet État insulaire autrefois prospère. Cette même semaine, Jay Van Andel et moi fondions la Corporation Amway au sous-sol de nos foyers, à Ada, au Michigan. À l'époque, le socialisme était considéré comme le « grand espoir économique mondial ». La libre entreprise était morte. C'est du moins ce qu'on nous disait, à Jay et à moi. Le capitalisme américain était « en voie de disparition », alors que le communisme marxiste exporté par la Russie et la Chine était « appelé à triompher ».

Certains nous avertirent: « Ce n'est pas le moment de vous lancer en affaires. Cette époque est à jamais révolue. » Puis, avec des froncements de sourcils et des gestes emportés, ils ajoutaient: le capitalisme a déçu nos attentes et continuera à les décevoir. Le socialisme est notre seul espoir. »

Nous avons écouté ceux qui critiquaient la libre entreprise. Nous les avons remerciés de leurs conseils, sans en tenir compte.

« Notre entreprise s'appelle Amway », disais-je au cours de mes premières conférences intitulées « Selling America », « parce que le système américain de propriété privée et de libre entreprise est le meilleur. »

J'ai prononcé ce discours des milliers de fois au cours des années suivantes, pas seulement aux assemblées d'Amway mais aussi dans des écoles secondaires, dans des églises et devant des assemblées de citoyens. Les Américains perdaient confiance en ce système économique qui avait fait des États-Unis le pays bénéficiant du plus haut niveau de vie de l'histoire.

« Nous avons bâti cette nation sur la propriété privée et la libre entreprise », disais-je à qui voulait m'entendre. « Le capitalisme n'est pas parfait, mais c'est le seul système apte à maintenir notre nation forte. »

Nos critiques prétendaient que les politiques économiques socialistes du président Mao, du premier ministre Khrouchtchev et du camarade Castro étaient la voie de l'avenir. Maintenant, nos critiques ne rient plus.

Le rêve communiste est mort. Comme il fallut peu de temps pour que ce rêve devienne un cauchemar ! Les économies marxistes-socialistes sont en déroute. Fidel Castro prenait le pouvoir à Cuba il y a tout juste 35 ans en promettant la prospérité et des réformes. Aujourd'hui, la plupart des Cubains vivent dans la pauvreté et le désespoir.

Durant ces mêmes années, Amway, d'autre part, devenait une entreprise dont le chiffre d'affaires atteignait 4,5 milliards de dollars, avec plus de 2 millions de distributeurs indépendants possédant leurs propres entreprises dans 60 pays et territoires.

Vers de meilleures conditions d'existence

J'aime la Corporation Amway et ses distributeurs indépendants à travers le monde. Je raconterai les histoires de gens compatissants et d'autres entreprises compatissantes, mais Amway et son réseau international de distributeurs sont ceux que je connais le mieux. Lorsque Lee Iacocca écrit, il écrit au sujet de Ford et de Chrysler. Le général H. Norman Schwarzkopf a rempli son autobiographie de souvenirs de sa carrière militaire et de l'opération « Tempête du désert ». Mon ami Max DePree, dans ses deux ouvrages sérieux et émouvants portant sur le leadership, a illustré ses propos au moyen de quelques-unes de ses expériences en tant que président du conseil d'administration de la Herman Miller Corporation. Donc si je désire, relater mes propres expériences, je devrai parler tout au long de ce livre d'Amway.

Par exemple, son expansion dans les pays qui constituaient autrefois l'Union soviétique est une preuve que, lorsqu'on lui donne une chance, le capitalisme fonctionne vraiment. Les gens veulent vivre dans un pays où ils sont libres d'innover, de commercer sans restriction, de se concurrencer dans un système de marché libre, de choisir leurs carrières et de posséder leurs propres entreprises. Ils sont las des étagères vides et des promesses non tenues. Ils veulent toutes les choses que nous avons, les choses que nous tenons pour acquises.

Lors de l'ouverture du mur de Berlin, non seulement les Allemands de l'Est traversèrent-ils en foule la frontière, mais les distributeurs d'Amway de l'Allemagne de l'Ouest se ruèrent vers l'Est pour offrir à leurs concitoyens une chance de posséder leurs propres entreprises Amway de vente directe. Et les entrepreneurs est-allemands sautèrent sur l'occasion. Aujourd'hui, nous avons plus de 100 000 distributeurs d'Amway dans l'ex-Allemagne de l'Est faisant pour la première fois de leur vie l'expérience des avantages de la libre entreprise.

Jay Leno, l'animateur de « Tonight Show », après avoir lu à propos de la ruée d'Amway vers l'Europe de l'Est pour y répandre la libre entreprise, dit avec ironie : « Si vous croyez qu'ils ont eu de la difficulté à se débarrasser des communistes... » Je prends cela comme un compliment, un hommage à la ténacité des gens d'Amway œuvrant partout dans le monde. Peter Mueller-Meerkatz, l'un des dirigeants de notre entreprise en Europe, déclara : « Nous avons foi dans le capitalisme. Nous sommes convaincus que la démocratie ainsi que la libre entreprise représentent le seul espoir économique mondial. Pourquoi ne le partagerions-nous pas ? »

En plus des 100 000 distributeurs d'Amway en Allemagne de l'Est, 40 000 Hongrois travaillent déjà avec nous, et des milliers de Polonais préparent notre arrivée dans leur pays prévue pour cette année.* Et cette course vers l'économie du libre marché, destinée à libérer toute une nouvelle génération d'entrepreneurs, a cours non seulement dans les pays autrefois communistes mais aussi partout où les barrières économiques sont en train de tomber.

---

*   Au moment de la publication de ce livre en version originale, ces données étaient exactes. Pour la version française, nous pouvons vous annoncer qu'Amway est implanté en Pologne et compte déjà plus de 100 000 distributeurs (N. de l'Éd.)

En 1990, lorsque Carlos Salinas de Gortari, le président du Mexique, eut le courage de faire disparaître les barrières commerciales entre nos deux pays, Amway pénétra au Mexique. Maintenant, plus de 100 000 Mexicains et Mexicaines enthousiastes, déterminés et engagés ont leurs propres entreprises Amway. Eux aussi découvrent comment la pratique de la libre entreprise peut les aider à mettre un terme à des années de pauvreté et de désespoir.

En Indonésie, il y a presque 50 000 distributeurs Amway indépendants. Même au Japon, lorsque les travailleurs ont entrevu la possibilité de posséder leurs propres entreprises et d'aller rejoindre les rangs des shoguns (propriétaires) et des samouraïs (haute gestion), ils délaissèrent leur sécurité à vie et mirent eux-mêmes sur pied des entreprises. Aujourd'hui, les Japonais sont fiers d'avoir dans leur pays 1 000 000 de distributeurs Amway indépendants, et Amway Japan est devenue la troisième plus importante entreprise étrangère au Japon.

Kaoru Nakajima, l'un des principaux distributeurs établis au Japon, le dit en termes simples: «J'ai été employé salarié d'une entreprise pendant 8 ans. Maintenant, je suis mon propre patron. Maintenant, je suis libre. Maintenant, je vends des produits dont je suis fier. Maintenant, j'aide des gens de 5 pays différents à posséder leurs propres entreprises. Quand je vois tant de monde accéder à de meilleures conditions de vie, cela me rend vraiment enthousiaste. Pour moi, cela n'est pas un travail. C'est plus un jeu.»

Vers une vie meilleure

Ne nous y trompons pas. Cette course à la libre entreprise n'a pas seulement pour objet de faire de l'argent. Bien sûr, les gens désirent la sécurité financière pour eux-mêmes et pour leurs familles, ce qui est naturel et légitime. Mais ils veulent plus, beaucoup plus que cela.

En Allemagne de l'Est, en Hongrie, en Pologne, en Tchécoslovaquie et en Chine, comme partout ailleurs, les gens recherchent également une satisfaction plus profonde. Non seulement une liberté matérielle mais aussi une liberté spirituelle. La liberté de devenir des personnes complètes et à part entière. La liberté de devenir ce que Dieu veut que nous soyons. La liberté de pensée et d'imagination, qui ne peut exister que dans une société vraiment démocratique. Pas simplement la liberté de vivoter, mais celle de trouver des satisfactions réelles dans la vie.

À la source du profond désir de changement dans les pays marxistes-socialistes, un fait simple: le communisme a connu une profonde crise spirituelle. Ce n'est pas seulement l'économie communiste qui a fait faillite. La pauvreté des valeurs du communisme a entraîné son effondrement. Karl Marx, le fondateur du mouvement communiste moderne, avait une vision pauvre de l'esprit humain. Cette vision ne s'est pas révélée être le fondement adéquat sur lequel on pouvait bâtir des nations ou des vies individuelles.

Le 18 juillet 1969, Jay Van Andel, mon ami de toujours et mon associé dans cette entreprise, expliquait la philosophie du capitalisme avec compassion, lorsqu'une explosion et un incendie dans notre usine d'Ada, au Michigan, faillit détruire notre rêve. La terrible déflagration s'était produite peu avant minuit. Un gros immeuble qui abritait les bureaux et les chaînes de montage était entièrement en flammes quand Jay arriva sur les lieux. Les employés avaient déjà risqué leurs vies en grimpant à bord de tracteurs pour tirer des semi-remorques et un camion-citerne de l'entrepôt en feu. D'autres s'apprêtaient à pénétrer dans l'immeuble embrasé de 4 270 mètres afin de récupérer des dossiers importants. Jay les arrêta en leur disant ces mots inoubliables: «Oubliez les papiers! Faites sortir les gens!»

Notre façon de considérer les autres importe beaucoup. Si nous les considérons comme des enfants de Dieu, possédant une étincelle divine et dotés de qualités reçues de Dieu, nous devons nécessairement les traiter tous avec respect et dignité. Mais si nous avons une vision purement matérialiste, si nous estimons que les autres sont dépourvus de toute spiritualité et qu'ils n'acquièrent de la valeur que par l'État, alors qu'est-ce qui arrive? Pour répondre à cette question, il n'est besoin que de regarder l'histoire du communisme.

Notre perception de la nature de la planète Terre est également cruciale, car elle détermine les décisions que nous prenons quant à l'utilisation de ses ressources abondantes. Si nous considérons cette Terre et tous ses trésors comme des dons de Dieu et que nous présumons avoir été désignés par Dieu pour être les gardiens de ces trésors inestimables, alors nous aimerons notre planète et nous en prendrons soin.

Le capitalisme : une formule simple pour commencer

Au cours du mois de mai 1986, on a questionné, dans 42 États, plus de 8 000 Américains ayant terminé une 11e ou une 12e année afin de déterminer ce qu'ils savaient (ou ne savaient pas) au sujet du capitalisme. À l'examen des résultats, on découvrit que 66 % des répondants — 5 415 jeunes Américains — n'en connaissaient même pas assez pour définir le mot *profit*.

Partout dans le pays, on pouvait lire en manchette : « Questionnaires sur l'économie : les étudiants américains obtiennent de faibles résultats. » On compara ces résultats à ceux des étudiants japonais et allemands, à qui l'on demande, au secondaire, de maîtriser les principes économiques de base. Les résultats « désastreux » obtenus par ces étudiants furent divulgués, lors d'une conférence de presse nationale, par le distingué économiste américain Paul A. Volcker, ancien président du Federal Reserve Board. Lorsqu'un jeune reporter demanda à M. Volcker s'il avait étudié l'économie à l'école secondaire, le pauvre homme dut confesser devant le monde entier qu'il ne l'avait pas étudiée.

Je déteste les examens. Je me souviens avoir été recalé à plusieurs. Et je suis désolé pour les étudiants qui ont participé à cette enquête courante sur les connaissances économiques, mais je comprends pourquoi les dirigeants d'entreprises et les responsables de ressources humaines l'ont commanditée. Ce pays ne peut se permettre une autre génération d'Américains ne comprenant pas les principes et le fonctionnement du capitalisme.

Commençons là où les étudiants ont échoué. Qu'est-ce que le profit ? La bonne réponse à cette question à choix multiples était : « les revenus moins les coûts ». Oliver Wendell Holmes a répondu à cette question dans ce très court poème :

> « Je demande seulement que dame Fortune m'envoie
> Un peu plus que ce que je dépenserai*. »

Si vous voulez connaître un critère important selon lequel un capitaliste peut évaluer sa réussite, mémorisez cette strophe. Faire un profit consiste à faire plus d'argent que vous n'en dépensez. Avec des profits, vos affaires seront florissantes et vous pourrez vous constituer un capital. Avec ce capital, vous pouvez bâtir votre propre entreprise, en créer de nouvelles et améliorer la qualité de

---

* Traduction libre. (N.d.T.).

votre vie et de celle des autres. Sans profits, votre entreprise sera un échec et votre rêve de vous constituer un capital ne pourra se concrétiser.

Voici une formule simple qui vous aidera à comprendre comment fonctionne le processus du profit, le capitalisme. Cette formule ressemble à ceci :

$$BM = RN + ÉH \times O$$

Non, ce n'est pas la solution de quelque problème de physique quantique. C'est plus simple que cela en a l'air. En fait, vous serez peut-être même d'accord avec ceux qui pensent que ma théorie est trop simple. Peu importe. Elle constitue une plate-forme à partir de laquelle on peut poursuivre la discussion, et parfois être trop simple nous aide à comprendre des choses qui sont trop compliquées.

En clair, cette formule doit se lire ainsi : Nos *biens matériels* (BM) proviennent de *ressources naturelles* (RN) transformées par l'*énergie humaine* (ÉH) rendue plus efficace grâce aux *outils* (O).

Examinons cette formule point par point.

Les biens matériels. Le capitalisme est le processus de production ou de distribution du capital, un autre mot pour « matériel ». La raison pour laquelle vous envisagez sérieusement de devenir capitaliste est la suivante : vous voulez vous suffire et subvenir aux besoins de ceux qui comptent (ou compteront) sur vous de biens matériels. Que le mot *matériel* (ou même matérialisme) ne vous mette pas sur la défensive. Nos maisons, nos écoles et nos églises sont faites de matériaux. Pour tous les êtres humains, il y a quelque chose de matériel dans le fait de se nourrir et de s'habiller. Le matériel est en quelque sorte l'étoffe de nos vies, nous ne pouvons nous en passer, et il n'y a absolument rien de mal à vouloir notre juste part de biens matériels afin de rendre notre vie plus facile, plus pleine et plus riche.

Les ressources naturelles. La plupart des choses matérielles viennent de la terre, de la mer ou du ciel. Tout capitaliste dépend directement ou indirectement des réserves de ressources naturelles. Regardez dans votre chambre. Voyez-vous quelque chose qui n'ait pris son origine, proche ou lointaine, dans une ressource naturelle ? Les fibres du pantalon que je porte viennent du mouton qui mange l'herbe poussant sur la terre et qui boit l'eau d'un ruisseau qui coule. Les fils de ma cravate ont été produits par de minuscules vers à soie mangeant les feuilles d'un mûrier et buvant des gouttes de pluie tombant du ciel. Mon bureau est fait du bois provenant d'arbres aux racines plantées dans la terre et se nourrissant d'eau. L'ordinateur dont je me sers est fait de plastique, qui vient du pétrole et de l'aluminium, lequel est tiré de la bauxite et de l'acier, lequel vient du minerai de fer, tous des minéraux gisant profondément dans la terre. Cependant, chacune de ces ressources a été tranformée par l'énergie humaine, l'autre source première des biens matériels.

L'énergie humaine. Les ressources naturelles que recèle notre planète doivent être extraites et traitées. Le mouton ne vous donnera pas de lui-même sa laine et les fils fragiles des vers à soie ne peuvent être transformées en tissus ou en cravates sans l'intervention du cerveau et des doigts humains. Vous ne pouvez traiter des textes avec du pétrole brut, de la bauxite ou du minerai de fer qu'on retrouve dans les profondeurs de la terre. Une montagne de charbon ne chauffera pas votre salon. Il faut trouver les ressources, les extraire, les préparer et les transformer en matière utilisable. Tout cela nécessite l'intervention du génie humain et un dur labeur.

Les outils et les machines. Au Pérou, j'ai déjà vu un homme marcher en portant sur son dos une charge de bois d'au moins 45 kilos. Les seuls outils dont il disposait pour transporter cette charge de 10 montants de tente étaient ses mains noueuses et calleuses, ainsi que son dos courbé mais musclé. Aujourd'hui, j'ai vu un chauffeur d'Amway entrer dans son semi-remorque à grosses roues, démarrer et transporter 18 150 kilos de matériel à la vitesse de 90 kilomètres à l'heure en écoutant un enregistrement stéréophonique dans sa cabine insonorisée. Il est tellement plus facile, plus rentable et plus productif de mettre au point et d'utiliser des outils ou des machines pour produire des biens matériels.

L'outil dont dépend le plus le succès d'Amway n'est pas quelque chose que vous pouvez toucher comme une machine ou mettre en marche comme un moteur. Le principal outil à l'origine de la prodigieuse expansion de cette entreprise, c'est notre programme unique de vente et de marketing. Les socialistes marxistes avaient les ressources naturelles et l'énergie humaine, mais les travailleurs n'étaient pas motivés. Notre plan de marketing multiforme, basé sur la propriété indépendante et assorti de primes multiples, garanties à vie, suscite l'enthousiasme, la loyauté et le sens des responsabilités dans le cœur de plus de deux millions de distributeurs indépendants disséminés partout dans le monde.

Le socialisme marxiste a échoué pour de multiples raisons, mais à l'origine de l'effondrement de ce système économique il y a le manque de motivation des travailleurs. Ils ne pouvaient posséder leur propre part de richesses naturelles. Ils ne pouvaient même pas être propriétaires des machines ou des outils avec lesquels ils travaillaient. Le résultat, c'est qu'ils n'étaient même pas propriétaires de leur propre énergie. Tout comme les ressources naturelles, les outils et les machines, le travailleur était la propriété de l'État.

C'est pourquoi, ces 25 dernières années j'ai voyagé partout dans ce pays pour parler en faveur de la libre entreprise et vanter ses 4 atouts principaux: la liberté, la récompense, la reconnaissance et l'espoir. Le capitaliste est libre de posséder des ressources naturelles et les outils ou machines nécessaires pour les exploiter. Étant propriétaire, il est libre lui-même. Et la liberté, quelle différence cela fait!

Examinons l'histoire marxiste. Chaque fois que le gouvernement a eu la mainmise sur une nouvelle richesse naturelle ou un nouveau moyen de production, la productivité a diminué. Et chaque fois que le gouvernement a redonné aux gens le droit de propriété, la productivité a augmenté. La raison est claire.

Quand mon fils, Dick, a eu 16 ans, je lui ai donné une automobile, la mienne. Je payais l'essence. J'achetais les pneus. Je réparais les freins. Y a-t-il de quoi s'étonner que Dick ait laissé des traces de pneus dans l'allée, et soit revenu, après avoir promené ses copains en ville, avec la voiture en désordre et le réservoir d'essence à sec. D'ailleurs, lorsque quelque chose allait mal, il laissait l'auto dans le garage jusqu'à ce que je l'eusse réparé?

Lorsqu'il eut 18 ans, je transférai les papiers de la voiture à son nom. Tout à coup, il n'y eut plus de traces de dérapage. Il devait acheter les pneus. Les longues randonnées devinrent plus courtes. Dick devait acheter l'essence. Et il cessa de promener ses copains et tout leur attirail à travers la ville. L'entretien de la voiture était désormais sa responsabilité. Aujourd'hui, mon fils est président de sa propre entreprise, le Windquest Group. C'est un dirigeant responsable dans notre communauté, membre de la commission scolaire d'État et consultant auprès d'entreprises, y compris la nôtre. Quelque part en chemin, il a appris l'autonomie et les responsabilités qu'on doit assumer lorsqu'on accède à la propriété.

Deux choses se produisent invariablement quand les ressources naturelles et les outils ou les machines sont la propriété des travailleurs: ils durent plus longtemps et sont utilisés avec plus d'efficacité. C'est pourquoi le fermier américain qui possède sa propre terre et son propre tracteur entretient bien sa terre et garde son tracteur en bon état. Lorsque vient le temps des récoltes ou de la moisson, il allume les phares de son tracteur et travaille toute la nuit. Son travail est d'autant plus méritoire qu'il est effectué efficacement.

Examinons à nouveau notre formule :

$$BM = RN + ÉH \times O$$

Depuis des années, j'explique à travers le pays comment fonctionne le capitalisme en me servant de cette équation. J'y crois toujours. Mais il manque encore une donnée à cette formule.

Le secret d'une réussite véritable et durable en affaires réside dans la compassion. Aujourd'hui, quand j'expose ma formule, j'ajoute l'élément compassion à chacune des étapes du processus. La formule du capitalisme avec compassion ressemble à ceci :

$$BM = (RN + ÉH \times O) \times C$$

Quand on multiplie les vertus de chacun des éléments par la compassion, des choses étonnantes se produisent. On doit se laisser guider par la compassion à chacune des étapes de la production des biens matériels et, le cas échéant, dans l'utilisation de ces biens. La compassion doit également nous guider dans notre utilisation des ressources naturelles, de l'énergie humaine et des outils ou des machines.

Certains rient lorsque je dis que c'est la compassion et non le profit qui constitue le but ultime du capitalisme. Ils peuvent bien rire, mais qu'ils sachent ceci : lorsque la libre entreprise connaît la compassion et s'en inspire, les profits suivent, la qualité de l'existence humaine est améliorée et la terre est préservée et renouvelée. Lorsqu'on ne tient pas compte de la compassion dans le processus, les profits peuvent suivre pendant quelque temps, mais les coûts à long terme de la souffrance humaine et de la dégradation de la planète sont beaucoup trop élevés pour que nous puissions nous les permettre.

Dans le credo qui suit, un énoncé de mes convictions, je tenterai d'expliquer ma vision du capitalisme avec compassion, qui imprègne mon esprit d'entreprise et que je m'efforce d'appliquer dans mon travail quotidien. Je veux vous faire connaître l'entreprise de mes amis, dont les idées au sujet du capitalisme avec compassion vous renseigneront et vous inspireront comme elles l'ont fait pour moi.

Pour l'instant, je crois qu'il suffit de dire que le capitalisme est devenu le système économique privilégié partout dans le monde, car il accorde à chacun, où qu'il soit, la liberté de rêver de faire des profits (l'argent qui reste une fois que toutes les factures sont payées), ainsi que les moyens de réaliser ces rêves. Ce qui fait la grandeur du capitalisme, ce n'est pas qu'il permet à une poignée de gens de faire des millions, mais plutôt qu'il permet à des millions de gens de devenir ce qu'ils ont envie d'être.

Malheureusement, il s'est toujours trouvé (et se trouvera toujours) des capitaliste cupides, impitoyables et négligents qui n'ont aucun scrupule à faire des profits même si ce processus les mène à faire souffrir les gens et à détruire notre planète. Les capitalistes compatissants veulent eux aussi retirer des profits, mais ils sont convaincus que les vrais profits viendront si le bien des gens et de la planète passe avant.

Le « profit » réalisé aux dépens de l'humain et de la planète n'est pas un profit du tout. Les coûts réels, dans ce cas, ne sont pas comptabilisés. Ces résultats financiers devraient être inscrits non en noir mais en rouge sang. Le « profit » qui avilit et déshumanise nos frères et sœurs, ou qui appauvrit et détruit la terre, nous conduira en dernier lieu tous à la mort, aussi sûrement que le désir du roi Midas de transformer en or tout ce qu'il touchait a conduit à l'effondrement de ses rêves et à la mort de ceux qu'il aimait le plus.

Le capitalisme avec compassion distingue le vrai profit du « profit » réalisé de façon imbécile. Il rend les gens libres de rêver de grands projets pour eux-mêmes et pour la planète, et leur donne les moyens de concrétiser leurs rêves.

Dans les pages qui suivent, je vous raconterai des expériences vécues au sein de notre entreprise et ailleurs pour illustrer et jeter la lumière sur les principes du capitalisme avec compassion tels que je les comprends. En vous racontant ces histoires, je prends en quelque sorte un risque. D'abord parce que vous, qui avez vécu ces expériences et qui me les avez racontées, vous pouvez les relater tellement mieux. Et ensuite, parce qu'il y en a tant parmi vous dont les expériences sont tout aussi émouvantes, mais que je ne peux inclure dans ce livre tout simplement par manque d'espace. Souvenez-vous que même si votre histoire n'est pas racontée dans les pages suivantes, je vous compterai toujours au nombre de mes amis !

Compassionate Capitalism Foundation

Le monde change à un rythme étourdissant. Partout, les gens prennent conscience des difficultés auxquelles notre planète est confrontée. Difficultés dont je mesure l'ampleur chaque fois que je lis le journal ou que je bouquine dans la librairie du quartier. Et ce qui nous inquiète le plus, c'est notre malaise économique. Les gens peuvent ignorer ou nier un grand nombre de problèmes, mais ils ne peuvent ignorer leurs portefeuilles, du moins pas longtemps.

Notre société est ébranlée par des changements structurels majeurs. Les historiens de la société appellent notre époque l'« ère post-moderne ». Les futuristes disent que nous souffrons du « choc du futur ». Les historiens de la société ont souligné que nous subissons un « changement de paradigme ». Les hommes de science nous disent que les présupposés occidentaux sont à un « point tournant ». Les démographes notent des « changements majeurs » au niveau du profil de la famille. Les économistes nous avertissent que l'économie nationale subit des « transformations fondamentales »...

Tout cela nous rend inquiets. Même dans les circonstances les plus favorables, le changement est difficile à accepter. Les gens n'aiment pas le changement. Ils ont tendance à se cramponner à de vieilles solutions. Les tensions sont fortes. Thomas Kuhn a inventé cette expression devenue à la mode : *changement de paradigme*. Dans son livre intitulé *La Structure des révolutions scientifiques*, il décrit les réactions des scientifiques face aux nouvelles découvertes et la difficulté qu'ils ont eue à modifier leurs croyances fondamentales en conséquence.

Thomas Kuhn a noté que les scientifiques faisaient tout pour nier la validité des nouvelles théories ou la nécessité de changer d'idée. Il décrit les symptômes associés aux changements fondamentaux : négation persistante, refus d'admettre l'évidence, répugnance à critiquer les vieilles idées, tendance à calomnier les confrères plus progressistes et irritation face à l'obligation d'abandonner leurs bons vieux dogmes.

Nous ne sommes pas très différents de ces scientifiques. Les changements ayant un impact sur nos vies, comme la restructuration sociale et les incertitudes économiques, nous mettent mal à l'aise. Le monde semble un peu trop imprévisible, et nous n'aimons pas cela. Nous nous sommes tous réjouis de l'effondrement du communisme, mais maintenant nous nous demandons avec inquiétude quel système le remplacera. On a l'impression que le capitalisme a fait ses preuves, mais nous sommes préoccupés par ses défauts et ses faiblesses.

Avec ce livre, avec la sortie imminente d'une série de vidéocassettes en quatre parties et les différents guides d'utilisation et la documentation à l'appui, je lance la Compassionate Capitalism Foundation. Ma femme Helen, une entreprise appartenant à nos amis qui financent avec nous cette nouvelle fondation et moi-même, visons ces objectifs simples : vous aider à renouveler votre foi dans la libre entreprise, vous faire partager l'espoir qu'il est possible de faire face aux changements et aux incertitudes auxquels nous sommes confrontés et vous démontrer que la compassion est le principe de base qui doit vous guider tout au long de votre voyage.

Nous finançons également, un prix annuel : le Compassionate Capitalism Prize. À compter de 1994, nous décernerons des prix, des grands et des petits, à des gens et des institutions de ce pays et du monde entier qui pourront nous servir de modèles de capitalisme avec compassion. Je me rends compte que je n'ai pas accordé assez de temps, dans ma vie, à cette question de la compassion. Je suis résolu à consacrer beaucoup plus de temps, d'argent et d'énergie pour aider les gens et préserver la planète. En fait, Helen et moi avons décidé de tout donner à notre fondation pendant que nous sommes encore en vie. Si vous attendez d'être mort pour être généreux, quelqu'un d'autre aura la joie de donner en votre nom. Depuis plusieurs dizaines d'années, je me suis amusé à « patauger » sur la « rive » du capitalisme avec compassion. Maintenant, je veux en explorer les hauteurs et les profondeurs, comme jamais je ne l'ai fait auparavant.

Lorsque les vignerons font du nouveau vin, ils le mettent dans des barils et le laissent fermenter. Dans les établissements vinicoles modernes, les barils sont maintenant bouchés avec de grosses bouteilles et non plus avec des bouchons de liège. En vieillissant, le vin nouveau laisse échapper du gaz carbonique. Si le baril est bouché hermétiquement avec du liège, il explosera. Les bouteilles permettent au vin de « respirer ». Dans les temps bibliques, Jésus disait que cela expliquait pourquoi on ne mettait jamais le vin dans de vieilles outres à vin. Étant rigides, elles brisaient : « Non », dit Jésus, « mettez le vin nouveau dans des outres neuves ; alors tous deux seront préservés. »

Il m'apparaît que notre nouvelle tâche est d'aider les gens à édifier un nouveau capitalisme à partir d'une vieille réserve de vin — les meilleurs vins sont les plus vieux — et de verser ce vin dans de « nouvelles outres ». Je crois que la nouvelle outre à vin, c'est la *compassion*.

« Maintenant nous sommes libres ! Tout nous est possible ! »

Andrej Zubail est un ex-Allemand de l'Est de 23 ans habitant en banlieue de Leipzig avec sa femme, Maria, et ses garçons jumeaux, Rolf et Heinz. La première fois que je l'ai rencontré, il se frayait un passage vers moi à travers la foule qui avait rempli le hall de l'hôtel, il était avec sa femme et portait ses deux beaux bébés dans ses bras. Je venais de prononcer une allocution sur le capitalisme avec compassion devant une assemblée de nouveaux distributeurs à Berlin. Lentement, Andrej et sa petite famille se frayèrent un chemin jusqu'à la tribune.

« Monsieur DeVos », dit-il doucement en anglais avec un fort accent, « je suis Andrej Zubail. Voici ma femme et mes fils. »

Pendant un moment, le jeune homme regarda sa famille en souriant. Puis, soudain, il leva les yeux vers moi. Je crois qu'il cherchait dans sa tête les mots justes. Quand il parla enfin, ses lèvres tremblèrent et une larme coula sur sa joue. Je pus m'apercevoir, même s'il tenait ses deux fils, que ses mains tremblaient d'excitation.

« Lorsque l'Allemagne de l'Est fut libre », dit-il, « je ne savais pas tout d'abord quoi faire. Je voulais tout pour Maria et les enfants, tout ce que nous n'avions pas eu pendant toutes ces années. Mais par où commencer ? Pas facile. Nous n'avions pas d'argent — ou plutôt, comment dit-on ? pas de fonds — rien à vendre ou à échanger pour obtenir un prêt. Nous voulions mettre sur pied notre propre entreprise, mais comment faire ? »

Il fit une pause et regarda sa femme, attendant d'elle un soutien moral. Elle lui sourit et le prit par la taille.

« Alors, je dis à Maria : « Qu'allons-nous faire ? » Et elle me répondit : "Maintenant nous sommes libres. Tout nous est possible. " "

Puis, Andrej nous remercia tous de la chance que notre entreprise lui avait donnée. En six mois seulement, Maria et lui avaient mis sur pied une impressionnante petite entreprise. Mais l'histoire d'Andrej ne concerne pas Amway. Elle est en rapport avec le capitalisme avec compassion et toute la différence que cela peut faire dans nos vies, même à petites doses.

« Maintenant nous sommes libres », dit Maria, « tout nous est possible ! » Son mari et elle le crurent, et ensemble ils prouvèrent qu'ils avaient raison.

Je n'oublierai jamais ces mots de Maria et l'expression du regard d'Andrej lorsqu'il les cita. Nous vivons un moment historique. Partout dans le monde, les murs tombent en ruines. Les portes des prisons s'ouvrent à toute volée. Des hommes, des femmes et des enfants en sortent en clignant des yeux devant la lumière vive de la liberté marquant le début d'un jour nouveau.

Il ne sera pas facile de recommencer à bâtir sur ces économies en ruine pas plus que de remettre sur pied notre propre économie. Cependant, tant et aussi longtemps que nous sommes libres, les problèmes peuvent être résolus.

Nous ne devons laisser rien ni personne menacer notre liberté, quelles que soient les « solutions » proposées. Que ces longues années de tyrannie communiste servent à nous rappeler que sans liberté, tout est perdu. Et gardons toujours en mémoire ces paroles de Maria Zubail : « Maintenant, nous sommes libres. Tout nous est possible ! »

Partie I

À vos marques !

CHAPITRE 1

Qui sommes-nous ?

Nas Imran s'assit sur le bord du sommier de fer de sa couchette dans sa petite cellule, à la prison d'État de Washington. Il ne pouvait dormir. Et lorsqu'il réussissait à s'assoupir, ses rêves étaient hantés par des ombres menaçantes et par des voix irritées et confuses.

«En 1969, je n'avais que 19 ans», se rappelle Nas, «j'étais un enfant noir essayant d'échapper à la tristesse et à la terreur des quartiers pauvres de la ville en m'inscrivant à l'université de Washington pour jouer au football*. À l'époque», ajoute-t-il, «je rêvais notamment du trophée Heisman, d'une saison de championnat, d'être finaliste, à la coupe Rose, et plus tard, d'un contrat avec les professionnels.»

À travers les barreaux, Nas pouvait voir un gardien blanc corpulent, les pieds appuyés contre son bureau de métal, buvant du café et regardant un film de fin de soirée à la télé, tandis que les prisonniers dont il avait la charge, des Noirs pour la plupart, dormaient d'un sommeil agité ou tournaient en rond dans leurs cellules.

---

* Au football américain, s'entend. (N.d.T).

«Je me suis laissé influencer par de mauvaises personnes», poursuit-il. «J'ai eu des ennuis avec la loi et je me suis retrouvé soudain dans une cour de justice, face à un juge. J'ai fini en prison, où je purge une peine de deux ans. Et croyez-moi, ajoute-t-il, il est difficile d'entretenir des rêves derrière les barreaux.» Il s'interrompt un moment. Puis, il ajoute calmement: «Évidemment, entretenir des rêves n'a jamais été facile pour ma famille.»

L'arrière-grand-père de Nas Imran était un esclave, et les parents de sa mère moururent tous deux avant qu'il n'eût atteint l'âge de cinq ans. Même après qu'Abraham Lincoln eut ratifié la Proclamation d'émancipation, on refusa toujours de reconnaître aux Américains d'ascendance africaine ces droits humains fondamentaux que nous considérons naturels. Ils ne pouvaient voter, s'exprimer, écrire ou se réunir librement. Selon la loi, ils ne pouvaient bénéficier de la libre entreprise, de la propriété, de la possession de terres, de biens immobiliers et du crédit.

Les aïeux des Afro-Américains d'aujourd'hui n'étaient pas encouragés à avoir confiance en eux ni à acquérir de l'autonomie, et ils devaient réprimer tout désir de devenir capitalistes. Les propriétaires d'esclaves et les propriétaires terriens maintenaient les esclaves et les anciens esclaves dans la dépendance et l'endettement. La plupart des Noirs américains étaient asservis à leurs employeurs et vivaient dans la crainte d'être lynchés par la foule ou par le Ku Klux Klan.

Il y eut ainsi des générations entières d'Américains désespérés et impuissants. Ils continuèrent à rêver, mais ne purent mettre à profit leurs potentialités et leurs talents pour réaliser leurs rêves. Durant ces longs mois passés en prison, Nas était entouré d'hommes marqués par ce tragique héritage ancestral.

«J'ai vu des condamnés à perpétuité, au dos voûté et aux cheveux gris, traîner les pieds, attendant sans espoir que finisse un autre jour», se souvient-il. «J'ai vu des jeunes qui, les yeux baissés, soumis, étendaient au marteau des plaques d'immatriculation ou des portefeuilles en cuir. Il y avait des Black Panthers, produits récents de la guérilla des ghettos urbains, des musulmans noirs faisant l'éloge d'Elijah Muhammad et discutant «révolution». Mais la plupart des prisonniers ne cessaient de rendre les autres responsables de leur situation. Ils «bouillaient» de colère en silence, mangeant, dormant et méditant leur revanche.»

« Eh, Nas », grogna le gardien, alors qu'il faisait sa ronde de nuit, « cesse de tourner en rond dans ta cage. Cela me rend nerveux. »

D'abord, Nas ne bougea pas. Puis, lentement, il se coucha sur son matelas dur et sale et resta étendu, fixant le plafond.

Maintenant, je vous demande un instant de faire appel à toute votre imagination. Comment croyez-vous que Nas Imran aurait réagi cette nuit-là si le gardien avait quitté son étroite cabine, avait marché le long du corridor jusqu'à la cellule de Nas Imran et avait dit calmement ces mots par lesquels commence le credo 1, au début de ce chapitre ?

Imaginez un peu : « Eh, Nas », aurait peut-être dit le gardien, « comprends bien ceci. Rich DeVos pense que tu devrais savoir que "chaque homme, chaque femme et chaque enfant est créé à l'image de Dieu et que, pour cette raison, chacun a de la valeur, une dignité et un potentiel uniques." Tu as saisi ? »

Après le rire moqueur ou la violente réplique de Nas, le gardien n'aurait jamais osé lui révéler la conclusion de cette prémisse : « Par conséquent, tu peux légitimement entretenir de grands rêves pour toi-même et pour les autres ! » Le jeune Noir américain aurait sûrement encore ri ou manifesté son irritation, et le gardien se serait tu, embarrassé.

Pourtant, cette assertion est placée au tout début de ce chapitre, et vous pouvez la prendre en considération, vous en moquer ou l'ignorer complètement. Si je l'ai placée là, c'est parce que je crois de tout mon cœur que si vous avez foi en ce credo et que vous le mettez en pratique, cela fera une différence incroyable dans votre vie, comme cela en a fait une dans la mienne et dans celle d'un grand nombre de mes amis.

Comment vous percevez-vous ?

Ne craignez rien, je ne veux pas vous convertir à ma propre vision judéo-chrétienne. Vous pouvez être un capitaliste prospère et moins vous préoccuper de Dieu. Et il est certain que vous pouvez croire à l'évolution de votre entreprise, avec ou sans la puissance et la présence de Dieu, et réussir quand même dans le monde des affaires. Dans notre entreprise comme dans la vôtre, il y a des distributeurs et des employés de toutes tendances religieuses et philosophiques.

Les véritables questions sont celles-ci: Qui croyez-vous être? Pourquoi pensez-vous que vous êtes né? D'où viennent vos rêves? Quel espoir avez-*vous* de voir ces rêves se réaliser? Votre création a-t-elle un sens, ou est-elle le fruit d'un pur hasard, une erreur génétique ou un mystère insondable?

À la question «Comment vous percevez-vous?», une de mes amies, qui est biochimiste, répond avec ironie: «Je suis constituée d'eau à 60%, commence-t-elle, assez pour remplir une petite baignoire. Le reste de mon corps est constitué principalement de gras, assez pour faire au moins 4 ou 5 savons et divers produits chimiques. J'ai assez de calcium pour fabriquer un gros morceau de craie, l'équivalent d'un petit paquet d'allumettes en phosphore, assez de sodium pour assaisonner un sac de pop-corn cuit au four micro-ondes, assez de magnésium pour faire fonctionner une ampoule de flash, assez de cuivre pour fabriquer un denier de veuve, assez d'iode pour faire sursauter de douleur un enfant, assez de fer pour la fabrication d'une grande quantité de clous et assez de soufre pour débarrasser un chien de ses puces. En tout», conclut-elle, «dans le contexte de la récession actuelle, ma valeur en eau, en gras et en produits chimiques est d'environ 1,78 $.»

Le philosophe, architecte et urbaniste Buckminster Fuller a également répondu à la cette question. J'ai paraphrasé ci-dessous sa réponse, laquelle est beaucoup plus longue.

«Je suis un bipède autoréglé, constitué de 28 articulations, un raccord à prises multiples, une usine de traitement électrochimique avec des installations intégrées et séparées où l'énergie est stockée dans des accumulateurs qui alimentent eux-mêmes des milliers de pompes hydrauliques et pneumatiques, chacune dotée de son propre moteur; je suis constitué de 99 780 kilomètres de petits vaisseaux sanguins, de millions de dispositifs d'alarme, de rails et d'un réseau de convoyeurs; également, de broyeurs et de grues, d'un vaste réseau téléphonique ne nécessitant, si bien entretenu, aucune réparation pendant 70 ans; tout cela contrôlé à partir d'une tourelle où l'on retrouve des télescopes, des microscopes, des dispositifs de repérage enregistrant automatiquement des données, un spectroscope, etc.»

B.F. Skinner, psychologue et père du behaviorisme, a répondu ainsi à la question: «Je suis une série de réflexes acquis, déclenchés par mon environnement. Comme le chien de Pavlov, je suis entraîné, par des forces que je ne peux contrôler, à saliver à un signal donné. Je ne puis «entreprendre aucune action ni apporter de changements de façon libre et spontanée.» Tout est conditionné. Le choix est une illusion. Les rêves sont trompeurs.

Que pensez-vous de ces réponses? Placez-vous devant un miroir quelque part, regardez-vous droit dans les yeux et posez-vous cette question: «Comment est-ce que je me vois?»

Pensez-vous être un amoncellement de produits chimiques ou une machine complexe fonctionnant de façon automatique ou encore un organisme entraîné à saliver à un signal donné? Si oui — mais je ne le crois pas un instant —, sachez qu'on ne va pas très loin avec 1,78 $ d'eau, de gras et de magnésium. Les machines sont dépourvues de cœur et d'esprit ou de conscience. Les chiens de Pavlov rêvent peut-être, mais ils n'ont aucun moyen de réaliser leurs rêves. Ne croyez-vous pas sincèrement que vous êtes plus que tout cela ensemble?

C'est pourquoi j'aime beaucoup la richesse et la beauté des textes bibliques. Dans la Genèse, Moïse donne *sa* réponse à la question. Dans son récit poétique et profondément émouvant de la création, le vieux prophète nous dit qui nous sommes, d'après lui, et pourquoi nous osons rêver.

Il commence le plus célèbre passage littéraire de l'histoire avec ces simples mots: «Au commencement, Dieu créa le ciel et la terre.» (Genèse 1, 1) Au sixième jour de la création, écrit Moïse: «Dieu créa l'homme à son image, à l'image de Dieu il le créa, homme et femme il les créa.» (Genèse 1, 27) «Alors Yahvé Dieu modela l'homme avec la glaise du sol, il insuffla dans ses narines une haleine [l'esprit] de vie et l'homme devint un être vivant.» (Genèse 2, 7)

Moïse ne croyait pas que nous sommes le résultat d'un «accident» dans l'évolution, mais que nous avons été créés par Dieu avec soin et amour (Genèse 1-2). Nous ne sommes pas simplement une autre plante ou un autre animal, car nous avons reçu de Dieu le «souffle divin» et participons ainsi à la véritable nature et à la véritable visée de notre Créateur.

Et la Terre n'est pas qu'une autre planète tournant sans fin autour du Soleil dans l'espace infini. C'est le lieu d'habitation que Dieu nous a attribué. Nous sommes censés trouver notre nourriture et nous sommes appelés à vivre dans la joie sur cette terre. En retour, nous partageons le privilège et la responsabilité de nous occuper de notre planète et les uns des autres, comme Dieu s'oc-

cupe de nous (Genèse 1, 28). Nous sommes des créatures privilé-
giées de Dieu, appelées à communier avec notre Créateur et avec
nos semblables (Genèse 1, 31).

Dans « God's Trombone », récit évocateur et étrange de la
création, de James Weldon Johnson, le poète américain d'origine
africaine décrit d'une façon vivante, personnelle et unique l'histoire racontée par Moïse. Au sixième jour de la création, Dieu
s'arrête pour réfléchir.

> « Alors Dieu se promena,
> Et Dieu regarda autour de lui
> Tout ce qu'il avait fait,
> Il regarda son soleil,
> Il regarda sa lune,
> Et il regarda ses petites étoiles ;
> Il regarda ce monde qu'il avait créé
> Et toutes les créatures vivantes qui y vivaient
> Et Dieu Dit : Je suis en paix mais seul.

> « Alors Dieu s'assit
> Sur le versant d'une colline où il pouvait réfléchir ;
> Près d'une rivière large et profonde il s'assit ;
> La tête dans les mains,
> Dieu réfléchit et réfléchit,
> Jusqu'au moment où il pensa : *Je vais créer un homme* !
> « Dieu ramassa de l'argile
> Du lit de la rivière ;
> Et près de la rive
> Il s'agenouilla ;
> Et là, le grand Dieu Tout-Puissant
> Qui alluma le soleil et le fixa dans le ciel,
> Qui lança les étoiles dans le coin
> Le plus éloigné de la nuit,
> Qui arrondit la terre avec ses mains ;
> Ce grand Dieu,
> Comme une maman qui se penche sur son bébé,
> S'agenouilla dans la poussière,
> Et, d'une motte de glaise,
> Le modela soigneusement à sa propre image.
> Il lui insuffla une haleine de vie,
> Et l'homme devint un être vivant.
> Amen. Amen[*]. »

---

[*]   Traduction libre. (N.d.T.)

Qui suis-je? Qui êtes-vous? Notre tradition fournit une réponse profondément personnelle. Nous sommes les enfants d'un Créateur aimant qui S'est penché vers la glaise et a rempli de Ses propres rêves notre cœur, comme «une maman qui se penche sur son bébé». Le récit de la Création présage des conséquences inouïes pour Nas Imran et pour nous tous.

Nous sommes créés. Nous ne sommes pas qu'un assemblage de produits chimiques ou une machine sans intelligence. Nous sommes des êtres humains créés à l'image du Créateur. Lorsque nous sommes nés, Dieu nous a tenus, chacun d'entre nous, dans Ses bras et a murmuré: «Je t'ai créé, et ce que J'ai créé est bon!»

Rappelez-vous l'autocollant pour voiture: «Dieu ne fabrique pas de camelote!» C'est vrai. La vie a peut-être été difficile pour vous. Il se peut que vous éprouviez de la colère ou de la frustration; que vous vous voyiez comme un marginal ou un raté. Vous pensez peut-être que vous avez manqué votre chance et qu'il vous est impossible de recommencer.

Pour changer, essayez de vous voir comme votre Créateur vous voit. Quoi que vous ayez fait ou omis de faire, Dieu vous voit comme Son propre fils ou Sa propre fille. Et quoi qu'il ait pu arriver au fil du temps, tout comme le père de l'enfant prodigue, Dieu attend patiemment que vous reveniez à la maison pour recevoir Ses présents et vous asseoir à Sa table d'honneur.

Nous sommes créés pour rêver. Nos rêves sont, eux aussi, créés à l'image des rêves de Dieu. Imaginez un peu ce que cela signifiera pour vous que de commencer à avoir des rêves semblables à ceux que votre Créateur nourrit pour vous et pour la planète! Henry David Thoreau a dit: «Les rêves sont les pierres de touche de notre caractère.» Vos rêves révèlent votre personnalité et vos préoccupations. Leur ampleur révèle la grandeur de votre âme.

Je comprends combien il peut être difficile pour vous d'oser rêver. Comme Nas Imran, peut-être vous a-t-on laissé un triste héritage. Peut-être avez-vous été abusé ou maltraité quand vous étiez enfant. Peut-être avez-vous grandi dans la pauvreté, la peur ou l'abandon. Peut-être traînez-vous un terrible fardeau de culpabilité, de dettes, de douleur ou de handicaps. Vous portez peut-être les cicatrices de batailles perdues et de rêves brisés.

Néanmoins, comme dit un vieux dicton, il n'est jamais trop tard pour rêver.

Si vous avez trop peur ou êtes trop blessé pour nourrir de grands rêves maintenant, nourrissez des rêves plus modestes. « J'ai appris », dit également Henry David Thoreau, « que si quelqu'un avance avec confiance dans la direction que lui indiquent ses rêves et s'applique à vivre la vie qu'il a imaginée, il connaîtra un succès inattendu. »

La plupart des gens créent leur propre entreprise simplement pour faire mensuellement quelques dollars supplémentaires. Peu le font dans l'intention de devenir prospère et autonome. Puis, peu à peu, étape par étape, leurs rêves prennent de l'ampleur en même temps que leur entreprise prend de l'importance. Les rêves modestes constituent un bon point de départ. Quels rêves modestes oseriez-vous envisager de concrétiser aujourd'hui ?

Nous sommes aimés de Dieu et avons reçu de notre Créateur le pouvoir de voir nos rêves se réaliser. Dieu ne nous a pas créés et a ensuite pris la fuite. Le Créateur est aussi agissant et intéressé à votre vie aujourd'hui qu'Il l'était le jour où Il vous a créé. Peut-être avez-vous le sentiment que personne ne vous aime, que vous êtes seul et que votre vie n'est qu'une lutte, mais c'est faux. Dieu est avec vous et a rempli de rêves votre cœur pour vous guider tout au long de votre voyage. Vos rêves ne sont pas que des fantômes géants venant tourmenter votre esprit pour se moquer de vous ou vous ridiculiser. Ils sont réels et devraient être soigneusement pris en considération.

Il y a, bien sûr, un danger ici. À un certain moment, il est possible que nous envisagions des scénarios irréalistes. J'aimerais bien chanter comme Pavarotti ou faire des passes comme Joe Montana ou lancer le ballon comme Magic Johnson ou écrire comme Toni Morrison. Il est très important de consulter régulièrement ceux que nous aimons et en qui nous avons confiance. Parfois, les rêves irréalistes deviennent obsédants, et nous avons alors besoin de l'aide d'un conseiller. Mais souvent, les rêves les plus « irréalistes » sont ceux qu'il importe le plus d'entretenir. Quelquefois, même les rêves utopiques ou insensés peuvent vous ramener à ceux que Dieu a déposés dans votre cœur.

Assis dans cette cellule de prison isolée, au milieu des ruines de ses rêves de coupe Rose, Nas Imran, cet enfant de l'esclavage et de l'injustice, continua à rêver. D'abord, des rêves dominés par la colère. À sa libération, Nas se joignit à la communauté noire musulmane. À Chicago, il se rendit utile lors de la passation des pouvoirs du leadership en raison du décès d'Elijah Muhammad. Par la suite, il fut désigné ministre de l'importante population noire musulmane de Seattle.

«Alors j'ai appris», explique Nas, «que ce qu'on avait fait subir à mon peuple dans ce pays ne pouvait être vengé. Il fallait plutôt cicatriser les blessures. Le rêve des musulmans noirs reposait sur la haine et le rejet de la responsabilité sur les autres. Il ne pouvait y avoir de guérison possible si je continuais, dans mon cœur, à haïr et à condamner les autres. Alors quelqu'un m'a dit que le rêve chrétien reposait sur l'amour. L'amour guérit. M'inspirant de l'exemple de Jésus, j'ai appris à pardonner le passé et à entretenir de grands rêves, en noir et blanc, pour l'avenir.»

Aujourd'hui, Nas et Vicki Imran possèdent une entreprise de distribution Amway qui prospère. Et Nas a légué son rêve de libre entreprise à sa femme et à ses huit enfants ainsi qu'à des centaines de personnes qui gèrent maintenant leurs propres entreprises et qui sont prospères. Avec cette nouvelle sécurité financière, Nas est libre de mettre son temps, son argent et sa créativité au service des autres membres de sa communauté.

En fait, grâce à Nas Imran et à des centaines d'autres comme lui faisant partie de la grande famille d'Amway et dont les entreprises sont bien implantées en Afrique, en Asie et en Amérique latine, l'entreprise se transforme. Nous mettons au point et nous lançons des produits pour des gens autrefois ignorés ou laissés pour compte. Nous ouvrons des portes à des personnes auparavant exclues. Nous utilisons des fonds provenant de la société pour appuyer l'octroi de bourses d'études par des organismes utiles, tel le United Negro College Fund, parce que Nas Imran et d'autres comme lui ont entretenu de grands rêves pour eux-mêmes et pour nous.

Comment percevez-vous les autres?

Le credo 1 comporte des points qui peuvent nous inspirer, chacun de nous personnellement. Une fois que nous en avons vraiment saisi l'idée de base, nous sommes prêts à entreprendre notre voyage. Mais le credo 1 a également une portée éthique et morale considérable. Votre façon de vous percevoir n'est que le point de départ. À la longue, votre façon de percevoir les autres peut même jouer un rôle plus déterminant dans la réalisation de vos rêves. Si vous et moi avons vraiment été créés à l'image de Dieu afin de poursuivre de grands rêves pour nous-mêmes, alors chacun a aussi été créé à l'image de Dieu et nous devons inclure les autres dans nos rêves et envisager de les aider à réaliser leurs propres rêves.

Réfléchissez à cette autre conséquence du credo 1. Il ne suffit pas de croire que j'ai été créé par un Dieu aimant afin de nourrir de grands rêves. Je dois également croire que vous avez été créés exactement de la même façon et dans le même but.

Dans l'histoire, chaque fois qu'un homme ou un groupe s'est cru supérieur au reste du monde, les conséquences ont été terribles. Les tragédies se produisent souvent quand des hommes se voient comme des créations d'une valeur inestimable, mais voient chacun des autres comme un amoncellement de produits chimiques valant 1,78 $.

Il y a à peine 50 ans, j'étais déjà né, les nazis, sur l'ordre d'Adolf Hitler, gazèrent et brûlèrent 6 millions de juifs européens. Encore au moins 6 000 000 de prisonniers religieux, militaires et politiques furent torturés et tués, toujours durant le règne de terreur d'Adolf Hitler.

Ces victimes de son mensonge étaient des hommes, des femmes et des enfants créés par Dieu pour rêver, mais pour Adolf Hitler, ils n'avaient pas plus de valeur que des broutilles. Il est facile de brûler une pile de produits chimiques valant à peine 1,78 $. Notre conscience n'est pas blessée quand on voit une machine bruyante et souvent défectueuse jetée aux ordures. Peu de gens sont choqués lorsqu'un chien égaré est piqué.

Ils furent donc tués. Des millions. Des gens créés de la même manière que vous et moi et dont les rêves furent engloutis dans une mort terrible et prématurée. N'oubliez jamais ces photos prises dans les camps de concentration à Auschwitz et à Buchenwald. Des mères, des pères et de petits enfants terrifiés se cramponnant les uns aux autres au moment où des membres de sections d'assaut nazies et des chiens policiers les conduisaient vers les camps de concentration. Des familles entières entassées dans des chambres à gaz, et dont les vêtements, les plombages en or et les lunettes avaient plus de valeur, aux yeux de leurs bourreaux, que leurs vies. Des abat-jour faits de peau humaine. Des crânes d'enfants utilisés comme cibles ou comme cendriers. Des corps nus, tordus, amaigris par la faim, empilés comme du bois cordé ou jetés dans de larges fosses.

Lisez *L'Archipel du Goulag*, d'Alexandre Soljenitsyne, récit émouvant, par un témoin oculaire, des boucheries perpétrées par des communistes. Joseph Staline et ses acolytes ont envoyé, estime-t-on, 10 000 000 d'hommes, de femmes et d'enfants en prison, où ils furent torturés et assassinés. Durant la dernière décennie, les Khmers rouges ont massacré 1 000 000 de leurs paisibles compatriotes, au Cambodge. En Iraq, au moment même où j'écris ces lignes, Saddam Hussein continue à assassiner les minorités du pays, à savoir les Kurdes dans le Nord et les chiites dans le Sud; les Serbes de Yougoslavie tuent des Bosniaques; en Irlande, catholiques et protestants continuent à perpétrer des attentats à la bombe, à procéder à des enlèvements et à se tirer les uns sur les autres; tandis qu'en Terre Sainte, des enfants innocents de juifs, de chrétiens et de musulmans sont encore tués et mutilés, victimes d'une soif de vengeance inextinguible.

Mais nous n'avons pas besoin de traverser les mers pour trouver des exemples. Il y eut aussi, dans l'histoire de l'Amérique, des périodes tragiques où la vie de certains de nos frères et sœurs fut sous-évaluée. Les Amérindiens furent trahis et pratiquement éliminés, parce que nos ancêtres ne croyaient pas que les hommes, les femmes et les enfants de race rouge avaient, eux-aussi, été créés par Dieu pour entretenir des rêves. Et bien que notre nouvelle nation ait été bâtie sur le principe que «tous les hommes sont créés égaux et qu'ils ont hérité du Créateur de certains droits inaliénables», les pères fondateurs de ce pays eux-mêmes n'ont pas compris que les femmes et les enfants, sans parler des esclaves, ont reçu les mêmes droits.

En 1681, il n'y avait que 2 000 esclaves dans ce pays, principalement en Virginie. Mais au milieu du XIXe siècle, plus de 4 000 000 d'Africains avaient été enlevés dans leurs villages et expédiés comme du bétail de l'autre côté de l'Atlantique. Une fois arrivés sur cette terre nouvelle et inconnue, les esclaves étaient souvent séparés de leurs familles, vendus aux enchères au plus offrant, enchaînés et emmenés, forcés de passer leur vie à travailler durement, affamés et fouettés, contraints de vivre dans la pauvreté et l'inconfort, privés de dignité et de valeur et enterrés dans des tombes anonymes.

Une fois de plus, cette vision étroite de l'humanité dont je parle a mené à une tragédie. Selon les termes d'Adolf Hitler, les personnes à la peau noire n'appartenaient pas à la «bonne race».

Elles étaient donc considérées comme des machines à ramasser le coton et à labourer les champs.

Cette question de l'esclavage et de ses conséquences à long terme pour notre nation n'a pas été vraiment résolue. Nous ne semblons pas encore croire réellement que tous les hommes (ainsi que les femmes et les enfants) sont créés égaux.

Voir les autres comme on se voit soi-même est la première étape vers l'autonomie et la réussite en affaires. C'est le début de la réponse à tous les problèmes qui ne cessent de préoccuper notre nation et le reste du monde. Juste avant sa crucifixion, Jésus a résumé sa vie et ses enseignements par ces mots simples et éloquents: «Voici mon commandement: aimez-vous les uns les autres.»

Comment voyez-vous votre voisin, votre client, votre patron, l'inconnu dans le besoin qui marche sans but, cette personne qui vous exaspère? Si vous aspirez à la prospérité, il faut que vous voyiez les autres comme vous vous voyez vous-même. Car eux aussi ont été créés pour rêver et eux aussi sont aimés de Dieu, qui veut les voir réaliser leurs rêves.

Nos préjugés ont la vie dure. Il semble que nous soyons prédisposés à haïr beaucoup plus longtemps que nous n'aimons. Néanmoins, il demeure possible de voir les autres comme le Créateur les voit. Il faut que nous nous y efforcions tous. Même nos plus petits efforts peuvent être d'une grande importance.

Thomas Jefferson a dit: «Un homme courageux vaut la majorité.» Je me demande si Abraham Lincoln avait lu ces mots lorsqu'il soumit la Proclamation d'émancipation à son cabinet. Après que les membres eurent voté résolument non à son projet de libérer les esclaves, le président leva la main et dit: «Les oui l'emportent!»

Mes amis d'Amway m'ont beaucoup appris. David et Jan Severn sont d'accord avec moi pour dire: «Vous pouvez avoir tout ce que vous voulez dans la vie si vous êtes disposé à aider d'abord suffisamment les autres à obtenir ce qu'ils veulent.» Comment pourrait-on mieux résumer le credo 1?

Puisque nous avons été créés par un Dieu d'amour, nous pouvons caresser de grands rêves pour nous-même et pour les autres. C'est ce qui a déterminé la réussite des Severn en tant que propriétaires indépendants de leur entreprise.

Dave Severn a grandi à Boise, en Idaho. Avant de s'enrôler dans l'armée des États-Unis, il a obtenu un diplôme de l'université de l'Idaho, où il était inscrit à l'École des officiers de réserve. Après l'obtention de son diplôme, Dave alla travailler dans un cabinet international d'experts-comptables, Ernst and Ernst. Jan Severn fut élevée à Twin Falls, en Idaho, qui compte approximativement 20 000 habitants. En 1969, Jan et Dave étaient mariés. Vers le même moment, Dave fut mobilisé par l'armée américaine, et les nouveaux mariés passèrent leurs trois premières années de mariage à servir leur pays en Europe. Ils eurent leur premier enfant en Allemagne et, à la démobilisation de Dave, ils retournèrent aux États-Unis.

«Ce fut une période difficile financièrement», me dit Dave. «Même si Jan voulait demeurer à la maison avec notre bébé, elle dut se trouver un emploi pour qu'on puisse joindre les deux bouts. Elle a travaillé comme réceptionniste pour un agent d'assurances indépendant. C'est étrange», ajoute-t-il calmement, «comment nos rêves, confrontés à la réalité, se sont rapidement évanouis.

«Nous avions besoin d'un revenu supplémentaire», dit Jan, qui continue l'histoire. «Alors, pour faire quelques dollars supplémentaires, nous avons essayé de rénover de vieilles maisons.» Elle sourit tristement en y pensant. «Cette idée, comme bien d'autres qui ont suivi, nous a seulement conduits à nous endetter davantage.»

«Je faisais les déclarations de revenus de propriétaires d'entreprises», explique Dave. «J'étais étonné de voir combien ils pouvaient faire plus d'argent que les autres, et je me suis bientôt mis à rêver d'ouvrir un cabinet privé d'experts-comptables. Mais les frais de démarrage étaient exorbitants, et ce rêve fut également relégué aux oubliettes.»

«C'est alors que nous avons découvert cette entreprise», dit Jan en souriant, «et le reste mérite de passer à l'histoire.»

Quand on leur demanda de nous révéler la clé de leur réussite, Dave répondit sans aucune hésitation:

«En commençant, nous visions un but», se souvient-il, «devenir riches. Nous avions besoin d'argent pour voir nos rêves se réaliser, et au début nous avions une attitude de fonceurs. J'ai dit à tout le monde: «Vous allez faire de l'argent. Vous allez devenir riches.» Je voyais d'abord les gens que j'embauchais et formais en toute hâte comme une source de revenus. Je m'appliquais vraiment à embaucher les gens brillants, intelligents, et j'avais plutôt tendance à laisser tomber les autres. Je m'entendais leur dire à tous: « Si vous réussissez, nous réussirons tous. » Cependant, au fond de moi-même, j'ajoutais: « Mais si vous échouez, eh bien, c'est votre problème, et bien le bonjour! »

« Puis nous avons commencé à observer ceux qui réussissaient vraiment en affaires », poursuit Jan. « Ils nous ont appris que la différence entre posséder une grosse entreprise et n'en posséder qu'une petite réside dans le nombre de personnes que vous êtes disposé à servir. »

« Je n'oublierai jamais ce que Ron Puryear nous a dit », explique Dave. "Il est dangereux", a dit Ron, "de regarder un autre être humain comme un corps mû par l'enthousiasme ou non. Ce genre de perception conduit à se servir des gens et, ensuite, à se débarrasser de ceux qui ne servent plus nos intérêts. Par contre, si vous considérez chaque personne comme une création de Dieu, un esprit qui doit commander les mouvements du corps, alors vous pourrez commencer à servir cet esprit et le verrez se réaliser dans l'accomplissement de grandes œuvres ou de grandes créations que nous savons être conformes au plan divin." »

« Je crois », ajoute Jan, « que c'est lors de cette rencontre que nous avons commencé à entrevoir cette vérité: on peut obtenir n'importe quoi dans la vie lorsqu'on est disposé à aider d'abord suffisamment les autres à obtenir ce qu'ils désirent. Et lorsque nous avons mis cet idéal en pratique et que nous avons commencé à considérer les autres comme des créatures de Dieu ayant leurs propres rêves, à la réalisation desquels nous pouvions contribuer, les affaires commencèrent à prospérer. »

Ken Stewart avait 27 ans quand, pour la première fois, il entendit parler de notre société. Il réussissait bien comme entrepreneur à Springfield, au Missouri, construisant et vendant 50 maisons ou plus par année dans cette région prospère du Midwest. Ken et sa femme, Donna, avaient emprunté une voie rapide pour accéder à la réussite.

« Nous étions jeunes et ambitieux », se rappelle Ken. « Mais nous avions aussi contracté 300 000 $ de dettes et nous nous demandions avec inquiétude comment compenser toutes nos sorties d'argent.

« La mise sur pied de notre propre maison de distribution nous apparut être la réponse. Nous nous sommes donc lancés de plain-pied dans ce projet, tentant de constituer et de parrainer un groupe formé de couples ambitieux comme nous. Puis nous avons commencé à écouter les dirigeants d'entreprises pour lesquels nous avions le plus de respect», ajoute-t-elle. «Il ne nous a pas fallu longtemps pour nous rendre compte que leur vision des gens était unique et merveilleuse.»

«Après notre première conversation», poursuit Ken, «Dexter Yager, l'un de nos mentors, me surnomma «The Kid». J'étais jeune, ambitieux et énergique. Je me voyais comme un gagnant et je voulais des gagnants dans mon équipe. Je ne voyais pas les gens comme Dieu les voit. Je n'avais pas compris que ces catégories de «gagnants» et de «perdants» étaient dangereuses et trompeuses: à la longue, vous serez étonné de voir qui réussit vraiment et qui échoue.»

«Cela nous prit un certain temps», explique Donna, «mais au fil des années nous avons réellement appris à porter des jugements moins catégoriques. Nous n'avions pas le droit de qualifier tel couple de «dégourdi» parce que leur sourire et leur conversation brillante dégageaient une forte impression et tel autre couple d'«ennuyeux» parce qu'il semblait plutôt effacé et timide.»

«Comme beaucoup de gens», poursuit Ken, «nous étions trop rapidement portés à ne remarquer que les dons et les talents peu ou partiellement cultivés. On peut ainsi perdre de vue les potentialités des gens.»

«Les affaires ont commencé à prospérer», ajoute Donna, «quand nous avons cessé d'évaluer les gens à partir de nos premières impressions et que nous avons commencé à croire aux dons qu'ils avaient reçus de Dieu.»

Puis Ken résume: «Nous avons dû apprendre à accepter les gens tels qu'ils étaient, à découvrir leurs aspirations et à les aider à les combler de notre mieux. La compréhension et la mise en application de ce processus nous a apporté une joie que nous n'avions jamais connue et la réussite en affaires.

«Si un homme veut réaliser ses rêves, selon un vieil adage, il doit d'abord se réveiller!»

Je ne sais pas si je l'ai dit assez clairement, mais il y a au cœur du credo 1 une espèce d'appel au réveil s'adressant à nous tous. Si vous voulez réussir en tant que capitaliste compatissant, ce que vous pensez de vous-même (et, par conséquent, des autres) sera d'une grande importance.

Pouvez-vous vous considérer comme un enfant d'un Dieu aimant? Pouvez-vous vous représenter votre propre naissance à partir de cette description de James Weldon Johnson?

« Ce grand Dieu,
Comme une maman qui se penche sur son bébé,
S'agenouilla dans la poussière,
Et, d'une motte de glaise,
Vous modela soigneusement à sa propre image.
Il *vous* insuffla une haleine de vie,
Et *vous* devîntes un être vivant. »
[c'est moi qui met en italique]*.

Pouvez-vous voir tous vos semblables — blancs, noirs, rouges, jaunes — comme les enfants d'un Dieu d'amour, créés pour rêver tout comme vous et ayant une valeur, une dignité et un potentiel?

Si oui, vous êtes déjà en voie d'élaborer pour vous-même et pour les autres ces rêves qui peuvent remettre le monde à l'endroit!

---

*   Traduction libre. (N.d.T.)

CHAPITRE 2

Où allons-nous ?

Furieux, Joe Foglio traversa la cuisine de sa grande maison située en bord de mer sur une marina, à Coronado, en Californie. Il ouvrit violemment la porte arrière, sortit précipitamment dehors, dans la lumière du soleil du désert, et traversa en grognant l'allée asphaltée.

«Joe? Ne t'en va pas. S'il te plaît. Pas maintenant.»

Il se retourna un moment pour regarder sa femme, Norma, qui se tenait dans l'embrasure de la porte. Ses mains tremblaient. Ses yeux remplis de larmes brillaient.

«Je m'en vais d'ici!» répondit-il, alors qu'il ouvrait la portière de la voiture, gêné de regarder sa femme dans les yeux, et souhaitant qu'elle le retienne tout en craignant qu'elle n'essaie.

«Quand rentres-tu?» dit-elle, marchant dans l'allée en sa direction dans l'espoir qu'il la prenne dans ses bras et que tout redevienne comme avant entre eux.

«Nom d'un chien, ça ne te regarde pas!» cria-t-il en claquant furieusement la portière. Puis, sans regarder en arrière, il fit ronfler le moteur et sortit de l'allée à reculons en faisant crisser ses pneus.

Durant un moment, Norma se tint immobile comme un roc, ravalant ses pleurs. Elle retourna à la maison en dissimulant soigneusement son émotion, car elle savait que Nicky et Joey, leurs fils âgés de 19 et 16 ans, ainsi que Charrie, leur fille de 17 ans, l'observaient de la fenêtre, frustrés et effrayés par cette autre bataille venant s'inscrire dans cette guerre incessante entre leurs parents. Puis Norma prit une profonde respiration et se tourna vers eux.

« Je savais pourquoi Joe avait claqué la portière et était parti en faisant crisser les pneus », dit-elle calmement. « Il était malheureux. Nous l'étions tous deux. Nous avions beau travailler durement, nous ne parvenions jamais au succès, et presque chaque jour quelque chose allait de travers. Le pire, c'était que nous nous sentions impuissants. Tous nos projets et nos efforts échouaient, et nous ne savions comment y remédier. »

Joe traversa le pont de Coronado Bay et roula à toute allure sur l'autoroute 5, en direction de la frontière mexicaine. Il travaillait alors à un projet de lotissement à Rosarita Beach, au Mexique, et ses hommes attendaient. Il se reprochait avec amertume et colère d'avoir perdu une fois de plus son sang-froid. Il imaginait sa vie plongeant en spirale dans un trou noir et il se sentit vieux et envahi par une angoisse familière.

« J'étais traité à la cortisone depuis 10 ans », se rappelle Joe, « car je souffrais de sclérose en plaques. J'étais devenu ballonné. Après avoir déjà fait deux fois faillite, mon entreprise internationale, située dans un gratte-ciel, se trouva à court de fonds. Quelques jours plus tôt, le Mexique avait dévalué ses devises et le pays fut plongé dans un chaos économique. Ma valeur nette était réduite à zéro. Une fois de plus, je me trouvais au bord de la faillite. »

Norma s'assit en silence dans la cuisine, et but un café en s'efforçant de se calmer. Charrie s'installa non loin, ne sachant comment consoler sa mère. Joey s'était retiré dans sa chambre et, ses écouteurs bien en place sur ses oreilles, écoutait une musique forte. Exacerbé, le fils aîné, Nicky, avait enfourché sa motocyclette et avait disparu dans un nuage de poussière.

Au volant de sa Jaguar argentée, Joe s'engagea sur une route étroite et sale menant à une plage mexicaine isolée. Le soleil traçait comme un sentier brillant à travers le Pacifique. Il se souvient s'être demandé où menait ce sentier. Alors, la tête entre les mains, il s'affaissa sur le volant et se mit à pleurer.

«J'étais une loque», se rappelle Joe, «physiquement, au point de vue émotif, spirituellement et financièrement. J'avais peur de perdre ma femme, ma famille, et ma déprime grossissait comme un énorme nuage noir.

Est-ce que ce son de cloche vous semble familier? J'espère que vous n'êtes pas aussi déçu dans vos rêves que ne le furent Joe et Norma ce jour-là. J'espère que vous n'êtes pas autant en proie au découragement qu'eux l'étaient. Mais vient un temps, dans la vie de chacun d'entre nous, où nos rêves sont ébranlés ou tombent en ruine. Maxwell Anderson, le dramaturge américain, l'a très bien dit: «Si vous ne réussissez pas tout de suite, vous vous situez dans la moyenne.» Après chaque échec, il y a de fortes chances pour que le découragement s'installe. Après tout, il en est ainsi depuis le début des temps. Il y presque 3 000 ans, le psalmiste David confessait sa propre déprime:

«Jusques à quand, Yahvé, m'oublieras-tu? jusqu'à la fin?
jusques à quand me vas-tu cacher ta face?
jusques à quand mettrai-je en mon âme la révolte,
en mon cœur le chagrin, de jour et de nuit?
jusques à quand mon adversaire aura-t-il le dessus?»

(Psaumes 13, 2-3)

En 1854, Henry David Thoreau écrivait: «La grande majorité des hommes mènent une vie de désespoir tranquille.»

Au cours des âges, les gens ont intériorisé leur colère et leur frustration. Aujourd'hui, la dépression est devenue un fléau. Selon l'Institut national de Santé mentale, un nombre croissant de personnes «se sentent envahies par un sentiment persistant de tristesse ou de vide, perdent de l'intérêt pour la sexualité ou d'autres activités agréables, souffrent de fatigue ou d'insomnie, sont irritables, pleurent de façon excessive, sont obsédées par la mort ou tentées par le suicide».

Des chercheurs de la Westinghouse Electric disent: «Environ 20 cents de chaque dollar dépensé par les entreprises américaines pour les soins de santé sont consacrés à la santé mentale et aux traitements entraînant la dépendance aux médicaments.» Et ils ajoutent cette remarque fort révélatrice: «L'un des domaines les plus rentables parmi les programmes de médecine préventive, semble-t-il, est la santé mentale.»

En d'autres termes, si nous pouvions trouver de la satisfaction dans l'existence, nos corps guériraient d'eux-mêmes. Cette idée confère une toute nouvelle signification à la sagesse du roi Salomon de l'Ancien Testament, qui écrivait, presque 1 000 ans avant la venue du Christ: «Les pensées que l'homme entretient dans son cœur font de lui ce qu'il est.» La dépression et les maladies qui y sont reliées coûtent annuellement 17 milliards de dollars aux employeurs américains. Comme la dépression ou le découragement touche également des personnes de plus en plus jeunes, les coûts en temps et en argent, en maladies chroniques et en vies ruinées sont incalculables.

Un récent article en couverture de la revue *Time* décrivait la mode actuelle comme «un sentiment national d'incertitude et de malaise». En octobre 1991, un sondage effectué par le *Money magazine's Consumer Comfort* disait simplement: «La tristesse règne.» Au moyen d'une échelle servant à déterminer l'indice de la dépression, les éditeurs nous révélaient que cet indice était de -24, ce qui est plus bas que le -19 enregistré en avril de la même année, alors qu'on avait pu lire en gros titres: «Les Américains en proie à une grande frayeur.»

Alexis de Toqueville, grand observateur de la vie en Amérique dans les années 1830, semble écrire sur nous, Américains des années 1990, lorsqu'il décrit ainsi nos arrière-grands-pères et nos arrière-grands-mères, qui ont vécu il y a plus de 160 ans: «Ils affichent habituellement un air sombre et semblent sérieux et presque tristes, même lorsqu'ils ont du plaisir (...) ils ne cessent jamais de penser aux bonnes choses qu'ils n'ont pas.»

Le docteur Gerald Klerman, du New York Hospital, affilié au Cornell University Medical College, explique cela ainsi: «En général, les gens sont maintenant plus pessimistes. Ils deviennent déprimés quand la réalité ne répond pas à leurs attentes.»

On en vient au credo 2. Trop souvent, il y a un écart entre la réalité et nos rêves, et c'est ainsi que nous devenons déprimés. Alors, pour faire face à la dépression, nous commençons à penser et à agir de manière destructrice. Le résultat, c'est que nous nous enfonçons encore davantage dans le découragement, jusqu'à un moment où il nous semble impossible de remonter la pente.

Qu'arrive-t-il lorsque les rêves meurent et que le découragement s'installe? Certains réagissent au cycle échec-dépression de façon assez prévisible. D'abord ils tenteront de le nier ou de l'ignorer. Puis ils voudront se blâmer ou rejeter la faute sur les autres. Ils essaieront invariablement de s'en échapper. Certains finissent par être paralysés par le découragement. D'autres commettent des gestes désespérés et destructeurs pour y mettre un terme. D'autres vivent avec leur dépression pour toujours. D'autres encore s'assoient tout simplement et attendent la mort, bien qu'en fait ils n'y soient pas obligés.

Choisir de nier ou d'ignorer la dépression

Joe Foglio, qui revenait de Rosarita Beach, arriva chez lui une fois de plus en retard pour dîner. Norma l'accueillit sur le pas de la porte, comme si rien ne s'était passé. Joe parla un peu avec sa femme et ses enfants alors qu'ils prenaient place autour de la table, faisant comme si de rien n'était. Norma allait et venait de la cuisinière à la table, un sourire fermement accroché aux lèvres. Chacun était poli, cordial et prêt à se tordre de douleur intérieurement. Pourquoi pensez-vous qu'Henry David Thoreau disait «vie de désespoir tranquille»? Même à Walden Pond, le jeune poète américain pouvait constater que les gens se masquent derrière des sourires artificiels pour donner l'impression qu'ils vont bien, alors qu'au fond d'eux-mêmes ils sont malheureux.

Nous avons fortement tendance à garder notre souffrance pour nous. Notre orgueil nous empêche d'avouer la vérité. Nous ne voulons pas que les autres sachent que nous avons échoué. En Orient, par exemple, tout ce qui importe est de «ne pas perdre la face». Un dicton britannique dit: «Maintenez votre lèvre supérieure rigide.» Selon un mythe américain macho, un vrai homme ne pleure jamais. Je ne connais personne qui aime être aux prises avec un conflit. Il est tellement plus facile, du moins au début, de laisser croire que tout va bien. Notre détresse devient un terrible secret. Nous édifions un mur autour de nous et nous nous coupons de ceux qui pourraient nous comprendre et même nous aider. Comme un animal malade, nous nous éloignons furtivement et attendons la guérison.

Est-ce votre cas? Lorsque vos rêves sont menacés et que vous êtes perdu dans le brouillard de la dépression, devenez-vous silencieux et vous retirez-vous? Ou restez-vous là, souriant bravement et laissant croire que tout va bien alors qu'en fait, tout votre univers s'écroule?

«Avant que Joe ne fasse faillite, nous vivions dans l'aisance», se rappelle Norma. «Nous possédions une belle maison, un bateau et des voitures de luxe. Et quand tout a mal tourné, nous n'avons pas voulu que les gens le sachent. Nous avons donc continué à mener la belle vie, même si nous ne pouvions nous le permettre. »

« Un riche ami m'a vendu sa Jaguar XJS argentée pour presque rien, me disant de lui donner mensuellement ce que je pouvais », dit Joe en souriant et en hochant la tête. « Puis nous avons loué une grande maison en Californie, au bord de la mer, dans l'île privée Cays, située entre Coronado Bay et San Diego. »

« Il n'est pas difficile de conserver l'illusion d'avoir réussi », admet timidement Norma, « du moins pendant un certain temps. Alors, quand nous étions à sec et que nous nous sentions désespérés et déprimés, nous portions nos masques et continuions à faire comme si de rien n'était. »

À l'église, aux réunions de parents d'élèves, au bureau, à la banque, à l'épicerie, il n'y avait que sourires et gaîté. Joe et Norma menaient une double vie, ce qui les déprimait de plus en plus. Ils portaient un masque pour cacher au monde extérieur la dégradation de leurs relations, et peu, parmi ceux qui les connaissaient, soupçonnèrent que quelque chose n'allait pas.

Vous avez connu ça ? On ne peut même pas s'aider soi-même quand on feint que tout va bien. Et personne d'autre ne peut nous aider quand on ne reconnaît pas qu'on est dans le besoin. « La vie est belle. S'il te plaît, passe-moi l'aspirine ! » Il est particulièrement triste de voir, dans nos églises et dans nos synagogues — où devrait régner l'amour — tant de gens afficher un air de béatitude alors qu'en réalité ils vivent un enfer. La dépression ne peut être surmontée tant et aussi longtemps que nous la nions ou l'ignorons. Vous mettrez un terme à cette lutte quand vous admettrez que vous livrez une bataille, puis quand, peu à peu, vous l'avouerez à ceux ou celles en qui vous pouvez avoir confiance et qui peuvent vous aider à remonter la pente.

Choisir de rejeter la faute sur quelqu'un

Une fois la vaisselle terminée, Joe et Norma se retirèrent dans leur chambre et revinrent sur le sujet. « Si tu n'avais pas... » « Si tu ne faisais pas toujours... » Le ton montait. Leurs voix pleines de colère traversaient les murs peu épais et parvenaient jusqu'aux oreilles des enfants dans leurs chambres.

« Nous criions l'un après l'autre tellement fort », confesse Norma, « que nos voix couvraient la musique rock de nos enfants.

Quand nous ne rejetions pas mutuellement la responsabilité de nos ennuis sur l'autre, nous la rejetions sur quelqu'un d'autre.»

«Nous avons blâmé les parents ou les enseignants. Nous avons accusé des amis ou des compagnons de travail. Nous avons même condamné le gouvernement américain», dit Joe calmement. Étant un homme d'affaires, je devais payer des taxes et remplir des formulaires sans fin, ce qui me lassait. Je détestais tous ces règlements et les organismes de réglementation qui ne me lâchaient pas d'une semelle. Finalement, j'en ai eu tellement ras le bol que j'ai décidé de quitter mon pays. Quand le projet de Rosarita commença à s'effriter, j'avais déjà terminé 5 des 7 années requises pour laisser tomber ma citoyenneté américaine et devenir citoyen mexicain.»

«C'est alors que les devises du Mexique furent dévaluées», se rappelle Norma. «Notre valeur nette chuta. Nous étions convaincus que le président du Mexique faisait tout pour nous détruire. En fait, il était plutôt commode d'avoir quelqu'un d'autre sur qui rejeter la faute.»

Les reproches conduisent souvent les familles à cesser de communiquer. Les cris et l'habitude de s'insulter mutuellement peuvent rapidement dégénérer en violence physique. En fait, la violence conjugale constitue, aux États-Unis, l'un des plus graves problèmes sociaux.

«J'ai même essayé une fois d'abattre Joe», avoue Norma timidement. «Dieu merci, je n'ai jamais pu atteindre même le travers d'une grange avec une arme à feu. Les plombs touchèrent la voiture et la fenêtre d'une chambre vola en éclats, mais ils ratèrent complètement Joe. Si j'avais su viser, j'aurais pu le tuer.» Puis, pensive, elle s'interrompt un instant, après quoi elle ajoute: «Et songez à toutes ces bonnes années passées ensemble que nous n'aurions pas connues si je l'avais tué au cours de cette période difficile.»

La violence physique dans les foyers, notamment celle des maris envers leurs femmes, fait une victime toutes les 15 secondes. Les blessures corporelles, qui pour la plupart sont le résultat de la violence familiale, coûtent annuellement, selon les estimations, 180 milliards de dollars en soins de santé.

Dans des situations aussi désespérées, les gens commettent toutes sortes de gestes insensés et dangereux. Norma Foglio se souvient encore d'un certain appel interurbain de son mari au milieu de la nuit. Joe appelait à frais virés (PCV) d'une prison mexicaine. Elle écoutait avec une incrédulité grandissante. «Je suis dans le pétrin», dit-il d'une voix faible et chevrotante.

Norma dut tendre l'oreille pour entendre son mari lui expliquer ce qui s'était passé. Apparemment, cherchant désespérément à se faire un peu d'argent, dont il avait tant besoin, il avait accepté d'aider certaines connaissances à passer en contrebande de la drogue de l'autre côté de la frontière.

«Nous ne l'avons pas fait», dit Joe, «mais les autorités mexicaines découvrirent notre plan. On m'a arrêté. Ils m'ont interrogé pendant cinq longues journées et cinq longues nuits. À présent, ils me réclament une amende — une forte amende — et si je ne les paie pas, ils vont me garder prisonnier.»

Norma trouva, on ne sait comment, les fonds nécessaires pour faire libérer son mari. Ce fut un moment pénible et terrifiant pour tous deux. Mais aujourd'hui avec le recul, les Foglio considèrent cet épisode, dont le souvenir les embarrasse et qui aurait pu mal finir, comme un parfait exemple des gestes insensés et irresponsables que les gens sont enclins à commettre quand ils sont désespérés et se sentent démoralisés.

Quelquefois nous nous faisons des reproches et nous sentons coupables. Quelquefois nous nous déculpabilisons en rejetant la faute sur les autres. Les reproches peuvent conduire à un cycle dangereux et incessant susceptible de dégénérer en actes de violence ou en crime. Burton Hillis a déjà dit: «Il y a une énorme différence entre des raisons bonnes et valables et des raison qui semblent bonnes.» Lorsque nos rêves meurent et que le découragement s'installe, il faut cesser de se blâmer ou de blâmer les autres et chercher à découvrir les raisons «bonnes et valables» qui nous ont mis en difficulté et élaborer un plan judicieux et valable pour nous en sortir.

Choisir d'échapper à la dépression

Durant ces années de conflits et de dépression, Joe et Norma Foglio eurent recours à l'alcool pour échapper à leur vie stressante.

«Nous dépendions de l'alcool pour oublier notre douleur», avoue Norma, «et pour oublier temporairement nos relations tendues.»

«Quand nous allions dîner à l'extérieur, seuls tous les deux», ajoute Norma, «il fallait que nous buvions beaucoup, simplement pour être capables de rester ensemble.»

«Je ne me suis jamais adonné aux drogues «dures», Dieu merci!» poursuit Joe. «Mais je fumais beaucoup de marijuana, simplement pour dormir la nuit. Après, avec le recul, je me suis rendu compte qu'en buvant et en fumant du hasch nous avions légué à notre fils Nicky un héritage tragique, qui aurait pu le mener à la mort quelques années plus tard. »

L'évasion par les drogues et l'alcool constitue la principale industrie en expansion dans ce pays et ailleurs dans le monde. Les faits donnent la chair de poule. Personne ne sait avec certitude combien de milliards de dollars sont dépensés chaque année par les gens qui tentent, par ce moyen, d'accéder aux paradis artificiels pour oublier la réalité douloureuse qui est la leur.

Par exemple, en Californie, le verger et le potager de notre nation, ce qui rapporte le plus n'est pas la cueillette des pamplemousses, de la laitue ou des tomates. C'est la marijuana. Pour s'évader ou, comme disent ceux qui en consomment, pour « partir », la marijuana demeure la drogue numéro 1 en Amérique. Environ 22 millions et demi d'hommes, de femmes et de jeunes, presque 10 % de la population totale, admettent en faire un usage «occasionnel ou régulier».

Actuellement, un usager type paie, selon la qualité entre 100 $ et 500 $ l'once (28,35 g) ces minces feuilles vertes à rouler en joints ou à faire cuire au four. Si un usager «occasionnel» consomme annuellement 6 onces (170 g) à un coût entre 600 $ et 3 000 $, cela signifie qu'aux États-Unis ces consommateurs consacrent à eux seuls au total 70 milliards de dollars par année pour «monter au ciel» alors qu'en fait leur moral est bas.

L'abus de cocaïne et d'héroïne a aussi atteint des proportions épidémiques dans ce pays. On ne sait pas combien de millions de gens s'évadent dans l'euphorie dangereuse et mortelle que produisent ces drogues, mais on sait avec certitude que près de 500 000 Américains sont intoxiqués par l'héroïne, qui est actuellement la drogue d'évasion privilégiée aux États-Unis et en Europe. En Italie, par exemple, les employés de la ville de Milan ramassent chaque jour dans les rues entre 3000 et 4000 seringues usagées.

A-t-on jamais compté les aiguilles usagées trouvées dans les décharges des ghettos ou dans les grands compresseurs d'ordures d'entreprises de New York ou de San Francisco. Ou les fioles de plastique vides trouvées sur les plages, dans les parcs nationaux, derrière les établissements d'enseignement secondaire et les gradins des collèges, et même dans les salles de conférence des compagnies ou les hôtels cinq étoiles disséminés sur tout le territoire? Il y a 202 000 personnes qui, dans notre pays, suivent une cure de désintoxication! C'est plus que la population active du Luxembourg!

Richard Asher a écrit dans la revue médicale britannique *Lancet*: «C'est avec l'espoir, et non la drogue, qu'on peut le mieux surmonter le désespoir*.» J'aime bien cette maxime, car je crois que c'est vrai. C'est le genre d'autocollant pour voiture qu'on utilise pour mettre les enfants en garde contre les drogues en oubliant cependant que l'abus d'alcool est devenu une évasion encore plus coûteuse et plus mortelle que l'héroïne, la cocaïne ou la marijuana.

Parmi les mythes dangereux répandus aujourd'hui, il y a celui selon lequel les Américains boivent moins. Les boissons alcoolisées contiennent apparemment beaucoup de calories et de gras, et nous savons que la boisson est un dépresseur créant une euphorie passagère, suivie d'une phase de déprime, qui, elle, dure plus longtemps. Nous avons vu dans quelle mesure la bière, le vin et les spiritueux peuvent entamer un budget personnel ou familial. Nous pensions donc que la population s'était mise au régime sec. Nous nous faisions des illusions.

L'abus d'alcool a atteint des proportions désastreuses dans notre pays. Par exemple, aux États-Unis la consommation d'alcool a augmenté de plus de 50 % au cours des 30 dernières années; en Allemagne, de 64 %; au Japon, on a enregistré une augmentation effarante de 73,5 %.

Ces dernières années, j'ai appris à aimer et à respecter les Japonais. Cela m'inquiète de voir l'ampleur qu'a pris le problème de l'abus d'alcool dans leur pays. Et le pire, c'est qu'ils ne le savent pas ou ne l'admettent pas publiquement. Selon une étude récente menée à travers le monde, c'est au Japon que le niveau de préoccupation est le moins élevé. Seulement 17 % des répondants de ce pays croient que l'alcool est un problème sérieux. Par ailleurs, 74 % des Américains interrogés ont admis être «très préoccupés» par le problème de l'abus d'alcool et de l'alcoolisme.

---

*   Citation originale anglaise: «Despair is best treated with hope, not dope.» Il y a dans cette formule lapidaire un jeu de rimes qu'on ne peut évidemment rendre en français. (N.d.T.)

Par exemple, aux États-Unis il y a annuellement en moyenne 1 844 000 accidents de la route reliés à la consommation d'alcool. En 1989, 20 208 Américains, dont de nombreux adolescents, furent tués par des conducteurs ivres. Plus de 100 000 autres furent estropiés à vie ou subirent des blessures permanentes. Je partage la colère et la douleur des membres du regroupement Mothers Against Drunk Driving (MADD), qui ont vu leurs propres enfants tués ou rendus infirmes par des conducteurs en état d'ébriété.

Ne vous inquiétez pas. Je ne suis pas un militant sur le point d'aller fracasser les vitres du bar de votre quartier. Mais il faut apporter notre soutien à des groupements comme les Alcooliques Anonymes et à d'autres qui prônent l'abstinence comme unique solution. Nous devons également prendre conscience que, sous la pression, chacun d'entre nous est sujet aux excès d'alcool et peut même devenir alcoolique.

Sénèque, philosophe romain et auteur de tragédies qui a vécu à l'époque du Christ, disait: «S'enivrer, c'est commettre volontairement un acte insensé.» Presque 2 000 ans plus tard, Bertrand Russell ajoutait: «S'enivrer, c'est commettre un suicide temporaire (...) le bonheur que cela apporte est purement négatif, on cesse momentanément d'être triste.» L'abus d'alcool est devenu une tragédie nationale, mais pour moi c'est le symptôme d'un malaise encore plus grand. Nous avons recours à la boisson pour échapper à la dépression, alors qu'il faudrait plutôt s'engager résolument à trouver un moyen de la vaincre en faisant appel à notre courage et à notre imagination.

Au cours des dernières décennies, on a amplement fait usage des médicaments délivrés sur ordonnance pour contrôler les symptômes de la dépression. Lorsqu'ils sont prescrits par des médecins ou des psychiatres de bonne réputation, des médicaments comme le Valium, le Xanax et le Prozac sont, à n'en pas douter, sans danger et efficaces contre l'anxiété. Mais la rapide montée de la popularité de ces médicaments donne à réfléchir. Pour échapper à la dépression, les gens se droguent avec des tranquillisants, des remontants et des antidépresseurs comme s'ils étaient eux-mêmes médecins ou experts en sciences.

Prenons le Valium, par exemple. Dans les années 1970, quand l'entreprise pharmaceutique suisse Hoffman-LaRoche introduisit les pilules de Valium et les tranquillisants Librium sur le marché nord-américain, la valeur des actions de l'entreprise a monté en

flèche. Au milieu de l'année 1989, le cours des actions de l'entreprise était le plus élevé à Wall Street, à 160 000 $ le titre. Cette
année-là, Hoffman-LaRoche annonça une division d'actions « 50
pour 1 ». La raison de cette incroyable succès ? Un docteur m'a dit
qu'on a vendu plus de pilules de Valium, en Amérique, à la fin des
années 70 et au début des années 80, que de pilules d'autres
marques et d'autres genres.

Mais il ne faut pas oublier que ces médicaments délivrés sur
ordonnance peuvent aussi avoir de multiples effets nocifs, particulièrement quand ils sont associés à d'autres médicaments ou à
l'alcool. L'exemple des célébrités ayant développé une pharmacodé-
pendance et qui arrivent en grand nombre à la clinique Betty Ford
de Palm Springs, en Californie, pour s'y faire traiter devrait nous
inciter être très prudents lorsque nous faisons usage de ces médicaments pour lutter contre notre dépression.

« Ce qu'il y de dangereux avec les tranquillisants », écrit un
observateur, « c'est que, quelle que soit la paix de l'esprit qu'ils
apportent, c'est une paix « conditionnée ». En achetant une pilule
et la paix qu'elle vous procure, vous vous accoutumez à des solutions artificielles et non à de vraies solutions. »

Une autre forme d'évasion facile et qui engourdit également
l'esprit est la télévision. Si l'on en croit les statistiques, le monde
entier est en train de devenir esclave de la télé.

Je ne sais comment cela est possible, mais selon une source
digne de foi les gens au Japon passent en moyenne 9,12 heures par
jour devant leurs écrans de télévision. Les Américains, qui passent
un renversant 7 heures par jour devant leurs écrans, remportent la
médaille d'argent dans ces Jeux olympiques « canapé-chips ». Je
crois aux vertus de la télévision. C'est une merveilleuse source
d'information et de distraction. Cependant, ces données nous démontrent qu'il y a eu dérapage. Et ma conviction est que ce penchant très fort pour la télévision résulte directement de cet invrai-
semblable besoin des hommes d'échapper à la dépression et de ne
pas s'attaquer directement à ses causes.

J'espère ne pas vous avoir paralysé l'esprit avec tous ces chiffres. Je voulais, en vous les présentant, vous faire comprendre un
point important. Le monde entier semble déprimé, et dans notre
frénésie d'évasion nous gâchons nos vies. Toutefois, ce qui arrive
là-bas est loin d'être aussi important que ce qui arrive dans votre
vie et dans la mienne. Quelle est votre attitude face à l'effondre-

ment de vos propres rêves et que faites-vous pour vaincre la dépression qui s'ensuit presque toujours?

Choisir de s'abandonner à la dépression

Frank et Barbara Morales, des amis œuvrant dans notre entreprise à San Juan Capistrano, en Californie, nous ont raconté une expérience émouvante que Barbara a vécue quand elle avait tout juste 17 ans, alors qu'elle commençait à travailler comme caissière dans une banque à Kansas City. «Au service des coupons de la banque», se rappelle-t-elle, «il y avait une femme plus âgée qui, toute sa vie, avait servi avec loyauté ses employeurs et les clients. Lorsqu'elle eut atteint l'âge de la retraite obligatoire, la banque organisa en son honneur une surprise-partie au cours de laquelle on lui offrit un gâteau et des cadeaux en remerciement. Je me souviens encore de cette femme se tenant au milieu des invités, des larmes ruisselant sur ses joues et le regard trahissant une espèce de hantise ou de désespoir.

«Le matin suivant», dit Barbara avec tristesse, «seulement un jour après la réception d'adieu, la femme apparut, debout derrière la porte vitrée de la banque, elle observait à l'intérieur. Finalement, elle est entrée, s'est approchée de la jeune femme qui la remplaçait à son vieux bureau et s'est tenue près d'elle, essayant de lui expliquer comment faire le travail qu'elle-même avait effectué pendant toutes ces années.

«J'ai appris plus tard», ajoute-t-elle, «que cette femme âgée n'avait jamais pris de vacances ni même une seule journée pour maladie ou pour affaires personnelles. Sa vie entière, c'était la banque, et quand elle dut cesser de travailler, elle cessa de vivre. Jour après jour, elle revenait à son vieux bureau, et restait là, debout, semblant de plus en plus impuissante et désespérée. Finalement, le directeur demanda au gardien de la banque d'escorter la pauvre femme en dehors de l'immeuble. On ne l'a jamais revue. Je me suis souvent demandé combien de temps cela a pris, une fois ses rêves morts, avant qu'elle-même ne soit mise en terre.

Combien de gens meurent en même temps que leurs rêves ou sombrent dans une espèce de mort vivante causée par leur sentiment d'échec et par leur dépression? Bertrand Russell décrit cette terrible agonie de ces rêveurs convaincus d'être impuissants à réaliser leurs rêves. «L'homme est impuissant et sa vie est brève», écrit-il. «Sur lui et toute sa race s'abat lentement et implacablement un destin sombre et cruel.» En voyant mourir les rêves qu'il caressait pour ses enfants et son royaume, le roi Lear de Shakespeare s'est écrié: «Une fois né, on regrette de se retrouver au milieu des sots.»

Joe et Norma Foglio connaissent bien ce genre d'agonie. Tout comme le roi David, dont les fautes ont conduit son propre fils, Absalon, à la mort, les Foglio se sont écriés: «Mon fils Absalon! mon fils! Mon fils Absalon! que ne suis-je mort à ta place!» Le 11 février 1988, leur fils aîné, Nicky, mourut dans un accident de motocyclette. Il luttait pour se débarrasser d'un problème d'alcool et de drogue depuis le début de son adolescence. Au cours de cette nuit d'hiver, sa lutte prit fin. Sous l'effet d'une drogue quelconque, se sentant jeune et invincible, Nicky Foglio appuya à fond sur l'accélérateur de sa motocyclette Yamaha, puis, en voulant négocier une courbe et en faisant vrombir le moteur, perdit le contrôle. Il quitta l'autoroute longeant la côte pour plonger vers la mort.

Je sais que nous vivons tous des tragédies à certains moments de notre vie et que nous traversons tous des périodes de très grande souffrance. Je ne crois pas qu'il faille afficher un air réjoui quand notre cœur est en deuil. Nier notre dépression, la masquer ou essayer d'y échapper mène inéluctablement à la tristesse ou à la souffrance. Il y a certains rêves qui, une fois morts, ne peuvent être ravivés. On ne peut alors que pleurer et attendre que nos larmes sèchent et que Dieu nous donne le courage de recommencer à rêver.

Mais il ne faut pas nous laisser vaincre par la douleur ni devenir les victimes de nos échecs et de nos déceptions. Le pessimisme est une maladie dangereuse qui peut étouffer ou tuer notre potentiel. Je crois qu'il faut communiquer l'espoir et non le désespoir. Partageons notre joie, pas seulement notre douleur ou notre tristesse. Je crois qu'il faut rappeler sans cesse les expériences de ces hommes et de ces femmes qui, aidés par Dieu, sont sortis de leur profonde dépression et ont recommencé à aimer et à rêver.

Si nos rêves ne se réalisent pas, si nous sommes sans cesse en proie à la dépression, souvenons-nous qu'il y a toujours de l'espoir. De l'histoire véridique de Joe et Norma Foglio et d'autres que m'ont racontées des amis, on ne doit pas conclure que devenir membre de notre entreprise (ou de n'importe quelle autre entreprise, d'un groupe religieux ou autre) est le remède infaillible contre la dépression. Il n'existe aucun moyen «infaillible» de transformer nos rêves — les vôtres ou les miens — en réalité.

Mais je sais de façon certaine qu'un bon nombre de nos amis et collègues de travail se sont effectivement joints à Jay et à moi parce qu'ils ne voyaient pas leurs rêves se concrétiser et que cela les déprimait. Toutefois, au lieu de se laisser aller, ces gens ont vu leur état d'esprit négatif comme un début et non comme une fin. Maintenant, ils reconnaissent qu'il leur fallait passer par ces «mauvaises périodes». Sans elles, ils ne connaîtraient pas aujourd'hui une «bonne période».

Quelle sottise que de se droguer ou de se tuer au cours de la nuit noire de la dépression, alors que l'aurore est peut-être imminente. J'espère que les mots qui suivent ne vous sembleront pas d'un optimisme exagéré mais durant mon existence, j'ai appris que la plupart du temps, il y a vraiment une lumière au bout du tunnel. Après chaque tempête se dessine presque toujours un arc-en-ciel. Les pleurs feront probablement place au rire. La tristesse, un jour, cédera le pas à la joie. Durant les 64 ans que j'ai maintenant vécu sur cette planète, après chaque nuit longue et noire, le soleil s'est levé pour réchauffer de nouveau la terre.

La résurrection succède à la crucifixion, la vie succède à la mort et l'espoir succède au désespoir. Quand on est déprimé, on croit à tort que notre dépression ne finira jamais. En réalité, la fin de votre dépression peut être au prochain tournant.

Je ne veux minimiser en aucune façon la dépression et ses terribles effets. J'ai beaucoup de sympathie pour les personnes désespérées et frustrées qui vivent en silence un cauchemar. Moi aussi, j'ai traversé des périodes d'amertume, j'ai subi des épreuves et j'ai connu la déprime. Parfois, on a besoin de Valium ou de Prozac pour prendre du recul alors qu'on est plongé dans la nuit solitaire. Les conseillers professionnels, les psychiatres et les hôpitaux psychiatriques peuvent être d'un grand secours. Les familles ou les amis que notre état préoccupe peuvent se révéler une bénédiction pour nous. Mais si nous succombons à la dépression, si nous nous tuons et continuons à vivre comme des morts-vivants malheureux, nous raterons l'occasion que nous donne notre dépression de repartir à neuf.

Joe et Norma Foglio ne succombèrent pas à la dépression. Ils y ont vu plutôt un signal d'alarme, un gros panneau de signalisation: «Stop! Zone dangereuse!». Pour eux, ce fut le signe qu'un sérieux changement s'imposait, et grâce à la présence et la compassion de Dieu et de leurs amis, ils réussirent à sortir de leur dépression, modifièrent leur vision du passé, reprirent goût à la vie et élaborèrent un tout nouveau projet d'avenir.

Leur histoire n'en est qu'une parmi cent pour illustrer que l'insatisfaction peut être un signe d'espoir. Plutôt qu'une fin, la dépression peut être un recommencement. La déprime peut vous mener vers des sommets que vous n'avez jamais atteints.

Janet Evans, la nageuse en style libre âgée de 20 ans qui remporta trois médailles d'or aux Jeux olympiques de Seoul en 1988, ainsi qu'une médaille d'or et une médaille d'argent en 1992, s'exprime ainsi: «Il y a eu des moments difficiles et de bons moments. Mais après avoir traversé des moments difficiles, on savoure tellement plus les bons moments!»

Demandez à Joe et Norma Foglio. Il fut un temps où ils croyaient qu'ils ne rêveraient plus jamais.

«Quand Nicky est mort», se rappelle Joe, «j'ai été bouleversé de chagrin et quasiment écrasé par un sentiment de culpabilité. Je me tenais près du casque de moto de mon fils, dans cette résidence funéraire à San Diego, me demandant pourquoi c'était lui qui était mort au lieu de son père. Norma, Charrie et Joey étaient là. La famille en deuil était entourée d'amis qui étaient venus par avion ou en voiture des quatre coins de l'État et du pays pour nous réconforter de leur présence et partager notre douleur.

«Durant ce terrible moment de silence», avoue-t-il, «dans mon désespoir j'ai adressé une prière à Dieu: «Mon Dieu, donnemoi une autre chance», ai-je murmuré doucement. J'avais échoué avec Nicky. Je voulais me rattraper pour les erreurs terribles que j'avais commises durant son enfance et son adolescence. Et bien que Joey et Charrie fussent devenus de jeunes adultes suscitant en nous un sentiment de fierté et de reconnaissance, je voulais un autre fils qui comblerait le vide laissé par la mort de Nicky.

«Quelques semaines plus tard seulement», dit Joe avec une étincelle dans le regard, «je présentais le plan d'Amway à un jeune marin qui était membre des robustes et courageux Navy Seals. Ces plongeurs habiles vont partout dans le monde en avion pour accomplir diverses missions, par exemple délivrer des otages de leurs ravisseurs terroristes ou procéder au sauvetage des équipages de sous-marins ayant sombré. Ce jeune plongeur parla de notre entreprise à ses collègues, qui en parlèrent à leurs femmes et à leurs amis. En peu de temps, je devins le parrain de toute une escadrille de « Seals » aussi grands, aussi forts et aussi beaux que l'avait été mon fils Nicky. »

Ruinés et en pleine crise spirituelle, Joe et Norma Foglio eurent malgré tout le courage et la sagesse de repartir à neuf. Aujourd'hui, les Foglio ont une entreprise prospère et des revenus impressionnants. Non seulement ont-ils récupéré tout ce qu'ils ont perdu lors de leur faillite, mais leurs bénéfices ont considérablement augmenté et leur vie est enrichie. Leurs factures sont payées. Ils possèdent une belle maison dans l'île Coronado Cays, et ils consacrent du temps et de l'argent à des causes importantes telles que leur église et la « March of Dimes ». Et par-dessus tout, ils ont élargi leur cercle d'amis. Comme dit Joe : « Si ma voiture ne part pas, je sais que je n'ai qu'à donner un coup de fil et 500 amis que j'ai fait entrer dans cette entreprise se présenteront pour la remorquer ou la transporter à n'importe quel endroit où je voudrai la faire réparer. »

Mais le plus important, c'est que Joe a réalisé son rêve d'avoir un autre fils pour remplacer son fils bien-aimé Nicky — et pas seulement un fils, mais des centaines de jeunes « Navy Seals » et d'autre jeunes hommes et femmes qu'il aime comme ses propres enfants. Quand vos rêves meurent, quand la dépression menace de gâcher votre avenir, souvenez-vous de Joe et Norma Foglio.

« Il y quelques semaines », me dit tristement Norma, « nous avons reçu un appel de Bill et d'Annie Symington, deux de nos amis œuvrant dans l'entreprise. Leur jeune fils avait été grièvement blessé dans un terrible accident de la route. Il se mourait dans un hôpital de Phœnix.

« Joe fonça vers l'aéroport de San Diego », se souvient-elle. « Il s'envola vers Phœnix pour être auprès de nos amis dans leurs moments de souffrance. Quand le fils Symington mourut, Bill appela Joe dans sa voiture et lui demanda simplement : « Comment avais-tu vécu ça, toi, Joe ? » Mon mari resta silencieux un instant, la gorge serrée, se souvenant du temps où lui-même était en proie au chagrin et à la souffrance. Puis, il dit simplement : « Ça va bien aller, Bill. Annie et toi allez passer à travers. » »

Joe Foglio a encore les larmes aux yeux quand il évoque ce coup de fil.

« Tout à coup, j'ai compris comment tout s'enchaîne », dit-il. « Dans nos propres périodes de souffrance, Dieu nous prépare à aider ceux et celles que nous croiserons sur notre route. Quand nos rêves meurent, Dieu nous fortifie afin que nous puissions assister nos frères et sœurs quand leurs propres rêves s'effondrent. Ce sont des moments difficiles. Nos rêves sont menacés par des forces qui échappent à notre contrôle. Parfois nous perdons la bataille. Mais ensemble, nous gagnerons la guerre. Grâce à l'aide que nous nous apportons mutuellement, nous apprenons à rêver de nouveau et puis, un jour, quand nous nous y attendons le moins, nous avons la surprise de voir nos rêves se réaliser.

CHAPITRE 3

Où aimerions-nous aller ?

> **CREDO 3**
>
> *Nous croyons qu'un changement positif peut s'amorcer quand nous axons notre vie sur ces êtres et sur ces institutions auxquels nous tenons le plus, par exemple Dieu, le pays, la famille, l'amitié, l'école et le travail.*
>
> *Par conséquent, nous devons déterminer ce que nous voulons être et ce que nous voulons faire, et nous fixer des objectifs en conséquence.*

Vers la fin du printemps 1955, les producteurs de la vallée Yakima, dans l'État de Washington, lancèrent un appel urgent. La récolte de cerises de Bing et de Queen Anne était abondante cette année-là et on avait besoin de travailleurs pour la cueillette. La famille Daughery tirait son maigre revenu annuel de cette récolte. Ils emballèrent donc les quelques biens qu'ils possédaient et se dirigèrent à toute vitesse vers le sud de l'État de Washington. Au printemps, les collines des environs de la vallée Yakima blanchissent, car les cerisiers et les pommiers sont en pleine floraison. Quand le vent souffle, on peut sentir ces fleurs fragiles et odorantes partout dans les comtés de Benton et de Yakima.

Jack Daughery n'avait que 10 ans, mais il avait déjà travaillé pendant 5 étés torrides dans ces champs de cerisiers odoriférants près de la rivière Snake. À l'aube de ce premier jour de récolte de cerises, Jack finissait son petit déjeuner de crêpes, crêpes que la mère avait faites pour la famille sur un réchaud de camping. Assis sur les marches de leur cabane, réservée aux travailleurs saisonniers, l'enfant dont le regard brillait observait son père qui essuyait la graisse blanche qui restait dans une boîte de saindoux vide. À l'aide d'un couteau tranchant qu'il tenait dans ses mains à la peau cuivrée, le père de Jack perça deux trous sur le côté de la boîte, y enfila un bout de fil de métal rouillé et fit une boucle assez longue, de façon à pouvoir accrocher la boîte à son cou pour qu'elle pende juste au-dessous de sa taille.

«Juste la bonne longueur», dit-il en reculant pour admirer son ouvrage.

Le puissant coup de klaxon du camion d'un cultivateur brisa le silence du petit matin.

La mère de Jack prit son fils par la main et le mena par le chemin de gravier vers les cerisaies avoisinantes. Jack se revoit encore marchant sous les branches des cerisiers que le poids des fruits d'un pourpre intense courbait.

«Je mesurais moins d'un mètre, mais sur la pointe des pieds je pouvais prendre des poignées de cerises pour remplir mon petit seau (une boîte de saindoux). Les premiers jours, la moitié des fruits allait dans le seau et l'autre moitié disparaissait dans ma bouche. Du jus de cerise rouge vif coulait sur mon menton et tachait mon visage et mes doigts.

«On ne peut pas te mettre sur la balance, fiston!» disait le père sur un ton bon enfant, alors que nous faisions la file pour déverser les fruits que nous avions cueillis dans de grandes boîtes où ils étaient pesés et triés.

«Nous étions des travailleurs saisonniers», explique Jack. «Nos revenus provenaient exclusivement de la cueillette des fruits et du travail dans les champs. Nous travaillions de Coalinga, en Californie, jusqu'à la frontière canadienne. Étant payés au kilo, chaque cerise que je mangeais réduisait le revenu familial.

«Plus souvent qu'autrement», dit-il, «nous vivions dans des cabanes, des tentes ou des caravanes étouffantes, sans aération et dotées de douches à jet unique et de toilettes portatives. Maman nous gardait propres et rapiéçait nos vêtements, mais nous étions vêtus de jeans dépenaillés et de vieilles chemises de travail en coton, et nous portions des chaussures éraflées et usées. Nous mangions dans les champs ou sur la route. Nous voyagions à bord de remorques de vieilles voitures ou de vieux camions que nous chargions de tous nos biens de valeur, nous déplaçant à toute vitesse de ferme en ferme, surveillant les panneaux ou les écritaux portant «cueilleurs demandés»; nous étions couverts de poussière, pauvres et épuisés la plupart du temps.»

Jack ne se rappelle pas quand exactement il commença à rêver d'une meilleure vie. Mais il se souvient que, même enfant, il détestait les chefs d'équipe dans les champs ainsi que les riches propriétaires.

«Je me souviens qu'une fois, dit-il avec une pointe de mélancolie, mes parents et moi cueillions des cerises par une température de 43 degrés, alors que les enfants du propriétaire nageaient dans une piscine de dimensions olympiques, derrière leur manoir. J'avais 12 ou 13 ans à ce moment-là. Je me rappelle qu'en colère et jaloux, je surveillais, du champ où je travaillais, la bonne qui servait le dîner aux enfants du propriétaire.

«Jeune, j'avais déjà décidé que *ma* famille n'aurait pas toujours à cueillir des cerises ou des pommes sous un soleil ardent. Une meilleure vie devait nous attendre quelque part, et j'allais la leur procurer. Mes parents, qui étaient des travailleurs saisonniers, étaient de braves gens vivant une vie honorable et laborieuse, mais je voulais quelque chose de plus. En observant ces propriétaires et leurs familles, j'ai éprouvé d'abord de la colère; puis, lentement, j'ai commencé à réaliser que je voulais donner à ma famille la chance d'accéder à une vie comparable. C'est alors que j'ai commencé à rêver de posséder ma propre entreprise.»

«Je veux quelque chose de plus!» «Rêver de posséder ma propre entreprise.» Ces mots vous semblent familiers? On n'a pas besoin d'être l'enfant de travailleurs saisonniers pour connaître ce sentiment. Pour certains d'entre nous, le désir de «quelque chose de plus» est un rêve qui nous a été transmis dès notre plus tendre enfance. Mon propre père me répétait toujours: «Rich, un jour tu auras ta propre entreprise.»

Vous souvenez-vous que votre père ait déjà dit quelque chose comme: «Ma fille, un jour tu seras la première femme président des États-Unis»? Ou avez-vous déjà entendu votre mère dire: «Mon fils, je m'attends un jour à être assise à la première rangée quand tu recevras ton Oscar, ton prix Emmy, ton prix Pulitzer ou même ton prix Nobel»?

Nombre d'enfants n'entendent jamais ces paroles d'encouragement de la bouche de leurs parents, de leurs professeurs, de leurs pasteurs ou de leurs amis. Ainsi, ils ne rêvent jamais de voyager eux aussi dans le monde entier, de devenir eux aussi prêtre catholique, étoile de cinéma ou encore directeur général d'une des 500 plus grandes entreprises du monde. Ils rêvent néanmoins de faire quelques centaines de dollars supplémentaires par mois, d'acheter une voiture ou une maison, d'obtenir un diplôme d'études secondaires ou un permis d'agent immobilier, de passer des vacances dans un hôtel deux étoiles ou d'avoir un compte en banque en prévision des jours pluvieux.

Que vous vouliez devenir la première femme président ou simplement avoir une soirée à vous de temps à autre, les buts que vous vous fixez détermineront votre réussite ou votre échec.

Souvenez-vous que dire «Je veux quelque chose de plus» ou «Je veux faire quelque chose de mieux» n'est que l'étape initiale. L'auteur américain Ben Sweetland a écrit: «La réussite est un voyage et non une destination.» Rêver n'est que la première étape d'un cheminement de toute une vie devant nous sortir de la médiocrité et de l'échec et nous mener vers la réalisation de nos projets, l'épanouissement personnel et la valorisation de soi. Et c'est le capitalisme avec compassion qui peut nous aider à cheminer sur cette voie.

La grandeur du capitalisme, ce n'est pas qu'il permet à une poignée de gens de devenir millionnaires; c'est qu'il aide des millions de gens à devenir ce qu'ils ont envie d'être. C'est là la question sous-jacente au credo 3. Qu'est-ce que vous voulez devenir?

Si, dans le credo 1, il est proclamé que nous sommes créés pour poursuivre de grands rêves et si, dans le credo 2, il est reconnu que trop parmi nous ne voient pas leurs rêves se réaliser, alors dans le credo 3 est soulevée cette importante question: «Comment?» Si l'on a fait dérailler nos rêves, comment les remettre sur la bonne voie?

Norman Vincent Peale a dit un jour: «Changez votre façon de penser et vous changerez le monde.» Si, actuellement, nous ne faisons pas ou ne devenons pas tout ce que nous rêvons de faire ou de devenir, demandons-nous ce qu'il faudrait modifier dans notre façon de penser pour voir ces rêves se réaliser.

Trop de gens parmi nous ont des rêves sans contour défini. Ne sachant pas où ils vont, pourquoi devraient-ils être surpris de n'arriver nulle part? Alfred North Whitehead a écrit: «Nous pensons en termes généraux, mais nous vivons au milieu de détails.» Il ne suffit pas de caresser de beaux rêves sans contenu précis.

Nous devons circonscrire le contenu de nos rêves. Comment pouvez-vous mieux définir le contenu de vos rêves?

D'autres personnes n'ont pas de rêves du tout. Lorsque je fréquentais l'école secondaire, je me souviens être allé à une assemblée au cours de laquelle un jeune homme qui s'était fixé dans sa vie 20 objectifs «presque irréalisables» présentait des diapositives. Alors qu'il n'avait que 18 ans, il s'était fixé un objectif, celui de voyager autour du monde comme son héros, Phineas Fogg. On ne sait comment, il avait réalisé son rêve et était là, dans la grande salle de l'école, nous montrant les diapositives de son périple: «Le tour du monde en 80 jours.»

J'étais assis dans cette grande salle, sur un siège dur, me demandant quels étaient mes objectifs et pourquoi je ne les avais pas réalisés. Je réussissais à peine à passer à travers mon cours. Mes notes étaient médiocres et je n'étais pas toujours assidu. Ce qui ne faisait pas une bonne impression sur mes professeurs et sur le principal. En fait, cela ne me faisait pas une bonne impression non plus. Durant la nuit qui suivit l'assemblée, je commençai à mettre par écrit mes objectifs personnels.

Nous vivons, pour la plupart, «sur la défensive». Chaque matin, nous nous levons sans objectif à réaliser et nous nous demandons, le soir, pourquoi nous allons nous coucher sans avoir rien accompli. La vie devient une espèce de corvée fastidieuse à laquelle nous nous soumettons docilement. Nous faisons ce que nos parents nous commandent de faire, ce que nos professeurs nous demandent, ce que nos patrons nous ordonnent, ce que notre famille et nos amis attendent de nous et ce que l'église ou le gouvernement exige de nous. La loi conditionne notre moralité et les crédits d'impôt limitent nos dons aux œuvres de charité.

Bill Cosby, écrivain, acteur, producteur et philanthrope, l'a exprimé en ces termes: «Je ne sais pas quelle est la clé de la réussite, mais je sais que la «clé» de l'échec, c'est d'essayer de plaire à tout le monde.»

Vous rappelez-vous cette expression employée dans *Saturday Night*: «Get a life!» Ce n'est pas une mauvaise idée. Et cela commence avec ces deux questions simples mais capitales qui sont au centre du credo 3: Qu'est-ce que vous voulez être? Qu'est-ce que vous voulez faire?

C'est votre vie. L'aiguille de la pendule avance. Les secondes s'envolent, même en ce moment où vous lisez. Arrêtez-vous. Prenez du papier et un stylo. Écrivez au haut de la page: quels sont mes objectifs dans la vie? Quel genre de personne est-ce que je veux devenir? Quelles sont les choses excitantes, épanouissantes et profitables que je veux accomplir durant mon court passage sur la planète Terre? Qu'est-ce que je vais faire aujourd'hui, la semaine prochaine, le mois prochain ou l'année prochaine pour réaliser ces objectifs?

Faites-le vraiment. Arrêtez-vous maintenant et réfléchissez quelques minutes aux objectifs qui orientent votre vie. Notez-les. Mais ne rangez pas votre stylo ou votre crayon. Faites encore ceci: parcourez votre liste et encerclez l'objectif le plus important parmi ceux que vous avez notés. Lisez-le à haute voix. Puis, posez-vous cette question: Qu'est-ce que je fais aujourd'hui pour atteindre ce but? Si la réponse est négative, décidez de ce que vous allez faire! Maintenant, ne prenez pas de repos tant que vous n'aurez pas fait aujourd'hui au moins un petit pas dans la direction du but le plus important de votre vie.

Entre parenthèses, si votre premier but est de faire plus d'argent et que vos deuxième, troisième et quatrième buts et tous les autres buts apparaissant dans votre liste sont identiques au premier, il se pourrait que vous ayez des difficultés à les atteindre. Je sais par expérience que les personnes qui ne cherchent qu'à faire plus d'argent y parviennent rarement, alors que ceux qui savent pourquoi ils ont besoin de plus d'argent et ce qu'ils veulent en faire ont plus de chances d'atteindre leurs buts.

Le docteur Stuart Menn est un bon exemple. En 1968, il terminait l'internat de deuxième et de troisième années. Après deux années de service actif dans les forces navales aériennes, il commença à pratiquer en tant que spécialiste de médecine interne et des maladies pulmonaires. En très peu de temps, il se rendit compte que le fait de posséder son propre cabinet et de payer des frais généraux mensuels et les primes de l'assurance couvrant les fautes professionnelles l'amenait à considérer ses patients comme des clients et non comme des personnes dans le besoin.

«J'avais besoin d'une deuxième source de revenu, reconnaît le docteur Menn, ce qui me permettrait de prendre pour mes patients des décisions non motivées par des considérations économiques.» Après cinq années de travail à temps partiel dans sa propre entreprise de distribution, il doubla son revenu de médecin, lequel avait nécessité un investissement de plusieurs centaines de milliers de dollars, quatre longues et difficiles années d'études en faculté, une année d'internat en milieu hospitalier, une année d'internat de deuxième et de troisième années ainsi que plusieurs années de perfectionnement en milieu de travail. Il faisait enfin ce qu'il voulait. Comme il avait pris le temps de se constituer un deuxième revenu, il pouvait traiter ses patients sans s'inquiéter des coûts. Il pouvait considérer ses patients avec plus de calme et se réserver une partie de son temps de travail pour satisfaire son intérêt à l'égard des troubles du sommeil.

« Quand les gens prennent leur énergie », nous disait le docteur Menn, et la canalisent en vue d'atteindre leurs buts personnels, des choses étonnantes se produisent. »

Margaret Hardy a émigré de Kingston, en Jamaïque, aux États-Unis. Elle y rencontra son futur mari, Terral Hardy, et travailla comme secrétaire juridique afin d'aider Terral à finir ses études en techniques du bâtiment et des travaux publics à l'université de New York.

Terral est né près de Spartanburg, en Caroline du Sud. Il fut victime comme d'autres des préjugés et du sectarisme, mais avec son impressionnant diplôme d'ingénieur durement gagné et sa belle et intelligente jeune épouse, Terral savait bien au fond qu'un jour prochain il partagerait, lui aussi, le rêve américain.

Après avoir travaillé 16 mois dans une prestigieuse firme d'ingénierie de New York, Terral aurait dû être promu tout comme ses collègues de travail blancs. « Cela n'avait jamais été mis en question », se rappelle-t-il. « J'avais mérité ce nouveau poste. Je n'aurais pas dû être surpris ou déçu », ajoute-t-il, « quand mon chef de service me fit venir dans son bureau pour m'expliquer que je n'avais pas de promotion.

« Vous avez atteint le plus haut échelon auquel vous puissiez accéder dans ce bureau », dit mon patron sans manifester aucune honte. « Je n'aime pas ça plus que vous, Terral », dit-il d'un ton convaincu, « mais on ne peut confier à des Noirs la tâche de diriger des Blancs, n'est-ce pas ? » Ce n'était pas seulement mes espoirs qui s'écroulaient ce jour-là », dit Terral. « À ce moment-là, c'est tout le rêve américain qui s'effondra pour moi. »

Terral et Margaret Hardy avaient besoin de revenus, mais ils avaient besoin de beaucoup plus encore. Ils voulaient une entreprise où les règles seraient équitables, où ils seraient jugés sur la seule base de leur productivité et où leurs efforts seraient récompensés comme il se doit. Aujourd'hui, les Hardy possèdent leur propre entreprise Amway. Ils gagnent et donnent plus d'argent qu'ils n'ont jamais rêvé.

Leif Johnson était optométriste quand il mit sur pied sa propre entreprise de distribution. Il avait voulu obtenir un diplôme de médecine, qui couronnait un cours de huit ans, afin d'avoir l'assurance de pouvoir offrir une vie de qualité à ses six fils en pleine croissance. De plus, il espérait se faire plus tard un revenu supplémentaire pour aider les gens dans le besoin. Mais les taux d'assurance plus élevés, l'intervention du gouvernement et les frais généraux qui augmentaient forçaient le docteur Johnson à travailler plus longtemps et plus fort. Il avait moins de temps et d'argent à consacrer à sa famille, et encore moins d'argent à donner aux autres.

La femme de Leif, Beverly, une musicienne douée, avait été professeur de musique à la Azusa Pacific University avant de mettre sur pied son entreprise. C'était une mère célibataire. «Enseigner dans une école chrétienne ne paie pas beaucoup», se rappelle-t-elle. «Il fallait que j'aie un revenu supplémentaire afin de subvenir aux besoins de mes deux enfants, et je voulais aussi aider financièrement mes étudiants en musique qui avaient du talent».

Il n'a pas été facile de mener à la fois des vies bien remplies, de s'occuper de leurs familles de plus en plus nombreuses et de gérer leurs affaires florissantes, mais même dans les moments les plus difficiles, Beverly et Leif Johnson réussirent étonnamment à se réserver beaucoup de temps pour se consacrer aux gens dans le besoin et à ramasser pour eux de bons montants d'argent. Leif et Bev ont soutenu financièrement la création de bourses pour les étudiants en musique et les athlètes, ils ont trouvé à Watts un magasin spécialisé dans la vente de matériel et d'équipement de sport, ils ont fait venir étudier à l'Ouest de jeunes chefs d'orchestre des pays de l'Est en les parrainant; ils ont aidé à subventionner les apparitions de musiciens européens au festival de Bach à l'université de l'Oregon et ils ont collaboré à la collecte de centaines de milliers de dollars destinés aux «Easter Seals» et à d'autres causes auxquelles ils se consacrent.

Les histoires du docteur Stuart Menn, de Terral et Margaret Hardy et de Leif et Beverly Johnson ne racontent pas simplement comment ils ont fait de l'argent. Comme je l'ai souligné, la grandeur du capitalisme, ce n'est pas de permettre à quelques personnes de devenir millionnaires. C'est de permettre à des millions de personnes de devenir ce qu'elles ont envie d'être.

Le docteur Menn ne désirait pas seulement faire de l'argent. Il voulait être de ces docteurs qui traitent leurs patients avec compassion et s'adonner à une recherche en clinique qui aiderait des gens atteints d'une maladie rare. De même, Margaret et Terral Hardy voulaient se libérer de l'injustice et de l'intolérance et faire quelque chose dont ils seraient fiers et qui les rendrait heureux et sereins. Beverly et Leif Johnson ne se sont pas lancés en affaires juste pour faire de l'argent. Ils avaient des enfants à charge et des causes à soutenir à travers l'Oregon et partout dans le monde. Le capitalisme avec compassion n'a pas comme visée première de nous aider à faire de l'argent mais plutôt de nous donner la possibilité d'être et de faire ce que nous rêvons d'être et de faire.

En présentant ces courts témoignages, mon intention n'est pas de faire la promotion de notre entreprise. Les occasions pour les capitalistes compatissants de réussir en dehors de la Corporation Amway dans ce pays et ailleurs dans le monde sont innombrables. «L'occasion est toujours là», nous rappelle Terral Hardy. «N'abandonnez pas. Votre temps viendra bientôt, mais vous devez être prêt», ajoute-t-il en souriant. «Et quand il viendra, ne ratez pas votre chance. Nous avons simplement saisi une occasion en laquelle nous croyions, et nous nous y sommes agrippés et nous en avons retiré les bénéfices qu'elle promettait. Voilà tout!»

Le docteur Menn et les Hardy désiraient des revenus supplémentaires afin de réaliser des objectifs personnels qui leur tenaient à cœur. Pourquoi voulez-vous faire plus d'argent? Que voulez devenir et que voulez-vous faire de votre vie? Les grands objectifs se forment à partir des grandes croyances. En quoi croyez-vous? Quelles sont les valeurs qui vous motivent et qui orientent votre vie?

Il y a une génération, si vous aviez demandé à un inconnu dans la rue de vous énumérer les institutions auxquelles il accordait le plus de valeur, il vous aurait probablement répondu quelque chose comme: «Dieu, le pays, la famille, les amis, l'éducation et le travail!» et probablement dans cet ordre. Dans les jours de tumulte et de cynisme qui ont suivi la guerre du Viêt-nam, les scandales du Watergate, de Wall Street et celui impliquant un évangéliste de la télévision, les choses ont changé. Malgré ce qu'indiquent les résultats de certains sondages, il semble de plus en plus évident que les gens perdent actuellement confiance dans ces institutions qui étaient les plus vénérées autrefois.

Bien que 98 % de tous les Américains croient toujours en Dieu, nos grandes religions déclinent rapidement. L'« Episcopal News Service », par exemple, affirme qu'«une crise financière ébranle actuellement tous les niveaux de l'Église épiscopale et oblige à repenser sérieusement la mission de l'Église dans le monde d'aujourd'hui ». L'Église épiscopale a récemment réduit son budget national de 5 % et gelé les postes et les salaires.

L'Église presbytérienne (États-Unis) n'engage plus non plus de personnel et puise dans ses fonds de réserve pour payer les factures. Les autorités prévoient qu'en 1994 ces réserves seront épuisées. Les dons se faisant plus rares et les congrégations manquant elles aussi de fonds pour bien s'acquitter de leurs obligations locales, la marge brute d'autofinancement nationale pourrait bien tomber à zéro.

Même la Southern Baptist Convention, avec ses 14,9 millions de partisans, a vu son niveau d'augmentation de revenu annuel, de l'ordre de 8 % à 13 %, passer aux niveaux actuels, lesquels n'égalent même pas le taux national d'inflation.

Si les églises perdent des fidèles et reçoivent moins d'argent sous forme de dons, les institutions politiques ont perdu encore plus la confiance des citoyens. En effet, 35 % seulement des personnes participant à un récent sondage Gallup disaient avoir une « grande » confiance dans le Congrès ou le gouvernement. Quand on demanda à ces mêmes participants d'évaluer leurs représentants respectifs au Sénat et au Congrès selon les critères d'honnêteté et de normes éthiques, 76 % ont classé leurs sénateurs « moyen ou mauvais » et 79 % ont attribué le même classement à leurs représentants au Congrès.

Les Américains, plus que les citoyens des autres démocraties de la planète, se disent réellement intéressés par la politique, mais c'est aux États-Unis que le taux de participation électorale est le plus faible. On peut s'estimer chanceux quand 50 % des électeurs inscrits sur les listes électorales passent par les isoloirs, alors qu'en Suisse, par exemple, le taux de participation moyen frise les 80 %.

La famille américaine traditionnelle est également en déclin. Ce que nous considérions autrefois comme le fondement essentiel ou le pivot de notre société est devenu l'exception et non la règle. Entre 1960 et 1980, le nombre de divorces dans notre pays a augmenté de 100 %. Si cette tendance se maintient, 50 % de tous les premiers mariages finiront par un divorce, ce qui est alarmant. Cela signifie que 50 % des enfants américains vivront au moins une partie de leur vie dans des familles monoparentales.

Le mariage n'est plus sacro-saint. En fait, il n'est même plus vu comme étant nécessaire. En 1970, 5 % des bébés américains étaient nés hors du mariage. En 1988, le taux était passé à 26 %. En 1970, 12 % des enfants américains étaient élevés par une mère célibataire, mais en 1992 ce taux avait doublé pour atteindre 25 %.

Mon intention n'est pas de porter des jugements moraux ni de critiquer ou de condamner. Bien que je croie aux valeurs familiales traditionnelles, parfois le divorce reste la meilleure façon de protéger un conjoint ou un enfant d'un conflit, d'une violence ou de sévices sexuels incessants. Je voudrais que tous les enfants aient la chance d'être élevés par des parents forts et aimants, mais j'ai vu des pères et des mères célibataires courageux et dévoués bien éduquer leurs enfants. Je connais des parents divorcés qui se sont arrangés pour partager la garde des enfants avec amour et efficacité, de façon à amortir le choc qu'aurait pu causer leur divorce.

L'amitié aussi a perdu la place qu'elle occupait dans la société américaine. Phillippe Ariès, dans son livre intitulé *L'enfant et la Vie familiale sous l'Ancien Régime*, devenu un classique, déclare que « la vie professionnelle et familiale a supplanté cette autre activité [l'amitié] à laquelle autrefois on s'adonnait durant toute la vie »*. Nous croyons, semble-t-il, à l'amitié, mais là encore nous n'avons tout simplement pas assez de temps ou d'énergie à y consacrer.

De même que les Américains ont moins confiance en Dieu et en l'Église, en leur pays et en ceux qui le gouvernent, en leurs parents et en la famille américaine traditionnelle, de même nous avons moins confiance, semble-t-il, dans les deux autres grandes institutions qui restent, à savoir nos écoles et notre travail.

« Nous avons trois sortes de déficits dans ce pays, dit un ancien secrétaire à l'Éducation, un déficit commercial, un déficit budgétaire et un déficit éducationnel. » Environ 27 millions d'Américains sont des analphabètes fonctionnels et, tristement, beaucoup d'entre eux ont « gagné » un diplôme de fin d'études secondaires malgré leur analphabétisme fonctionnel.

---

* Traduction libre. (N.d.T.).

«Si une puissance étrangère ennemie avait tenté d'imposer à l'Amérique la piètre performance de son système d'éducation, a écrit un pédagogue, on aurait très bien pu considérer cela comme un acte de guerre.» Non seulement les écoles échouent dans leur mission, mais le taux national d'abandon scolaire dépasse maintenant les 20 % et continue à monter. Et les étudiants qui poursuivent leurs études montrent des signes de médiocrité dans l'éducation qu'ils reçoivent. La plupart des élèves de terminale, par exemple, ont en mathématiques des résultats inférieurs à ceux des élèves de huitième année, et les notes qu'obtiennent les étudiants d'aujourd'hui en arts, en sciences et en techniques sont bien inférieures à celles des étudiants d'il y a 25 ans.

Le travail figure traditionnellement au bas de la liste des institutions auxquelles nous tenons, mais c'est tout juste s'il y apparaît aujourd'hui. En fait, 33 % des travailleurs sondés récemment ont tout simplement répondu: «Je déteste ce que je fais et je voudrais tant ne plus avoir à le faire.» Alors que même les institutions les plus «vénérées» en Amérique (les églises et l'armée) bénéficient de la confiance d'à peine un peu plus de la moitié de la population, seulement un Américain sur quatre a encore confiance dans les grosses entreprises.

Ce qu'on peut déduire de tout cela, c'est que si la population en général ne croit plus aux institutions qui constituaient les fondements de la vie de nos parents et de nos grands-parents (Dieu, le pays, la famille, les amis, l'éducation et le travail), on se retrouve devant au moins deux problèmes majeurs.

Premièrement, en tous temps ces grandes institutions ont été les principales sources des valeurs humaines. Comment ferons-nous pour nous orienter sans elles? Deuxièmement, elles ont toujours été les principales sources de force et de réconfort dans les périodes difficiles. Où irons-nous pour obtenir de l'aide quand nous en aurons besoin?

La question qui sous-tend le credo 3 est: «Que voudriez-vous faire dans la vie?» Avant de vraiment réussir en tant que capitaliste compatissant, il vous faut répondre honnêtement à cette question. Peut-être n'avez-vous pas beaucoup réfléchi à la question des valeurs. Peut-être avez-vous simplement continué à supposer que ce qui était important pour vos parents et vos grands-parents l'était également pour vous. Peut-être accordez-vous toujours de l'importance à ces vénérables institutions, mais que, considérant qu'elles ne sont pas exemptes de défauts, vous voudriez les voir modifiées. Peut-être ne croyez-vous plus dans les vieilles institutions et que vous avez trouvé un nouveau credo pour vous guider. Peut-être êtes-vous simplement déconcerté et rebuté par toute cette discussion et que vous voulez seulement qu'on vous laisse tranquillement faire assez d'argent pour payer vos factures et vous offrir des vacances de temps à autre.

Mon but, en écrivant ce livre, n'est pas de vous convertir à mes valeurs ni de vous convaincre de la justesse de mes objectifs. En fin de compte, c'est vous qui déciderez. Cette décision est personnelle. Certains capitalistes compatissants réussissent malgré des idéologies pourtant très différentes de la mienne. Mais à moins que vous n'axiez toute votre vie sur un ensemble de valeurs positives, vos objectifs seront inadéquats et imprécis. En fait, au lieu de vous aider à réussir votre vie, vos objectifs peuvent vous entraîner sur une voie dangereuse conduisant à l'autodestruction.

Lorsque j'étais enfant, à Grand Rapids, au Michigan, chaque dimanche ma mère préparait le petit déjeuner pour la famille. Après le repas, elle nous conduisait vers la porte. «Le dimanche est le jour du Seigneur», rappelait-elle à quiconque n'était pas d'humeur à aller à l'école du dimanche ou à l'église. «Que cela vous plaise ou non, nous y allons tous et nous nous mettrons ensemble dans la première rangée!»

Je n'avais aucune idée de ce qui m'arrivait durant ces premières années de mon enfance, et quelquefois je résistais de tout mon cœur et de toute mon âme à cette tradition dominicale. Mais si j'ai gagné une bataille à l'occasion, maman a gagné la guerre. Par pluie ou par beau temps, qu'il neige ou qu'il grêle, la famille DeVos allait à l'église. Et durant ces leçons, ces hymnes et ces sermons qui me semblaient interminables à l'école du dimanche, un grain qui devait germer et changer ma vie définitivement a été planté en moi. Mes parents ainsi que tous ces pasteurs, ces professeurs, ces diacres et ces bénévoles laïques dont je ne me rappelle même pas les noms m'ont fait don du cadeau le plus précieux qui soit: une carte routière pour m'orienter durant mon voyage et une source de force et de réconfort tout au long du chemin.

Je suis redevable à ma mère d'avoir axé mon système de valeurs sur la tradition chrétienne. «Quel est le plus grand commandement?» a demandé un jour à Jésus un jeune spécialiste de la loi. Que demandait-il? Il posait la question implicite du credo 3.

Que dois-je faire pour trouver un sens à ma vie? Sur quel commandement ou quelle valeur devrais-je concentrer mes objectifs?

La réponse de Jésus est simple mais pas facile à mettre en pratique. «Aime Dieu», dit-il, «et ton prochain comme toi-même.» Toutes mes valeurs sont issues de ce commandement. Et tous mes objectifs devraient être examinés à la lumière de cette réponse. Suivant la tradition chrétienne, je suis sur cette terre pour aimer Dieu, pour m'aimer moi-même et pour aimer mon prochain. Je sais que je simplifie à l'extrême, mais ce sont là les valeurs sur lesquelles j'essaie de baser mes décisions. Quelquefois je réussis. Quelquefois j'échoue. Cependant, mes réussites et mes échecs devraient toujours être évalués à la lumière de cette question: Jusqu'à quel point l'amour a-t-il inspiré mes décisions et ma conduite?

Le poète lauréat américain Robert Frost, dans son merveilleux livre intitulé *The Black Cottage*, a écrit cette phrase importante: «La plupart des changements que nous croyons observer au cours de notre vie sont attribuables au fait que certaines valeurs fondamentales prévalent ou ne prévalent plus*.» Actuellement, l'amour ne prévaut plus. Si nos institutions ont échoué ou sont en train d'échouer, c'est qu'elles ont oublié que l'amour vient en premier.

L'église doit être réformée. Cependant cette réforme commencera quand nous redécouvrirons la signification de l'amour de Dieu, de soi et de notre prochain. Si le gouvernement ne s'acquitte pas de sa tâche correctement, c'est que ceux qui gouvernent ont oublié que chaque budget, chaque loi, tout doit être fondé sur l'amour. Les familles vivant une crise et les relations d'amitié qui avortent sont celles qui ne sont plus basées sur l'amour. Si vous voulez améliorer vos notes ou accroître votre productivité, faites place à l'amour dans les écoles et dans les entreprises. Ce grand renouveau dont nous avons besoin comme personne et comme nation débutera quand les êtres humains qui composent les grandes institutions de notre pays recommenceront à s'aimer les uns les autres.

W.H. Auden a dit: «Nous devons nous aimer les uns les autres, ou mourir.» Je ne sais pas exactement ce que signifie «nous aimer les uns les autres». Et vous? Il y a presque 2 000 ans, l'apôtre

---

*   Traduction libre. (N.d.T.)

Paul, dans un des textes les plus beaux et les plus instructifs jamais écrits, l'a assez bien expliqué.

> « Quand je parlerais les langues des hommes et des anges, si je n'ai pas la charité, je ne suis plus qu'airain qui sonne ou cymbale qui retentit. Quand j'aurais le don de prophétie et que je connaîtrais tous les mystères et toute la science, quand j'aurais la plénitude de la foi, une foi à transporter les montagnes, si je n'ai pas la charité, je ne suis rien. Quand je distribuerais tous mes biens en aumônes, quand je livrerais mon corps aux flammes, si je n'ai pas la charité, cela ne me sert de rien.
>
> La charité est longanime; la charité est serviable; elle n'est pas envieuse; la charité ne fanfaronne pas, ne se rengorge pas; elle ne fait rien d'inconvenant, ne cherche pas son intérêt, ne s'irrite pas, ne tient pas compte du mal; elle ne se réjouit pas de l'injustice, mais elle met sa joie dans la vérité. Elle excuse tout, croit tout, espère tout, supporte tout.
>
> La charité ne passe jamais. Les prophéties? elles disparaîtront. Les langues? elles se tairont. La science? elle disparaîtra. Car imparfaite est notre science, imparfaite aussi notre prophétie. Quand donc viendra ce qui est parfait, ce qui est imparfait disparaîtra.
>
> Lorsque j'étais enfant, je parlais en enfant, je pensais en enfant, je raisonnais en enfant; une fois devenu homme, j'ai fait disparaître ce qui était de l'enfant. Aujourd'hui, certes, nous voyons dans un miroir, d'une manière confuse, mais alors ce sera face à face. Aujourd'hui, je connais d'une manière imparfaite; mais alors je connaîtrai comme je suis connu. Bref, la foi, l'espérance et la charité demeurent toutes les trois, mais la plus grande d'entre elles, c'est la charité. »

(I Corinthiens 13, 1-13)*

Apprendre à aimer prend une vie entière. Et combien de fois trébuchons-nous et échouons-nous en chemin! Mais quel extraordinaire présent que l'amour lorsqu'il devient la principale valeur sur laquelle tous nos objectifs sont fondés, à partir de laquelle tous nos actes sont évalués! C'est ici que le capitalisme avec compassion entre en jeu. C'est un capitalisme fondé sur l'amour. Les capitalistes compatissants s'efforcent d'aimer Dieu, de s'aimer eux-

---

* Dans la Bible de Jérusalem, de laquelle est tiré ce passage, c'est le terme « charité » et non le terme « amour » qui est employé. Dans la *New English Bible*, qui sert de référence à l'auteur, on utilise le terme *love*. À noter que, dans certains contextes, le mot anglais *love* peut se traduire par « charité », au sens d'« amour de Dieu et du prochain en vue de Dieu » (définition de la charité en tant que vertu théologale). C'est, bien entendu, de cet amour-là que parle l'auteur. (N.d.T.).

mêmes et de s'aimer les uns les autres. L'amour est le socle sur lequel repose tout le reste.

Vous souvenez-vous de ce vieil adage : « Quand le foin manque au râtelier, les chevaux se battent » ? Les capitalistes compatissants savent que toute cette discussion autour de l'amour, c'est de la blague et que cela ne rime à rien quand les gens sont affamés, sans abri et malheureux. Le capitalisme avec compassion tend les bras avec amour vers ceux qui sont dans le besoin (peu importe leurs besoins) en disant : « Venez, entrez ! Il y a assez de place pour tout le monde ! »

« Quand j'étais enfant », se rappelle Jack Daughery, « et que je cueillais des cerises 10 heures par jour sous un soleil d'été brûlant, je me souviens avoir détesté ces riches propriétaires et leurs chefs d'équipe travaillant aux champs. Et quand je voyais leurs beaux enfants se promener à dos de poney à travers les champs, je me méprisais à cause de mes vêtements déchirés et de mon visage sale. Et si j'avais pensé à Dieu, je L'aurais alors probablement détesté aussi, en raison de l'injustice que mes parents et moi subissions et de cette inégalité dont nous souffrions durant toute cette époque de mon enfance. »

À l'âge de 14 ans, Jack alla travailler avec ses parents dans une grosse usine de traitement de pommes de terre à Grand View, dans l'État de Washington. Mon premier travail consistait à arracher les mauvaises herbes des champs à proximité des conduits d'irrigation en bois », se souvient-il. « Les rats et les serpents à sonnettes (les crotales) se cachaient sous les longues auges en bois. Chaque fois que j'avançais la main pour extirper les mauvaises herbes ou ramasser des détritus, j'avais peur qu'un rat ne m'arrache un doigt d'un coup de dent ou qu'un serpent à sonnettes n'enfonce ses crochets venimeux dans mon bras.

« À l'époque où j'avais 15 ou 16 ans, je pouvais mettre un sac de pommes de terre de 45 kilos sur mes épaules et aller le déposer en bordure des hangars. Finalement, après avoir occupé de multiples emplois à l'intérieur et à l'extérieur de cette ferme et usine de traitement de pommes de terre, les propriétaires m'ont promu directeur. Peu après, j'ai épousé Rita, la fille d'un fermier élevée dans les plaines du Nebraska.

« Devenir le directeur de cette usine était un exploit qui dépassait de loin tout ce à quoi les membres de ma famille pouvaient s'attendre de ma part. Et je dirigeais cette usine exactement comme si j'en avais été le propriétaire. J'arrivais tôt et je restais tard. Alors que tout le monde était sorti en vitesse sur le coup de sifflet de 17 h, je restais encore 4 ou 5 heures afin de m'assurer que tout était prêt pour le matin suivant. Après tout, j'étais l'enfant d'un travailleur saisonnier. J'étais habitué à travailler de l'aube au coucher du soleil.

«Je dus bientôt reconnaître que Rita avait raison. Je la voyais rarement. Nous vivions séparés 12 heures par jour. Elle travaillait comme esthéticienne et faisait le double des heures. Je vivais pratiquement dans l'usine. Et au fond de moi, j'étais de plus en plus insatisfait. Ne remplissant pas mon rôle d'époux et de père, comment pouvais-je m'aimer moi-même? Je consacrais à mon travail 12 ou 14 heures par jour et je n'avais jamais de remerciements pour mon labeur, ni de mes employeurs ni des travailleurs sous ma responsabilité. Alors comment pouvais-je les aimer? Et je pensais de moins en moins à Dieu. Je n'avais pas le temps de l'aimer ou de le haïr. Il a, en quelque sorte, tout simplement disparu de ma vie.»

Jack et Rita envisagèrent alors de posséder leur propre entreprise, ce qui pouvait leur permettre de passer du temps ensemble. Lorsqu'ils la trouvèrent, ils l'adoptèrent et s'y consacrèrent à plein temps. Leurs parrains de la société Amway leur manifestèrent un amour que ni leurs chefs d'équipe dans les champs de cerisiers ni les propriétaires de l'usine de traitement de pommes de terre ne leur avaient manifesté. Tous les amis qu'ils se firent dans l'entreprise et tous leurs collègues de travail leur tendaient la main pour les féliciter quand ils prospéraient ou pour les réconforter quand ils étaient en déficit.

Il ne leur fut pas facile de faire prospérer leur nouvelle entreprise. Ils se rendirent bientôt compte qu'ils devaient manifester le même genre d'amour envers leurs clients et les distributeurs que celui qu'on leur avait manifesté. Au début, cette nouvelle entreprise leur demanda autant de temps, d'énergie et de sacrifices que leur ancien travail.

«Nous vivions dans un appartement peu confortable», se rappelle Rita. Quand nous étions assis dans la cuisine, tout ce qu'il y avait dans l'appartement était à portée de main. Nous avons consacré 29 dollars et quelques années de dur labeur à la réalisation de notre rêve. Au début, nous avions un travail régulier le jour et nous nous occupions de notre petite entreprise le soir et les week-ends. Puis, nous avons fini par nous y vouer à plein temps.

Ce fut difficile au début, mais au moins nous étions ensemble. Et aujourd'hui, cette «petite» entreprise rapporte annuellement des millions de dollars. Mais ce qui importe encore plus, c'est que cette petite entreprise n'appartient pas à quelqu'un d'autre. Elle est à nous. Nous avons la possibilité de nous aider nous-mêmes et d'aider les autres comme nous n'avions jamais osé rêver de le faire.»

Quels sont vos objectifs? Jusqu'où voulez-vous aller dans la vie? Jack et Rita s'aimaient eux-mêmes assez pour se fixer des objectifs, prendre des risques et effectuer certains changements. Tout au long de leur cheminement, ils ont appris à aimer Dieu et leur prochain. Le fils du travailleur saisonnier a maintenant un revenu très élevé. Ses enfants ont leur propre piscine. L'église, les voisins, la ville et l'entourage de Jack et de Rita bénéficient de meilleures conditions parce que le temps et l'argent dont ceux-ci disposent leur permettent maintenant de manifester aux autres leur amour en les aidant concrètement à améliorer leur vie.

En 1959, alors que la guerre froide atteignait son paroxysme, John F. Kennedy a dit lors d'un discours: «Lorsqu'il est écrit en chinois, le mot *crise* est composé de deux caractères; l'un représente le danger et l'autre l'occasion ou la chance.»

Nous vivons à une époque où les institutions importantes doivent être renouvelées et recréées. En cette époque, nous avons l'occasion de nous forger de nouvelles solutions, de nouvelles institutions et de nouvelles approches, mieux adaptées aux problèmes auxquels nous faisons face. Par le passé, les grandes crises ont engendré des conditions qui ont favorisé la marche en avant des civilisations et l'émergence d'une nouvelle vitalité.

Si nous nous efforcions vraiment de réapprendre l'amour et de le réintégrer dans nos églises, au gouvernement, dans nos foyers, nos écoles, nos usines et nos bureaux, notre économie pourrait être redressée et les gens auraient la possibilité de se fixer des objectifs dans le but d'améliorer leur vie et, avec l'aide des autres, de les réaliser.

Souvenez-vous de Jack Daughery, fils de travailleurs saisonniers, qui passa son enfance à cueillir des cerises sous un soleil brûlant en rêvant d'une vie meilleure! Souvenez-vous de Rita Daughery, qui a grandi dans une ferme du Nebraska en espérant qu'un jour elle aurait sa propre entreprise. Le capitalisme avec compassion a ouvert les portes aux Daughery, et leur espoir d'une vie meilleure s'est concrétisé.

CHAPITRE 4

Pourquoi est-il si important de bien gérer ses finances si on veut atteindre ses objectifs ?

CREDO 4

Nous croyons que la mise en ordre de nos finances — la liquidation de nos dettes, le partage avec les autres, les limites financières établies et le respect rigoureux de ces limites — est le premier pas vers la liberté qui nous permettra de changer nos conditions de vie.

Par conséquent, nous devons payer nos factures et mettre de l'ordre dans nos priorités financières.

Par une douce soirée d'automne de 1968, en Caroline du Nord, Hal et Susan Gooch roulaient tranquillement le long du manoir Finch, au cœur de Thomasville. Hal avait tout juste 25 ans et venait de terminer son service militaire. Susan avait 22 ans et travaillait comme opératrice d'ordinateurs dans une grande entreprise de miroirs, dans un parc industriel situé à proximité de leur appartement. Hal travaillait pour son père dans l'entreprise familiale de meubles. Souvent, quand le jeune couple longeait en voiture la propriété des Finch, qui faisait 8 hectares, ils se demandaient s'ils auraient un jour la possibilité de réaliser leur grand rêve de posséder une maison et de fonder un foyer.

« La famille Finch était propriétaire de Thomasville Furniture », se rappelle Hal. « Notre localité avait une population de 16 000 habitants seulement, et 6 000 d'entre eux travaillaient pour monsieur Finch. Pas étonnant qu'il ait pu faire construire un tel manoir ! »

« C'était l'une des familles les plus riches du coin », se rappelle Susan, « et souvent, au cours de ces chaudes soirées, nous longions en voiture leur maison de 1 400 mètres carrés, nous demandant si nous aurions jamais assez d'argent pour vivre dans un endroit aussi merveilleux. »

« Travailler dans la petite entreprise de meubles de papa me donnait un revenu décent », explique Hal. « Ce n'était pas beaucoup, mais cela aurait été suffisant. Et Susan avait un bon travail payé à l'heure, ce qui nous faisait un revenu supplémentaire. Mais à la fin de chaque mois — je devrais dire au début du mois, une fois que nos factures mensuelles étaient payées — il ne nous restait presque rien. »

Hal et Susan Gooch se souviennent encore de ces soirs, il y a longtemps, où ils rêvaient et se demandaient s'ils auraient un jour assez d'argent pour laisser leur logement à 55 $ par mois et emménager ailleurs, même si ce n'était pas dans le manoir de leur rêve. Puis, au cours d'une de ces soirées étranges et merveilleuses, un rêve commença à prendre forme dans le cœur de Hal et de Susan.

« Nous n'aurons pas seulement une grande maison un jour », murmura Hal. « Nous serons propriétaires du manoir Finch, ici même, à Thomasville. » Susan sourit, serra la main de son jeune mari et se demanda s'ils pourraient jamais payer toutes leurs factures et mettre de l'ordre dans leurs finances, avant de songer à devenir propriétaires d'un manoir de plusieurs millions de dollars.

Connaissez-vous ce sentiment ? Vous avez un rêve, mais vous vous demandez si vous aurez jamais les moyens de le réaliser ? Si vous travaillez, trouvez-vous de plus en plus que votre chèque de paye vous permet à peine de subsister jusqu'au suivant ? Si vous êtes chômeur, sentez-vous la crainte monter en vous chaque fois que le facteur passe ? Votre rêve d'une nouvelle maison, d'une nouvelle voiture, de vacances en famille ou même de menues économies est-il étouffé sous l'avalanche des factures ou des comptes qui passent chaque mois par votre boîte aux lettres ?

« Nous n'avions pas de diplômes universitaires », explique Susan. Nos parents n'étaient pas riches. Nous n'avions pas d'oncles ni de tantes fortunés attendant dans les coulisses. Nous avons songé à dévaliser une banque ou à imprimer des faux billets. Mais nous avons très vite chassé cette idée de notre esprit. Il n'y avait pas de loterie en Caroline du Nord, et de toute façon, avec la mauvaise chance qui nous poursuivait, nous n'aurions rien gagné. Les coûts continuaient à grimper et notre valeur nette continuait à baisser. »

« Si nous voulions voir nos rêves se réaliser », poursuit Hal, « il nous fallait gagner plus d'argent. Il ne nous semblait pas y avoir d'autres façons. L'argent semblait être la seule réponse. »

L'argent! L'écrivain existentialiste français Albert Camus a écrit dans ses *Carnets, 1935-1942*: « C'est par une sorte de snobisme spirituel qu'on peut essayer de croire qu'on peut être heureux sans argent. » Dorothy Parker a dit un jour à un confrère journaliste que les deux mots les plus beaux de la langue anglaise étaient « check enclosed »*. L'ex-Première ministre britannique Margaret Thatcher a déjà dit: « Personne ne se serait souvenu du bon Samaritain s'il n'avait eu que de bonnes intentions. Il avait également de l'argent. »

L'argent! Que vous soyez d'accord avec saint Paul quand, dans sa première épître à Timothée, il dit que « la racine de tous les maux, c'est l'amour de l'argent » ou que vous applaudissiez quand Bernard Shaw réplique que « le manque d'argent est la racine... », vous reconnaîtrez que nous occupons la majeure partie de nos journées à gagner et à dépenser de l'argent (ou à nous demander comment en gagner et comment le dépenser). Cela nous empêche même souvent de dormir la nuit.

Ce dont on peut se réjouir, c'est qu'il y a une multitude de moyens de faire plus d'argent. Mais la contrepartie, c'est qu'avant de lancer une nouvelle entreprise ou de faire prospérer celle que vous avez déjà il vous faut mettre de l'ordre dans vos finances. Il y a un vieux dicton dont trop de gens refusent de tenir compte: « Si vous ne vous en sortez pas avec l'argent que vous faites, vous ne vous en sortirez pas davantage avec plus d'argent. » De la même manière, Jésus a dit: « Qui est fidèle pour très peu de chose est fidèle aussi pour beaucoup. »

« On ne peut régler nos problèmes d'argent actuels en s'empressant de les remplacer par d'autres », nous dit Bill Britt, l'un des distributeurs indépendants d'Amway les plus prospères et qui est à la tête d'une organisation comprenant des centaines de milliers de personnes disséminées en Amérique du Nord et partout dans le monde. « Une chose à la fois », ajoute-t-il.

---

*   Chèque ci-inclus ou chèque ci-joint. (N.d.T).

« Les gens aux prises avec des difficultés financières doivent acquitter leurs factures ou leurs comptes en souffrance, ou au moins établir un plan et un échéancier de paiement », ajoute Jim Janz, l'un des distributeurs d'Amway les plus prospères au Canada. « Alors seulement ils seront prêts à foncer, à prendre de nouveaux risques et à repartir à neuf. »

Soyons honnêtes. La plupart des gens gèrent mal leurs finances et se retrouvent ainsi en difficulté. Le problème est simple : ils dépensent plus qu'ils ne gagnent. Résoudre ce problème n'est toutefois pas si simple, surtout lorsqu'il a atteint une certaine ampleur. Une fois qu'on est enseveli sous une avalanche de factures ou de comptes, il semble impossible de trouver une issue. Une fois qu'on est pris dans l'engrenage, toutes nos pensées et nos actions ont tendance à s'accompagner d'un sentiment de crainte, de culpabilité et d'impuissance.

Dans *Servitude humaine*, William Somerset Maugham a écrit : « L'argent est comme un sixième sens sans lequel vous ne pouvez pleinement utiliser les cinq premiers*. » Trop de gens, selon toute apparence, n'ont pas su développer ce sixième sens dont parle l'écrivain Maugham, et cela a une incidence terrible sur leur vie privée.

Examinons les chiffres. Selon les experts, les familles américaines contractent en moyenne 71 500 $ de dettes, dettes hypothécaires incluses. Ne vous semble-t-il pas que c'est beaucoup d'argent ? Du moins, en comparaison avec les familles allemandes, qui ont en moyenne 27 700 $ de dettes, ou avec les familles suisses dont les dettes s'élèvent, tenez-vous bien, à 800 $ à peine.

La tendance des consommateurs américains à utiliser des cartes de crédit et même à en abuser est devenue une cause majeure de leur endettement. Il y a plus de 1,3 milliard de cartes de crédit en circulation seulement aux États-Unis, et 80 % des adultes américains en possèdent au moins une carte. Et quel marché que celui des cartes de crédit ! Récemment en un an, la société American Express a à elle seule porté au débit des comptes de ses adhérents un total d'environ 100 milliards de dollars. Au moins 75 millions d'Américains étaient en retard dans le paiement de leur solde. Les détenteurs de cartes avaient un solde débiteur annuel moyen de

---

*   Traduction libre. (N.d.T.)

2 474 $ et payaient annuellement des frais de crédit de 465 $. Le taux d'intérêt moyen était de 18,8 %.

Malheureusement, il n'y a pas de solutions faciles à ce problème de l'endettement de millions d'Américains. La dépendance des consommateurs à l'égard des cartes de crédit et l'utilisation abusive de ces dernières est un problème qui ne peut être résolu qu'individuellement. Éprouvez-vous un besoin irrépressible de sortir votre carte de plastique? Vous-êtes vous sincèrement demandé d'où venait ce besoin et si vous pouviez le contrôler? Il existe une façon de le savoir. Ce sera déjà un pas dans la bonne direction que de répondre aux questions suivantes.

Combien de cartes de crédit avez-vous? Combien avez-vous de soldes à payer? Les avez-vous additionnés? Devez-vous payer des intérêts de retard ou de pénalisation? Les avez-vous additionnés? Quel est actuellement le total de tous vos soldes débiteurs et intérêts à payer? Si vous avez un revenu fixe et que vous décidiez de ne plus utiliser vos cartes de crédit, combien de temps vous faudra-t-il pour régler tous vos comptes? Si vos revenus baissent ou si vous prévoyez ne plus en avoir bientôt, comment les paierez-vous, sans parler des intérêts accumulés? Entre-temps, combien d'argent encore pourrez-vous faire porter au débit de votre compte?

Les étudiants universitaires constituent le nouveau «marché prioritaire» des sociétés émettrices de cartes de crédit. Déjà 3,9 millions d'étudiants possèdent au moins une carte de crédit, ce qui représente 70 % des 5,6 millions d'étudiants américains inscrits à temps plein dans les universités offrant des programmes d'une durée de 4 ans. Le nombre de jeunes détenteurs de cartes a ainsi augmenté de près de 40 % rien que ces 2 dernières années. La plupart des entreprises offrent leurs cartes sans exiger de cosignataire. Les formules de demande ne comportent pas non plus d'exigences quant au revenu ou aux économies. Ces cartes de plastique constituent un fléau susceptible de miner l'économie du pays et qui continue de se propager, faisant des victimes de plus en plus jeunes.

Les étudiants américains disposent en moyenne de 153 $ par semaine, qu'ils reçoivent de leurs parents ou qu'ils gagnent en occupant des emplois à temps partiel. Ils ne dépensent peut-être que 105 $ en divertissements, en vêtements et en biens de consommation divers, mais au grand total cela revient à 60 000 000 000 $ par année, et les sociétés qui offrent des cartes veulent leur part.

Un professeur d'économie de la Texas Tech University a révélé au *Washington Post* qu'elle avait appris que les étudiants auxquels elle enseignait possédaient chacun pas moins de 10 cartes de crédit, et que pour chacune la limite de crédit était de 1 000 $. « J'ai vu des jeunes qui avaient entre 50 000 $ et 70 000 $ de dettes », confie-t-elle. « Ils dépensaient en pizzas, en frais de scolarité, en livres, en voyages d'agrément, en présents pour leurs amies, en chaussures, en montres, en cadeaux de fiançailles, en bals d'étudiants, en cérémonies officielles, etc. Ces jeunes perdent la boule. Ce genre de dépenses ne repose sur aucune base financière. »

L'un des parents interviewés par l'auteur de l'article du *Post* a soumis cette conclusion intéressante : « Mon meilleur « agent de promotion » des valeurs traditionnelles fut mon institutrice de première année », dit-elle. « Mademoiselle Billard nous distribuait nos livres d'épargne chaque mercredi, de façon à nous permettre de voir combien de sous nous avions accumulés. Aujourd'hui, nos enfants voient le déficit du gouvernement augmenter. Pourquoi alors devraient-ils, eux, dépenser avec modération ? »

C'est un jeu dangereux que de rendre les autres ou les institutions responsables de nos problèmes financiers, mais ce parent déçu marque ici un point. Ceux que nous avons envoyés à Washington pour nous représenter ne donnent pas précisément le bon exemple aux Américains, jeunes ou vieux. Si vous croyez qu'aujourd'hui les utilisateurs de cartes de crédit agissent de manière irresponsable, voyez l'utilisation que fait le gouvernement de sa carte de plastique géante.

De 1895 à 1988, les États-Unis ont bénéficié d'un surplus commercial. Durant des décennies, nous avons été la source du crédit mondial. Puis, soudain, nous sommes devenus la nation la plus endettée. En 1990 seulement, notre déficit extérieur a dépassé les 100 000 000 000 $. En 1991, il a augmenté de 279 milliards. Aujourd'hui, la dette totale du gouvernement américain est estimée à plus de 3,5 trillions (milliards de milliards) de dollars. Nous pourrions l'acquitter si chaque homme, chaque femme et chaque enfant en Amérique disposait d'un excédent de 12 000 $ qu'il pourrait envoyer à Washington. Mais c'est impossible. Trop d'Américains dépendent de leurs cartes de crédit.

Alors, quelle voie est la voie à suivre pour assainir indivi-duellement nos finances? Les distributeurs les plus prospères d'Amway que j'ai interviewés tombent en général d'accord sur les cinq étapes suivantes: premièrement, payez vos dettes; deuxième-ment, apprenez à partager; troisièmement, mettez de côté au moins un peu d'argent chaque mois; quatrièmement, limitez de façon stricte vos dépenses; et cinquièmement, apprenez à ne pas dépas-ser ces limites.

Aristote a dit: « Ce que nous devons apprendre à faire, nous l'apprenons en le faisant.» Le meilleur plan pour liquider vos dettes et remettre de l'ordre dans vos finances sera le plan que vous découvrirez vous-même en le faisant. Voici néanmoins une ou deux idées susceptibles de vous aider.

Acquittez vos dettes

Il y a une anecdote concernant un aristocrate anglais qui s'était retrouvé dans une mauvaise passe financière. Lorsque son tailleur, à qui il devait de l'argent, lui demanda de payer sa dette ou au moins l'intérêt de sa dette, l'Anglais répondit: « Il n'est pas dans mon intérêt de payer le principal, et je n'ai pas comme principe de payer les intérêts!»

Même si vous ne pouvez vous débarrasser aussi facilement d'un créancier que ce lord pompeux, il est peut-être plus facile que vous ne croyez de vous acquitter de vos dettes et de remettre de l'ordre dans vos finances. Récemment, j'ai eu une longue conversa-tion avec la directrice du crédit d'un grand magasin de Grand Rapids. Elle parlait en termes très positifs de la façon dont les clients en retard dans leur paiement géraient leurs dettes.

« Un bon client nous préviendra par écrit s'il prévoit ne pas pouvoir effectuer dans les délais le paiement complet de la mar-chandise achetée», m'a-t-elle dit. « Puis, pour prouver sa bonne foi, il joindra à cet avis écrit un chèque ou un mandat-poste couvrant au moins un pourcentage du montant dû. Nous considérons ces personnes comme des clients responsables et méritant notre con-fiance. Et nous ferons tout ce qui est en notre pouvoir pour les aider à se sortir de leur mauvaise passe financière. Toutefois, lors-que les clients ne préviennent pas, ni par écrit ni par téléphone, lorsqu'ils ne nous envoient pas au moins un petit montant chaque mois, nous devons alors faire appel aux agences de recouvrement. Et avec eux, ça ne traîne pas.»

Quand je lui ai demandé quelle procédure elle conseillait à ceux qui désiraient liquider leurs dettes, elle a répondu : « D'abord, leur faire calculer le total de ce qu'ils doivent. Deuxièmement, leur demander de calculer le montant qu'ils peuvent verser chaque semaine ou mensuellement. Troisièmement, s'assurer qu'ils en informent leurs créanciers (ou qu'ils négocient avec eux) pour voir si les versements sont acceptables. Quatrièmement, leur rappeler d'effectuer leurs paiements régulièrement. Et cinquièmement, dire aux gens de commencer à vivre selon leurs moyens, afin qu'ils ne s'endettent pas de nouveau. »

Ses conseils m'ont semblé judicieux. Qu'est-ce que vous en pensez ? Avez-vous beaucoup de dettes ? Avez-vous décidé d'un plan pour les liquider ? Avez-vous contacté vos créanciers afin de leur demander conseil ? Avez-vous effectué vos paiements régulièrement ? Vivez-vous selon vos moyens ? Je sais qu'un plan modeste peut sembler simpliste. Mais c'est un plan et un plan, quel qu'il soit, c'est déjà mieux que rien.

Après avoir obtenu son diplôme d'architecture de Texas Tech, avoir étudié à Cambridge grâce à une bourse et avoir vécu un an à l'étranger, Ron Rummel revint enthousiaste en Amérique, en songeant à son avenir et impatient de commencer. Ron décrocha un bon emploi au sein d'un prestigieux cabinet d'architectes. Vers la même époque, la femme de Ron, Melanie, signa un contrat d'enseignement. Elle enseigna ainsi les langues et les sciences à des élèves de 5e et de 6e année. Puis, sans avertissement, le marché mondial du pétrole s'effondra. Soudain, la prospérité économique de Dallas cessa. Ron et Melanie se retrouvèrent sans emploi et couverts de dettes. Melanie se vit retirer sa carte MasterCard, et avec toutes ses autres cartes elle avait atteint sa limite de crédit.

« Cela m'avait pris 6 ans pour terminer mes études universitaires », se rappelle Ron, « 6 ans à côtoyer des gens instruits qui m'ont montré comment faire 800 $ par mois comme architecte. Puis, quand tout s'effondra, je suis allé écouter un étudiant ayant abandonné ses études et qui faisait un exposé sur le programme de marketing et de distribution d'Amway. Je me suis joint à l'entreprise », avoue Ron, « avec seulement deux objectifs en tête : régler mon compte chez Sears et passer plus de temps avec ma famille. »

Il ne plaisante pas. Payer les dettes qu'entraînent les achats à crédit est devenu une préoccupation majeure pour des dizaines de millions d'Américains. Pour y parvenir, il est devenu courant d'accepter un deuxième emploi. «Je me consacrais autant à mon entreprise Amway qu'à mon autre emploi», explique Ron. Nous avons remis à plus tard l'achat de presque tout ce que nous voulions et même de tout ce dont nous avions besoin. Nous travaillions 7 soirs par semaine, 12 heures par jour, afin d'être en mesure de nous acquitter de nos dettes.»

Ce faisant, Ron et Melanie ont dépassé largement leur objectif, qui était de payer leurs factures et leurs comptes d'achats à crédit. Ils ont bâti une entreprise extrêmement prospère, ce qui leur donne la possibilité de se consacrer davantage à leurs enfants, d'être compatissants envers les indigents de leur entourage et ceux d'ailleurs dans le monde, et ce qui leur évite d'éprouver de nouveau le stress de se retrouver endettés.

Avant de prendre des dispositions pour l'avenir, nous devons assumer les décisions que nous avons prises par le passé. Si vous avez besoin d'un plan plus élaboré pour vous acquitter de vos dettes, votre banquier ou un directeur de crédit de votre ville vous aidera. Il existe une grande variété de livres et d'enregistrements, de séminaires et de conseillers qui pourront vous être utiles tout au long de votre cheminement. Comme pour réaliser n'importe quel objectif, pour devenir solvable vous devez avoir un plan et le mettre à exécution.

Un plan seul ne fonctionne pas. L'humoriste américain Artemus Ward l'a décrit ainsi: «Soyons tous heureux et vivons selon nos moyens, même si nous devons pour cela emprunter de l'argent.» Emprunter de l'argent n'est pas un moyen de se sortir de l'endettement. Cela nous y conduit, au contraire. Et les cartes de crédit sont devenues la principale source d'augmentation de l'endettement personnel dans notre pays. En résolvant les problèmes générés par l'utilisation de nos cartes de crédit, nous ne réglerons peut-être pas toutes nos dettes personnelles, mais c'est déjà un excellent début.

Calculez le montant total de vos dettes. Si vous ne savez pas combien vous devez pour chaque carte, composez le numéro de la banque commençant par 800 et demandez quel est votre solde actuel. Puis, faites le total de tout ce que vous devez pour vos achats à crédit. Ensuite, additionnez ce total au montant de votre dette hypothécaire, de votre emprunt pour achat d'auto, de vos prêts étudiants et de toutes vos autres dettes.

Avec tant de cartes de crédit dans nos portefeuilles et nos sacs à main, il est difficile de se souvenir des totaux. Mais une fois que vous aurez noté sur papier la somme effrayante de vos dettes et que votre mémoire l'aura enregistrée, une fois que le déficit de votre résultat financier vous apparaîtra clairement, vous serez sans doute assez motivé, plus que vous ne l'avez jamais été auparavant en tout cas, pour cesser d'utiliser vos cartes et pour décider d'un plan réaliste en vue de vous acquitter de ces dettes.

Inscrivez le montant total que vous devez sur des étiquettes autocollantes. Collez-en une sur chacune de vos cartes. Inscrivez aussi ce montant sur des post-it que vous mettrez sur votre réfrigérateur ou sur le tableau de bord de votre auto. Vous pourriez même l'inscrire avec un savon sur le miroir de votre salle de bain ou le graver avec un canif sur l'étui en plastique de votre carnet de chèques.

L'ignorance est peut-être synonyme de béatitude, mais c'est aussi l'étape qui précède la faillite. Une fois que vous savez ce que vous devez vraiment, vous êtes en bonne voie de contrôler vos dépenses et de mettre fin à votre endettement. Juste pour voir, la prochaine fois que vous serez tenté d'utiliser votre petite carte de plastique, lisez la note que vous y avez collée (ou citez-la de mémoire). «Montant dû pour achats effectués avec cette carte: 4 321 $. Montant total des achats à crédit: 74 000 $.»

Puis, avant d'utiliser de nouveau votre carte, fermez les yeux et posez-vous les questions suivantes: «Cet achat en vaut-il la peine? Est-ce que je veux ajouter une nouvelle dette à celles que j'ai déjà? Ou est-ce que je peux m'en passer?»

Retrouvez et examinez toutes les cartes de crédit que vous possédez actuellement. Disposez-les en rangs sur la moquette de votre salon. Maintenant, enlevez celles qui sont périmées. Il est imprudent de les garder, même si la date d'expiration est échue. Les voleurs adorent utiliser frauduleusement les cartes des autres. Jetez-les.

Tâchez de découvrir, parmi vos cartes de crédit valides, celle dont le taux d'intérêt est le plus bas. Il vous faudra parfois faire des recherches pour connaître les taux d'intérêt que vous payez, mais en général il suffit de composer le numéro de la banque qui commence par 800 et de demander. Le choix d'une carte dont le taux d'intérêt est faible peut vous faire économiser des milliers de dollars au cours des 10 prochaines années.

Teresa Tritch, de la revue *Money*, nous rappelle que si vous ne payez pas chaque mois votre solde débiteur, « vous économiserez annuellement presque toujours plus avec une carte à taux d'intérêt peu élevé, même si elle comporte des frais annuels, qu'avec une carte à taux d'intérêt élevé qui ne comporte pas de frais. »

Si l'on additionne les coûts occasionnés par le non-paiement des soldes débiteurs, on arrive à des sommes étonnantes. « Si votre solde moyen est de 1 200 $, souligne madame Trich, et que votre carte produit un taux d'intérêt à payer de 19,8 % (ce qui est à peu près le taux des cartes bancaires les plus connues), au bout d'un an vous vous retrouverez avec 237,60 $ d'intérêts à payer. » Elle ajoute : « Vous paierez probablement aussi des frais annuels de 18 $ ou 20 $. »

Refusez de payer les frais annuels. Ne vous en faites pas, la banque fait quand même de l'argent avec les commerçants. Si des frais sont portés à votre compte, composez le numéro de service sans frais et demandez qu'on supprime ces frais annuels. Si on ne veut pas agréer à votre demande, dites que vous allez annuler la carte. Écoutez alors la réponse qu'on vous donnera. S'ils insistent pour vous faire payer ces frais, envoyez-les paître et annulez votre carte.

Ne gardez pas sur vous plus de deux ou trois cartes de crédit. Robert McKinley, éditeur du bulletin « Ram Research's Bankcard Update », recommande une carte sans frais annuels et comportant un délai de grâce pour le paiement mensuel complet de vos achats et une carte à taux d'intérêt peu élevé pour les achats que vous voulez payer ultérieurement et pour laquelle, idéalement, vous n'aurez pas non plus à payer de frais annuels. Gardez sur vous une troisième carte à faible taux d'intérêt que vous réserverez pour vos transactions d'affaires.

Ne vous contentez pas de découper les cartes dont vous n'avez pas besoin. Payez ce que vous devez. Prévenez la banque que vous annulez leur carte. Examinez attentivement votre relevé pour vous assurer qu'on n'a pas ajouté à vos paiements mensuels des frais, ce qui voudrait dire que votre carte est toujours valide, même si vous l'avez annulée. Puis, découpez la carte et faites-la-leur parvenir par la poste.

Croyez-vous que j'insiste trop sur ce problème de cartes de crédit ? Pas du tout. Tournez les pages financières de votre journal local. Lisez les gros titres. « Augmentation de 30 % des retards dans le paiement d'achats à crédit». «Retards dans le paiement des achats à crédit en hausse depuis 4 ans». Le Moody's Investors Service à New York affirmait récemment que 6,13 % de tous les détenteurs de cartes de crédit étaient en retard d'au moins 30 jours dans leurs paiements. Cela signifie que sur le 1,8 milliard de cartes détenues dans ce pays, environ 82 millions ont été utilisées pour des achats qui n'ont pas été payés à la date d'échéance.

Combien d'individus ou de familles cela représente-t-il? L'analyste de Moody explique l'une des causes de l'augmentation constante du nombre de ces retards: «Beaucoup de nouveaux chômeurs recourent à leurs cartes de crédit pour surnager jusqu'à ce qu'ils obtiennent un autre emploi.» Lorsqu'ils ont atteint leurs limites de crédit et qu'il n'y a toujours pas d'emploi à l'horizon, ces débiteurs sont acculés à la faillite personnelle.

«Cet accroissement du nombre de retards dans les paiements et de faillites personnelles que nous avons enregistrés», déclare Moody, «a entraîné une augmentation de 40 % du total des montants échus et non recouvrés par les banques.» Les services de cartes de crédit et, du coup, les banques qui les parrainent perdent des sommes d'argent considérables. Les répercussions sur l'avenir financier du pays et même du monde entier sont réellement effrayantes. Au moment même où j'écris ces lignes, les vérificateurs des banques nous avertissent que des centaines de banques américaines auxquelles leurs clients doivent un total de 600 000 000 000 $ sont au bord de la faillite.

Êtes-vous un mordu des cartes de crédit? Auriez-vous avantage à faire partie d'une association locale qui pourrait s'appeler «Utilisateurs de cartes de crédit anonymes»? Il semble tellement facile de passer une ou deux fois par semaine à un guichet automatique de votre ville pour retirer une avance de fonds de 100 $ avec votre carte de crédit, surtout quand vous en avez besoin. Mais qu'arrivera-t-il quand vous serez dans l'impossibilité de rembourser ce que vous devez, sans parler du 15 % ou 20 % d'intérêt qui grossit chaque jour votre dette? Qu'arrivera-t-il, à votre famille et à vous, quand la banque saisira vos biens hypothéqués?

Ne croyez pas un instant que les banquiers ne vous harcèleront pas simplement parce qu'ils passent aux profits et pertes certaines créances considérées comme irrécouvrables. Au contraire! Et lorsque votre banquier vous voit comme un ennemi, il peut rendre votre vie misérable. Lui ou son agent de recouvrement essaiera de rentrer en possession de tout ce que vous devez. Non seulement votre ligne de crédit sera réduite à néant, parfois pour la vie, mais vous pouvez finir par avoir de sérieux ennuis avec la loi et même par vous retrouver en prison.

Alors, faisons appel à notre bon sens. Utiliser une carte de crédit pour un achat ou une avance de fonds alors qu'on ne sait pas comment on pourra rembourser, c'est purement et simplement un vol de banque. Lorsqu'on dépense de l'argent qui n'est pas à nous, on met en péril son avenir et celui de sa famille. Quoi que les individus et l'État fassent, ils doivent assumer leurs responsabilités lorsqu'ils se créent des dettes. On ne peut vraiment progresser tant qu'on ne s'est pas acquitté de ses dettes.

Partager avec les autres

La plupart de mes amis et camarades de travail œuvrant au sein de notre entreprise s'entendent pour dire que le paiement des dettes est l'une des premières étapes à franchir si on veut réussir en tant que capitaliste compatissant. Cela n'est pas pour nous surprendre. Mais la grande majorité d'entre eux croient également qu'un capitaliste compatissant doit apprendre à partager avec les autres, avant même qu'il puisse se le «permettre», alors même qu'il rembourse ses dettes.

Paul Miller, un ami œuvrant dans notre entreprise à Raleigh, en Caroline du Nord, croit que 90 % des Américains se retrouvent dans une impasse financière lorsqu'ils atteignent 65 ans. «Nous sommes victimes du «syndrome d'acquisition», dit-il en souriant, et la première chose que l'on doit enseigner aux gens, c'est de sortir de l'endettement.» Il ajoute ensuite ceci, qui risque de vous surprendre: «La première étape à franchir pour se sortir de l'endettement, dit-il, c'est de payer la «dîme». Dans le but d'illustrer son propos, il se penche sur son bureau, prend une Bible dont la reliure semble passablement usée, tourne rapidement les pages (dont la plupart sont marquées) et s'arrête lorsqu'il est rendu au dernier livre de l'Ancien Testament.

«Dieu est irrité contre Son peuple», dit-il pour situer le contexte du passage qu'il s'apprête à lire. «Ils n'ont pas nourri les pauvres, n'ont pas hébergé les veuves ni les orphelins et ne se sont pas occupés des opprimés», explique-t-il. «Au troisième chapitre de Malachie, le vieux prophète entend Dieu dire: «Vous me trompez!» Quand le peuple demande à Dieu: «En quoi t'avons-nous trompé?» Dieu répond: «Quant à la dîme et aux redevances.»»

Paul lit ensuite ce passage rempli d'espoir et de promesses dont s'inspire la grande tradition judéo-chrétienne: «Apportez intégralement dîme et redevances au trésor, pour qu'il y ait de la nourriture chez moi. Et mettez-moi ainsi à l'épreuve, déclare Yahvé Sabaot, pour voir si je n'ouvrirai pas à votre intention les écluses du ciel et ne répandrai pas en votre faveur la bénédiction en surabondance». (Malachie 3, 10)

«Les gens n'arrivent pas à en croire leurs oreilles quand nous leur faisons part de ce qui nous est arrivé», dit Debbie Miller, «quand nous avons commencé à donner 10 % de notre revenu à notre église et à faire d'autres dons à des œuvres en place dans notre communauté et auxquelles nous croyons.»

Je raconterai plus loin l'histoire de Paul et de Debbie Miller et de leur réussite en affaires, mais pour l'instant il importe de s'attarder et de réfléchir sérieusement sur ce qu'ils disent au sujet du partage. «Pour être généreux, n'attendez pas de pouvoir vous le permettre», nous rappelle Paul. «Soyez généreux maintenant et vous serez surpris de ce que vous recevrez en retour.»

L'apôtre Paul nous a livré ce message important au sujet du partage: «Que chacun donne selon ce qu'il a décidé dans son cœur, non d'une manière chagrine ou contrainte; car Dieu aime qui donne avec joie.» (II Corinthiens 9, 7)

J'étais tenté, comme vous peut-être, de vous dire que le partage vient à la fin du processus, quand il y a de la nourriture sur la table et de l'argent en banque. Mais Paul et Debbie Miller nous rappellent que le partage n'est pas la fin mais le début du capitalisme et que cet esprit de partage doit animer le capitaliste compatissant tout au long de son cheminement.

Quand nous parlons de partage et de compassion, nous ne parlons pas simplement de donner un pourcentage de nos bénéfices. Nous parlons d'une attitude compatissante qui se reflète dans tout ce que nous faisons: les produits que nous choisissons de mettre au point et sur le marché, les usines que nous construisons et la machinerie que nous y installons, les matières premières dont nous nous servons et les déchets que nous créons, la publicité et les campagnes de promotion que nous approuvons et, surtout, les personnes envers qui nous avons des responsabilités, nos familles, nos employés, nos clients, même nos concurrents.

Si nous attendons toujours le jour où nous aurons plus d'argent pour partager, il se peut fort bien que nous ne partagions jamais. L'idée de Paul et de Debbie de nous montrer généreux dès le début (puisque cela finira par nous être rendu d'une façon ou d'une autre) mériterait qu'on y pense très sérieusement.

Vous n'avez même pas besoin d'être juif ou chrétien pour pratiquer l'art du partage. Vous n'avez pas besoin de lire l'Ancien et le Nouveau Testament pour éprouver la satisfaction que le partage procure à ceux qui reçoivent tout comme à ceux qui donnent. La poétesse américaine Ella Wheeler Wilcox ne citait pas Jésus quand elle écrivit ces mots:

> «Tant de dieux, tant de credos,
> Tant de chemins si tortueux,
> Alors que l'art d'être bienveillant
> Est tout ce que ce monde triste a besoin d'apprendre.»

D'après mon expérience, les gens qui partagent généreusement dès qu'ils se lancent en affaires, quelles que soient leurs croyances religieuses, sont ceux qui réussissent. Ce sont ceux envers qui les clients et les concurrents éprouvent de l'affection et de la gratitude.

Après tout, quand tout est fini, c'est le souvenir qu'on garde de vous qui est le plus important, et on gardera un bon souvenir de vous si vous avez partagé dès le commencement. «Le but de la vie humaine», a écrit Albert Schweitzer, «c'est de servir et de manifester de la compassion et le désir d'aider les autres.»

Vous vous rappelez sans doute de l'histoire du docteur Schweitzer. C'était un éminent médecin et un chercheur scientifique. Il fut l'un des plus grands interprètes de Bach et donna des récitals d'orgue dans des cathédrales partout en Europe. Ses conférences philosophiques et ses écrits suscitaient déjà l'admiration de son vivant, et pourtant il œuvra la majeure partie de sa vie comme médecin missionnaire dans le petit village de Lambaréné, au Gabon, en Afrique équatoriale française.

Et là, sur les rives de la rivière Ogooué, le docteur Schweitzer fit construire un centre médical pour les «personnes oubliées». Le monde se souvient de lui non pas à cause de son succès musical ni à cause des livres qu'il a écrits ou du prix Nobel de la paix qu'il a gagné, mais parce qu'il a partagé généreusement avec ceux qui étaient dans le besoin. Il n'est pas nécessaire d'être un médecin missionnaire pour faire cela. Le capitaliste compatissant a aussi chaque jour l'occasion de démontrer sa générosité.

« La meilleure part de la vie d'un homme de bien », a écrit William Wordsworth, ce sont ces actes de bonté et d'amour modestes, anonymes et bientôt oubliés. » Peu d'entre nous auront un jour la renommée d'Albert Schweitzer ou l'éloquence de William Wordsworth. Peu importe. Ils font même remarquer que la gloire est une illusion. Ce qui importe, c'est de partager, simplement à cause de la joie que cela procure. La plupart de nos petits gestes de générosité seront oubliés, mais nous les accomplissons quand même. Pas simplement parce qu'ils sont bons pour les affaires, mais parce qu'ils font honneur à notre Créateur. Ils rendent l'espoir et sont utiles à ceux qui sont dans le besoin et nous procurent un sentiment de joie et d'estime de soi. Le critique social radical Ivan Illich a dit ces paroles inoubliables : « L'homme doit choisir entre la possession matérielle et la liberté de partager ce qu'il possède. » Chaque petit geste de partage, particulièrement quand on « ne peut pas se le permettre », nous rend libre !

Économisez un peu chaque jour

Ma mère me donna ma première tirelire, de celles qui sont en fonte et peintes à la main avec des parties mobiles. Je pouvais faire descendre en roulant la pièce de monnaie ou la placer dans le bec d'oiseau et presser un levier, ce qui faisait tomber la pièce à travers la fente. Une fois par mois, après l'école, maman et moi nous rendions à pied à la succursale régionale de la First Kent Bank et nous faisions un dépôt dans mon propre compte de banque. J'aimais regarder la caissière additionner le montant de mon dépôt à mon solde et l'inscrire dans mon petit livret de banque rouge. Puis, elle signait le livret et l'estampillait.

Aviez-vous une tirelire quand vous étiez enfant ? Peut-être était-ce un pot de conserve en verre décoré avec une fente sur le couvercle de métal, ou un « cochon » en plâtre coloré au fond duquel était inscrit à l'encre pourpre « *Hecho en Mexico* » ? En ce temps-là, les gens étaient économes. Chaque famille avait un compte d'épargne, peu importait qu'il fût petit ou gros. Et chaque jour de paie, le père allait faire son dépôt à la banque. Même dans les périodes les plus difficiles, les familles essayaient de mettre chaque mois quelque chose de côté.

Les temps ont changé. Les Américains épargnent moins que les habitants des autres pays industrialisés. En l'espace d'une seule génération, notre taux d'épargne moyen est tombé de 6 %. Alors que les Japonais épargnent en moyenne 19,2 % et les Suisses 22,5 % de leurs revenus mensuels, les Américains n'épargnent que 2,9 %. Cela veut dire que les familles américaines mettent en moyenne 4 000 $ de côté, les familles suisses 19 971 $ et les familles japonaises 45 118 $.

Quel pourcentage de votre revenu économisez-vous chaque mois ? Combien d'argent avez-vous en banque pour faire face aux imprévus ? Souvenez-vous de la règle d'épargne de base. Il vous faut au moins l'équivalent d'un mois de salaire en banque pour parer aux situations d'urgence. Est-ce votre cas ?

Les éditeurs de *Where We Stand* concluent qu'«à long terme, cette tendance à la baisse de l'épargne non seulement menace la sécurité de la famille, mais réduit considérablement le montant d'argent pouvant être investi dans l'avenir de la nation.»

Je sais que cela peut être difficile, surtout quand vous êtes endetté et que vous avez chaque jour toujours plus besoin d'argent, mais à long terme vous seriez surpris de voir combien vous pouvez épargner même dans les pires périodes si vous mettez régulièrement chaque mois un petit montant à la banque.

Les éditeurs de la revue *Black Enterprise* recommandent que chaque famille ait une réserve de liquidités couvrant les dépenses pour une période d'au moins trois mois pour les imprévus. Ils suggèrent également que les familles où il y a des enfants créent un «fonds universitaire» en versant chaque semaine 20 $ dans un modeste «fonds commun de placement et de développement» donnant un rendement de 10 % par an. Après 15 ans, disent-ils, vous aurez gagné 35 000 $.

Le hic, c'est que vous aurez peut-être besoin de l'argent que vous avez en banque avant que les enfants n'aillent à l'université ou que vous ne preniez votre retraite. Les coûts des soins de santé sont écrasants*. Les coûts des rénovations domestiques et des réparations d'autos augmentent tous les jours. Savez-vous de combien d'argent de plus vous aurez besoin pour vous tirer d'affaire la prochaine fois que surviendra un imprévu ? Quelles que soient ces

---

* L'auteur parle, bien entendu, des coûts aux États-Unis, qui, en effet, sont parmi les plus élevés du monde. (N.d.T)

situations imprévues, la plupart des gens ne sont pas préparés à y faire face, car ils ont vécu au-dessus de leurs moyens et n'ont rien en banque.

Le nom S.S. Kresge vous dit-il quelque chose? Né juste après la guerre de Sécession, il était issu d'une famille pauvre établie au cœur du pays des Allemands de Pennsylvanie. Il débuta sa carrière comme voyageur de commerce pour le compte d'une entreprise de quincaillerie. S.S. Kresge était emballé par le plan de Frank Woolworth, qui était de faire du commerce de gros en libre-service dans de petits magasins disséminés dans tout le pays, et en 1932 il se retrouvait propriétaire de plusieurs centaines de magasins.

S.S. Kresge était un ardent défenseur de l'épargne. Selon ses biographes, «l'ambition de sa vie fut de faire de l'argent et son obsession fut de le garder.» À la fin de sa vie, il était l'un des hommes les plus riches d'Amérique, ce qui ne l'a pas empêché de laisser tomber le golf parce qu'il ne pouvait supporter de perdre des balles. Il portait les mêmes chaussures jusqu'à ce qu'elles soient presque complètement usées. Et lorsque les semelles étaient amincies au point qu'elles laissaient l'eau entrer, il couvrait l'intérieur de ses chaussures de vieux papier journal. Ses deux premières femmes divorcèrent de lui, se plaignant principalement de son avarice.

Aujourd'hui, la Kresge Foundation est l'une des plus grandes institutions philanthropiques américaines. Réputée pour sa générosité et sa vision à long terme, elle n'a rien à envier aux autres institutions. Des années après sa mort, S.S. Kresge continue à faire don de son argent. Des universités, des hôpitaux et des organismes de services disséminés dans tout le pays bénéficient maintenant de sa parcimonie d'alors. Pourtant, je ne peux m'empêcher de me demander s'il n'aurait pas été plus satisfaisant pour monsieur Kresge d'apprendre à partager de son vivant afin de connaître la joie que cela procure. En tout cas, c'est une question qu'on doit tous se poser, surtout en ces temps difficiles où tant d'être humains et de fondations charitables sont dans le besoin.

Fixez vos limites financières et ne les dépassez jamais

Dans un des discours qu'elle adressa à la Chambre des communes, Margaret Thatcher l'a dit simplement: «J'appartiens à une génération de gens qui ne dépensent pas tant qu'ils n'ont pas l'argent en main.» Peu importe ce que vous pensez de la politique du Premier ministre sortant, il est temps que nous réfléchissions sérieusement à ces sages paroles.

Deux problèmes se posent alors. Premièrement, la plupart des gens ne savent pas s'ils ont ou non l'argent en main. Comment pourraient-ils le savoir? Ils ne se souviennent pas précisément du montant du solde de leur compte en banque, encore moins de ce qu'ils doivent. Deuxièmement, ils ne préparent jamais de budget personnel ou familial, et quand ils le font, ils en dépassent les limites.

Donc, sans budget, même s'ils ont l'argent en main, ils oublient que la majeure partie de cet argent est destiné à payer les dettes, à être partagé avec les autres ou épargné. Alors, ils continuent à dépenser, comme des gens ivres qui font la bombe et qui se demandent le matin suivant pourquoi ils se retrouvent affligés d'un terrible mal de tête.

Si vous n'avez pas un budget, pourquoi ne pas réunir les intéressés pour en discuter un vendredi soir ou un samedi après-midi? Les règles sont simples: fixer des limites financières et vivre en deçà de ces limites.

Asseyez-vous avec les membres de votre famille. (Si vous êtes célibataire, vous pouvez jouer le jeu seul. Si vous êtes marié et que vous n'avez pas d'enfants, jouez-le à deux). Soyez imaginatif. Rendez le jeu divertissant. Prévoyez des rafraîchissements. Donnez des prix. Lorsque c'est terminé, récompensez les joueurs (ou récompensez-vous) en leur offrant une sortie, comme un film au cinéma ou une balade à la plage. (Si cela ne dépasse pas les limites du budget)! Discuter d'argent ne doit pas être une torture. Cela peut être amusant. Essayez!

Étape 1: Calculez le total de vos dépenses courantes mensuelles, y compris les comptes d'assurances et de taxes pouvant être réglés tous les six ou douze mois, mais qui doivent être inclus dans le budget.

Étape 2: Calculez le montant dont vous avez besoin pour acquitter les dettes, le montant que vous êtes prêt à partager avec ceux dont les besoins sont encore plus grands que les vôtres et le montant que vous voulez épargner.

Étape 3: Soustrayez de votre revenu mensuel le total des montants calculés aux étapes 1 et 2. S'il reste de l'argent, vous pouvez le distribuer aux membres de la famille pour qu'ils le dépensent comme bon leur semble ou pour qu'ils vous aident à vous acquitter de vos dettes plus rapidement ou pour qu'ils le partagent avec ceux qui sont dans le besoin.

S'il ne reste pas d'argent, ou pire, si vous n'en gagnez pas assez pour défrayer tous les coûts, alors il est temps de serrer les dents et de réduire vos dépenses. À cette étape, vous serez peut-être tenté d'envisager de faire plus d'argent. Ne cédez pas à cette tentation, sinon vous aurez envie de dépenser de l'argent que vous n'avez pas encore gagné. Et c'est exactement de cette façon que nous nous sommes déjà endettés.

Étape 4: Demandez aux membres de votre famille de former un cercle. Ressortez la vieille bible familiale. Demandez à tous de poser la main gauche sur la Bible et de lever la main droite. Puis, faites répéter à chacun ces mots: «Je, (ajoutez le nom), promets que je ne dépenserai ce mois-ci que ce qui est prévu dans le budget. Que Dieu me vienne en aide!»

À la fin du mois, quand l'argent a été dépensé et que vous avez fait le total de ces dépenses, réunissez-vous de nouveau pour l'étape suivante du jeu, pour évaluer la situation avec votre famille. Il est facile de préparer un budget. Mais il est difficile de vivre en en respectant toujours les limites.

Étape 5: Honorez ceux qui ont tenu leur promesse de ne pas dépenser plus qu'il n'était prévu dans le budget; questionnez ceux qui ont trop dépensé; demandez-leur leurs raisons et discutez-en jusqu'à ce que tout le monde soit satisfait; pénalisez ceux qui ont dépassé les limites prévues en réduisant leurs allocations pour le mois suivant; déterminez ensemble quelles dépenses devraient être ajoutées, enlevées, augmentées ou diminuées; renouvelez votre promesse pour le mois à venir.

Dans le but d'éviter les conflits à la fin du mois, vous pourriez envisager de convoquer votre famille à une réunion d'urgence au cours du mois pour discuter des dépenses de dernière heure non prévues dans le budget et trouver un compromis.

D'accord, j'admets que cette idée de faire collaborer étroitement et consciencieusement son conjoint ou les membres de sa famille à la préparation d'un budget mensuel est quelque peu fantaisiste. Néanmoins, vous devez d'une façon ou d'une autre fixer ensemble des limites à ne pas dépasser et vérifier si ces limites sont toujours respectées ou non.

Trop souvent, quand enfin on parle d'argent il est déjà trop tard. Nous dépensons sans arrêt jusqu'à ce que, tout à coup, les dettes et les intérêts qui y sont rattachés menacent notre avenir. Alors, nous commençons à nous accuser les uns les autres d'avoir trop dépensé. Nous crions. Nous nous traitons de toutes sortes de noms. Nous blasphémons et quittons la pièce. Il arrive que en venions même aux coups. Il importe de discuter d'argent sans tarder, car une fois que le mal est fait ces discussions peuvent provoquer la rupture des relations auxquelles nous tenons le plus. Elles peuvent même conduire à la violence et à la mort. Les données statistiques sont claires. L'effritement et même la rupture des relations conjugales ou familiales sont plus souvent provoqués par des problèmes d'argent que par tout autre problème, y compris l'infidélité.

Vous vous rappelez de Hal et de Susan Gooch? Au début de ce chapitre, je disais qu'ils se tenaient sous un grand chêne, contemplant le manoir des Finch et se demandant s'ils auraient jamais assez d'argent pour régler leurs comptes et pour vivre un jour dans cette grande maison. Je voudrais que vous puissiez les voir maintenant, 20 ans plus tard. Ils ont réglé leurs factures et organisé leurs finances. Ils ont mis sur pied leur propre petite entreprise Amway et ont travaillé dur pour lui faire prendre de l'expansion. Aujourd'hui, cette entreprise est représentée dans les 60 territoires et pays. Cette maison dont ils rêvaient, qui d'abord fut un cottage d'été appartenant aux propriétaires de Thomasville Furniture, qui s'agrandit par la suite et se transforma en un vaste manoir, est maintenant leur propriété et celle de leur fils de 18 ans, Chris.

Leur histoire n'est pas unique. J'ai vu cela se produire maintes et maintes fois. Les gens caressent de grands rêves. Ils commencent à faire attention à leur argent. Ils ne dépensent pas plus qu'ils ne gagnent. Ils règlent leurs factures et mettent de l'ordre dans leurs finances. Ils ouvrent un compte d'épargne et y déposent chaque semaine quelque chose, même si ce n'est qu'un petit montant. Et ils apprennent à partager leur avoir, à donner de l'argent à ceux qui sont dans le besoin même quand cela ne leur est pas facile ou que leurs propres ressources sont limitées. Et en très peu de temps, ils voient leurs rêves se réaliser.

Bien sûr, il y a des choses qu'ils doivent sacrifier à un moment donné. Parmi tous les hommes que je connais, Hal Gooch est celui qui aime le plus la pêche. Au début, lorsqu'il rêvait du manoir, son bien le plus précieux était un petit bateau de pêche, qu'il dut échanger contre une autocaravane afin que Susan et lui puissent voyager à travers l'État et tout le pays, dans le but d'y implanter leur entreprise et de lui faire prendre de l'expansion.

« Tous ses amis se sont moqués de lui quand il a vendu ce bateau », se rappelle Susan. « Ils prédisaient que l'entreprise échouerait et qu'Hal ne pêcherait plus jamais, du moins pas avec son bateau. Mais nous avions besoin de cette autocaravane », explique-t-elle. « Nous ne pouvions voyager avec notre petit garçon sans avoir un endroit fixe où rester. Les hôtels et les motels coûtaient trop cher. »

« J'ai dû, pendant un bout de temps, pêcher à la plage », se rappelle Hal. « Il fallait alors me contenter de carrelets et de perches. Il me fut difficile de vendre mon petit bateau, mais cela en valait la peine. Aujourd'hui, Susan, Chris et moi-même possédons un yacht de croisière de 18 mètres fabriqué en Caroline et baptisé *Diamond Lady*. Maintenant nous allons pêcher en famille des marlins de 230 kilos parce que nous avons poursuivi de grands rêves et payé le prix qu'il fallait pour voir ces rêves se réaliser. »

Tout comme les Gooch, Larry et Pam Winter, qui habitent Raleigh, en Caroline du Nord, avaient peu ou pas d'argent quand ils commencèrent à rêver. Larry dirigeait une station de lavage de voitures et Pam était caissière dans cette même station. Ils se souviennent encore de ces pauses du midi d'autrefois, durant lesquelles, assis sur un banc surplombant la station, ils mangeaient des sandwichs aux œufs et se demandaient s'ils auraient jamais assez d'argent pour laisser leur logement à 225 $ par mois situé dans la banlieue sud de Raleigh, s'ils pourraient un jour payer leurs comptes et mettre de l'ordre dans leurs finances.

À Noël, l'année dernière, moins de sept ans plus tard, Pam Winter était dans la cuisine de sa nouvelle maison, située dans un beau quartier résidentiel de Raleigh. Sa fille de 8 ans, Tara, et son fils de 4 ans, Stephen, l'aidaient à couper et envelopper une autre douzaine de petits gâteaux au chocolat et aux noisettes fraîchement sortis du four. Larry entra dans la cuisine, portant d'une main un paquet de nouveaux vêtements d'hiver et de l'autre main son fils Ricky de 2 ans.

« Depuis cinq ans, me disait récemment Larry, Pam et moi ramassons des gants, des bas chauds, des sous-vêtements en thermolactyl, des blue-jeans, des pantalons kaki, des chemises de flanelle et des luges, et nous en faisons don lorsqu'arrive la période des fêtes. Pam met ensemble les paniers de Noël remplis de denrées alimentaires au-dessus desquelles elle met les petits gâteaux spécialement préparés pour l'occasion. Nos enfants nous aident à charger le camion de tous les articles et denrées que nous avons ramassés. Puis, en compagnie d'amis ou d'autres familles œuvrant au sein de l'entreprise, nous roulons vers le centre-ville de Raleigh ou de Charlotte, à la recherche de gens qui n'ont pas d'endroit où dormir la veille de Noël.»

Moins de douze ans après cette époque où ils travaillaient à la station de lavage de voitures, Pam et Larry Winter sont financièrement indépendants. Maintenant, ils ont leur propre entreprise et sont libres d'employer leur temps et d'utiliser leur argent à Noël et durant toute l'année de la façon qu'ils ont toujours rêvé de le faire.

«Quand nous travaillions à la station, nous ne pouvions apporter notre aide à qui que ce soit», ajoute-t-elle. «Nous avions déjà assez de nos problèmes. Et comme tout le monde, nous étions bombardés de publicité vantant les mérites de ces plans ou méthodes destinés à vous rendre riche en un clin d'œil et dont on fait la promotion au cours d'émissions de télévision diffusées tard le soir ou par le biais des petites annonces. Nous avons rapidement appris à éviter ces gens qui vous promettent la richesse quasi instantanée en vous vendant des rêves et la «trousse à outils» soi-disant parfaite qui vous permettra de leur donner forme. Prenez garde! Ces promesses peuvent n'être que des demi-vérités, des exagérations ou même des mensonges, alors que les «outils» sont chers, difficiles à utiliser et presque impossibles à retourner.»

«Quand nous avons entendu dire qu'il était possible de mettre sur pied sa propre entreprise de distribution», ajoute Larry, «nous avons pensé que nous avions enfin trouvé un moyen rapide et facile de faire plus d'argent. Nous aimions les produits et le plan de marketing. Nous croyions que les gens allaient courir acheter ces produits et qu'ils s'empresseraient de nous imiter en lançant leur propre entreprise. Nous avons dépensé en équipement, matériel et fournitures. Nous avons meublé un petit bureau et fait ajouter des lignes téléphoniques. J'ai laissé mon ancien travail à la station de lavage de voitures, j'ai fait des présentations et j'ai attendu que les téléphones sonnent.»

«Nous avons démarré notre petite entreprise en 1980», poursuit Pam, «et en 1985 nous nous sommes retrouvés dans une situation pire qu'avant. Non seulement la prospérité n'était pas venue instantanément, mais nous ne pouvions même pas régler nos factures de téléphone.

« Pour atteindre nos objectifs financiers », poursuit-elle, « il nous fallait écouter plus attentivement nos mentors. Ils nous ont appris qu'Amway ou n'importe quelle autre nouvelle entreprise n'est pas un moyen facile de se sortir des difficultés financières, qu'il n'y a pas de moyens faciles. Nous avons dû apprendre à vivre avec ce que nous gagnions avant d'être sûrs que nous pouvions vivre avec plus d'argent. Nous avons dû préparer nos budgets et payer nos factures. Il nous a fallu mettre nos finances en ordre et ils nous ont aidés à y parvenir. »

« Chaque fois que nous avions peur ou que nous étions découragés », se rappelle Larry, « nous allions trouver nos nouveaux amis et mentors œuvrant au sein de l'entreprise. Ils nous ont enseigné ces trois étonnants principes : premièrement, nous vivons dans un pays où tout nous est possible ; deuxièmement, les occasions existent, il suffit simplement de vouloir les rechercher ; et troisièmement, nous sommes tous égaux devant Dieu. Si vous donnez généreusement et travaillez dur, si vous traitez les gens correctement, la loi divine de la prospérité jouera en votre faveur, que vous soyez blanc ou noir, gras ou mince, riche ou pauvre, grand ou petit, beau ou laid. Peu importe. Si vous allez vers les autres et donnez libre cours à votre générosité, si vous faites de bonnes actions, il vous arrivera de bonnes choses.

« Alors, nous avons cessé d'espérer que les autres pourraient nous tirer de notre mauvaise passe financière », dit-il, « et nous sommes allés travailler, ayant résolu de nous en sortir par nos propres moyens. En 1988, nous nous étions acquittés de toutes nos dettes. En 1989, nous avons acheté une nouvelle voiture et avons déménagé dans notre nouvelle demeure, dans l'un des quartiers les plus intéressants de Raleigh. En 1990, nous étions financièrement autonomes et libres d'employer notre temps et d'utiliser notre argent comme bon nous semblait. »

« Après avoir appris comment nous aider nous-mêmes », dit Pam, « alors nous pouvions apprendre aux autres à s'aider eux-mêmes. Nos amis nous rappelaient que pour aider vraiment quelqu'un, il ne suffit pas de lui donner de l'argent. Il faut l'aider à s'aider lui-même. Ces dernières années, nous avons eu l'occasion d'aider des centaines, peut-être des milliers de couples qui en étaient à l'étape du «lavage d'autos», à trouver la voie qui leur convenait le mieux pour accéder à l'indépendance financière.

«Néanmoins, il y a là-bas des gens», nous rappelle-t-elle, «qui ont besoin d'aide. C'est pourquoi c'est si merveilleux d'avoir de l'argent: vous pouvez apporter votre aide à des gens qui ne peuvent s'aider eux-mêmes.»

La veille de Noël, en 1991, Pam, Larry et leurs trois enfants se mirent en route pour le centre-ville de Raleigh. Ils roulèrent dans les quartiers colorés et illuminés, admirant les guirlandes et les couronnes sur les portes des maisons et les arbres de Noël aux fenêtres aux vitres plombées drapées de rideaux. Ils dépassèrent ceux qui, venant de faire leurs achats de dernière minute et chargés de cadeaux emballés dans du papier doré ou argenté, regagnaient en toute hâte leur immeuble. Larry ralentit enfin son camion quand ils entrèrent dans cette partie de la ville qu'ombragent les grands immeubles et les sombres nuages du désespoir.

«Les enfants furent les premiers à remarquer le petit groupe d'hommes en haillons debout autour d'un baril en train de brûler», se rappelle Pam, «et tendant leurs mains nues et froides vers les flammes orange.»

«Des gants», dit tout excitée, la petite Tara.

«Des gants», répondit Larry, qui bloqua les freins, sortit et se précipita vers l'arrière du camion pour prendre le sac de gants de cuir doublés qu'il avait achetés dans un surplus militaire.

«N'oublie pas les petits gâteaux», dit Stephen en descendant du véhicule à son tour pour aller aider son père.

«Les petits gâteaux», répéta Larry en sortant quelques sacs de denrées alimentaires qui serviraient de repas de Noël à ces hommes.

Pendant plusieurs heures, la famille parcourut en camion les rues où se trouvaient les clochards de Raleigh, arrêtant ici et là pour laisser un paquet de nourriture à ceux qui étaient dans le besoin. Puis, ils virent une Américaine d'origine africaine avec deux enfants blottis près de la cheminée fumante d'une blanchisserie chinoise.

«Pendant un moment», se rappelle Pam, «nous sommes simplement restés assis, observant cette pauvre femme et ses enfants. La nuit était froide. Ils étaient blottis les uns contre les autres, essayant de se réchauffer. Je me suis demandé comment je me sentirais à sa place, assise là en cette veille de Noël, n'ayant rien à donner à mes enfants et aucun moyen de les garder au chaud. J'ai éprouvé de la colère en songeant que ce genre de misère pouvait exister ici même, dans le pays le plus riche du monde. Alors notre petite fille chuchota une fois de plus à son papa.»

«Des gants», dit-elle d'une voix entrecoupée.

«Des gants», répéta Larry, et ils marchèrent tous deux vers l'arrière du camion, chargèrent leurs bras de nourriture et de vêtements, et s'approchèrent de la froide grille de fonte d'où s'échappaient la vapeur. La femme resta là assise, curieuse, tandis qu'on ouvrait les paquets. Puis, rapidement, comme tirée d'un rêve, elle commença à habiller et à nourrir ses enfants. Larry prit sa fille dans ses bras et s'apprêta à retourner au camion.

«Merci!» dit la femme calmement. Pendant un moment, personne ne bougea. La petite fille de Larry dit: «Il n'y a pas de quoi!» La femme sourit. Larry put voir dans ses yeux fatigués et humides le reflet des derniers rayons du soleil et lire sur le visage de ses enfants un mélange de joie et de tristesse.

Partie II

Prêts !

CHAPITRE 5

Qu'est-ce que le travail et de quelle façon peut-il enrichir notre vie ?

> ### CREDO 5
>
> *Nous croyons que le travail n'est bon que s'il apporte au travailleur la liberté, la récompense, la reconnaissance et l'espoir.*
>
> *Par conséquent, si notre travail n'est pas satisfaisant (financièrement, spirituellement et psychologiquement), il faut le laisser dès que possible et en trouver un autre qui l'est.*

De lourds et sombres nuages planaient au-dessus de la réserve Hanford Nuclear. C'était l'été et un violent orage se préparait. Ron Puryear roulait en break vers le poste de garde juste au moment où des éclairs transperçaient le ciel du matin et où le tonnerre grondait au loin. Son porte-bloc à la main, un officier de la sécurité en uniforme vit le badge d'identité vert de Ron, se pencha vers lui pour jeter un coup d'œil sur sa carte d'identité et lui fit signe de la main d'avancer.

«Je travaillais comme comptable», se rappelle Ron, «pour une entreprise à laquelle le gouvernement avait octroyé un contrat, dans la région de Tri-City, dans l'État de Washington. J'avais gravi les échelons et occupait un poste de cadre moyen. Durant toute ma vie, on m'avait enseigné que la réussite et la sécurité viendraient si je m'instruisais, si j'obtenais un bon emploi et si je travaillais dur. Ce matin-là, en roulant vers ma place de parking dans ce centre de recherche nucléaire, j'étais convaincu d'avoir fait ce qu'il fallait pour accéder au rêve américain.»

Lorsque Ron entra, en ce vendredi matin, dans le grand complexe administratif, il put lire une grande déception sur le visage de ses collègues de travail et déceler de la colère dans le ton de leurs voix. En général, le vendredi, c'était plutôt des salutations amicales qu'on entendait dans les longs corridors aux planchers reluisants. À l'approche du week-end, les travailleurs se saluaient d'habitude de la main et se souriaient les uns aux autres au-dessus des meubles de séparation qui étaient à hauteur de poitrine. Ce matin-là, ils formaient de petits groupes, se parlant à voix basse, comme si le président était mort ou qu'une guerre avait été déclarée.

«Je me souviens m'être assis à mon bureau avec un soudain sentiment d'appréhension. Il y avait sur mon bureau une longue enveloppe du service du personnel, sur laquelle mon nom était dactylographié en gras. Je revoyais en pensée ma belle épouse, Georgia Lee, et nos deux enfants, Jim et Brian.»

Ce matin-là, tout comme 2 100 autres de ses compagnons de travail, Ron Puryear apprit que ses services, «bien qu'appréciés par ses employeurs», n'étaient plus requis. Le contrat que le gouvernement avait attribué à la société privée de recherche nucléaire n'était pas renouvelé. Personne n'avait cru qu'un tel jour viendrait. L'énergie nucléaire était la voie de l'avenir. Ron avait le sentiment d'être privilégié en ayant un emploi aussi stable et une carrière assurée.

«Puis, de manière tout à fait inattendue, la réalité s'assombrit», se rappelle-t-il avec tristesse. «Après toutes ces années de dur labeur, ils m'ont simplement remis une lettre de licenciement et voilà, terminé! Je faisais du bon travail. J'étais loyal. J'avais fait des centaines d'heures supplémentaires non payées. Je travaillais chez moi afin de respecter les échéances. Mais rien de cela ne comptait. «Cher monsieur Puryear, nous avons le regret de vous informer que...»»

À la fin de la journée, Ron dit au revoir à ses vieux amis, prit le chèque qui représentait son indemnité de licenciement, traversa une dernière fois les corridors et rentra chez lui en voiture pour annoncer et faire accepter à sa femme et à ses enfants la mauvaise nouvelle.

Il y a plus de 25 ans que Ron a reçu sa lettre de licenciement. Aujourd'hui, au moment où j'écris ces lignes, le Bureau de poste américain a annoncé la mise à pied de 30 000 personnes, et General Electric a distribué des avis de licenciement à 45 000 autres travailleurs. Le chômage aux États-Unis a presque atteint 8 %, et plus de 14 % de la population vit au-dessous du seuil de la pauvreté.

Dans une période où le nombre d'Américains qui demandent des prestations d'assurance-chômage augmente de mois en mois, la profession de foi contenue dans le credo 5 peut vous sembler tomber mal à propos : «Nous croyons que le travail n'est bon que s'il apporte au travailleur la liberté, la satisfaction, la reconnaissance et l'espoir.» Qui se soucie de la qualité du travail? Quand on est chômeur, direz-vous, on accepte n'importe quel emploi avec joie.

Et la conclusion de ce credo peut vous sembler totalement ridicule en cette époque agitée. Si je touche régulièrement une paie et que je peux payer mes factures chaque mois, qu'importe si mon travail «n'est pas satisfaisant (financièrement, spirituellement, psychologiquement)»! Alors qu'il y a tant de gens au chômage et de moins en moins de travail, qui oserait «laisser ce travail dès que possible et en trouver un autre qui l'est»? Je travaille, direz-vous peut-être, et c'est tout ce qui compte.

Seulement voilà : ce n'est pas tout ce qui compte. Ne pas aimer son travail peut, à long terme, nous coûter beaucoup plus que le montant actuel de notre paie. Mais ne vous en faites pas. Si vous n'aimez pas votre travail mais que vous vous y accrochez, dites-vous que c'est aussi le cas de la majorité de la population active du pays.

Dans une enquête menée récemment par *Industry Week*, 63 % des répondants disaient ne retirer aucune satisfaction de leur travail. Comme on peut le lire sur un populaire autocollant pour voiture : «Une mauvaise journée à la plage, c'est mieux qu'une bonne journée au travail.»

En 1989, les «American Demographics» indiquaient une baisse de 5 % du taux de satisfaction générale à l'égard du travail. Seulement 41 % des travailleurs sondés affirmaient être «très satisfaits» de leur emploi. En 1989, l'Office Environment Index, publié par Steelcase Inc., l'un de nos voisins au Michigan, nous apprenait que les moins satisfaits étaient les «syndiqués, les secrétaires et les employés de bureau, les jeunes travailleurs et ceux dont les revenus étaient peu élevés.»

Depuis toujours, le travail a été pour bien des gens une réalité de la vie terrible et inévitable. Les Grecs de l'Antiquité croyaient que la nécessité de travailler était une preuve que les dieux les haïssaient. Les Romains partageaient ce sentiment. La racine du mot utilisé pour désigner le « travail » dans ces deux civilisations signifiait « peine » ou « douleur ». Les Romains avaient le sentiment que le travail avilissait ou rabaissait les gens intelligents. Ils considéraient que seule était digne et honorable la vie contemplative (penser, et non travailler).

Au Moyen Âge, le travail était dur et salissant. Les paysans passaient leur vie à pelleter de la terre. Ils en avaient dans leurs chaussures, sous leurs ongles et dans leurs cheveux. Leur peau sentait la terre. Et les gens ordinaires n'étaient même pas payés pour tout ce travail de pelletage. Ils travaillaient parce qu'ils y étaient contraints. La vie, c'était le travail, et le travail, c'était la vie. Ils n'avaient pas la possibilité de laisser le mode de vie dont ils avaient hérité de leurs parents et d'aller ailleurs. Généralement, ils travaillaient et mouraient sur la terre même où ils étaient nés — terre qu'ils pouvaient labourer mais non posséder.

À l'époque de la Renaissance, l'idée qu'on se faisait du travail commença à changer. Des gens comme Thomas d'Aquin, érudit catholique, commencèrent à croire qu'après tout le travail n'était pas une si mauvaise chose. Dieu ne méprisait peut-être pas les travailleurs. Le travail restait un devoir et un fardeau, certes, mais peut-être était-ce aussi un droit naturel. Peu à peu, les sentiments négatifs que les gens entretenaient depuis longtemps au sujet du travail commencèrent à changer.

Pendant et après la Réforme, les mentalités évoluèrent plus rapidement encore. Martin Luther eut la hardiesse d'émettre l'opinion que le travail, loin d'être une malédiction de Dieu, était véritablement une façon de Le servir — un acte pouvant être comparé à la prière. Il contribua à réhabiliter le travail dans l'esprit des gens et à amener ces derniers à le considérer autrement que comme une corvée dénuée de sens.

Les écrits de Jean Calvin, réformateur genevois, marquèrent une autre étape dans la révolution des idées concernant le travail. En fait, son influence fut telle qu'il passe pour avoir planté les premières semences du capitalisme. Pour lui, le travail était une bonne chose. Son opinion était que les gens devaient travailler et mettre pleinement à profit leurs talents ou leurs aptitudes.

L'idée que le travail pouvait être une bonne chose était nouvelle à l'époque de Martin Luther et de Jean Calvin. (Cette idée est nouvelle même pour beaucoup d'entre nous). Et s'il était difficile de croire que le travail était une bonne chose, imaginez la surprise des gens lorsqu'on leur a dit qu'ils avaient reçu de Dieu le droit d'accomplir un travail épanouissant, un travail qu'ils puissent aimer, un travail qui les amène à se respecter eux-mêmes!

Il était généralement admis que les seules occupations auxquelles vous pouviez avoir accès étaient celles que vous avaient transmises vos parents ou la classe sociale à laquelle vous apparteniez. Jean Calvin rejeta cette idée et encouragea les gens à prendre le plus d'initiative possible, à découvrir leurs propres dons et talents et à les mettre à profit.

Beaucoup de nos idées concernant le travail, y compris la liberté de choisir sa carrière, sont relativement nouvelles. Je suis convaincu que le travail — le travail épanouissant — procure aux gens bien d'autres avantages que de l'argent à échanger contre de la nourriture et un abri. Et je remercie Thomas d'Aquin, Martin Luther, Jean Calvin et tous les autres grâce à qui il m'est possible de croire que le travail épanouissant valorise et ennoblit notre existence.

« Quand le travail est un plaisir », a écrit l'auteur russe Maxime Gorki, « la vie est une joie ! Quand le travail est un devoir, la vie est un esclavage. » Si le travail épanouissant nous rend satisfaits de nous-mêmes, le travail abrutissant est la dernière étape avant le chômage, puisqu'il rend malheureux ou misérable et démotive celui qui l'accomplit.

Pensez, par exemple, à Ron Puryear. Durant ces terribles mois qui ont suivi son licenciement, il a rempli d'innombrables formules de demande d'emploi. Sans travail, épanouissant ou non, un homme ou une femme peut être amené à se déprécier. Il ou elle devient alors incapable d'affronter et de résoudre ses problèmes. Mais un travail qui n'est pas épanouissant ou valorisant comporte aussi de sérieux désavantages.

Quand Ron se fut enfin déniché un autre emploi relié à la comptabilité (trésorier et directeur de bureau dans une entreprise de services publics), il s'aperçut qu'il n'en tirait aucune satisfaction. Pire, il devait travailler le double du nombre d'heures normal pour un salaire réduit de 30 %. En plus de ses 40 heures de travail régulières par semaine, il devait travailler un autre 20 ou 30 heures les soirs, les week-ends et même durant les jours de fête à installer un programme d'ordinateurs dont la direction « avait désespérément besoin ».

«Ron détestait le travail routinier et obscur», se rappelle Georgia, «mais il était disposé à faire de longues heures et à voir sa paie réduite à condition que sa famille n'en souffre pas. Malheureusement, durant la longue période où il fut en chômage et durant ces premières années de travail dur et ingrat qu'il accomplissait pour ses nouveaux employeurs, nous nous sommes terriblement endettés. Nous étions dans les dettes jusqu'au cou. Nous achetions à crédit tant que nous pouvions, et une fois les comptes mensuels réglés, il nous restait à peine assez d'argent pour payer l'épicerie. Je ne crois pas que nous dépensions inconsidérément», ajoute-t-elle, «mais, malgré tous nos efforts, les chèques de Ron payaient à peine les factures. Il m'apparut bientôt de plus en plus évident que, même si je préférais rester à la maison avec les enfants, je devais me trouver un travail.»

«Quand j'étais enfant, je rentrais à la maison avant mes parents qui travaillaient», explique Ron d'une voix triste. «Au début de ma vie conjugale avec Georgia Lee, je me suis juré que mes enfants ne rentreraient jamais dans une maison vide. J'étais prêt à payer n'importe quel prix pour que leur mère soit présente pour les accueillir. J'ai promis à Georgia Lee qu'elle n'aurait jamais plus à travailler, à moins qu'elle ne le veuille une fois que les enfants seraient devenus adultes.

«Quand je reçus ma lettre de licenciement, poursuit Ron, et que notre compte d'épargne fut complètement vide, Georgia décida d'accepter un travail de serveuse dans un restaurant Denny. Cette décision me brisa le cœur.»

Grâce à nos nouveaux emplois, nous gagnions de l'argent, mais le prix que nous devions payer en sacrifices était plus élevé que le salaire que nous gagnions. Nous n'aimions ni l'un ni l'autre ce que nous faisions. Nous nous voyions à peine et voyions encore moins les enfants. La plupart du temps, nous étions fatigués. Nous étions souvent d'humeur irritable. Notre stress provoqua des symptômes physiques. Ron se bourrait de pastilles pour amenuiser les brûlures d'estomac et moi je me droguais avec des aspirines. Cela ne nous faisait rien de travailler dur, mais il nous était extrêmement pénible de continuer jour après jour à effectuer un travail aussi ingrat et avilissant.»

Cette situation dans laquelle se trouvaient les Puryear est le lot de trop de gens en Amérique. Dans un sondage réalisé en 1991, 64 % des Américains âgés entre 25 et 45 ans déclaraient «qu'un de leurs fantasmes était de laisser leur emploi pour aller vivre sur une île déserte, voyager autour du monde ou faire quelque chose d'autre qui leur donnerait du plaisir. »

Ron et Georgia détestaient leurs nouveaux emplois. Ils s'estimaient chanceux de travailler et de mériter leurs paies, mais ils attendaient avec impatience l'occasion de faire un travail épanouissant, un travail qu'ils aimeraient. Vous avez déjà éprouvé ce sentiment? L'éprouvez-vous actuellement? Peut-être est-il temps pour vous de vous poser ces questions : Mon travail me rend-il heureux? Quel genre de travail serait plus épanouissant pour moi?

Dans une étude réalisée en 1981, 43 % des Américains sondés ont déclaré que cela valait la peine de travailler dans la mesure où le travail rapporte «beaucoup d'argent». En 1992, une étude complémentaire montrait que cette proportion était passée à 62 %. Mais l'argent est-il réellement le seul facteur d'épanouissement, ou y a-t-il plus que cela?

L'université du Michigan a demandé à des milliers de travailleurs d'indiquer les aspects les plus importants d'un travail épanouissant. Ils ont coché les huit points suivants, dans cet ordre d'importance :

1. Le travail doit être intéressant.

   Le travailleur doit avoir :

2. suffisamment d'aide et de matériel pour mener à bien ses tâches.

3. suffisamment d'information pour mener à bien ses tâches.

4. suffisamment d'autorité pour mener à bien ses tâches.

5. un bon salaire.

6. l'occasion de cultiver et de mettre à profit ses aptitudes.

7. la sécurité d'emploi.

8. Il doit voir les résultats de son travail.

Quelles autres conditions ajouteriez-vous à cette liste? Qu'est-ce qui, selon vous, devrait changer pour que votre travail soit plus épanouissant ou plus stimulant?

Un travail épanouissant comporte bien d'autres bénéfices que le salaire lorsqu'on s'y engage avec dynamisme et qu'on l'assume consciencieusement. Sigmund Freud affirmait que le désir ou le besoin d'accomplir une activité épanouissante ou positive nous donnait le sens de la réalité. Il croyait que nous entrions en contact avec le monde et les autres en accomplissant un travail agréable. Il enseignait que le besoin ou le désir de se consacrer à un travail épanouissant correspondait à quelque chose d'essentiel chez l'être humain. En fait, les successeurs de Sigmund Freud suggérèrent que ce besoin ou ce désir de s'adonner à un travail épanouissant est ce qui nous distingue des animaux.

Les psychologues disent que le travail nous aide à satisfaire nos besoins en nourriture, en logement et en biens matériels. Mais ils font aussi remarquer que le travail épanouissant comporte en plus l'avantage de susciter le respect de soi. Les gens qui réussissent ont le sentiment de devenir maîtres d'eux-mêmes — de dominer leurs peurs et leurs doutes — et de leur environnement — ils ont le sentiment d'être autonomes et libérés des soucis matériels. Le travail a ce pouvoir de donner à une personne un sentiment d'identité.

Le travail épanouissant donne aussi aux gens le sentiment de contribuer à l'évolution du monde, d'augmenter la richesse du pays, d'agir pour le bien public et d'accéder et de faire parvenir leurs enfants à un niveau de vie plus élevé.

Le travail épanouissant fournit l'occasion aux gens d'évoluer et d'élargir leurs horizons : de voyager, de se tenir au courant des événements artistiques et musicaux, de rencontrer des gens intéressants, de vivre des expériences qu'ils ne pourraient vivre s'ils ne travaillaient pas.

Des théologiens ont affirmé que ce besoin d'accomplir un travail épanouissant avait son origine dans ce désir que nous avons reçu de Dieu d'être les cocréateurs de la terre ; en entreprenant d'améliorer la condition humaine et en servant nos semblables, nous participons à l'œuvre de Dieu. Notre travail suppose donc une forme de sainteté qui imprègne même nos activités journalières les plus ordinaires.

Des spécialistes des sciences sociales ont dit que le travail épanouissant répond aux besoins de notre société. Les gens qui travaillent fournissent les moyens par lesquels nous obtenons les produits et services que nous voulons. En d'autres termes, quand nous travaillons, nous fournissons aux autres quelque chose qui a de la valeur. En ce sens, les gens prospères ne sont pas simplement des opportunistes voulant profiter du public. Ils prospèrent parce qu'ils gèrent leurs affaires en mettant en pratique des valeurs qui ne servent pas seulement leurs intérêts personnels. Leur vision est englobante, ils ne voient pas seulement leurs propres besoins. Ce qui leur donne un sentiment d'autosatisfaction.

Les entrepreneurs disent que le plaisir qu'on éprouve à faire un travail épanouissant découle d'un intérêt marqué pour quelque loisir ou passe-temps. On est porté à agir quand on remarque que quelque chose manque aux hommes, et alors on commence à songer à mettre sur pied un projet ou une entreprise pour combler cette lacune. Les entrepreneurs modernes découvrent souvent que le travail épanouissant ou utile est comme un jeu. Ils agissent dans le but de découvrir et de servir leurs semblables et, ce faisant, ils contribuent à transformer et à améliorer leurs conditions.

Ce qui semble notamment motiver les entrepreneurs américains à faire un travail épanouissant, c'est l'esprit de la libre entreprise, la liberté de choisir et l'occasion d'aller aussi loin que notre ambition et nos efforts peuvent nous mener. Alors qu'ils traversaient la période financière la plus difficile de leur existence, Ron et Georgia Lee Puryear ont constaté qu'ils étaient eux-mêmes animés de l'esprit d'entreprise et que cela pouvait changer leur vie.

«À l'époque», se rappelle Ron en souriant, «de vieux amis que nous n'avions pas vus depuis cinq ans nous ont tout à coup appelés. Ils voulaient nous parler d'une occasion d'affaires. Je crois que cela confirme le vieil axiome: Le succès survient dans la vie d'une personne au moment où il y a la rencontre d'une occasion et d'un état de préparation.»

«S'ils nous avaient appelés à un autre moment de notre vie», ajoute Georgia Lee, «nous ne les aurions probablement pas écoutés. Mais nous traversions alors une période difficile, et comme par hasard ils nous ont appelés juste à ce moment-là.»

«Je voulais de tout mon cœur», admet Ron, «faire en sorte que ma femme revienne à la maison. J'avais rompu ma promesse. Quand j'ai pris connaissance du chiffre des ventes et du programme de marketing, et qu'on m'a dit de combien je pouvais augmenter mon revenu, j'ai décidé de tenter le coup. N'importe quoi pour sortir Georgia du restaurant Denny et la ramener auprès de nos enfants.»

«Je n'aimais pas cette idée de vendre du savon ou de présenter un chiffre d'affaires et un programme de marketing», dit Georgia en souriant. «Tout ce dont j'avais besoin était de faire autre chose. J'étais déjà exténuée. C'était déjà difficile de travailler comme serveuse 8 heures par jour, et de continuer parallèlement à assumer mon rôle d'épouse, de mère, de parent, de cuisinière et de femme de ménage m'épuisait. Je ne voyais pas comment il était possible d'ajouter une autre tâche. En outre, je pensais que Ron se désintéresserait de l'affaire au bout d'un certain temps. »

Mais cette présentation avait ranimé son esprit d'entreprise. Il se rendit compte que cette occasion de se lancer en affaires pouvait lui fournir le moyen de ramener sa femme à la maison et de l'y faire rester définitivement. Il garderait son emploi et s'occuperait de son entreprise deux ou trois soirs seulement par semaine. Il se fixa un objectif réaliste. Il se dit que s'il pouvait aller chercher 400 $ de plus par mois, il serait satisfait.

« Une fois cet objectif atteint », se rappelle Ron, « j'ai demandé à Georgia Lee de laisser son travail de serveuse et de venir travailler avec moi dans l'entreprise. »

« Cela me faisait terriblement peur », dit-elle. « Je ne voyais pas loin : les pourboires qu'on me donnait et qui remplissaient mes poches me faisaient hésiter. Mais Ron fut très convaincant. La première chose que je sus ensuite, c'est qu'en travaillant ensemble nous arrivions à augmenter le revenu de Ron de 1 000 $ par mois, puis de 2 000 $. Je n'avais pas de formation en vente », ajoute Georgia, « mais Ron me demanda de constituer une petite clientèle et je le fis. »

« Nous avions atteint notre premier objectif », se rappelle Ron. « Maintenant, il nous fallait résoudre notre deuxième gros problème : payer les achats effectués avec nos cartes de crédit et rembourser nos prêts à terme. Alors, Georgia et moi avons, pour la première fois depuis que nous étions associés, fixé ensemble un objectif : payer tous nos comptes, liquider nos dettes. Une fois que cet objectif fut atteint, nous avons envisagé de prendre des vacances en famille. Nous les avions méritées ! Au retour, nous avons entrepris d'augmenter notre compte en banque. Cela ne s'est pas fait du jour au lendemain, mais étape par étape. Mais nous y sommes parvenus, et notre petite entreprise semblait prendre de l'expansion. »

« Nous avons acheté une Cadillac », se rappelle Georgia Lee, « et lorsque Ron commença à se rendre au travail en Cadillac, ce fut le début de la fin pour Ron et son emploi dans l'entreprise de services publics. Même si son rendement au travail faisait l'objet d'éloges, son patron lui demanda de choisir entre sa nouvelle entreprise et son emploi. »

«J'ai choisi la liberté», s'empresse de dire Ron. «Il n'était pas facile de partir en abandonnant cette sécurité limitée que mon emploi représentait. Mais je l'ai fait. Pleins d'appréhension et tremblants, nous avons renoncé à cette couverture sécurisante pour réaliser nos rêves.

Qu'est-ce qui, dans le travail épanouissant, donne tant de satisfaction et pousse les gens à prendre de gros risques? Les cyniques diront peut-être que c'est seulement l'amour de l'argent, le désir de posséder des biens matériels. Mais ils se trompent. Le travail épanouissant donne de la satisfaction parce qu'il répond à des besoins humains fondamentaux. Dans les discours que je prononce partout aux États-Unis, j'aime parler de quatre de ces besoins : la liberté, la récompense, la reconnaissance et l'espoir.

Souvenez-vous des paroles de Ron: «J'ai choisi la liberté». Il avait libéré sa femme d'un travail qu'elle n'aimait pas. Il avait libéré sa famille des dettes dans lesquelles elle s'enfonçait. Ensemble, ils avaient augmenté le revenu familial au point de pouvoir se réserver du temps pour des vacances en famille et déposer de l'argent dans un compte d'épargne en prévision de leurs besoins futurs.

Le travail épanouissant nous procure la liberté

Dans une région reculée de la Chine, Confucius et quelques-uns de ses disciples discutaient un jour en marchant, lorsqu'ils virent une femme âgée pleurant près d'une tombe. «Un tigre a tué mon fils unique», dit-elle. «Et maintenant il repose ici, à côté de mon mari, tué par la même bête féroce.» «Pourquoi vivez-vous dans un endroit aussi sauvage?» demanda Confucius. «Parce qu'ici il n'y a pas de gouvernement tyrannique», répondit-elle. «Mes enfants», dit alors Confucius à ses disciples, «souvenez-vous qu'un gouvernement tyrannique est pire qu'un tigre.»

Sous l'ancien régime communiste, Ron et Georgia Lee n'auraient pas eu la liberté de se lancer en affaires. Les gens avaient peu de droits en Union soviétique, en Chine, à Cuba et dans les autres pays communistes. Ils n'avaient pas le droit d'avoir leur propre entreprise. Ils n'avaient même pas le droit de posséder une propriété, dans laquelle ils auraient eu la possibilité d'établir une entreprise. Et pourtant, la propriété privée est le garant de la liberté. Supprimez-la et l'économie du pays est vouée à l'échec. Refusez aux gens le droit de devenir ce qu'ils veulent être et de faire ce qu'ils veulent, et l'économie s'effondrera.

Inutile de dire que la liberté économique est liée à la liberté politique ou sociale. Les habitants de la Hongrie, de la Pologne, de la Roumanie, de la Lituanie, de la Tchécoslovaquie, de l'Allemagne de l'Est, de la Russie et de la Chine savent qu'il existe un lien entre la liberté qui leur est laissée sur le marché et celle qui leur est laissée dans tous les autres domaines de leur vie. La liberté de choisir un travail, n'importe lequel, va de pair avec les autres libertés.

Le travail épanouissant et la libre entreprise font partie de tout un ensemble de libertés et de responsabilités — la liberté de s'exprimer, la liberté de se réunir, la liberté de voter et de mener des actions politiques, la liberté de religion et de culte, la liberté de vivre et d'aimer sans craindre d'être entravé et persécuté.

Le travail épanouissant existe là où il y a pluralisme et où tous ont les mêmes chances — là où chacun a la possibilité de réussir. Les citoyens des pays communistes n'avaient pratiquement aucune liberté. Devenir entrepreneur? Mettre sur pied une entreprise chez soi, comme l'ont fait des dizaines de milliers de nos amis et associés? Ce n'était tout simplement pas possible. Nous trouvons naturel que chacun choisisse de gagner sa vie comme il l'entend, mais dans les États communistes, ces choix étaient faits par quelqu'un d'autre.

Le système de libre entreprise est non discriminatoire et devrait englober tous les individus. Nous avons tous le droit de travailler quels que soient notre race, notre nationalité, la couleur de notre peau, la culture de la tribu à laquelle nous appartenons ou de la région d'où nous venons, nos croyances religieuses, notre âge, nos maladies ou handicaps physiques, notre sexe ou notre orientation sexuelle. Là où les individus sont injustement privés de liberté, le capitalisme ne peut se développer.

La liberté de choisir un travail épanouissant est tellement fondamentale que nous n'y pensons presque plus. Mais ceux qui n'ont pas eu cette liberté y pensent continuellement. À l'école, on m'a enseigné deux sortes de liberté. Mais c'est une fois devenu adulte que j'ai vraiment commencé à saisir l'importance de ces principes abstraits. Les principes de la liberté ne sont pas que des mots dans un manuel.

J'ai appris qu'une forme de liberté était la *freedom from*. C'est le genre de liberté dont on parle dans la Charte des droits. C'est l'idée que le gouvernement ne peut exercer de coercition contre les individus. Les gouvernements ne devraient pas avoir le droit de nous obliger à accomplir certains actes importants ou de nous empêcher de les accomplir («Le gouvernement ne décrétera aucune loi...»).

On m'a également enseigné qu'il y avait une deuxième catégorie, la *«freedom to»* (la liberté d'agir ou de faire). La vraie liberté n'existe que dans la mesure où nous sommes libres de réaliser nos objectifs et nos rêves. La «liberté de faire» nous donne le droit de prendre des initiatives et de faire quelque chose de notre vie. La liberté de devenir entrepreneur ou de choisir notre occupation n'a pas de prix.

La vraie liberté, c'est avoir la possibilité et être capable de travailler et de jouir du fruit de notre labeur. La vraie liberté fournit les moyens de réaliser nos rêves — non pas la garantie que nous réussirons, mais la promesse que nos efforts ne resteront pas sans récompense. Dans les pays où le gouvernement est le seul fournisseur autorisé de tous les biens et services, les gens ont peu ou pas de chances de jouir du fruit de leur travail ou de leurs initiatives.

On a dit que la liberté est «la possibilité de prendre autant d'initiative qu'on veut». En termes plus simples, disons que nous sommes vraiment libres dans la mesure où nous pouvons toujours faire quelque chose en vue de voir nos rêves se réaliser. Ron et Georgia Lee caressaient un rêve. Ils vivaient dans un pays où ils étaient libres de tendre vers leur rêve et en y tendant, ils ont trouvé une autre forme de liberté.

«À partir du moment où notre entreprise me donna un revenu supérieur à mon revenu d'emploi», se rappelle Ron, «nous avons pris conscience des possibilités illimitées de cette entreprise. La première chose que j'ai su ensuite, c'est que Georgia Lee et moi nous consacrions à notre «petite entreprise» de la même façon que nous nous vouions autrefois à notre travail: remplis de rêves, en y investissant beaucoup de temps et avec toute notre énergie.»

«Nous nous sommes donnés autant à notre entreprise que nous nous étions consacrés à nos carrières», dit Georgia. «Nous nous nous occupions des ventes et travaillions au plan de marketing quatre ou cinq soirs par semaine. Nous avons maintenu ce régime pendant deux ans et demi. Durant cette courte période, notre revenu a monté en flèche. Nous n'en revenions pas. Nous n'avions pas pensé que les affaires iraient aussi bien, que nous pourrions retirer autant de bénéfices de la vente de ces produits et de ce plan de marketing dont nous étions fiers. »

C'est surprenant comme le fait de gagner un peu d'argent peut mobiliser votre esprit d'entreprise. Comprenez-moi bien: je ne cherche pas à convaincre qui que ce soit d'entrer dans notre entreprise. Les gens devraient aller là où leur esprit d'entreprise les mène. À quel genre de récompenses pouvez-vous vous attendre si vous consacrez du temps, de l'énergie et des efforts à la réalisation de vos rêves?

Le travail épanouissant apporte des récompenses

Dans les années 1920, le célèbre avocat américain, Clarence Darrow, rencontrait une cliente dont il avait résolu les problèmes juridiques. « Comment pourrai-je jamais vous prouver ma reconnaissance, monsieur Darrow? », demanda-t-elle. « Depuis que les Phéniciens ont inventé l'argent », répondit l'avocat Darrow, « il n'y a toujours eu qu'une réponse à cette question. »

Quand les gens travaillent-ils dur? Quand ça paye. À quel moment les gens ne font-ils pas d'efforts? Quand ça ne paye pas. C'est aussi simple que cela. La récompense est le second grand pilier sur lequel repose le travail épanouissant. Récompensez les gens de leur labeur, et ils continueront à produire. Supprimez les récompenses, et la productivité diminuera progressivement. La récompense la plus efficace est l'argent.

Les êtres humains ont des besoins financiers. Les familles ont des besoins financiers. Mais nous n'avons pas besoin qu'on nous le rappelle. Nous savons par expérience avec quelle rapidité nous sommes parfois submergés par toutes les factures qui passent par notre boîte aux lettres: taxes, prêts hypothécaires, versements à donner pour payer l'auto et rembourser le crédit, prêts (capital et intérêts), nourriture, vêtements, gaz, électricité, assurances, entretien et rénovations domestiques, frais de scolarité, gîte et nourriture pour les étudiants, dîmes, offrandes et dons aux œuvres de charité, vacances ou même une soirée au cinéma.

« Papa », dit le fils, « qu'est-ce qu'un génie de la finance? » « Un génie de la finance, mon fils », répond le père ennuyé, « est un homme qui peut gagner de l'argent plus rapidement que sa famille ne peut le dépenser. » La liste des besoins financiers n'a pas de fin. Et on ne les comble pas avec des prix, des promesses ou des tapes dans le dos. On les comble avec de l'argent.

On peut être idéaliste autant qu'on veut. Évidemment, d'autres raisons nous motivent à travailler, des raisons importantes, par exemple avoir une meilleure vie. Demandez-vous: Quelle est la principale raison pour laquelle je travaille? L'argent. Le communisme a oublié cette vérité fondamentale, et c'est pour cela que le système s'est écroulé.

Les gens travaillent pour les récompenses. Et lorsqu'elles sont inadéquates, insuffisantes, qu'elles arrivent trop tard ou qu'elles viennent à manquer, il devient impossible de maintenir l'enthousiasme chez les travailleurs. Sans récompenses appropriées, les travailleurs deviennent de plus en plus mécontents. À la fin, ils déposeront leurs outils et partiront. Et quand cela arrive, c'est tout le système qui s'écroule.

Les travailleurs devraient être récompensés de leurs efforts. Dans les régimes communistes, les dirigeants du parti disaient: «Travaillez dur!» Et pendant quelque temps les gens obéissaient. Puis, un jour, quelqu'un demanda: «Pourquoi? Pourquoi devrions-nous travailler dur alors qu'il n'y a rien pour nous, alors que nous ne sommes pas récompensés comme nous le méritons?» Oh, les dirigeants avaient des réponses toutes prêtes:

«Travaillez pour le peuple!»
«Travaillez pour l'État!»
«Travaillez pour l'avenir!»

Mais les gens n'étaient ni aveugles ni stupides. Les profits n'allaient ni au peuple ni à l'État, et n'étaient pas non plus réinvestis dans l'avenir. Les récompenses qui revenaient de droit aux travailleurs allaient en fait à l'élite communiste. Tandis que les travailleurs souffraient et faisaient des sacrifices, les dirigeants du parti vivaient en général comme des rois et des reines. Ils avaient des résidences ou des appartements privés, des propriétés à la campagne, des restaurants et des magasins spécialisés. Le travail épanouissant est fondé sur le principe du rendement rémunérateur à tous les niveaux de la hiérarchie. Dans l'histoire de notre grand système économique, il y eut également des capitalistes cupides qui ont refusé de partager les profits équitablement, qui ont refusé de récompenser les gens de leur labeur.

Cela nous ramène au premier pilier sur lequel repose le travail épanouissant. Dans un système de libre entreprise, les travailleurs ont le droit de s'organiser quand c'est nécessaire, de revendiquer des récompenses plus justes et de manifester leur opposition aux conditions de travail dangereuses ou mauvaises pour leur santé. Je crois en ce droit.

L'an dernier, Jay et moi-même avons distribué pour quelques millions de dollars de bonis à nos distributeurs indépendants et à nos employés. Ils ne s'y attendaient pas. On voulait ainsi les récompenser de leur performance et de leur rendement exceptionnels. Ces chèques représentaient en outre toutes les autres récompenses prévues dans le système de libre entreprise.

Pourquoi Jay et moi n'avons-nous pas réinvesti dans l'entreprise tous ces profits excédentaires ? Parce que cela n'aurait pas été juste vis-à-vis des hommes et des femmes grâce à qui l'entreprise avait réalisé ces profits. Ce fut une année exceptionnelle pour notre société. Nos distributeurs ont travaillé fort pour vendre nos produits. Nos employés, qui ont fabriqué et distribué ces produits efficacement, ont travaillé fort. Nos distributeurs et nos employés méritaient donc d'être récompensés de leur réussite. Quel plaisir ce fut de les surprendre avec ces chèques auxquels ils ne s'attendaient pas. Voilà comment les capitalistes devraient se comporter.

Les récompenses doivent être proportionnelles à la somme de travail fourni et à la qualité de ce travail. Le travail épanouissant repose sur le principe de la récompense, mais ces récompenses ne sont pas distribuées en parts égales. Ces chèques que nous avons distribués n'étaient pas tous d'un même montant. Certains recevaient un chèque important et d'autres un plus modeste.

Une récompense n'est pas quelque chose que l'on vous doit naturellement. Une récompense, c'est quelque chose que vous devez gagner en fournissant du rendement. Dans les pays communistes, on s'efforçait, soi-disant, de récompenser également tous les travailleurs. Cela semble beau sur papier, mais dans le monde réel cela ne marche pas.

Si vous ne travaillez pas, vous ne devriez pas être récompensé. Je sais qu'il y a des exceptions à cette règle de base. Dans notre société, il y a des personnes qui sont dans l'incapacité de travailler et qui doivent être prises en charge. À cet égard, la libre entreprise s'est révélée être le système le plus compatissant de toute l'histoire de l'humanité. Mais trop de gens aptes physiquement et mentalement au travail désirent être pris en charge simplement parce qu'ils vivent, et ce n'est pas à cette catégorie de personnes que sont destinées les récompenses.

Chaque jour, je bénis vraiment ces récompenses que le système de libre entreprise nous a permis, à ma famille et à moi, de récolter. J'ai travaillé dur et j'ai récolté le fruit de mon labeur. Les Américains croient profondément qu'on y gagne à travailler fort. Cela fait partie de notre psyché nationale. Et nous croyons, en général, qu'une personne est récompensée en proportion de son effort.

Mais si vous travailliez dur et que tout le monde autour de vous vous disait : «Ne fais pas ça!», que diriez-vous? C'est exactement ce qui arrivait dans les régimes communistes. Si vous aviez le malheur de travailler trop fort, les autres se fâchaient parce que cela les rendait peu fiers d'eux-mêmes. Si le dur labeur n'est pas récompensé, pourquoi travailler fort? Ce genre de situation ne favorise qu'une pauvreté généralisée.

Maria Sandoval et son mari, Eliseo, habitaient un petit village dans les montagnes, près de Saltillo, au Mexique. Pendant les sept premières années de leur vie conjugale, les Sandoval vécurent dans une semi-pauvreté. Eliseo travaillait dans une usine gérée par l'État et touchait un très petit salaire. Maria gardait la maison et les enfants, s'efforçant de tirer le maximum de ses pesos afin de satisfaire les besoins de la famille. Dans ce pays touché par la crise et où l'économie était dirigée, il y avait peu d'emplois et aucun moyen d'échapper au cycle de la pauvreté, ce même cycle qui avait asservi avant eux leurs parents et grands-parents. Puis, le président Carlos Salinas de Gortari ouvrit la porte à la libre entreprise, et Maria et Eliseo s'empressèrent d'en franchir le seuil.

«Notre nom est Sandoval», dit Maria doucement, face à une salle de banquet remplie de nos nouveaux distributeurs mexicains. Eliseo affichait un large sourire pendant que sa jeune femme expliquait comment ils en étaient venus à se retrouver parmi nos premiers distributeurs directs au Mexique. Moins de 18 mois plus tôt, ils avaient été recrutés par des amis à Monterrey. Durant cette courte période, les Sandoval avaient travaillé nuit et jour à la mise sur pied de leur entreprise avec les gens de leur village et avec les fermiers dont les maisons aux toits de chaume et aux murs d'adobe parsèment le paysage montagneux.

Quand Maria et Eliseo eurent terminé leur court et émouvant témoignage, 400 distributeurs mexicains se levèrent et commencèrent à applaudir. Maria avait les yeux pleins de larmes. Elle serra fort la main de son mari et, traversant ensemble la tribune, ils vinrent vers moi.

« Señor DeVos », dit Maria en me prenant et en me serrant la main. Alors elle prononça en anglais (langue qu'elle avait pratiquée pour l'occasion) cette phrase que je n'oublierai jamais. « C'est ma première robe neuve », dit-elle. « Je l'ai achetée pour cette occasion. »

Maria portait une simple robe de coton et des sandales. Je souris et hochai la tête. « Elle est très belle », dis-je en lui serrant la main. Puis je me retournai pour saluer son mari. Maria dut voir, à mon regard, que je ne comprenais pas. Elle se tourna vers mon interprète et sérieuse, prononça quelques phrases en espagnol. Lorsqu'elle eut terminé, elle et Eliseo se tournèrent vers moi pour surveiller ma réaction pendant que l'interprète traduisait.

« Elle veut que vous sachiez que c'est la première robe neuve qu'elle a pu se payer depuis qu'elle est née », expliqua l'interprète, « et elle veut vous remercier. » Maria et Eliseo se tenaient la main et me souriaient. Finalement, je compris.

Depuis des générations, les Sandoval, comme des millions de leurs compatriotes, avaient connu la misère noire et les privations. Puis, un jour, ils se tournèrent vers la libre entreprise. Les Sandoval récoltèrent enfin les fruits de leur labeur. Pour la première fois de sa vie, Maria avait assez d'argent dans sa bourse pour entrer dans un magasin et s'acheter quelque chose de beau avec l'argent qu'elle avait gagné. Maintenant elle était debout devant moi, portant une robe jaune vif, un symbole en couleur de sa liberté nouvellement acquise et des récompenses que cette liberté lui avait apportées. Il n'y avait rien à dire. Je les pris simplement tous les deux dans mes bras.

Le travail épanouissant apporte la reconnaissance

La notion de reconnaissance est étroitement liée à celle de la récompense. Sans récompense, il n'y a pas de reconnaissance de l'excellence. Nous avons tous besoin de reconnaissance, ce que les psychologues appellent « renforcement positif ». L'argent que contenait la bourse de Maria Sandoval lui donnait un sentiment de fierté, d'indépendance et de liberté. Toutefois, être ovationnée par 400 collègues produit un effet qu'il ne faudrait pas sous-estimer.

J'ai vu les larmes dans ses yeux, alors qu'on lui manifestait pour la première fois de sa vie une véritable reconnaissance pour son bon travail. J'ai vu son sourire quand elle marchait parmi nous et qu'on la félicitait. Je suis fermement convaincu que la récompense et la reconnaissance vont de pair. Aucune n'est vraiment adéquate sans l'autre.

«À l'origine de la prospérité de cette entreprise», explique Ron Puryear, «il y a ce besoin des gens d'être satisfaits ou fiers d'eux-mêmes. Nous sommes des gens qui se tiennent debout et quand un collègue remporte une victoire, nous nous en réjouissons», ajoute-t-il en souriant. «Et cela n'a rien de faux ou d'artificiel. Nous savons combien chacun de nous travaille fort. Nous savons qu'il faut du courage pour rester motivés et sortir soir après soir, alors qu'il est plus facile de rester chez soi et de regarder la télé. Nous savons combien de temps et quelle somme d'énergie il faut consacrer à l'entreprise les premières années et ce que cela comporte de responsabilités. Et quand les gens enfin réussissent, il nous paraît juste d'applaudir et d'acclamer leur succès jusqu'à ce que les paumes de nos mains soient endolories et que nous soyons enroués.»

Ron et Georgia ont atteint les niveaux de réussite les plus élevés parce qu'ils savent apprécier les autres et reconnaître leurs mérites. Il se peut que nous travaillions surtout à cause des récompenses pécuniaires, mais même des revenus élevés ne nous motiveront pas à continuer de travailler si personne ne nous exprime son appréciation de temps à autre. Nous avons tous besoin d'être appréciés et reconnus.

Il y a quelque mois, je m'envolais vers Bangkok, en Thaïlande, afin d'assister à une conférence sur les ventes qui devait avoir lieu dans un stade de football de la ville. Ce soir-là, nous allions rendre honneur à nos nouveaux distributeurs et souligner les réalisations des anciens qui s'étaient particulièrement distingués au niveau des ventes et du parrainage. Six heures avant le début de l'assemblée, une pluie torrentielle inonda la ville. Je pensai qu'avec ce déluge personne ne viendrait. Nos dirigeants thaïlandais sourirent et dirent: «Ne vous inquiétez pas. Ils viendront.»

Une heure avant l'heure à laquelle devait commencer la conférence, j'étais sur la tribune, debout, et je regardais les gens qui commençaient à arriver. Lorsqu'aux abords du terrain ils se rendaient compte que le sol était boueux, ils enlevaient simplement leurs chaussures, remontaient leurs pantalons et avançaient dans la boue. Plus tard, pendant qu'on les appelait et qu'ils s'avançaient sur la tribune, au milieu des acclamations et des applaudissements chaleureux de leurs amis et voisins, j'ai bien compris pourquoi ils s'étaient frayé un chemin à travers les rues inondées et avaient traversé un terrain boueux pour assister à cette conférence. Ils étaient là pour se féliciter les uns les autres de leurs réalisations, pour s'applaudir mutuellement. Aucune mousson tropicale ne pouvait les arrêter.

Je crois en l'efficacité de la reconnaissance des mérites des gens. Aujourd'hui, partout dans le monde les gens veulent désespérément être remarqués pour ce qu'ils font et être loués pour leurs efforts ou leurs performances. La raison n'est pas difficile à comprendre. La reconnaissance suscite l'estime de soi et la confiance. On ne veut pas être louangé simplement pour obtenir une promotion ou quelque avantage. Le besoin d'être reconnu ou apprécié est propre à l'être humain, et lorsque les gens ne le sont pas, souvent ils ne réussissent pas.

Lorsque nous exprimons aux gens notre appréciation, nous leur disons: «Vous êtes importants, vous faites quelque chose d'important.» Privés de reconnaissance, les gens perdent intérêt au succès. Privés de reconnaissance, les gens se dépersonnalisent et tombent dans l'anonymat.

Lors de ma récente rencontre avec un ministre malaisien, je lui ai rappelé que dans quelques semaines, 400 Malaisiens traverseraient en avion le Pacifique pour visiter Disneyland, et ce, à nos frais. «Pourquoi feriez-vous cela?» m'a-t-il demandé. «Parce que nous apprécions ceux et celles qui réussissent», ai-je répondu. «C'est de cette façon que nous prenons de l'expansion.» Pendant un moment, il me fixa, l'air plutôt perplexe. Puis, il fit un signe de tête approbateur et dit: «Nous avons beaucoup à apprendre.»

Peu importe que vous soyez employeur ou employé. Chacun de nous doit aider les autres à réussir et à réaliser leurs objectifs. Imaginez l'effet que peut produire une simple carte de remerciement ou un coup de fil. Surveillez les réalisations de vos compagnons ou de vos collègues de travail. Acclamez ces réalisations. Applaudissez leurs victoires et eux, à leur tour, vous gratifieront des récompenses et de la reconnaissance dont vous avez besoin.

Le travail épanouissant apporte l'espoir

Pas de liberté? Pas de récompenses? Pas de reconnaissance? Cela aboutit à quoi? À l'absence d'espoir. Le communisme a échoué et l'avenir du capitalisme n'est pas assuré si nous ne donnons pas aux gens la possibilité de réaliser leurs rêves. Combien de temps pouvez-vous vous accrocher à un rêve impossible? L'espoir meurt lorsqu'il n'y a aucun moyen de réaliser ses rêves. Mais lorsqu'il y a espoir, tout est possible.

On dit qu'il n'y a pas de médicament ou de remède comparable à l'espoir, qu'il n'y a pas de source de motivation aussi grande ni de tonique aussi puissant. La libre entreprise et l'espoir sont indissociables. L'espoir de pouvoir améliorer la qualité de votre vie, de pouvoir améliorer votre situation financière, de pouvoir obtenir une augmentation de salaire ou une promotion, ou de pouvoir mettre sur pied votre propre entreprise est lié à la libre entreprise.

Si chacun est traité comme un numéro ou une sortie d'imprimante et ne peut de façon réaliste espérer réussir, qu'arrivera-t-il? Les gens se révolteront. Et comme nous l'avons vu ces dernières années, c'est ce qu'ils ont fait. Mais ce ne fut pas le genre de révolution que Karl Marx prédisait. Ce fut une révolution anticommuniste. Les gens avaient besoin d'espoir, cet espoir que le communisme ne pouvait leur apporter.

Les gens doivent espérer en l'avenir, sans quoi ils ne travailleront pas efficacement. Il est possible de faire face à un présent incertain quand on espère en l'avenir. Si votre situation présente est précaire et qu'il n'y a pas d'espoir pour l'avenir, que vous reste-t-il? Le désespoir.

Je me souviens de ces émissions de télévision en direct en provenance de Pékin, en Chine, et qui montraient la jeunesse de ce grand pays en train de manifester en faveur de la démocratie et de la libre entreprise. Je n'oublierai jamais ce jeune Chinois que j'ai vu assis à l'arrière d'un camion qui roulait. Il portait un bandeau blanc et jetait des tracts à tous ces gens qui tendaient fébrilement les mains vers lui.

«Pourquoi protestez-vous?» lança un journaliste américain d'une voix qui dominait la clameur. «Nous voulons être libres», lui cria le jeune homme. Tout à coup, le camion avança en cahotant vers la place Tiananmen. Le garçon agrippa le garde-fou de bois et se pencha vers le journaliste. «Nous voulons pouvoir faire ce que vous faites en Amérique», cria-t-il. Puis, le camion s'éloigna dans un nuage de poussière.

Bientôt ce jeune homme brave et ses amis allaient devoir affronter des chars d'assaut, des balles et des baïonnettes. Fut-il tué au cours du massacre sanglant qui suivit? Fut-il emprisonné? Peut-être réussit-il à fuir et à se réfugier à Hong kong? Durant un court moment, ce jeune Chinois courageux avait exprimé l'espoir qu'il nourrissait pour le peuple chinois tout entier.

Nous devons ranimer l'espoir, non seulement dans le cœur de ceux qui vivent encore dans des États totalitaires, mais aussi dans le cœur de tous ceux et celles qui luttent pour réaliser leurs rêves. Nous ne pouvons plus parler de pays développés, en voie de développement et du Tiers-Monde. Partout où il y a de la pauvreté, des sans-abri, du chômage et du désespoir, nous devons apporter l'espoir, un espoir véritable, concret et vivifiant, autrement le capitalisme échouera également.

Au 1er siècle, le philosophe Pline l'ancien écrivait: «L'espoir est la colonne qui soutient le monde, le rêve de tout homme éveillé.» Notre avenir, l'avenir du monde, dépend de la générosité avec laquelle nous redonnerons espoir à ceux, jeunes ou vieux de partout, qui sont au bord du désespoir.

En Europe, en Asie, en Amérique du Nord et du Sud, dans les salles de danse d'hôtels, dans les grands centres de congrès et dans les stades, j'ai entendu les acclamations encourageantes de ceux et celles qui ont accueilli avec joie la bonne nouvelle de l'espoir. Nous sommes tous avides de liberté, de récompenses, de reconnaissance et par-dessus tout d'espoir. Ce sont là les piliers sur lesquels repose le travail épanouissant et qui donnent sa force au système de libre entreprise. Au-dessus de ces pierres d'appui s'élève comme un phare lumineux le capitalisme avec compassion.

Il y a presque 25 ans, Ron et Georgia Lee Puryear virent leurs plans de carrière anéantis. Effrayés et désespérés, ils nagèrent vers la lumière. Amway n'est pas la lumière. L'Amérique non plus. La lumière, c'est la démocratie et la libre entreprise, et cette lumière devient partout de plus en plus vive, y compris dans les endroits les plus éloignés. Aucune nation n'a l'exclusivité en matière de capitalisme avec compassion. Aucun peuple ne détient la carte indiquant le chemin.

Peut-être n'avez-vous pas trouvé votre propre voie vers la liberté. Peut-être avez-vous le sentiment de ne pas être suffisamment récompensé ou apprécié pour votre travail et votre créativité. Si vous n'entrevoyez pas l'avenir avec espoir, suivez l'exemple de Ron et Georgia Lee Puryear. Quels sont vos rêves? Quel genre de travail vous donnerait l'occasion de réaliser ces rêves? Qu'est-ce qu'il vous faudrait changer dans votre vie pour vous consacrer à ce genre de travail? Qu'est-ce qui vous rendrait assez courageux (ou désespéré) pour effectuer ces changements?

À l'issue d'un grand rassemblement qui avait eu lieu à Portland, en Oregon, Georgia Lee remarqua un jeune couple debout près de la tribune vide. Le centre sportif était silencieux. Près de 14 000 personnes étaient venues et étaient reparties. Des couples fiers et souriants avaient longuement défilé sur la tribune pour recevoir les poignées de main de Ron et de Georgia Lee et se faire serrer dans leurs bras. Il y avait déjà un certain temps que les gens avaient fini de les ovationner et étaient partis. Les acclamations et les applaudissements faisaient maintenant place au silence.

«Puis-je vous aider?» dit Georgia Lee aux deux jeunes personnes.

Durant un moment, les deux inconnus restèrent là, se tenant la main et refoulant leurs larmes. Sans hésiter, Georgia prit leurs mains dans les siennes et dit doucement: «C'est bien. Je comprends.»

Après un autre long moment de silence, le jeune homme commença à parler. Il raconta son histoire, ce genre d'histoire qu'on entend trop couramment, comment leurs rêves avaient été détruits et comment la peur s'était installée et avait grandi. Après toutes ses années d'études coûteuses à l'université, après avoir été embauché par une grosse firme de logistique industrielle, après avoir acheté une maison et fondé une famille, il venait de trouver l'après-midi même une lettre de licenciement dans sa boîte aux lettres.

Soudain, le jeune homme se sentit de nouveau saisi d'un sentiment de déception et de colère. Sa femme lui tendit la main pour le consoler. Ron Puryear vit ce qui se passait et rejoignit le petit cercle.

«Qu'est-ce que je vais faire?» murmura le jeune homme. «Comment pourrons-nous recommencer?»

Ron regarda Georgia Lee et sourit. Leurs yeux étaient également baignés de larmes. Mais leurs larmes étaient des larmes de joie et de gratitude. Ron mit son bras autour de l'épaule du jeune homme et, d'une voix calme et assurée, se mit à raconter une fois de plus son histoire.

CHAPITRE 6

Qu'est-ce que le capitalisme et pourquoi est-ce « le meilleur endroit pour travailler » ?

❖   ❖   ❖

CREDO 6

Nous croyons au capitalisme (autre nom pour désigner la libre entreprise) parce qu'il représente pour nous et le monde entier le plus grand espoir d'un redressement économique.

Par conséquent, si nous ne savons pas ce qu'est le capitalisme ou comment ce système fonctionne, il importe maintenant de l'apprendre. Notre avenir financier en dépend !

Ken et Donna Stewart s'approchèrent de la longue file de voyageurs qui attendaient chacun de passer au comptoir de tickets de la TWA, à l'aéroport de Springfield, au Missouri. Un agent s'approcha de Ken, un large sourire aux lèvres. « Comment va votre père ? » dit-il. « Par ici, nous nous souvenons encore de lui, vous savez ! » Pendant que l'agent leur délivrait des cartes d'embarquement et enregistrait leurs bagages, les deux hommes parlaient du père de Ken et de tout ce qui leur était arrivé durant les dernières 25 années.

« Cet agent était venu travailler pour Ozark à peu près en même temps que mon père », se rappelle Ken. « Ils travaillaient ensemble au comptoir de la ligne aérienne alors que je n'étais encore qu'un enfant. C'étaient deux jeunes hommes mariés qui avaient des enfants. Il semble que tous deux caressaient le rêve d'avoir un jour leur propre entreprise. Mon père voyait ses rêves se réaliser», explique Ken, «alors que l'autre passa le reste de sa vie à remettre des tickets et à enregistrer des bagages.»

Après seulement quelques mois au service d'Ozark, le père de Ken, qui songeait à acheter une laverie automatique située près de chez lui, réussit tant bien que mal à amasser assez d'argent pour pouvoir verser un acompte. Environ un an plus tard, il se servit des profits qu'il avait réalisés en exploitant cette laverie pour acheter un terrain vacant de l'autre côté de la rue. «Que diriez-vous si nous construisions une maison à temps perdu?» dit-il à sa famille. «Nous avons tous participé à la construction de cette maison», se rappelle Ken en souriant. «Même moi, qui n'avais que 6 ans, je fus mis à contribution par mon père.»

Après cette maison, ce fut une autre. Le père de Ken travaillait lentement, avec soin, et se familiarisait avec le commerce. Ses maisons étaient donc solides, bon marché et se vendaient rapidement. En un an, le père de Ken avait réalisé assez de profits pour pouvoir acheter un Dairy Queen non loin de leur laverie automatique. D'autres maisons suivirent. Au bout de quelques années seulement, monsieur Stewart put quitter la compagnie Ozark Airlines. Désormais, il était son propre patron. C'était un constructeur possédant plusieurs petites entreprises et dont les maisons poussaient comme des champignons dans toute la ville.

«Après que j'eus raconté à l'agent comment mon père était devenu prospère, se rappelle Ken, il sourit et me dit: "J'aimerais avoir le courage de faire ce que votre père a fait." Puis il m'a serré la main et il est parti.»

Les deux hommes caressaient des rêves pour eux-mêmes et pour leurs familles. Mais un seulement eut assez de courage et comprit suffisamment bien les principes du capitalisme pour les réaliser. Ce genre d'histoire est courant. Peut-être êtes-vous actuellement à la croisée des chemins et que vous vous demandez lequel prendre. Passerez-vous le reste de votre vie à faire un travail que vous n'aimez pas?

Une façon d'apprendre ce qu'est le capitalisme et comment ce système fonctionne est de l'«essayer» soi-même. Le père de Ken a probablement choisi la manière la plus difficile de l'apprendre, tout comme Jay et moi. Nous n'avons pas étudié l'économie au secondaire et n'avons pas de maîtrise en administration des affaires. J'ai maintenant au moins une douzaine de diplômes honorifiques, mais toute ma vie j'ai regretté de ne pas avoir terminé mon cours universitaire. Jay et moi étions jeunes et enthousiastes. Nous avons tout simplement sauté dans l'eau profonde. Nous dûmes apprendre, pour ne pas nous noyer. L'expérience fut notre maître ; toutefois, si c'était à refaire, je passerais plus de temps à lire sur la libre entreprise et sur les hommes et les femmes qui nous ont montré la voie.

Il se peut que vous ne vous soyez pas réveillé ce matin avec le besoin d'en savoir plus sur le capitalisme et sur la façon que ce système fonctionne. Tolstoï disait : « Les historiens sont comme des sourds qui continuent à répondre à des questions qui ne leur ont pas été posées. » Peut-être avez-vous toujours détesté l'histoire ou trouvé cela ennuyeux. C'est comme les pages jaunes. Elles sont assommantes jusqu'au moment où il vous faut trouver rapidement quelque chose. Les problèmes économiques auxquels notre pays est confronté démontrent clairement que nous avons besoin de principes directeurs et de toute urgence. L'histoire de ce grand système économique nous aide à comprendre les règles du jeu et quand on comprend bien les règles, il devient beaucoup plus facile de bien jouer et de gagner.

Le pire, c'est que si tant de gens parmi nous continuent à mal jouer, nous risquons de nous retrouver individuellement ruinés et d'acculer notre pays à la faillite. Cette ignorance de la façon dont fonctionne le système capitaliste a conduit des millions de gens à abandonner leurs rêves financiers. Le philosophe George Santayana a lancé cet avertissement : « Ceux qui sont incapables de se rappeler les erreurs passées sont condamnés à les répéter. » Donc, avant d'essayer d'assurer notre avenir, essayons de comprendre notre passé.

Le mot *capital* vient du latin et signifie « richesse ». Le capitalisme est un système économique qui repose sur l'accumulation libre de capital ou de richesse. Le père de Ken accumula 2 000 $ en vue de pouvoir verser un acompte pour sa laverie automatique. Le reste, c'est de l'histoire. Mais l'argent n'est pas la seule forme de capital. Il y a le capital *matériel* : les ressources naturelles et les choses fabriquées, comme les machines utilisées pour fabriquer d'autres produits. Il y a le capital *financier* : l'argent liquide, les actions, les obligations, etc., qui peuvent être échangés contre d'autres biens de production ou y être investis. Et je voudrais vous amener à réfléchir à une troisième forme de capital — qui n'est pas toujours mentionnée dans les livres, le capital *mental* : les idées, l'ingéniosité. C'est là l'élément humain du processus de production de capital matériel et financier.

Le capitalisme se fonde principalement sur la *propriété privée du capital* et de la *libre entreprise*. Pour simplifier à l'extrême, disons qu'un capitaliste est (1) libre de posséder de la richesse et (2) libre de l'utiliser à son gré. Le père de Ken économisa quelques dollars dont il se servit pour acheter un terrain vacant. Si vous possédez un capital — n'importe quoi pouvant servir à créer de la richesse — vous êtes déjà en voie de devenir capitaliste. Une maison, une voiture, quelques dollars, un ordinateur, un marteau, un téléphone, des actions ou des obligations, un violon, un ballon de football, un pinceau, une pelle, un bloc-notes et un stylo, voilà les outils dont vous pourrez avoir besoin pour créer de la richesse.

Si l'on étudie à travers l'histoire les régimes économiques et sociaux, on se rend compte que le fait que chacun puisse devenir capitaliste est une idée relativement récente. Jusqu'à il y a quelques siècles, seule une poignée de gens privilégiés avaient ce droit. Le père de Ken n'aurait alors pas été payé pour son labeur, il n'aurait pu économiser de l'argent, encore moins l'investir dans l'achat d'une propriété ou s'en servir pour améliorer sa qualité de vie et celle de sa famille. Pour mieux comprendre comment nous, hommes et femmes ordinaires, avons hérité de ce droit que l'on acquiert à la naissance et qui n'a pas de prix, examinons un peu l'évolution fascinante du capitalisme. Depuis le début de notre siècle, des nations et des peuples entiers ont perdu leur droit de participation au système de libre entreprise. Ce regard sur l'histoire nous amènera à ne plus jamais laisser personne nous retirer ce droit.

On pourrait trouver des exemples de capitalisme (au sens large du terme) dans les civilisations antiques. Il existait en effet une forme de propriété privée et de libre entreprise en Égypte, à Babylone, en Grèce et à Rome. Aux temps anciens, les exemples de capitalisme sont peu nombreux, mais on peut en trouver à partir du début de l'humanité. Dans toutes les sociétés, à toutes les époques, le talent, la motivation, les ressources et les occasions ont conduit des gens à devenir capitalistes.

La féodalité. Toutefois, ce n'est qu'à la fin du Moyen Âge que le capitalisme tel que nous le connaissons commença à se développer. La plupart des sociétés, au Moyen Âge, étaient féodales. Les gens vivaient dans de petites communautés disséminées dans les campagnes, sous l'autorité de seigneurs féodaux et sur les terres desquels ils travaillaient comme métayers. Les gens vivant dans ces communautés devaient se suffire à eux-mêmes. Ils devaient cultiver, fabriquer, confectionner ou obtenir contre échange pratiquement tout ce dont ils avaient besoin.

Vers la fin de l'époque féodale, les gens commencèrent à se déplacer vers les villes, et une économie fondée plus sur l'argent que sur le troc commença à se développer. Un phénomène parmi d'autres qu'on peut noter à cette époque, c'est que ceux qui émigraient vers les villes entreprirent de se spécialiser. Par exemple, au lieu d'élever des moutons, de filer du coton, de tisser ou de confectionner des vêtements, ils se lancèrent dans une seule tâche. Ils devinrent ou tisserands, ou tailleurs, ou marchands de laine.

Si le féodalisme était par définition désorganisé — en ce sens que les gens étaient éparpillés et qu'il n'existait pas de gouvernement central — le mouvement d'émigration vers les villes fut un processus organisé. Les villes s'organisèrent entre autres en mettant sur pied des conseils souverains et en émettant des pièces de monnaie. L'utilisation de pièces de monnaie engendra un système monétaire, ce qui facilita grandement l'accumulation de capital et le libre commerce.

En ce temps-là, il n'y avait pas de laveries automatiques ni de Dairy Queen. Disons que l'ancêtre de Ken était un crémier spécialisé dans le fromage Limburg. Dans un système monétaire, il pouvait vendre son fromage à un marchand qui, à son tour, pouvait le vendre à d'autres. Il n'avait pas à trouver une autre personne possédant par chance le produit ou la denrée précise dont il avait besoin — disons des seaux de lait — et elle-même intéressée au même moment au fromage de monsieur Stewart. Avec de la monnaie, il pouvait acheter tout ce qu'il désirait, à tout moment. Cela constituait un avantage par rapport l'ancien système d'échange.

Le mercantilisme. Alors que les villes et leurs systèmes monétaires se structuraient en États-cités, puis en nations, un système économique appelé mercantilisme se développa. Ce système tire son nom des commerçants et des gens d'affaires — en général, de petits entrepreneurs comme des marchands de fromage, de tissus et de grains ou de céréales. Le mercantilisme fut le système économique dominant en Europe du XVIe au XVIIIe siècle.

Les mercantilistes, surtout les souverains des pays nouvellement formés, visaient l'accumulation d'argent et d'or. Ces monarques étaient de plus en plus désireux d'accumuler de l'or et de l'argent parce qu'ils en avaient besoin pour affermir leur pouvoir ou leur puissance. Le pouvoir reposait sur le maintien d'un arsenal et d'une armée de soldats professionnels. Cela nécessitait un capital considérable. Et le moyen de l'accumuler était de maintenir une balance du commerce extérieur favorable. Dans un régime mercantiliste, lorsque les exportations excédaient les importations, la balance était payée en or et en argent (sous forme de pièces de monnaie ou de lingots), et le pays exportateur pouvait l'ajouter à son capital. En conséquence, les souverains encourageaient les gens à produire des biens pour exportation et imposaient des tarifs douaniers élevés pour limiter les importations.

Le mercantilisme constituait une amélioration par rapport à la féodalité. Dans l'ensemble, le niveau de vie s'éleva, les produits devinrent plus accessibles et les conditions ainsi créées favorisèrent l'émergence d'une classe moyenne. Mais le mercantilisme profitait surtout à l'élite toute puissante, à l'aristocratie. La grande majorité des gens vivaient dans la pauvreté. Les ancêtres de Ken, les vôtres et les miens n'avaient pas encore le droit de pratiquer la libre entreprise ou d'améliorer la qualité de leur vie. Ils arrivaient quelques siècles trop tôt. Le mercantilisme n'était pas un système économique particulièrement compatissant, mais il marquait au moins un pas dans la bonne direction.

Mais le mercantilisme ne s'implanta pas définitivement. Il déclina et disparut en raison de multiples changements sociaux et historiques et des défauts qu'il comportait ou des hypothèses erronées sur lesquelles il reposait. On supposait notamment que la mesure de la richesse réelle était l'accumulation d'argent et non l'amélioration de la qualité de la vie des individus ou de la communauté. Le simple fait de posséder de l'or devenait capital, et peu importait l'utilisation que vous en faisiez.

Il s'agit là d'une croyance ancienne et tenace — aussi ancienne que la Bible, laquelle nous met en garde contre de telles idées. Certains irréductibles qui croyaient que l'or était tout ce qui comptait soutenaient même que l'agriculture devait être limitée aux cultures destinées à l'exportation, comme le tabac, puisque les cultures vivrières étaient consommées au pays même et qu'elles ne généraient pas de monnaie étrangère. Certains ne prirent même pas la peine de se poser la question: Si nous cultivons uniquement du tabac, que mangerons-nous? La vraie richesse est acquise lorsque les besoins humains sont comblés. Le *bien-être des hommes* demeure l'objectif ultime de l'activité économique. Peu importe combien d'or il y a à la trésorerie si les besoins des gens ne sont pas satisfaits.

Qui fonda le capitalisme moderne et sur quels principes?

Adam Smith: le premier économiste. Les idées à partir desquelles le système de libre entreprise s'est structuré, ces mêmes idées qui guidèrent le père de Ken et qui nous permettent de réussir en affaires, viennent d'un Écossais excentrique du nom d'Adam Smith. Ce fut un grand penseur et tout un personnage. Il n'avait rien d'ordinaire, même son apparence tranchait. Il avait un nez proéminent, des yeux saillants et la lèvre inférieure lippue. Il n'avait aucun charisme et était un orateur médiocre. Il avait un tic nerveux et un défaut d'élocution. Comme Adam Smith disait lui-même: «Je ne suis élégant que dans mes livres.»

Adam Smith est né en 1723 à Kirkcaldy, un petit port de mer écossais situé près d'Édimbourg. Il s'inscrivit à l'université de Glasgow à l'âge de 14 ans, puis obtint une bourse pour Oxford, où il passa encore 2 ans. Après Oxford, il obtint un poste de professeur à l'université de Glasgow.

Adolescent, Adam Smith commençait déjà à réfléchir sur cette question: pourquoi certaines nations sont-elles plus riches que d'autres et comment ces nations plus riches produisent-elles plus de denrées alimentaires, de vêtements et de biens divers que les autres? Sa réponse à cette question conduisit à l'implantation et au développement du système de libre entreprise partout dans le monde. «Ce qui augmente la richesse d'une nation, ce n'est pas l'accumulation d'argent», disait monsieur Smith, «mais la *division du travail.*

Le monde était sur le point d'apprendre que l'énergie, les idées et les talents encore inexploités de millions de personnes avaient plus de valeur que l'or. Pour paraphraser Adam Smith, la division du travail est la cause principale de l'augmentation de la richesse publique, la richesse d'une nation étant proportionnelle aux divers talents créateurs des gens et non à la quantité d'or.

Qu'est-ce que cela veut dire exactement? Les idées d'Adam Smith sont énoncées dans son ouvrage intitulé *Recherches sur la nature et les causes de la richesse des nations*, qui est sans aucun doute le livre d'économie le plus connu et le plus important jamais publié. Au début de ce livre, Adam Smith raconte une histoire pour illustrer ce qu'il entend par division du travail.

Le sujet de cette histoire célèbre est une épingle. L'histoire peut se résumer ainsi : une personne n'ayant pas été formée pour fabriquer des épingles pourrait peut-être, en travaillant avec beaucoup de constance et d'application, réussir à faire au mieux une épingle par jour. Une personne ayant de l'expérience en ferait peut-être 20 tout au plus. Mais même à l'époque d'Adam Smith, ce n'est pas de cette façon qu'on fabriquait les épingles.

Les épingles étaient habituellement fabriquées par des travailleurs spécialisés dans certaines tâches ou opérations. Dans l'histoire de monsieur Smith, une personne pourrait fabriquer le fil de métal, une autre personne pourrait le redresser, une troisième personne pourrait le couper en segments, une quatrième personne pourrait tailler un bout et une cinquième personne pourrait arranger l'autre bout de façon qu'on puisse y fixer la tête. Ainsi, deux ou trois autres personnes pourraient être assignées à la fabrication et à l'installation des têtes. Une épingle typique pourrait être le résultat du labeur de nombreux travailleurs, chacun ayant une tâche spécifique à accomplir. Au début du XVIIIe siècle, une petite entreprise employant 10 travailleurs pouvait produire 48 000 épingles par jour. Ce qui revient à 4 800 épingles par travailleur. Mais si chaque travailleur fabriquait un à un les épingles, la fabrique produirait peut-être 10 épingles par jour ou 200 tout au plus.

Cette petite histoire montre bien où Adam Smith veut en venir. Lorsqu'une tâche ou le travail que nécessite la fabrication d'un produit est divisé en opérations spécifiques et distinctes, la productivité augmente rapidement. Du coup, la richesse de la nation augmente. C'est ainsi que la division du travail accroît la richesse d'une nation. Mais ce n'est pas tout. Quand les travailleurs se spécialisent, ils apprennent à résoudre les problèmes plus efficacement et deviennent plus aptes à inventer des machines pouvant aider à accroître la production. En d'autres termes, la division du travail est aussi un facteur clé du développement de nouvelles technologies.

En quatre mots : les gens sont importants. Ils peuvent participer au processus de fabrication en mettant à contribution leurs multiples talents. Ce processus leur donne donc la possibilité de les cultiver et de les exercer. L'analyse d'Adam Smith a joué un rôle fondamental en ce qu'elle a permis aux gens de comprendre un système complexe qu'ils ne comprenaient pas très bien jusqu'alors. Mais cette analyse ne se limite pas aux fabriques d'épingles. Il en avait encore beaucoup à dire, pas seulement au sujet des nations et de leurs économies, mais au sujet des gens et de l'importance de leur rôle dans le processus de fabrication.

Adam Smith était curieux de savoir comment les gens prenaient les décisions économiques. Cette curiosité était le résultat de ses réflexions sur la façon dont les gens prennent des décisions morales. Comme la plupart des esprits sérieux de son temps, Adam Smith étudia d'abord pour devenir pasteur. Il ne pensait pas devenir économiste. En fait, à cette époque, il n'y avait pas d'économistes. Quand Adam Smith commença à s'intéresser à ce que nous appellerions aujourd'hui «sciences économiques» et «psychologie», il décida de se spécialiser en ce qu'on appelait alors «philosophie morale».

La main invisible. Il avait une théorie expliquant comment l'économie de marché et la psychologie sont liées. Cette théorie porte le nom de «main invisible». Adam Smith se demandait comment les gens pouvaient porter ou exprimer des jugements moraux justes en dépit de motifs puissants et incompatibles avec ces jugements, comme l'intérêt personnel et l'instinct de conservation. Il se demandait aussi comment les gens pouvaient faire ou émettre des jugements économiques justes malgré ces mêmes motifs.

Il soutenait que les gens font ce qui est juste — la plupart du temps — parce qu'il y a en eux un «être intime» qui joue le rôle de «spectateur impartial» et qui approuve ou désapprouve leurs actions. Adam Smith disait que ce spectateur impartial était comme une voix puissante — une sorte de conscience à la voix amplifiée — qu'on pouvait difficilement ignorer. Pour lui, les gens obéissent à leurs passions, mais leur aptitude à raisonner et leur faculté de compassion propres à l'être humain, jouent le rôle d'autorégulateur.

De plus, les gens, bien que par nature égoïstes, sont souvent poussés par une main invisible — sans qu'ils en aient conscience ou qu'ils le veuillent — à servir les intérêts de la société. Le «spectateur impartial» qui, dans l'arène morale, joue le rôle de régulateur, est remplacé, dans l'arène économique, par une autre force régulatrice: la concurrence ou la compétition. Dans un système de libre marché, la «passion» de la prospérité est tempérée par la concurrence ou la compétition.

Le rôle de la compétition. Adam Smith considérait que le désir ou le besoin de compétition était naturel et fondamental chez l'être humain. Ce besoin n'est pas une mauvaise chose, car s'il peut s'exprimer librement, il devient une force socialement positive. Pourquoi? Car il y a contradiction entre les intérêts personnels d'une personne et ceux d'une autre, la main invisible entre en jeu. La main invisible influence le choix des produits à fabriquer ainsi que les prix. Adam Smith affirmait que la main invisible contribue puissamment à assurer à la société les produits qu'elle désire au prix qu'elle est disposée à payer.

Adam Smith croyait que la société ne devait pas refréner ce désir de devenir prospère (c'est-à-dire d'entrer en compétition avec d'autres) commun à tous. Surtout, dit-il, «le gouvernement ne devrait pas empêcher les gens d'exprimer leurs intérêts personnels. Le gouvernement ne devrait pas chercher à réglementer la bonté et la générosité. Les gens sont davantage portés à faire ce qui est juste s'ils y voient quelque avantage. Il croyait fermement en la motivation économique.

Le libre marché. Adam Smith était parfaitement conscient des pratiques exploitantes de certains employeurs et les condamnait. Il n'était pas naïf, il était au courant des procédés de certains marchands ou fabricants cupides de son temps. En fait, il a dit un jour que si des confrères faisant le même commerce se rencontraient, à une réception par exemple, la conversation semblait toujours prendre l'allure d'une conspiration visant à tromper ou escroquer le public. Cependant, il était convaincu que la «main invisible» avait le pouvoir de contrer les «manigances diaboliques» des gens d'affaires malhonnêtes.

Lorsque des entreprises réalisaient des bénéfices exorbitants, Adam Smith tentait en général de savoir si le gouvernement y était pour quelque chose, si ces entreprises étaient favorisées par une quelconque loi ou un quelconque règlement. D'après lui, les gens d'affaires cupides avaient souvent recours à l'aide du gouvernement pour maintenir leur position. Le gouvernement avait le pouvoir de rendre la «main invisible» inefficace. Il pouvait imposer des restrictions aux entrepreneurs et commerçants, accorder des monopoles à certaines industries ou décréter des lois qui en favorisaient d'autres.

Adam Smith estimait que personne ne devait bénéficier de privilèges spéciaux. Si les entreprises se mettent d'accord pour s'octroyer des privilèges, ou si le gouvernement, par le biais de lois, les favorise ou entrave de quelque façon que ce soit la libre concurrence, alors la «main invisible» devient inopérante. Elle n'est efficace que dans un contexte de «liberté naturelle», où les intérêts de tous sont servis. Mais le gouvernement doit rester neutre vis-à-vis des entreprises et des commerces, et vice versa. C'est là une autre idée d'Adam Smith qu'il importe de redécouvrir sans tarder.

Adam Smith craignait particulièrement que ne s'établissent des alliances plutôt douteuses entre les gens d'affaires et le gouvernement. «Le gouvernement ne devrait pas», disait-il, «tenir compte de «la rapacité mesquine, de l'esprit monopolistique des marchands et des fabricants, qui ne sont pas ni ne devraient être les dirigeants du monde.» Son analyse de la nature humaine est réaliste. Il fut idéaliste en croyant à la nécessité, pour les gens d'affaires, d'obéir à leur conscience morale.

Adam Smith et le laissez-faire. Il prôna une politique de «laissez-faire» ou de liberté d'action. En d'autres termes, dans le domaine économique, il faudrait laisser les gens tranquilles. Sa philosophie économique était fondée sur l'hypothèse de la «main invisible» qui guidait les gens, les entreprises — les industries entières — avec impartialité et efficacité *si on les laissait tranquilles*. Mais en l'absence d'intervention gouvernementale, comment cette politique nous aide-t-elle à empêcher que des gens âpres au gain profitent de la situation?

Disons qu'un marchand important a conçu un produit alimentaire qui a un succès foudroyant aux Hautes Études commerciales: des glaces à l'eau au parfum de banane. Ou, comme le marchand décide de les appeler, «Banane sur bâtonnet». Supposons que ces glaces à l'eau «Banane sur bâtonnet» deviennent très appréciées par les étudiants des Hautes Études commerciales et que, chaque après-midi, ils achètent tout son stock. Cependant le marchand, parce qu'il est tout-puissant et cupide, décide de ne pas se donner la peine d'en faire le nombre suffisant pour satisfaire la demande. Alors il commence à vendre plus cher ceux qu'il fait, beaucoup plus cher même. Il est le seul à les faire, il peut donc les vendre au prix qu'il veut.

À un moment donné arrive l'ancêtre fictif de Ken. Disons qu'il est pauvre et sans ressources. Mais il note que ce marchand cupide gagne beaucoup d'argent en vendant cher quelque chose qui n'est pas difficile à faire. Que va-t-il se passer? Il va le concurrencer et lui donner du fil à retordre. Et croyez-vous qu'il demandera plus cher ou moins cher que ce marchand cupide? Moins cher, évidemment. Ce nouveau concurrent veut s'attirer la clientèle étudiante. Ainsi, comme dirait peut-être Adam Smith, les hommes d'affaires qui laissent leur cupidité prendre le dessus sont rapidement supplantés par leurs concurrents.

Abordons maintenant la question du « laissez-faire ». Qu'arrivera-t-il si le directeur de l'école décide qu'un marchand seulement peut vendre les glaces à l'eau au parfum de banane ? « Banane sur bâtonnet » devient la glace à l'eau officielle des Hautes Études commerciales, les marques Stewart et Chimp sont boycottées. Le directeur pourrait avoir bien des raisons de ne retenir qu'un marchand. Peut-être qu'il n'aime pas voir tous ces marchands et leurs voiturettes qui encombrent le trottoir devant l'école et obstruent l'entrée. Ou peut-être que le marchand cupide est un ami personnel.

Quelle que soit la motivation — sécurité, favoritisme ou altruisme — le résultat sera probablement le même : des prix plus élevés. Une chose à se rappeler au sujet de la « main invisible » : peu importe que les règles du marché soient enfreintes pour de bonnes ou de mauvaises raisons, l'effet est identique. Dans l'optique d'Adam Smith, la « main invisible » est indifférente aux considérations morales — elle est tout à fait impartiale. Adam Smith estimait que les gens devaient faire leurs propres choix moraux. Toute tentative en vue de réglementer la bonne volonté ou le bon vouloir des gens d'affaires est vouée à l'échec. L'intérêt personnel est trop puissant, et *seule* la concurrence peut le contenir.

L'ère du capitalisme commença vraiment après la publication de *Recherches sur la nature et les causes de la richesse des nations*. Les théories de monsieur Smith constituent un fondement rationnel au capitalisme — une manière de penser — une innovation sur le plan conceptuel. Jusqu'à cette époque, les gens ne se voyaient pas toujours comme des êtres distincts, libres de prendre seuls leurs décisions. Ils se considéraient comme des membres d'une communauté ou d'une classe. Les décisions étaient prises d'un commun accord ou décrétées, et l'individu n'avait pas grand-chose à y voir. Dans le monde prénewtonien, les événements semblaient souvent se produire pour des raisons mystérieuses, inconnues. Le monde semblait être un lieu chaotique. Si quelqu'un était riche ou en train de le devenir, c'était parce que Dieu l'avait ordonné.

Les principes de fonctionnement de l'économie — le processus par lequel la richesse était accumulée ou acquise — n'étaient pas bien compris. Le peuple acceptait volontiers les explications religieuses simplistes qui n'avaient pas grand-chose, sinon rien à voir avec la Bible. Les pauvres acceptaient leur condition, croyant que c'était là la volonté de Dieu. Les puissants invoquaient l'autorité divine pour justifier les privilèges spéciaux qu'ils tenaient absolument à conserver. On donnait rarement d'autres explications pour justifier et maintenir le statu quo.

L'idée qu'il n'y a pas de déshonneur à être motivé par le profit — que le travail pourrait être un moyen pour parvenir à une fin *et non une fin en soi* — est relativement nouvelle. La société et l'Église condamnaient ce genre de motivation, la jugeant honteuse et mauvaise.

L'écrivain Charles Van Doren a dit: «Il est étonnant de constater que, jusqu'à récemment, la plupart des êtres humains, qui n'étaient pourtant pas différents de nous, ne concevaient pas qu'ils puissent gagner de l'argent — ce que nous savons tous faire aujourd'hui. L'expression «gagner sa vie» leur aurait été incompréhensible.» Le seul argent qu'ils recevaient provenait de la vente aux citadins d'une partie de ce qu'ils produisaient. Ils se servaient ensuite de cet argent pour acheter les articles ou les denrées qu'ils ne pouvaient produire eux-mêmes, comme le sel.

Avant le siècle des lumières, au moment où les idées commencèrent à évoluer, on ne concevait pas le travail comme quelque chose qu'on pouvait vendre ou auquel on pouvait attribuer de la valeur. En fait, la valeur qu'on conférait à une personne était du genre de celle qu'on donnerait à une vache ou à une marchandise. La «valeur» d'une personne était souvent déterminée uniquement en fonction de son statut social. Par exemple, lorsque quelqu'un était assassiné, le meurtrier pouvait être soit exécuté soit condamné à payer ce qu'on appelait le «prix du corps» de la personne tuée. Un noble valait 1 200 shillings, un paysan libre (ou un artisan) en valait 200 et un serf ne valait rien!

Les gens n'étaient pas des agents libres pouvant changer d'emploi ou d'entreprise à leur gré. Si vous étiez un serf, vous étiez attaché à une terre qu'il vous incombait de travailler. Si vous étiez un artisan ou un homme de métier, vous poursuiviez simplement la tradition familiale. Quant aux femmes, elles avaient encore moins de possibilités.

Adam Smith a élaboré sa théorie autour d'un concept d'une simplicité lumineuse et d'une importance évidente: l'intérêt individuel. Cette théorie, par sa finesse, se rapproche de celle d'Isaac Newton sur la gravitation. Si Adam Smith prôna le « laissez-faire » — il s'opposait aux politiques visant à réglementer la moralité — il croyait également en la nécessité de se conformer aux plus hautes normes personnelles de moralité et de conduite. Il ne fermait pas les yeux sur la corruption et la cupidité. Ce serait une erreur que de se servir des idées de monsieur Smith pour tenter de justifier ou pour excuser ceux qui abusent du système capitaliste. La conscience (morale) était au cœur de ses préoccupations. Il supposait que les gens avaient au fond d'eux-mêmes le désir ou l'envie de faire ce qui était juste : une voix intérieure. Et le capitalisme s'appuya sur cette hypothèse.

Le capitalisme sous le feu de la critique

Les premiers changements qui survinrent, en Occident, au temps d'Adam Smith, furent excitants et extrêmement positifs. Malheureusement, à cette époque comme aujourd'hui, le capitalisme comportait aussi de sombres aspects, à tel point que certains crurent que ce système était mauvais et devait être rejeté. Karl Marx fut l'un des plus éloquents critiques du capitalisme. Examinons brièvement sa vision du capitalisme.

On ne peut certainement pas blâmer Adam Smith d'avoir favorisé un capitalisme « sans conscience ». Il prônait le « laissez-faire », mais nous savons qu'il ne confondait pas le droit à la liberté d'action avec la liberté d'exploiter les travailleurs ou de se livrer à des pratiques commerciales malhonnêtes. Certains capitalistes ne saisirent pas ce message. En fait, quelques-uns ne se soucièrent aucunement des conditions dans lesquelles leurs employés travaillaient. Ils devinrent prisonniers de leur cupidité. Nous devons refuser cet héritage de souffrance. C'est là une autre leçon de l'histoire qu'il nous faut retenir.

Les crises dans les villes. De concert avec la montée du capitalisme et l'avènement de la révolution industrielle, il y eut un accroissement sans précédent de la population. De 1750 à 1850 la population doubla presque en Europe, passant de 140 millions à 266 millions. L'amélioration des conditions d'hygiène et le contrôle des maladies réduisirent dans l'ensemble le taux de mortalité, et la croissance démographique fut surtout un phénomène urbain. Des millions de gens se déplacèrent vers les villes ou naquirent dans les nouvelles zones industrielles où étaient situées les usines et les fabriques. Ce qui favorisa l'émergence de quartiers pauvres remplis de gens vivant dans d'horribles conditions. Les villes ne pouvaient tout simplement pas recevoir les hordes d'hommes et de femmes qui y venaient pour travailler.

Les logements de ces quartiers étaient totalement inadéquats. La technique de construction des bâtiments n'était pas aussi avancée que la technologie industrielle. Les gens vivaient entassés dans de vieux immeubles délabrés, dans des bidonvilles ou encore dans de nouveaux logements mal bâtis. Déménager en ville pouvait être très stressant. Même si, en fait, la plupart étaient mieux en ville — les endroits d'où ils venaient étaient pires encore — cela ne semblait pas être le cas sur le plan psychologique ou spirituel. Leurs vieux villages leur étaient familiers et ils y vivaient tranquilles. Les gens venaient souvent de petits villages où il y avait une église paroissiale, des groupes sociaux (comme des guildes ou des associations) en place depuis longtemps et où les familles étaient nombreuses. Vivant désormais dans un environnement peu familier, entourés d'inconnus, les gens se sentaient mal à l'aise, perdus et désorientés. Les romans de Charles Dickens contiennent d'émouvantes descriptions des terribles difficultés auxquelles les gens étaient confrontés en ce temps-là.

Au début, on voyait les villes comme des centres sociaux et culturels. Certains gagnèrent la ville pour échapper à l'étroitesse d'esprit des habitants des villages, pour pouvoir jouir de la liberté de penser. Mais durant la révolution industrielle, il n'était pas inhabituel de considérer les villes comme des endroits aliénants. Certains se sentaient comme des fourmis parmi la masse des travailleurs urbains. «Villes» devint synonyme d'absence de valeurs, d'anonymat.

Même si la technologie éleva le niveau de vie de la plupart des gens, à certains égards elle eut un impact négatif sur leur qualité de vie. Entre autres conséquences, beaucoup se sentirent coupés de la nature, de leur communauté et même de Dieu. Les écrivains de l'époque décrivirent la façon dont les usines, les fabriques et les manufactures déshumanisaient les travailleurs. Certains eurent le sentiment que les machines exerçaient sur eux une sorte de pouvoir tyrannique. Ils avaient l'impression qu'ils existaient pour servir les machines et non que les machines les servaient.

Alexis de Tocqueville pensait que la spécialisation de plus en plus poussée était, pour le travailleur, plus dégradante que les politiques dictatoriales des politiciens tyranniques. Adam Smith pensait, lui aussi, que la spécialisation pouvait au bout du compte avilir le travailleur. Il craignait qu'en l'absence de normes éthiques les travailleurs fussent victimes d'abus et exploités. Certaines de ses craintes étaient fondées.

La main-d'œuvre enfantine. Pour la première fois, des gens — des hommes, des femmes et des enfants — travaillaient en grand nombre loin de chez eux. Ils travaillaient de longues heures, 12, 14 et même 16 heures par jour. Toute la semaine, c'est-à-dire pendant 80 heures en moyenne, ils faisaient un travail éreintant ou abrutissant. Parfois, les travailleurs vivaient éloignés de leurs familles, dans de misérables dortoirs.

C'était un fait notoire que certaines filatures exploitaient des femmes et des enfants. Il n'était pas rare que des enfants âgés de moins de 10 ans travaillent de longues heures, supervisés par des étrangers moins que charitables. Ces enfants étaient battus régulièrement, dès qu'ils violaient un tant soit peu les règles strictes de l'entreprise. Quelquefois, on les rudoyait simplement pour les tenir éveillés. L'histoire de Robert Blincœ, un enfant travaillant en usine et qui fut victime de graves sévices de la part de ses contremaîtres, fut largement diffusée dans les années 1820. Les usines et les fabriques étaient souvent sales, mal éclairées et non chauffées en hiver. Il y avait peu de lois ou de règlements imposant aux entreprises des normes de sécurité. Les accidents de travail étaient fréquents.

Le soulèvement des travailleurs. Les gens étant entassés dans les villes, les usines et les bas quartiers, les anciennes relations se rompirent. Des travailleurs, autrefois loyaux envers leurs églises paroissiales, leurs seigneurs ou leurs guildes d'artisans, finirent par se sentir liés les uns aux autres uniquement parce qu'ils partageaient les mêmes misérables conditions de travail. Les gens devinrent politiquement actifs. Au début du XIXe siècle, les gens commencèrent à se plaindre, à manifester avec violence et à s'organiser. Les usines et les fabriques furent ravagées ou démolies par des émeutiers ou des foules en colère.

Au plus fort de toute cette activité, une rumeur se répandit en Angleterre parmi les gens appartenant à la classe ouvrière, une rumeur selon laquelle quelqu'un du nom de Ned Ludd, qui était censé être un général ou un roi, avait pris la tête d'un mouvement d'ouvriers. Cela était était probablement faux, mais les manifestants furent bientôt connus sous le nom de «luddites». Ils étaient unis par une même haine des usines et des fabriques où ils travaillaient et qu'ils voyaient comme des prisons. En cette époque mouvementée, d'autres intériorisèrent leur colère et écrivirent des articles de journaux, des pamphlets et des livres. Le plus célèbre d'entre eux fut Karl Marx.

Qui était Karl Marx et pourquoi s'insurgeait-il autant contre le capitalisme? Il est difficile de parler de Karl Marx sans ranimer toute la controverse dont il fut l'objet. Certains croient qu'il était l'incarnation du diable; d'autres le considèrent comme un grand critique social. Son rêve d'une nouvelle société ne s'est pas réalisé, nous le savons aujourd'hui. Mais sa critique du capitalisme mérite néanmoins d'être analysée sérieusement.

Donc, qui était-il? Disons, pour commencer, qu'il fut, comme Adam Smith, un homme de son temps, un enfant de la révolution industrielle. Il naquit dans une petite ville d'Allemagne 28 ans après la mort d'Adam Smith. Mais dès les premières années de sa vie d'adulte, Karl Marx en était venu à considérer la religion comme un instrument d'oppression. Il y avait des capitalistes peu scrupuleux qui se dissimulaient derrière la façade de l'Église officielle, mais Karl Marx ne sut pas faire la distinction entre ce qu'ils faisaient et ce que la Bible dit qu'ils auraient dû faire.

Si Adam Smith fut l'exemple parfait du professeur distrait, Karl Marx fut l'exemple parfait de l'intellectuel révolutionnaire résolu. Il ne vécut que pour faire des recherches, penser et écrire. Il se souciait peu de ses conditions matérielles, de son apparence et des civilités. Un agent secret décrivit un jour en ces termes l'appartement de Karl Marx dans le district de Soho, à Londres: «Il vit dans l'un des pires et des plus fréquentés quartiers de Londres. Il occupe un deux-pièces. Il n'y a, dans ces pièces, pas un seul meuble propre ou convenable, tout est brisé, en lambeaux ou déchiré. Une épaisse couche de poussière recouvre tout et il y règne un désordre indescriptible.»

Karl Marx vivait peut-être dans un appartement en désordre, mais lui n'avait pas l'esprit brouillon. Ses idées sont stimulantes et méritent qu'on y réponde. Et effectivement, il a reçu de nombreuses réponses. Les opinions exprimées au sujet des idées de Karl Marx sont en général extrêmes ou excessives, rarement modérées.

Disons d'abord qu'il était en total désaccord avec les idées préconisées par Adam Smith. La vision marxiste du monde est connue sous le nom de «matérialisme dialectique». Il ne croyait pas en un monde spirituel. Il croyait au présent ou à l'instant présent. Karl Marx n'était pas intéressé à parler de Dieu, de la création ni du ciel. Il disait: «Pour l'homme, l'homme est l'être suprême.» Karl Marx emprunta au philosophe allemand Georg Wilhelm Friedrich Hegel l'une de ses méthodes d'argumentation philosophique, la méthode dite «dialectique».

Dialectique est un mot emprunté du grec qui signifie à peu près «art de l'argumentation, art de discuter». D'après G.W.F. Hegel, le monde se développe et se modifie continuellement, ce qui est le résultat du choc des idées, c'est-à-dire de l'opposition de deux points de vue particuliers d'où émerge une nouvelle idée. Par exemple, l'idée que le bien de la communauté ou le bien commun devrait toujours avoir préséance sur l'individu (la «thèse») peut entrer en conflit avec l'idée que les droits de l'individu sont toujours supérieurs (l'«antithèse») et produire une «synthèse»: une société qui reconnaît tant les droits de la communauté que les droits de l'individu.

Pour G.W.F. Hegel, les choses matérielles étaient moins réelles que les idées. Il croyait que l'esprit ou la pensée constitue l'essence de l'univers, alors que Karl Marx, et sa mentalité matérialiste, ne considérait que les choses qu'on peut voir et toucher. Pour le philosophe Hegel, c'est la pensée qui importe. Pour Karl Marx, c'est l'*action*. Il sortit la dialectique hégélienne de l'université et la fit descendre dans la rue. Karl Marx estimait que les méditations savantes étaient une perte de temps. L'ordre économique existant devait être remis en question, et du conflit émergerait un nouvel ordre mondial.

Karl Marx voyait la révolution industrielle le capitalisme avec les yeux d'un critique révolutionnaire, et il n'aimait pas ce qu'il voyait. C'était un homme en colère. Il ne croyait pas que le capitalisme avait simplement besoin d'une petite mise au point — un ajustement ici, deux ou trois nouvelles pièces là. Il croyait que tout le véhicule devait être envoyé à la ferraille: la propriété privée, le droit de propriété privée sur les usines et les machines qui y étaient installées, le système politique, la religion, enfin tout.

Karl Marx croyait que la concurrence ou la compétition, l'un des fondements du capitalisme, était la cause de la criminalité, du mécontentement et des inégalités. Il prévoyait que les gens seraient transformés moralement lorsque le communisme remplacerait le capitalisme et que la compétition ou la concurrence serait abolie. Karl Marx estimait que la « main invisible » du capitalisme devait être remplacée par le bras fort d'un contrôle centralisé, qu'il appelait « dictature du prolétariat ».

Dans la Rome antique, les gens appartenant à la classe la plus basse et la plus pauvre étaient appelés *proletari*. L'idée, c'était que ces gens pauvres de la classe ouvrière — qui ne possédaient pas de terres — ne pouvaient apporter d'autres contributions à l'État que le travail de leurs enfants. C'était en quelque sorte du bétail qu'on élevait. Karl Marx voulait identifier les ouvriers de son temps aux *proletari* de la Rome antique.

Peu lui importait d'être aimé ou non. Il n'était pas intéressé à rendre les choses faciles à qui que ce soit. Il était sûr de lui, arrogant même. Ses idées furent et sont encore très controversées. Alors, qu'est-ce qu'un capitaliste compatissant doit en penser? C'est là une question à laquelle vous devrez en dernier lieu répondre vous-même.

Voici néanmoins un conseil qui vous aidera peut-être à y voir clair. Un professeur de théologie conseilla un jour à ses étudiants de lire un bon livre d'hérésie par année. Pourquoi? Parce que cela nous aide à rester honnêtes. Il arrive que les hérétiques nous aident à mieux voir les incohérences ou les problèmes que comportent nos croyances. Nous ne sommes pas du tout obligés d'adopter leur solution, ni même d'être d'accord avec leur analyse du problème. Mais nous ne devons pas non plus être sur la défensive lorsqu'il leur arrive d'émettre une critique valable.

Karl Marx se montra tellement agressif dans sa critique du capitalisme qu'il nous est pénible de l'écouter. Certains jugent ses attaques contre la religion tellement offensantes qu'ils renoncent à mieux connaître sa pensée. Il est facile de ne pas aimer Karl Marx. La plupart de ses hypothèses se sont révélées complètement fausses. Mais quelques-unes de ses idées sont importantes et méritent réflexion.

Par exemple, il croyait que dans la vie toutes choses — l'économie, la politique et la religion — sont intimement liées. En rejetant son analyse de ces trois dimensions de la vie sociale, il faut se garder de minimiser l'importance de l'envergure de sa vision. Quelques-uns d'entre nous n'écoutent peut-être plus la voix de leur conscience parce qu'ils ont fini par oublier que leur conduite ou leur comportement en affaires et leurs croyances religieuses sont en corrélation. Si nous agissons mal en affaires, c'est peut-être qu'il nous faut réévaluer nos croyances religieuses ou les faire connaître. Il en est de même de notre système politique. On ne peut parler d'un aspect quelconque du capitalisme comme s'il était séparé des autres aspects de notre vie.

Les capitalistes honnêtes, même s'ils rejettent le marxisme, doivent reconnaître que cet homme en colère peut nous apprendre des choses importantes.

Premièrement, Karl Marx fut un érudit acharné. Il n'avait pas toujours raison, mais il fut beaucoup lu et voulut étayer ses vues par des arguments soigneusement élaborés et bien documentés. On ne saurait en attendre moins.

Deuxièmement, les conditions sociales qui motivèrent Karl Marx à écrire étaient terribles. Même si on ne peut rejeter sur les capitalistes cupides la responsabilité de toute la pauvreté et de tout le désespoir, il était absolument nécessaire à l'époque, comme cela l'est encore aujourd'hui, de désirer améliorer la vie des gens. Mais nul besoin d'être communiste pour vouloir améliorer le sort des gens.

Troisièmement, Karl Marx était résolu, déterminé et entêté à provoquer un changement. Il est nécessaire que nous ayons aussi ce genre de détermination. Il ne suffit pas de réfléchir sur la compassion. Il faut agir avec compassion.

En résumé

S'inspirant des principes d'Adam Smith, le capitalisme créa une prospérité que le monde n'avait jamais connue jusqu'alors. Il y eut des échecs. Karl Marx ne fut que l'un des critiques du capitalisme qui nous ont permis de comprendre ces échecs. Nous connaissons tous ces histoires de capitalistes cupides, d'exploiteurs d'enfants et de requins de l'industrie. Mais ces individus sont des exceptions et non la règle. Le capitalisme représente encore pour l'humanité son seul espoir de pouvoir éviter la faillite et de connaître une nouvelle ère de paix et de prospérité.

Au moment où le père de Ken Stewart se proposait, il y a 25 ans, d'acheter cette laverie automatique, il n'avait probablement jamais entendu parler d'Adam Smith. Quand Jay et moi avons mis Amway sur pied, nous n'avions pas lu *Recherches sur la nature et les causes de la richesse des nations* ni réfléchi à la « main invisible ». Il nous a fallu toute une vie pour comprendre la libre entreprise et les principes sur lesquels elle repose. Mais beaucoup de choses que nous avons apprises sur le tas avaient été expliquées par Adam Smith, 300 ans plus tôt.

1. Si vous voulez réussir en affaires, donnez aux autres l'occasion d'exercer leurs talents.

2. Répondez aux besoins d'autrui et vous verrez vos propres besoins comblés.

3. Soyez heureux d'avoir de la concurrence. C'est ce qui fait fonctionner le système.

4. La recherche du profit est une bonne chose. L'accumulation de richesses conduit les entreprises et les nations à la prospérité.

5. Comprenez qu'il y a en chacun un conflit entre son intérêt personnel et sa conscience morale. Acceptez cet état de fait. Faites et refaites votre propre examen de conscience, examinez et réexaminez vos propres pratiques afin de conserver un équilibre.

6. Une fois que le gouvernement a garanti à tous le droit fondamental à la vie, à la liberté et à la poursuite du bonheur, encouragez les hommes politiques à rester en dehors du monde des affaires.

7. N'ayez pas peur si d'autres pays commencent à vous faire concurrence. Que leur succès vous inspire et vous stimule. Travaillez plus fort. Ne demandez pas de faveurs. Abattez les murs que le gouvernement a érigés entre nous.

8. Donnez à chacun les mêmes chances qu'aux autres, peu importe sa race, ses croyances religieuses, son sexe ou sa couleur.

9. Et souvenez-vous, le *bien-être des hommes* constitue l'objectif final de l'activité économique. Peu importe la quantité d'or qu'il y a à la trésorerie si les besoins des gens ne sont pas satisfaits !

Grâce aux principes énoncés par Adam Smith, le père de Ken put acheter une laverie automatique et faire prospérer son entreprise de construction de maisons. L'application de ces mêmes principes explique notre succès, le succès de Ken et de Donna Stewart et le succès de millions de gens comme eux qui possèdent une entreprise prospère.

Mais arrêtons de regarder en arrière et tournons-nous maintenant vers l'avenir. Adam Smith élabora ces principes à une époque qui n'est pas si lointaine. Comment pouvons-nous les utiliser aujourd'hui pour nous orienter? Relisez-les. Demandez-vous ce qui pourrait vous arriver à vous ainsi qu'à votre famille si vous approfondissiez de nouveau ces vieux principes et que vous les appliquiez dans votre vie personnelle et dans vos affaires. Qu'est-ce qui pourrait arriver à un monde au bord de la faillite si nous redécouvrions tous ces principes et les laissions nous guider à l'avenir? Qu'arrivera-t-il dans le cas contraire?

Je ne suis pas un prophète de malheur. Je crois en l'avenir. Le monde traverse la plus grande période qu'il ait jamais connue. Il n'y a jamais eu de moment plus favorable pour réussir en affaires, pour réaliser vos rêves financiers. Foncez! Les principes sur lesquels repose le capitalisme nous ont bien guidés dans le passé. Continuons à nous laisser guider par eux avec confiance.

L'histoire vraie de Charles et de Laquetta Prince, qui se sont joints au cercle de mes amis œuvrant au sein de l'entreprise, illustre bien à quel point le capitalisme d'Adam Smith peut nous aider à réaliser nos rêves et nous montre les obstacles que nous devons franchir pour y parvenir. Le parcours de Charles Prince fut impeccable. Il alla à l'école secondaire, travailla fort, récolta de bonnes notes et obtint son baccalauréat avec tous les honneurs. Il caressait le rêve de devenir médecin et était convaincu que dans ce grand pays libre, il verrait ses rêves se réaliser.

«Mais j'avais la mauvaise couleur de peau», me confie-t-il. «Mes camarades de classe blancs allaient travailler comme caissiers au supermarché du quartier, tandis que moi, je devais mettre en sac les produits d'épicerie pour un salaire réduit de moitié. Lorsque j'eus enfin la chance de travailler à la caisse, mes amis blancs avaient déjà été promus à des postes de direction. Finalement, quand j'eus gravi les échelons, je parvins à obtenir un emploi de col blanc, j'eus la certitude qu'avec ma peau noire je serais toujours au moins un échelon plus bas que mes frères et sœurs blancs pour les promotions, les augmentations et les bonnes occasions.»

Charles Prince était prêt à travailler fort et longtemps pour obtenir son diplôme en médecine. Mais une fois qu'il eut assez d'argent en banque pour entreprendre ses études, il se heurta à un autre obstacle. Charles présenta une demande d'admission à plus de 50 écoles de médecine à travers le pays. Malgré ses bonnes notes, la détermination dont il avait fait preuve et ses aptitudes évidentes, toutes rejetèrent sa demande.

«La colère monta alors en moi», se rappelle Charles. «Lors des parties de base-ball ou des événements publics, quand la foule se levait pour saluer la bannière étoilée (le drapeau des États-Unis d'Amérique) hissée sur un mât, je refusais de me mettre debout. Quand mes amis ou condisciples prêtaient serment d'allégeance au drapeau, je restais assis et silencieux. Comment, en toute conscience, pouvais-je prononcer ces paroles: «avec liberté et justice pour tous», alors qu'on me refusait ces droits fondamentaux que ce pays défendait?»

Laquetta Prince, la jeune épouse de Charles, fit ses études à l'université de Houston, où elle obtint un diplôme en psychologie et un autre en études afro-américaines. Grâce à sa famille, elle avait été à l'abri des préjugés et des injustices jusqu'à ce qu'elle aille travailler comme thérapeute pour enfants. Au cours de ces séances privées avec ses patients, Laquetta en vint à découvrir pourquoi tant de familles étaient déchirées par des divorces ou des séparations, ou aux prises avec des problèmes d'instabilité, de violence ou d'abus.

«Quand on travaille dur, mais qu'on ne peut néanmoins payer ses factures», se rappelle Laquetta, «on commence à se sentir impuissant et à ressentir de la colère. Même si on essaie de réprimer ces sentiments grandissants, ils finissent par exploser, affectant ainsi ceux qu'on aime le plus. Les pères se sentent humiliés et rabaissés quand la discrimination dont ils sont l'objet les empêche de gagner assez d'argent pour subvenir aux besoins de leurs familles et, a fortiori, de devenir ce qu'ils sont appelés à être. Les mères se sentent tristes et impuissantes quand, pour travailler afin d'aider à subvenir aux besoins de la famille, elles doivent confier leurs petits à la «baby-sitter». Les enfants, sans leur mère, doivent se débrouiller, ce qu'ils ne réussissent pas très bien, souvent. Lentement et douloureusement, la famille meurt avec ses rêves.»

«Les gens désirent avoir une chance de réussir», ajoute Charles. «Quand ils peuvent gagner assez d'argent pour payer leurs factures et même voir quelques-uns de leurs rêves se réaliser, leur sentiment d'impuissance et de colère est remplacé par un sentiment d'espoir et de fierté.»

Une fois mariés, Charles et Laquetta Prince se rendirent bientôt compte que la libre entreprise était le seul moyen sûr d'accéder à l'indépendance financière. Mais il leur fallait trouver une entreprise mettant en application les principes du capitalisme avec compassion et où ils ne seraient pas victimes de discrimination à cause de leur race, de leur âge ou de leur religion ; où ils seraient jugés d'après leur seul rendement ; et où il n'y avait pas de limites prévues quant au montant d'argent qu'ils pouvaient gagner ou quant aux échelons qu'ils pouvaient atteindre.

« Quand nous avons compris que cette entreprise répondait à toutes ces exigences », se rappelle Charles, « et que nous avons réalisé que les frais de démarrage étaient de moins de 200 dollars, nous fûmes convaincus. » En une décennie de dur labeur et de sacrifices, Charles et Laquetta Prince ont bâti, grâce à leurs talents, une entreprise Amway qui prospère. Et ce faisant, ils ont une fois de plus prouvé aux racistes et aux sceptiques que, si on leur en donne la chance, les gens de couleur peuvent relever n'importe quel défi aussi bien que les autres.

Je n'oublierai jamais notre première rencontre. C'était à Seven Springs, en Pennsylvanie, à l'un de nos séminaires destinés aux distributeurs. À la fin de mon discours, ce joli couple noir traversa l'estrade et s'approcha de moi. Charles Prince me prit la main et me regarda droit dans les yeux. Je remarquai que ses mains tremblaient légèrement et qu'il semblait refouler ses larmes. La foule se tut.

« M. DeVos », commença-t-il calmement, « quand j'ai entendu parler de la libre entreprise pour la première fois, je n'en ai pas cru un mot. Le capitalisme, c'était pour les Blancs de la classe moyenne détenant un diplôme d'une université reconnue et dont les papas avaient beaucoup d'argent en banque. Vu que j'étais noir, il n'y avait pas de place pour moi. »

Il s'arrêta un instant. Sa femme le regarda et sourit. Elle aussi était en cet instant profondément émue.

« Je ne pouvais prêter serment d'allégeance au pays ni au drapeau », dit-il, « car je croyais que « liberté et justice pour tous » n'existaient pas. Mais vous n'avez pas tenu compte de ma couleur et ne m'avez pas demandé de curriculum vitae. Vous avez simplement dit : « Venez, joignez-vous à nous. » Vous n'avez demandé qu'une seule chose, que je produise, et vous m'avez récompensé autant que tous les autres et en suivant les mêmes règles. »

Soudain, je me retrouvai entre Charles et Laquetta et ils m'enlacèrent tous deux. Charles se tourna face à l'assistance et dit :

«Maintenant, je puis enfin dire: «Avec liberté et justice pour tous...»»

Une main sur son cœur et les larmes aux yeux, Charles Prince prêta serment d'allégeance au drapeau. En les observant, je me demandais combien de jeunes couples dans ce pays ou dans le monde, après avoir rêvé plein d'espoir des promesses du capitalisme avec compassion défendu par Adam Smith, n'avaient connu que ce genre de capitalisme sans âme dénoncé et ridiculisé par Karl Marx. On ne peut se permettre de perdre une autre génération. Les règles doivent être justes. On doit offrir des chances égales à tous. Les preuves sont là. On sait bien ce qui se produit quand les principes du capitalisme avec compassion sont appliqués, quand on accorde une chance à chacun, en ne tenant pas compte de sa race, de ses croyances, de la couleur de sa peau, de son sexe, de ses caractéristiques physiques ni de ses autres attributs.

Aujourd'hui, Charles et Laquetta Prince sont des chefs de file reconnus dans leur communauté. Ils ont réussi en affaires et exercent leurs talents en aidant et en soignant notre nation blessée. Ce sont des modèles de capitalisme avec compassion, traitant Blancs et Noirs sur un pied d'égalité. J'aurais aimé être là le jour où, il y a quelques années, le président du conseil d'administration de l'un de nos grands hôpitaux téléphona à Charles Prince.

«Nous aimerions vous inviter», commença-t-il, «à vous joindre au conseil d'administration de l'hôpital.» Charles demeura silencieux un moment. Il sourit et répondit: «Bien sûr. Je serais enchanté de me joindre au conseil.»

Charles Prince, celui dont la demande avait été refusée par presque toutes les principales facultés de médecine du pays, fut membre du conseil d'administration de ce prestigieux hôpital durant quatre brillantes années, au bout desquelles il fut nommé président de ce même conseil. Aujourd'hui, au stade, quand l'assistance se lève avant un match ou un concert pour prêter serment d'allégeance au drapeau national, il se lève aussi. Et souvent, quand il prononce ces paroles: «Avec liberté et justice pour tous», ses yeux se remplissent de larmes. Des larmes de gratitude et de détermination.

CHAPITRE 7

Qu'est-ce qu'un capitaliste compatissant et pourquoi devrais-je en être un ?

✧ ✧ ✧

CREDO 7

Nous croyons que l'application du capitalisme avec compassion est le secret d'une véritable prospérité.

Par conséquent, nous devons nous demander chaque jour : «Jusqu'à quel point suis-je compatissant envers mes collègues, mon supérieur, mon employeur ou mes employés, mes fournisseurs, mes clients et même mes concurrents, et quelle différence cela fait-il ? »

Au lever du soleil, Isabel Escamilla, 63 ans, referma la lourde porte de bois de sa maison au toit de chaume et aux murs d'adobe située dans les montagnes du nord du Mexique. Chaussée de sandales ressemelées avec du caoutchouc provenant d'un vieux pneu de camion et vêtue d'une robe qu'elle avait faite elle-même à partir d'un rouleau de coton jaune vif, Isabel marcha les trois kilomètres qui la séparaient du village pour acheter les provisions de la semaine pour sa famille.

Dans la clarté du matin, elle regardait l'étroite route sinueuse et vit les nuages de poussière que faisaient voler ses voisins qui allaient travailler à la fabrique de carreaux située en périphérie du village. Plusieurs générations de sa famille et d'amis avaient passé leur vie à malaxer la riche argile rouge, à façonner, peindre et vitrifier les carreaux, et à les cuire dans des fours ouverts.

Le propriétaire de la fabrique vivait à Mexico. Isabel avait entendu dire que sa famille et lui vivaient dans un appartement de grand standing construit sur le toit d'un immeuble qui semblait atteindre le ciel. Elle sourit en s'imaginant montant 50 étages en ascenseur simplement pour aller se coucher. Durant toutes ces années, elle n'avait vu le patron qu'une fois, brièvement, assis à l'arrière d'une longue limousine noire qui la dépassa à toute allure en faisant voler un nuage de poussière.

Isabel et sa famille étaient très fiers des carreaux vitrifiés faits à la main dans cette fabrique. Ils étaient heureux d'avoir du travail, surtout en ces années de sécheresse où tant de gens étaient sans emploi. Mais Isabel rêvait souvent d'une vie meilleure pour elle et sa famille, surtout pour son petit-enfant. Souvent, la nuit, elle se tournait et se retournait sur sa paillasse, incapable de dormir, inquiète de l'avenir des siens, se demandant si, comme elle, ils devraient toute leur vie se rendre le matin à pied à la fabrique en prenant la route poussiéreuse.

Elle ne voulait pas sembler ingrate, mais le salaire qu'ils recevaient de la fabrique était maigre. Les enfants n'avaient pu terminer que six années de scolarité. Les plus jeunes travaillaient pour la fabrique, ramassant des branches de «manzanita» pour alimenter les fours et creusant pour aller chercher de l'argile. Inévitablement, les plus vieux, tout comme leurs parents et leurs grands-parents, passeraient toute leur vie dans la vaste fabrique au pied de la montagne.

Le vent du capitalisme avait soufflé jusque dans le village d'Isabel, dans le nord du Mexique, mais ni elle ni ceux qu'elle aimait n'avaient pu en profiter. Nul besoin de remonter à l'époque d'Adam Smith et de la révolution industrielle pour trouver des cas où le capitalisme a échoué. Mais il y a aussi partout dans le monde des signes de capitalisme avec compassion, et je veux vous raconter une histoire à ce propos.

Qu'est-ce que le capitalisme avec compassion?

Qu'est-ce que la compassion? Doit-on laisser cela à des gens comme Albert Schweitzer ou Mère Teresa? La compassion ne constitue-t-elle pas un handicap dans le monde des affaires, et ne nous cause-t-elle pas des ennuis? La recherche du profit et la compassion ne sont-elles pas deux idées diamétralement opposées? Non. «Le capitalisme avec compassion» n'est pas un oxymoron[*]. Ces

---

[*]   Figure qui consiste à allier deux mots de sens contradictoires pour leur donner plus de force expressive (ex.: Une douce violence; hâte-toi lentement). (N. du T.)

deux mots vont bel et bien ensemble, tant pour les propriétaires d'entreprises que pour les travailleurs. Nous avons tous intérêt à faire preuve de compassion.

Le dictionnaire définit ainsi le mot *compassion*: sentiment qui porte à participer à la souffrance et au malheur d'autrui, accompagné du désir d'alléger cette souffrance ou de supprimer sa cause.» Le contraire de la compassion est la dureté ou l'indifférence. On peut voir, à partir de la définition du dictionnaire, que la compassion suppose un *sentiment* et une *action*.

La bande dessinée *Peanuts* est l'un des meilleurs exemples qui puissent illustrer mon propos. Je me souviens d'une bande en particulier. Un «soir de ténèbres et de tempête», Snoopy est couché sur le toit de sa niche, presque entièrement couvert de neige (il a commencé à neiger depuis peu). Lucy, regardant par la fenêtre, éprouve de la pitié pour le petit chien qui est affamé, assoiffé et bleu de froid. «Joyeux Noël, Snoopy!» crie-t-elle, couvrant de sa voix le bruit du blizzard. «Prends courage!» Elle retourne vers la chaleur de son feu de foyer, boit à grand bruit son chocolat chaud et dit à Linus: «Pauvre Snoopy!»

Linus regarde dehors par la même fenêtre, constate la situation critique dans laquelle se trouve Snoopy, éprouve de la compassion envers le jeune chien, s'emmitoufle et se dépêche d'aller lui porter un plat de dinde chaude et des vêtements. Lucy et Linus éprouvent tous deux de la compassion, mais seul Linus agit avec compassion. Son action spontanée rend fou de joie le petit chien de Charlie Brown, et nous le voyons dansant dans la neige qui s'amoncelle sur le toit de sa niche.

Il est également vrai que, pour être efficace un geste de compassion doit partir d'un sentiment de compassion. Imaginez comment cette «action charitable» aurait été reçue si Linus avait jeté le plat de nourriture dans la neige et avait crié, à l'adresse de Snoopy: «Espèce de chien stupide! La prochaine fois, viens chercher ta nourriture toi-même? J'en ai plus qu'assez de te nourrir.»

Avec une attitude aussi froide et impitoyable, il ne serait pas étonnant que Snoopy ne touche pas à la nourriture et reste couché sous la neige, encore plus désespéré. Comment vous sentiriez-vous si quelqu'un vous aidait mais en semblant le faire à contrecœur?

Faire quelque chose que vous vous sentez obligé de faire n'est pas mal en soi. Mais ce n'est pas la même chose qu'agir avec compassion. La véritable compassion touche tout notre être. Elle suppose que nous soyons sensibles à la souffrance de quelqu'un ou à une situation et que nous agissions spontanément dans le but d'aider à mettre fin à la souffrance et même à en supprimer la cause. Un acte de compassion résulte d'un sentiment de compassion. La compassion, c'est le sentiment ET l'action.

Maintenant, posons-nous cette question difficile : Pourquoi y a-t-il dans le monde tant de gens comme Lucy, qui sont sensibles à la souffrance qu'ils voient mais qui ne font jamais rien pour aider, et si peu de gens comme Linus, qui, lorsqu'ils constatent un besoin, agissent avec créativité et courage en vue de le combler. Pourquoi des gens sont-ils suffisamment préoccupés par la souffrance des autres pour agir avec compassion, alors que d'autres non ?

Pourquoi la compassion est-elle si peu courante ?

Moïse, patriarche, législateur et écrivain hébreu, a décrit clairement le problème plus de 12 siècles avant Jésus-Christ. Selon sa description puissante et poétique de la création, le Créateur donna à Adam et Ève la liberté de choisir entre Dieu et Satan. Les auteurs de l'Ancien Testament voient la vie comme une lutte, pas une lutte qui se déroule sur un champ de bataille mais une lutte dans l'esprit et le cœur humains entre l'appel de Dieu et celui de Satan. Les récits de l'Ancien Testament illustrent à quel point il est facile d'écouter l'appel du mal nous incitant à l'égocentrisme, à l'indifférence, à la haine, à la cupidité, à la luxure, à la jalousie et au meurtre, et combien il est difficile d'entendre la voix de Dieu qui invite l'humanité à être compatissante.

Jésus, jeune prophète juif dont la vie et les enseignements sont à l'origine de la fondation du christianisme, incita ses disciples à l'obéissance et à la compassion. «Aime Dieu», dit-il. «C'est le premier et le plus grand des commandements. Et aime ton prochain comme toi-même.» Quand Jésus décrit le jugement dernier, il dit clairement que les justes seront récompensés d'avoir agi avec compassion envers ceux qui sont affamés, assoiffés, nus, malades, étrangers et prisonniers. «Dans la mesure où vous l'avez fait à l'un de ces plus petits de mes frères, c'est à moi que vous l'avez fait.»

Gautama Bouddha, philosophe indien et fondateur du bouddhisme, vécut 500 ans avant Jésus-Christ. Bouddha abandonna la richesse et les privilèges pour se mettre en quête de la «lumière».

À l'origine de cette démarche, il y avait sa terrible lutte pour libérer son être de l'influence de Mara, l'esprit du mal. Bouddha décrit l'armée des tentateurs de Mara comme étant la luxure, le dédain de la vie spirituelle, la faim et la soif, le désir effréné, la paresse, la peur, le doute, l'hypocrisie, la fausse dévotion, l'exaltation de soi et le mépris d'autrui.

Comme Jésus, Bouddha incita ses disciples à accomplir des actes de compassion. Alors qu'il soignait l'un de ses disciples qui avait été négligé par les autres, Bouddha dit: «Celui qui s'occupe d'un malade est mon disciple.» Bouddha fut un réformateur social qui condamna le système de castes indien. Il expliqua pourquoi il croyait qu'il ne fallait pas tenter de supprimer la criminalité en punissant les criminels. Il affirmait que la pauvreté était la cause de la criminalité et que ses disciples devaient collaborer à l'élimination de l'injustice et des inégalités qui conduisaient à la pauvreté et donc au crime.

Confucius, philosophe chinois qui vécut lui aussi 500 ans avant Jésus-Christ, enseigna à ses disciples qu'ils devaient orienter leur vie en fonction de cette règle d'or: «Ne fais pas aux autres ce que tu ne voudrais pas que les autres te fassent.» Dans les *Analectes*, le livre saint le plus vénéré dans la tradition confucianiste, cet enseignant chinois cultivé et réfléchi a décrit ainsi la compassion: «Un homme plein d'humanité qui, désireux de s'affirmer, aide aussi les autres à s'affirmer, qui, désireux de croître, aide aussi les autres à croître.»

Mahomet, chef religieux et prophète arabe ayant vécu au VIIe siècle après Jésus-Christ, voyait aussi la vie humaine comme une lutte entre le bien et le mal. Il enseigna à ses disciples qu'il fallait se soumettre à la volonté de Dieu et combattre le mal. Alléger la souffrance d'autrui et aider les nécessiteux faisaient partie intégrante de son enseignement. Il pensait que la prière et les autres actes religieux étaient inutiles et hypocrites si l'on ne se mettait pas au service des nécessiteux.

Dans le Coran, le prophète écrit: «L'homme est par nature timide; quand la mauvaise fortune le poursuit, il prend peur, mais quand il lui arrive de bonnes choses, il refuse de les partager avec les autres.» C'est Satan qui lui chuchote: «Garde-les pour toi.» Et c'est Dieu qui répond: «Donne-les aux pauvres». En échange de ce «noble sacrifice», Dieu promet la prospérité.

Quelle grande tradition religieuse ou philosophique vous incite à la compassion ? Je suis porté à la compassion à cause de la foi chrétienne que m'a transmise ma famille. Mais reconnaissons-le, au cours de l'histoire, des millions de gens ont été affamés, torturés, tués et réduits à l'esclavage par d'autres qui ont abusé de leur autorité au nom de cette même foi ou qui l'ont mal interprétée. Mais les égarements passés de nos traditions religieuses ne devraient pas nous empêcher d'entendre leur appel à la compassion.

Paul, l'apôtre de Jésus, a dit : « Vouloir le bien est à ma portée, mais non pas l'accomplir : puisque je ne fais pas le bien que je veux et commets le mal que je ne veux pas. » Ceux d'entre nous qui honorent la tradition judéo-chrétienne sont incités à la compassion tant par les auteurs de l'Ancien Testament que par ceux du Nouveau Testament. Néanmoins, nous échouons. Et nous nous tournons alors vers Dieu, implorant son pardon et une seconde chance. Les disciples de Bouddha, de Confucius et de Mahomet, encouragés également à la compassion, reconnaissent aussi qu'ils ont parfois échoué dans leur lutte contre les forces du mal et qu'ils doivent également recevoir le pardon et repartir à neuf.

Augustin, évêque et théologien chrétien ayant vécu au IVe siècle, décrivit cette tension entre Dieu et Satan, entre le bien et le mal, dans un livre devenu un classique : *La Cité de Dieu*. « Nous vivons simultanément dans deux cités », dit-il. La cité visible de l'homme, faite de bois et de pierres, se bâtit. En même temps, Dieu construit une cité invisible dans le cœur de tous les hommes. La cité de l'homme sera détruite, car elle est édifiée sur de fausses valeurs : le pouvoir et la richesse. La cité de Dieu sera éternelle, car elle repose sur l'amour. Le problème est que nous vivons dans les deux cités en même temps et que, trop souvent, aveuglés par la cité visible (éphémère), nous sommes incapables de voir la cité invisible (éternelle). »

Même si vous êtes un athée ou un agnostique qui ignore si Dieu existe, vous avez déjà eu ce sentiment oppressant de vivre simultanément dans ces deux cités dont parle Augustin. Vous vous souvenez probablement de la tension que cela créait en vous. Appelez cela comme vous voulez, mais vous aussi vous savez ce qu'est cette lutte qui existe en l'être humain depuis toujours.

Ne vous est-il pas déjà arrivé de ne pas tenir vos résolutions du nouvel an ? Ne vous est-il pas déjà arrivé d'avoir pitié de quelqu'un qui souffrait et pourtant de ne pas avoir eu le courage ou la volonté de sacrifier du temps ou de l'argent en vue de mettre fin à cette souffrance? Il est beaucoup plus facile de souhaiter à Snoopy bon courage en restant dans la chaleur de son salon, à l'abri des intempéries, que de s'aventurer dehors dans la tempête pour lui donner à manger et le réconforter.

J'estime que la compassion est l'unique fondement sur lequel on peut bâtir une entreprise ou redresser les économies anéanties. Si nous voulons sortir du chaos économique actuel, nous devons apprendre à aimer plus que nous ne les avons jamais aimés cette planète et les gens qui y vivent. La liberté et l'amour sont des concepts inséparables. William Hazlitt a dit que l'*« amour de la liberté est l'amour des autres »*. George Bernard Shaw a dit que « liberté signifie responsabilité », c'est pourquoi la plupart des gens en ont peur. Jésus a dit: « Il n'est de plus grand amour que de donner sa vie pour ses amis. » Être compatissant signifie assumer ses responsabilités envers les autres et la planète, peu importe le coût.

Bref historique de la compassion

Malgré toute résistance, il y eut, depuis le début des temps, des gens compatissants dans toutes les cultures. Dans l'Antiquité, les Juifs mettaient de côté 10 % (une dîme) de chaque moisson pour leurs synagogues et pour les pauvres. Un coin de chacun de leurs champs n'était pas moissonné, pour que les pauvres puissent glaner ce qui restait et avoir de quoi manger. En fait, à tous les sept ans, on n'ensemençait pas les champs pour laisser reposer la terre et pour permettre aux pauvres de glaner les moissons résultant de l'ensemencement des années antérieures.

Pour venir en aide aux démunis, les Juifs avaient imaginé une autre méthode fort bien pensée, la « cellule du silence ». Il y avait dans chaque synagogue une pièce dans laquelle les gens pouvaient pénétrer discrètement et, sans être vus, faire des dons à leurs voisins, lesquels alors entraient discrètement à leur tour, seuls eux aussi, pour les recevoir sans être remarqués. De cette façon, ni le donateur ni le nécessiteux ne s'attiraient de louanges ou de mépris de la part des autres.

Bouddha axa son enseignement sur les principes de retenue et de bienveillance envers les pauvres. Il donna pour instructions à ses disciples de servir et de soigner les autres « avec générosité, courtoisie et bienveillance, en les traitant comme il se traite lui-même et en étant aussi bon qu'il l'enseigne. »

L'un des premiers philanthropes indiens connus fut le roi Aśoka, dernier grand empereur de la dynastie des Maurya qui vécut au IIe siècle avant Jésus-Christ. Le roi fut tellement ému par les enseignements de Bouddha sur la compassion qu'il renonça aux guerres, aux conquêtes et à la cupidité, et qu'il se servit de son argent et de son pouvoir pour répandre la doctrine bouddhiste en Perse, en Grèce et même à Rome.

Le bon roi Aśoka résuma lui-même ainsi l'esprit de compassion qui le guida : « Tous les hommes sont mes enfants », écrivit-il. « Je désire que tous les hommes aient autant de bien-être et de bonheur en ce monde et dans l'autre que mes propres enfants. »

Au IVe siècle avant Jésus-Christ, Alexandre le Grand institua en Occident une tradition de philanthropie royale. Il fit don de l'université d'Alexandrie aux habitants de l'Égypte septentrionale. Durant les cent ans qui suivirent, cette vaste bibliothèque d'une valeur inestimable fut le haut lieu du savoir, des arts et de l'étude du monde occidental. En outre, Alexandre soutint financièrement le Lycée d'Aristote avec une telle générosité qu'Aristote put se permettre de faire venir un millier d'érudits d'Asie, d'Égypte et de Grèce pour rechercher avec eux et consigner des idées et des exemples pour appuyer ses écrits historiques.

Les enseignements de Jésus et de ses disciples sont centrés sur ce commandement : aimer les autres comme soi-même. Jésus revient maintes et maintes fois sur ce thème familier : nourrir ceux qui ont faim, vêtir ceux qui sont nus, soigner ceux qui sont malades et réconforter ceux qui sont mourants. Peu après sa mort et sa résurrection, les premiers chrétiens commencèrent à amasser des fonds grâce à des offrandes volontaires. On élisait des diacres chargés d'utiliser ces fonds au profit des veuves, des orphelins et des autres personnes dans le besoin.

Plus tard, les églises furent divisées en districts, chacun étant doté de son hôpital, d'un bureau qui recevait et redistribuait les dons, d'un orphelinat et d'un abri pour les bébés abandonnés ou dont les parents étaient trop pauvres pour leur donner les soins nécessaires. Le mot *hôpital* vient de *hôtel Dieu*. Ce n'était pas vraiment des hôpitaux comme ceux que nous connaissons aujourd'hui, mais des sortes de refuges pour les pauvres ou de maisons d'accueil pour les étrangers ou les inconnus.

Les hôpitaux modernes ont leur origine dans les premières institutions charitables chrétiennes. Au début, ce furent des chambres réservées dans les résidences épiscopales où les malades et les mourants étaient soignés, généralement par l'évêque lui-même. Le premier hôpital officiellement enregistré fut fondé à Césarée, en 369 après Jésus-Christ, par saint Basile. D'après un historien, « c'était une véritable cité, avec des pavillons pour malades atteints de diverses maladies et des résidences pour médecins, pour infirmières et pour convalescents. Saint Grégoire lui donnait le nom de « ciel sur terre ».

Mais prenons maintenant un cas plus récent, celui de Sir Walter Mildmay, chancelier de l'Échiquier sous le règne d'Elizabeth. En 1584, la reine remarqua que Walter Mildmay était absent de la cour et demanda une explication. Voulant mettre fin à ses soupçons, il lui répondit: «Madame, je me suis absenté pour aller planter un gland, et quand ce gland sera devenu un chêne, Dieu seul sait à quoi ce chêne ressemblera.»

Walter Mildmay venait de fonder le collège Emmanuel à l'université de Cambridge. Le révérend John Harvard fut l'un des premiers diplômés d'Emmanuel. John Harvard n'avait que 28 ans lorsqu'il émigra en Amérique et 2 ans plus tard il décéda, léguant sa bibliothèque et la moitié de sa modeste propriété à un petit collège qui, aujourd'hui, porte son nom.

« Les fondateurs d'Harvard, les fondateurs de la Nouvelle-Angleterre, en un certain sens, les fondateurs d'un nouveau pays », écrit le docteur Charles F. Thwing, venaient du collège Emmanuel.» Il n'est pas étonnant que Walter Mildmay se soit gardé d'avouer à la bonne reine Bess ce qu'il avait fait. Il fonda le collège Emmanuel pour les puritains d'Angleterre, et la reine n'était assurément pas une puritaine. Mais ces mêmes puritains obtinrent leurs diplômes d'Emmanuel, émigrèrent vers le nouveau monde, et fondèrent eux-mêmes des collèges universitaires, dont Harvard, Yale et Dartmouth, où ont fait leurs études Samuel Adams, John Adams, Thomas Jefferson et Daniel Webster entre autres, pour ne nommer que quelques-uns des fondateurs et des bâtisseurs de cette nouvelle nation.

La compassion en Amérique

Benjamin Rush fut élevé selon les principes des adeptes de la «New Light», une tendance de l'église presbytérienne en Amérique. Parmi ses ascendants, il y avait des quakers, des membres de l'Église épiscopale et des baptistes. À 15 ans, le jeune Rush adopta un credo, qui constitue encore l'objectif de l'entrepreneur social: «Dépenser et se dépenser pour le bien de l'humanité.» Toute sa vie, Benjamin Rush, désireux d'améliorer l'existence de ses semblables, accomplit des actes concrets de compassion.

Après avoir terminé son cours de médecine, il rédigea des pamphlets contre le tabac, les spiritueux et l'esclavage. En 1775, il pressa son confrère pamphlétaire, Thomas Paine, de rédiger un appel en faveur de l'indépendance américaine, appel qui précipita la révolution à l'issue de laquelle les colonies devinrent libres. Après s'être distingué durant la guerre d'Indépendance, Benjamin Rush fonda le Philadelphia Dispensary (la première clinique médicale américaine où les soins étaient gratuits) et entreprit une importante étude sur les maladies mentales ainsi que des expériences de traitement humain sur des malades mentaux. Benjamin Rush se prononça en faveur de la culture d'érables à sucre (pour que le monde ne dépende plus du sucre de canne à sucre produit par les esclaves antillais), recommanda avec insistance la création d'écoles publiques gratuites partout au pays et faillit perdre la vie en sauvant la ville de Philadelphie d'une terrible épidémie de fièvre jaune.

Des millions d'entrepreneurs sociaux ont suivi les traces de Benjamin Rush, appliquant son credo: «Dépenser et se dépenser pour le bien de l'humanité.» Mais la philanthropie américaine s'est également distinguée d'une autre façon. Sans le concours des entreprises, les entrepreneurs sociaux n'auraient pu payer les factures. Les fondations charitables des Carnegie, des Danforth, des Kellogg, des Ford, des Rockefeller et de milliers d'hommes et de femmes d'affaires connus ou non ont perpétué dans ce pays et partout dans le monde une tradition de capitalisme avec compassion pendant 200 ans.

Andrew Carnegie fut considéré comme le «saint patron» du capitalisme avec compassion. Mark Twain fut le premier à l'appeler «saint». Une lettre plaisante qu'il adresse à l'ex-magnat de l'acier et dans laquelle il lui demande une contribution de 1,50 $ pour un livre de cantiques débute ainsi: «Cher saint Andrew.» Je n'ai pu découvrir si Andrew Carnegie envoya l'argent à Mark Twain, mais il est de notoriété publique qu'après avoir vendu son entreprise sidérurgique à J.P. Morgan, Andrew Carnegie passa le reste de sa vie à faire des dons d'argent à ceux qui étaient dans le besoin. Aux capitalistes compatissants d'aujourd'hui, il propose des normes très élevés, sinon controversées.

« Voici donc quel est le devoir », écrit-il, « d'un homme riche : donner l'exemple en menant une vie modeste, discrète et simple, en évitant de faire étalage de sa richesse ou de tomber dans l'extravagance ; pourvoir raisonnablement aux besoins de ceux qui dépendent de lui ; et, ayant fait tout cela, considérer tout revenu excédentaire qu'il réalise comme un simple fonds en fiducie qu'on lui demande d'administrer (...) l'homme riche devient ainsi un simple fiduciaire et agent agissant pour le compte de ses frères pauvres. »

Mettant en pratique ce qu'il prêchait, Andrew Carnegie fonda, en 1901, le Carnegie Institute of Technology, d'où il commença à envoyer des dons à des institutions et à des organismes d'éducation, tant dans son Écosse natale qu'aux États-Unis. Parmi les institutions à avoir bénéficié de sa générosité, mentionnons le Booker T. Washington's Tuskegee Institute. Les bibliothèques publiques devinrent sa cause de prédilection, et en 1918 il avait fondé plus de 2 500 bibliothèques dans des villages et des villes de tous les coins de l'Amérique. La prochaine fois que vous visiterez votre bibliothèque, voyez si ce ne serait pas Andrew Carnegie qui en a financé sa fondation.

Le *docteur John Harvey Kellogg* (un entrepreneur social) et *Will Kellogg* (un homme d'affaires) étaient tous deux les fils d'un pauvre prédicateur adventiste du septième jour. Pour mieux subvenir aux besoins de sa famille, le père Kellogg gérait une petite fabrique de balayettes. Il était donc à la fois un homme d'affaires et un entrepreneur social. Le docteur Kellogg, le plus âgé des deux frères, devint médecin en chef d'un sanatorium adventiste de Battle Creek, au Michigan, tandis que Will travailla dans l'anonymat comme commis, directeur commercial et homme à tout faire.

Étant végétarien, le docteur Kellogg commença à expérimenter diverses cultures en vue d'élaborer des préparations culinaires plus agréables au goût que les mets végétariens traditionnels. Will Kellogg s'intéressa aux expériences de son frère et devint bientôt son partenaire le plus créatif et le plus enthousiaste. Ensemble ils élaborèrent un certain nombre de nouveaux produits, dont le beurre de cacahouète (qu'ils ne lancèrent pas sur le marché, croyant que le public en général n'en aimerait pas le goût) et les premières céréales précuites en flocons. Plus tard, Will Kellogg mit en flocons, fit gonfler, réchauffer (pour les rendre croustillants), puis frire et éclater du riz, du blé, du maïs et du seigle, créant ainsi une étonnante variété de nouveaux produits alimentaires. Étant à la fois un gestionnaire et un promoteur de génie, il se retrouva bientôt à la tête d'un empire commercial de plusieurs millions de dollars reposant sur une production céréalière.

Alors que son entreprise commençait à prendre de l'expansion, Will Kellogg, révéla par écrit à un ami comment il concevait son rôle de capitaliste compatissant: «Mon espoir est que tout ce que j'accumule puisse être utilisé au profit de l'humanité.» Pour lui, la charité commençait chez soi. Il parraina des activités récréatives et sociales pour ses employés. Dans les premiers temps de la crise, il institua la journée de six heures pour les employés travaillant à la chaîne et en 1935, il donna à cette innovation un caractère permanent. Il embaucha des hommes et des femmes en se basant sur le nombre de personnes à leur charge, en donnant priorité à ceux et celles qui devaient faire vivre des familles nombreuses.

En 1925, quand Will Kellogg eut 65 ans, il fonda la Fellowship Corporation pour pouvoir distribuer des dons anonymement. Les projets initiaux de monsieur Kellogg étaient: la fondation d'une école d'agriculture, une réserve ornithologique, une ferme expérimentale, un projet de reboisement, un auditorium local à Battle Creek, une garderie, un marché municipal pour les fermiers, un camp scout et des centaines de bourses d'études. En 1930, il créa une seconde fondation consacrée au bien-être des enfants. Aujourd'hui, la W. K. Kellogg Foundation compte parmi les fondations charitables les plus riches et les plus généreuses du monde, avec un capital approximatif de 6 milliards de dollars.

«Un philanthrope est quelqu'un qui fait le bien par amour pour ses semblables», écrit Will Kellogg. «J'aime accomplir des choses pour les enfants parce que cela me fait plaisir. Je suis donc un égoïste, pas un philanthrope.»

L'entrepreneur social

Il y eut dans l'histoire d'innombrables exemples de personnes qui en ont vu d'autres dans le besoin et qui les ont aidées avec courage et compassion et ce, malgré tous les obstacles. Ces personnes étaient des entrepreneurs qui ont relevé un défi, non pas dans le but d'obtenir des gains monétaires, mais pour rendre service.

Vous pensez peut-être que si l'on est entrepreneur, c'est seulement pour faire de l'argent. Eh bien, oui, parfois, mais pas toujours. Être entrepreneur est une façon de mettre à profit ses talents créateurs. Les entrepreneurs avisés comprennent que ce qu'ils font devraient améliorer la qualité de leur vie et la vie de ceux pour qui ils œuvrent.

L'esprit d'entreprise est une façon de voir un besoin et le combler. Peu importe qu'il s'agisse d'un besoin de savon (entrepreneur commercial) ou de services compatissants (entrepreneur social); cela suppose le même genre de vision. En fait, l'esprit d'entreprise et la compassion vont de pair — ou, du moins, devraient aller de pair.

Le *capitaliste compatissant* se voit à la fois comme un entrepreneur commercial et un entrepreneur social. Il est en affaires pour réaliser un profit, mais se laisse continuellement guider par la compassion. Et bien que certains entrepreneurs sociaux subviennent à leurs propres besoins grâce à leurs aptitudes en affaires, la plupart y parviennent en se comportant en capitalistes compatissants, c'est-à-dire en donnant de leur temps et de leur argent, et en partageant leurs idées. De tous temps, il y eut des entrepreneurs compatissants de toutes conditions sociales.

Edward Jenner est un médecin anglais ayant vécu au XIXe siècle. À son époque, il y avait en Europe une épidémie de petite vérole. Presque tout le monde l'attrapait et près du tiers des habitants en moururent ou eurent le visage grêlé de façon permanente par la maladie. Certains fermiers croyaient que les trayeurs ayant été en contact avec des vaches atteintes d'une maladie appelée « variole de la vache » ne contractaient jamais la petite vérole, ce que le docteur Jenner entreprit de vérifier. Cela s'avéra exact, et Edward Jenner put ainsi mettre au point un vaccin. Il offrit au monde son vaccin, sans chercher à en tirer profit. Il changea littéralement la « face » de l'Europe. Finalement, le parlement britannique lui offrit un prix en argent en signe de reconnaissance.

Trois ans avant la mort du docteur Jenner naquit une autre grande dame douée de l'esprit d'entreprise social: Florence Nightingale. Anglaise née en Italie, elle fit œuvre de pionnière en faisant évoluer la profession d'infirmière et les soins hospitaliers. Elle était issue d'une riche famille et n'avait nul besoin de travailler. Elle sentit néanmoins que Dieu l'avait destinée à une vocation de compassion.

Choquée par la pauvreté des soins donnés dans les maisons de santé de son temps, Florence Nightingale réforma seule et sans aucune aide tout un système. Cultivée, très intelligente et très vaillante, elle modifia le rôle stéréotypé des femmes de son époque et gagna le respect des gens partout en Angleterre et en Europe.

Trop souvent, de tous ceux qui ont démontré du courage et de la compassion au cours de l'histoire, on ne se souvient que des hommes. La «barrière du sexe» n'a pas empêché les femmes énergiques animées d'un idéal d'accomplir des actes compatissants. Dans l'histoire de notre propre nation, la liste des entrepreneuses sociales courageuses commence avant 1776 et continue jusqu'à notre époque.

Abigail Adams, épouse de John Adams, second président des États-Unis et mère de John Quincy Adams, notre 6e président, mit ses talents d'écrivaine prolifique (et sa grande influence auprès de ces deux présidents américains) au service de la défense des droits de la femme.

Jane Addams mérita le prix Nobel pour son œuvre originale au sujet des femmes et des enfants défavorisés. Madame Addams fonda la Hull House de Chicago, un vaste centre d'œuvres sociales où l'on aidait les pauvres, donnait à manger aux gens affamés, accueillait les sans-abri et instruisait les enfants. D'autres qui gagnaient leur vie en tant qu'hommes ou femmes d'affaires ou artistes vinrent vivre à la Hull House afin d'aider Jane Addams à mener à bien son œuvre de compassion.

Susan B. Anthony fut l'une des premières militantes en faveur du droit de vote pour les femmes. Son travail dynamique et controversé favorisa la promulgation du 19e amendement à la Constitution de 1920, qui donnait aux femmes le droit de vote.

Clara Barton, humanitaire et fondatrice de la Croix-Rouge américaine, était connue pour son rôle d'«ange du champ de bataille» durant la guerre de Sécession.

Harriet Beecher-Stowe, l'auteure de *La Case de l'Oncle Tom ou la Vie des Humbles*, fut une abolitionniste engagée qui écrivit, donna des conférences et exerça des pressions pour mettre fin à l'esclavage. Quand Abraham Lincoln la rencontra, il dit: «C'est donc vous la petite femme qui a écrit le livre qui est à l'origine de cette grande guerre!» Celui-là même qui passe pour avoir émancipé les esclaves remercia cette entrepreneuse sociale d'avoir montré le chemin.

Pearl Buck, auteure de *La Terre chinoise* et d'autres romans traitant de la vie en Chine, gagna le prix Nobel en 1938 et légua toute sa fortune à la Pearl S. Buck Foundation afin que se poursuive après sa mort son œuvre humanitaire, surtout en Chine.

Rachel Carson, biologiste bien connue pour ses écrits sur la pollution, a transmis à toute une génération son intérêt passionné pour les océans avec son livre intitulé *The Sea Around Us* et qui a remporté le National Book Award.

Durant mon mandat au sein de la Commission sur le sida instituée par le président Reagan, je découvris ce qu'avait fait une autre femme tout aussi admirable. Ruth Brinker est une grand-mère habitant San Francisco et qui a découvert à l'âge de 66 ans qu'elle avait le pouvoir de changer les choses. En 1984, un de ses jeunes amis, qui était architecte, attrapa le sida. Elle fut horrifiée de voir avec quelle rapidité le virus opportuniste faisait ses ravages. Un après-midi, elle se rendit compte que son ami était trop faible pour se préparer ses propres repas. Il ne pouvait même pas se traîner jusqu'au réfrigérateur pour prendre un repas surgelé et le mettre au four à micro-ondes pour le faire dégeler.

Cette année-là, Ruth fonda le Project Open Hand. Chaque matin, dès le lever du soleil, elle rôdait autour des marchés d'alimentation en quête de légumes «abandonnés». Elle préparait des repas dans un sous-sol d'église et les portait directement à ceux qui étaient atteints du sida, à leur domicile. «Certains d'entre eux étaient tellement amaigris», se rappelle-t-elle, «qu'ils devaient ramper jusqu'à l'interphone.» Quand les fonds vinrent à manquer, elle commença à solliciter des dons de personnes de son voisinage.

Le Project Open Hand, qui desservait au départ 7 personnes (reconnaissantes), devint bientôt une véritable institution charitable qui servait 8 000 repas par jour. Quand j'ai entendu parler pour la première fois de l'œuvre de compassion de Ruth, elle tentait de réunir des fonds afin de nourrir ses concitoyens affamés et souffrant du sida, son objectif étant de ramasser plus d'un million de dollars par année.

Dans un hommage à Ruth Brinker, la revue *Time* racontait l'histoire de deux sidéens tristement assis dans un petit appartement, la veille du jour de l'An, espérant avoir la force de fêter une dernière fois la nouvelle année. Tout à coup, on sonna à la porte. Un volontaire du Project Open Hand se tenait à l'entrée, portant une grosse boîte décorée de serpentins et de ballons. Elle contenait des dons: du champagne, du pâté, du fromage, des truffes, un chapeau et une crécelle. Les deux hommes fondirent en larmes.

Partout en Amérique et ailleurs dans le monde, des femmes et des hommes comme Sir Walter Mildmay, John Harvard, Benjamin Rush, Andrew Carnegie, les frères Kellogg et Ruth Brinker ont découvert leur penchant pour la compassion, ont tendu la main aux gens perdus et abattus, les ont secourus et leur ont redonné espoir. Dans les chapitres qui suivent, je vous raconterai fidèlement l'histoire d'autres capitalistes compatissants, leur influence sur moi et comment ils ont amélioré la vie de ceux qu'ils ont aidés. Par leur exemple, ils m'ont appris ce que signifie être un capitaliste compatissant. Mais la vraie question est: Qu'est-ce que le capitalisme avec compassion signifie pour vous?

Qui sont les capitalistes réellement compatissants que vous connaissez? En quoi ont-ils changé votre vie? Que devriez-vous faire pour mieux leur ressembler? Qu'est-ce que vous feriez différemment si vous décidiez tout à coup de vous laisser guider par l'esprit de compassion au travail? De quelle façon montrez-vous actuellement de la compassion envers vos collègues de travail, votre supérieur, vos employés, vos fournisseurs, vos clients et même vos concurrents? Comment pourriez-vous mieux la montrer? J'aimerais pouvoir entendre votre histoire afin de m'en inspirer et de m'en souvenir.

Mais pour le moment, revenons à Isabel Escamilla, cette paysanne de 63 ans habitant un village du Nord du Mexique. Lorsque j'ai rencontré Isabel, elle avait le dos courbé, résultat de décennies de dur travail au cours desquelles elle avait assumé ses rôles d'épouse, de mère et de grand-mère. Jusqu'à récemment, sa vie n'avait été qu'un cycle sans fin de misère noire et de désespoir grandissant. Ce n'est pas que les gens n'étaient pas compatissants. Bien au contraire, au cours des ans, des dispensateurs de soins parrainés par des capitalistes compatissants étaient venus souvent pour aider Isabel et les autres villageois dans les temps de tragédie ou pour améliorer les conditions d'existence dans cette région montagneuse isolée.

Isabel et sa famille étaient reconnaissantes envers ces volontaires hollandais de la Croix-Rouge qui, presque tous les étés, mettaient sur pied et entretenaient une clinique médicale dans leur village. Elle se souvient toujours de ces jeunes Américains souriants qui ont aidé les villageois à rebâtir leur église après le séisme de 1983. Isabel a encore la larme à l'œil quand elle évoque les médecins volontaires de l'Organisation américaine de Coopération (Peace Corps) qui posèrent leur petit avion sur le terrain de football, les infirmières de l'UNICEF qui vaccinaient les enfants et tous les autres de Mexico et d'ailleurs dans le monde qui, au cours des années, ont donné de l'argent, de la nourriture et partagé leur savoir-faire, contribuant ainsi à l'amélioration de la vie dans son village.

Elle éprouvait de la reconnaissance envers tous ces gens, mais une fois leur travail terminé, qu'ils avaient dit au revoir et qu'ils avaient redescendu la montagne, la vieille femme se sentait plus impuissante qu'avant. C'est une chose que d'aider les gens. C'en est une autre que d'aider les gens à s'aider eux-mêmes. Isabel désirait tant trouver le moyen de faire quelque chose pour améliorer son existence et celle des êtres qu'elle aimait!

Puis, un jour de printemps, Isabel Escamilla rencontra Juanita Avalard, l'une de nos distributeurs indépendants en train de mettre sur pied une organisation de vente composée de mères et de grand-mères qui, comme Isabel, désiraient quelques pesos supplémentaires pour arrondir leurs maigres revenus ainsi qu'un minimum de sécurité financière. Isabel s'assit dans l'ombre pendant que les jeunes femmes écoutaient Juanita raconter sa propre expérience. La vieille femme ne pensait pas pouvoir le faire, mais en examinant le catalogue et en écoutant attentivement la description du plan, elle commença à prendre espoir.

À la fin de la réunion, Juanita lui parla d'un concours de vente visant à promouvoir une nouvelle cire d'auto dans la région. Le premier prix comprenait un voyage aux États-Unis, l'hébergement dans un hôtel de première classe et un traitement princier à un championnat de course automobile auquel participait un coureur pilotant la voiture d'Amway. «Je gagnerai ce prix», répondit la grand-mère tout excitée et les yeux brillants. «Je visiterai l'Amérique.»

Isabel n'était jamais allée aux États-Unis. Elle n'avait jamais voyagé en jet, séjourné dans un hôtel ou pris place dans une limousine avec chauffeur. En fait, elle avait passé toute sa vie dans ce pauvre village de montagne. Depuis l'enfance, elle avait rêvé de visiter des endroits lointains, mais n'avait jamais eu l'occasion de réaliser son rêve.

Ses amis et voisins, incrédules, souriaient. Comment une dame aux cheveux gris pouvait-elle même penser vendre de la cire pour auto dans les montagnes du Mexique? «Pourquoi pas? C'est de la bonne cire», leur dit-elle. «Elle est bon marché, aide à protéger la carosserie et redonne une apparence neuve à de vieux camions et de vieilles voitures comme les vôtres.» Au début, les voisins riaient, mais bientôt les vieilles voitures et les vieux camions cabossés du village d'Isabel et des autres villages de la montagne se mirent à luire, tout comme l'espoir dans ses yeux.

Quand je l'ai rencontrée, elle était debout sur la tribune du centre de conférence de Monterrey, au Mexique, devant des centaines de distributeurs mexicains qui applaudissaient. Lorsque je lui ai tendu le certificat de premier prix décrivant le voyage de rêve aux États-Unis qu'elle avait gagné, elle se mit à pleurer. *«Un sueño hecho realidad»*, murmura-t-elle. «Un rêve qui se réalise.»

Pourquoi terminer ce chapitre sur la compassion avec l'histoire d'Isabel Escamilla? Parce que je crois que sa vie met en relief les deux aspects du capitalisme avec compassion. L'exemple des bénévoles de la Croix-Rouge, de l'UNICEF, de l'Organisation américaine de Coopération (Peace Corps) et d'autres missions ou agences de service social qui aident les villageois nous a montré un aspect du capitalisme avec compassion. Mais Juanita Avalard était aussi une capitaliste compatissante, car elle a fourni à Isabel un moyen de s'aider elle-même.

Le 3 octobre 1991, Isabel Escamilla fut conduite en limousine à l'aéroport de Monterrey: elle commençait ainsi son voyage vers les États-Unis. Ceux qui l'ont accompagnée m'ont dit plus tard que durant tout son voyage, elle avait les yeux grands ouverts et souriait. Aujourd'hui, dans les montagnes du nord du Mexique, une belle capitaliste compatissante aux cheveux gris travaille fort pour réaliser d'autres rêves et, ce faisant, aide ses enfants et ses petits-enfants à réaliser les leurs.

CHAPITRE 8

Pourquoi devrait-on envisager de lancer sa propre entreprise ?

CREDO 8

Nous croyons que posséder sa propre entreprise (pour arrondir ou remplacer son revenu) est la meilleure façon d'assurer sa liberté et l'avenir financier de sa famille.

Par conséquent, nous devrions sérieusement envisager de lancer notre propre entreprise ou de devenir plus audacieux et dynamiques dans l'entreprise où nous travaillons actuellement ou dans l'exercice de notre profession.

Tim Foley, 8 ans, et son frère de 10 ans, Mike, marchaient en serrant la main de leur père vers l'entrée du parc d'attractions, située dans un grand terrain près de Skokie, en Illinois. Il n'était que 10 h, mais les enfants déjà excités entraînaient leurs parents à travers le parking, vers la longue file de petits garçons et de petites filles qui attendaient avec impatience l'ouverture du parc pour enfants.

Le père de Tim ouvrit la porte arrière du guichet de distribution du vendeur de billets, et mit en marche le système de sonorisation extérieure et le magnétophone. Aussitôt une musique de fête foraine anima le petit parc d'attractions. Comme des soldats répondant à la sonnerie matinale du clairon, la «souris folle», le manège de chevaux de bois, la grande roue, les montagnes russes et tous les autres joyeux manèges se remirent à vivre.

Tim aimait ces samedis passés en famille à la foire. «Si je voulais être avec mon père durant ces mois d'été occupés», se rappelle-t-il, «je devais l'y accompagner. Mon père était un être résolument indépendant. Comme son père et son grand-père, il était animé de l'esprit d'entreprise. Il dut travailler à son compte. C'était là la tradition dans laquelle il avait été élevé.

« Le jour, du lundi au vendredi, papa vendait des biens immobiliers. Le soir et pendant les week-ends, il aidait son frère et son beau-frère au parc d'attractions et au terrain de golf. Ce n'était pas Disneyland », ajoute Tim en souriant, « mais cela permettait à mon père de bien faire vivre la famille et me donnait l'occasion de voir les membres d'une famille travailler ensemble dans leur propre entreprise. »

« Tel père, tel fils », dit le proverbe. À 8 ans, Tim était déjà un entrepreneur en herbe. Ces samedis, au parc d'attractions, il ne restait pas simplement assis à ne rien faire. Il se souvient qu'il vendait des ballons, des moulinets et des casques de pompiers aux enfants tout fébriles. Ni Tim ni son frère et sa sœur, Mike et Sheila, n'étaient obligés de travailler. Mais l'esprit d'entreprise qui régnait dans la famille les poussait toujours à profiter de l'occasion.

À 12 ans, Tim avait si bien fait ses preuves qu'il se retrouva au comptoir des rafraîchissements, où il vendait des « milk-shakes », des cornets de crème glacée, des hot-dogs et où il maîtrisait même l'art de faire de la barbe à papa. De là, il gravit les échelons et se retrouva opérateur de la « souris folle », la « suprême responsabilité » aux yeux de son père. « S'il m'était arrivé de ne pas actionner le frein à temps », explique Tim en souriant, « les gens dans le manège auraient « atterri » dans le parking ! »

Durant toutes ces années de formation, Tim regardait son père travailler. « Il était le propriétaire du parc », se rappelle Tim, « mais il n'était jamais trop bon ou trop occupé pour faire tout ce qui était nécessaire pour le faire fonctionner rondement. Il voulait s'assurer que ses clients n'étaient jamais déçus. Travaillant dans les coulisses, il avait toujours les mains sales. S'il fallait réparer quelque chose, papa y remédiait. S'il fallait peindre quelque chose en vitesse, papa le faisait lui-même. Son attitude et son éthique du travail était un formidable exemple, pas seulement pour ses enfants, mais pour tous les employés du parc. »

Tim Foley joua ensuite au football à l'université Purdue. Avec cette attitude héritée de son père, Tim aborda le sport et les études comme un pur américain. En 1970, lors du troisième tour de sélection de la Fédération américaine de football, il fut recruté et alla jouer avec les Dolphins de Miami, sous la direction de l'entraîneur Don Shula. À Miami, Tim se distingua durant 11 ans, notamment au cours de la mémorable saison sans revers de 1972 qui atteignit son point culminant dans le Super Bowl de 1973. Cette année-là, les Dolphins, que l'on donnait perdants, ont battu les Redskins de Washington pour le championnat mondial de football. Au cours de sa dixième saison dans la Fédération américaine de football, Tim Foley fut sélectionné pour le Pro Bowl. Après s'être retiré du football, il alla travailler pour Turner Broadcasting: il fut commentateur des parties de football universitaire télédiffusées. Aujourd'hui, on peut le voir dans les émissions de football de la série *Match de la semaine*. Ces émissions sont diffusées en région par le réseau-pilote affilié Jefferson.

« Pas besoin d'être un expert des fusées pour se rendre compte que la gloire est éphémère », dit Tim. « Je savais que je n'allais pas jouer avec les Dolphins jusqu'à 65 ans. Alors même que j'étais un joueur actif, j'ai donc commencé à songer à me lancer en affaires afin d'assurer une certaine sécurité financière à Connie et à notre famille dans les années qui suivaient ma « retraite ». Au cours de ces 11 saisons à Miami, j'ai fait des placements immobiliers et j'ai perdu de l'argent. J'ai fait des placements à la Bourse et j'ai perdu de l'argent aussi. J'ai investi dans l'or et les métaux précieux et, là encore, j'ai perdu de l'argent. Enfin, j'ai investi dans des centres de conditionnement physique et des terrains de racquetball, et bien que l'entreprise ait prospéré pendant un certain temps, les taux d'intérêt atteignirent 21 %, le nombre de nouvelles adhésions diminua, puis finalement tomba à zéro. »

Aujourd'hui, Tim et Connie Foley possèdent une entreprise de distribution Amway prospère, comme d'autres dans les 60 pays et territoires dans le monde. Ils ont vu leurs rêves se réaliser. L'avenir financier de la famille est assuré. Et tout commença dans ce parc d'attractions de Skokie, en Illinois. La vie et les valeurs du jeune Tim Foley ne furent plus jamais les mêmes à partir de l'époque où il se mit à observer son père, un être travaillant, autonome et guidé par son sens des valeurs, faisant tout ce qui était nécessaire pour réaliser ses rêves.

Le même esprit d'entreprise qui animait Tim à la foire peut renaître en vous. Au cours de votre vie, avez-vous déjà senti cet esprit vous animer? Vous voyez-vous comme un capitaliste ou, du moins, comme un capitaliste en puissance? Ou peut-être que vous n'aimez pas cette étiquette? Tous les capitalistes ne ressemblent

pas à ces importants hommes d'affaires qu'on nous décrit traditionnellement comme des nababs sans âme fumant des cigares, vêtus
de vestes croisées et se déplaçant en limousine. Quelques-unes des
personnes les plus généreuses, les plus compatissantes et les plus
bienveillantes de la planète s'affichent fièrement comme capitalistes, mais si ce qualificatif vous met mal à l'aise, peut-être accep-
terez-vous plus facilement de vous définir comme un entrepreneur,
un libre entrepreneur ou même un capitaliste compatissant.

De toute façon, nous participons tous à ce grand système de
libre entreprise. Nous pouvons tirer parti des avantages qu'il offre
ou rater cette chance unique, mais nous ne devons jamais oublier
que l'esprit de libre entreprise et l'espoir qu'il suscite coulent dans
nos veines, tout comme ils coulaient dans les veines des Rockefeller, des Du Pont de Nemours et des Carnegie. L'esprit d'entreprise
naît en nous en même temps que notre besoin de boire et de
manger, d'aimer et d'être aimé, d'apprendre, d'évoluer et de se
réaliser.

Qu'est-ce qu'un entrepreneur ?

Le mot lui-même est français. *Entrepreneur* signifie littéralement «quelqu'un qui relève un défi.» En France, ce terme dési-
gnait à l'origine une personne qui organisait des concerts, comme
le regretté Bill Graham (mais sur une échelle un peu plus petite !).
Mais il a fini par qualifier toute personne qui entreprend de lancer
une entreprise, qui perçoit un besoin et cherche à le combler.

Les entrepreneurs n'appartiennent pas à une confrérie secrète.
N'importe qui peut être entrepreneur. L'âge n'a pas d'importance.
Les jeunes qui montent une pièce à l'école, qui distribuent des
journaux, qui s'associent pour former un groupe rock ou qui vont
garder les enfants de leurs voisins sont des entrepreneurs. Les
étudiants de l'université, les adultes de tous les âges, y compris les
personnes du troisième âge, peuvent devenir des entrepreneurs. Le
sexe n'influe guère. Tant les femmes que les hommes ont l'esprit
d'entreprise. En ce domaine, les seuls obstacles insurmontables
sont ceux que nous nous créons.

L'esprit d'entreprise. Vous souvenez-vous de ce moment, il y
a longtemps, où vous avez senti « cet esprit » pour la première fois ?
Aviez-vous 8 ans, comme Tim Foley ? L'esprit de libre entreprise
qui vous animait vous a-t-il alors poussé à installer sur le trottoir
un stand de boissons rafraîchissantes et une affiche sur laquelle on

lisait: *Citronnade 5 sous le verre*? Ou mettiez-vous en sac des noix ou des avocats, des coquillages ou des pommes de pin pour ensuite aller sur votre pelouse avant et les vendre aux passants? Peut-être pelletiez-vous de la neige, tondiez-vous des pelouses, arrachiez-vous les mauvaises herbes, laviez-vous de la vaisselle ou baigniez-vous le chien du voisin pour vous faire un peu d'argent? Peut-être distribuiez-vous des journaux ou laviez-vous des autos? Ce sont là mes premiers souvenirs.

J'étais un enfant de la crise américaine de 1929. Après le krach boursier de Wall Street, mon père s'est retrouvé sans revenu. Mes parents avaient bâti, grâce à un prêt de 6 000 $, une jolie petite maison à Grand Rapids, au Michigan. Cela ne semble pas beaucoup aujourd'hui, mais en ces temps difficiles, papa et maman ne pouvaient effectuer les versements. Avec tristesse, ils durent se résoudre à louer la maison de leurs rêves afin de pouvoir effectuer leurs versements mensuels pour rembourser leur emprunt hypothécaire. Nous avons emménagé dans le grenier de la maison de mes grands-parents. Papa a passé ces années qui ont suivi le krach à mettre en sac de la farine dans l'arrière-boutique d'une épicerie et, le samedi, à vendre des chaussettes et des sous-vêtements dans un magasin de vêtements pour hommes. Il me donna alors un conseil clair et simple: «Crée ta propre entreprise, Rich», me disait-il. «C'est le seul moyen d'être libre.»

J'avais à peine 10 ans quand mon esprit d'entreprise me poussa à l'action. Je suppose que j'ai commencé à faire de petits travaux pour aider mes parents à payer les factures. Ce besoin d'argent supplémentaire demeure encore la principale raison pour laquelle la plupart des gens se joignent à notre entreprise aujourd'hui. Mais ce n'était pas simplement d'aider mes parents à payer les factures qui me motivait. Je me souviens encore de cette excitation, de ce sentiment de fierté et même de puissance que j'éprouvais quand mes clients me payaient pour mon travail. Je ne vendais pas de moulinets et je ne gonflais pas de ballons, mais je crois que la joie que j'éprouvais alors était la même que celle que devait ressentir Tim Foley quand les enfants mettaient leurs sous dans sa main.

À l'époque où je suivais mes cours à l'école primaire et à l'école secondaire, j'arrachais les mauvaises herbes, je tondais des pelouses, je lavais des voitures et je travaillais dans une station-service pour pouvoir m'acheter une bicyclette. J'achetai un vélo de course Schwinn de couleur noire et passai un contrat de livraison avec la direction du journal local. Je me revois encore me rendant à bicyclette à l'arrière du magasin de nouveautés de monsieur Bolt pour prendre les journaux que je devais livrer. Il ne me fut pas facile d'apprendre à rouler avec un vélo chargé de lourds journaux. Au début, mes clients se couvraient les yeux tellement ils avaient peur quand ils me voyaient arriver en oscillant dangereusement sur la voie publique. Mais le samedi matin, j'attendais en file avec les autres petits livreurs de journaux, devant le bureau à cylindre de monsieur Bolt, et je pouvais à peine réprimer mon excitation au moment où il comptait pièce par pièce les 35 sous représentant mon salaire pour les livraisons effectuées durant la semaine.

À l'école secondaire, l'entraîneur de base-ball remarqua que j'étais gaucher. Il voulait me mettre au premier but et me faire frapper des amortis. Même si j'aimais alors autant le base-ball qu'aujourd'hui, je dus dire non. Il n'y avait aucun moyen pour moi de m'entraîner après l'école tout en continuant à gagner cet argent supplémentaire dont ma famille avait besoin. Après l'école, je travaillais du lundi au vendredi dans un magasin de vêtements pour hommes. Les week-ends, je lavais des autos dans une grande station-service près de chez nous. Le propriétaire demandait un dollar par lavage et il m'en donnait la moitié. Plus je lavais de voitures, plus je faisais de profits. Je travaillais vite. J'essuyais autour des portières et des fenêtres. J'époussetais les montants des portières et le dessous du tableau de bord, que la plupart des gens ne nettoyaient jamais. Les clients le remarquaient et me récompensaient de mon zèle en me donnant un pourboire.

Le travail était dur, mais je faisais plus d'argent que je n'avais jamais rêvé d'en faire et je trouvais cela amusant. Les entrepreneurs que je connais ont une attitude positive à l'égard du travail. Ils vous diront que parfois « le travail n'est que le travail », mais ils vous diront aussi que — pour eux — le travail est généralement amusant.

Le travail peut être autre chose qu'un terrible fardeau. Vous pouvez continuer à passer des heures interminables à faire un travail ennuyeux que vous détestez, et être esclave du système. Ou vous pouvez décider aujourd'hui — que vous travailliez à votre compte ou pour quelqu'un d'autre — de devenir entrepreneur et d'accéder à une vie professionnelle enrichissante, remplie de découvertes, de récompenses financières et d'occasions de manifester votre compassion.

Les entrepreneurs d'autrefois

Pour comprendre comment le travail associé à l'esprit d'entreprise peut conduire à de grandes choses, il peut être utile de commencer par en apprendre davantage sur ceux qui, par le passé, ont perçu des besoins et ont travaillé dans le but de les combler. Car ces gens qui eurent assez de courage, de persévérance et de génie pour devenir entrepreneurs, alors que les conditions étaient plus difficiles et les occasions plus rares, peuvent nous inspirer.

Ces gens (certains d'une époque lointaine) méritent d'être appelés «entrepreneurs», car dans un sens, ce sont les «cousins lointains» et les «pères spirituels» des entrepreneurs modernes. Ces innovateurs laborieux ont contribué de manière décisive au façonnement de notre monde et ont créé des occasions pour les générations suivantes. Qui étaient donc ces «entrepreneurs»? Qu'on me permette d'en présenter ici quelques-uns.

L'un des premiers s'appelait Ts'ai Lun, un fonctionnaire chinois qui inventa le papier en l'an 105 après Jésus-Christ. Jusqu'alors, presque tout était écrit sur du bambou, ce qui avait pour conséquence que les livres étaient très lourds et très peu maniables. Les érudits et les savants chinois qui voulaient emporter ne serait-ce que quelques livres devaient utiliser un chariot.

La grande valeur de l'invention de Ts'ai Lun fut tout de suite reconnue. Il fut promu par l'empereur et devint un riche aristocrate. Cette invention fut à l'origine d'un changement spectaculaire en Chine. Les livres devinrent plus accessibles. Le savoir put donc être diffusé dans tout le pays.

Vers 1434, dans la ville de Mayence, un orfèvre allemand innovateur, Johannes Gutenberg, perfectionna une série d'inventions qui furent à l'origine de l'avènement de l'imprimerie moderne. Johannes Gutenberg inventa une façon pratique de faire et d'utiliser des caractères mobiles (en 1441), grâce à laquelle il était possible d'imprimer une grande variété de livres avec rapidité et précision.

Bien que des événements d'importance se soient produits entre l'époque de Ts'ai Lun et celle de Johannes Gutenberg, le rythme du progrès s'accéléra considérablement grâce à l'invention de Johannes Gutenberg, l'essor de l'imprimerie constitua l'un des principaux événements qui façonnèrent notre ère moderne.

Dans un sens, l'imprimerie a permis aux gens de développer leur esprit d'entreprise ou d'initiative, puisque l'information put dès lors être facilement transmise. Les guides et manuels furent parmi les premiers livres à être imprimés. Il y en avait sur tous les sujets imaginables, de la métallurgie à la médecine, des bonnes techniques du bâtiment aux bonnes manières. Les gens apprenaient grâce aux livres comment faire ceci ou cela et ce qui est peut-être encore plus important, en combinant les idées des autres avec les leurs, ils apprenaient à être innovateurs.

Un de ces innovateurs qui comblèrent de grands besoins fut James Watt. Cet Anglais conçut la première machine à vapeur pratique, brevetée en 1769. Dans le but d'améliorer un dispositif de pompage à vapeur rudimentaire, James Watt fit quelques modifications fondamentales, le dota de caractéristiques entièrement nouvelles et convertit ainsi un objet de curiosité peu fonctinnel en un outil précieux. Il est difficile pour nous d'imaginer quelle grande invention ce fut. Au temps de James Watt, il n'y avait pas d'électricité — le moteur électrique n'avait pas encore été inventé. Il n'y avait pas non plus de moteur à essence.

Pour les gros travaux, comme la mouture des grains ou la mise en marche des manufactures de drap, il fallait recourir à l'énergie hydraulique. Cela était, pour le moins qu'on puisse dire, peu efficace et limitait grandement le niveau de production.

L'invention de James Watts fut presque à elle seule à l'origine de la révolution industrielle. Avec une source pratique d'énergie, on pouvait faire toutes sortes de choses. Bientôt des entrepreneurs de tous milieux pensèrent au moyen de tirer profit de cette nouvelle source d'énergie.

Thomas Alva Edison, le plus grand inventeur que le monde ait jamais connu, n'avait été que trois mois à l'école et était considéré par son maître comme un retardé. Durant sa vie, il déposa toutefois un millier de brevets et devint très riche.

Thomas Edison perfectionna et fit tout breveter, du premier phonographe (1877) à la première lampe électrique à incandescence (1878). Il créa la première entreprise d'électricité, contribua au perfectionnement de la caméra et du projecteur de cinéma avec son kinétoscope (1893), et apporta d'importantes améliorations au téléphone, au télégraphe et à la machine à écrire.

La lampe à incandescence est un bon exemple de la mise en œuvre de cet esprit d'entreprise dans l'histoire moderne. Peut-être pensez-vous que Thomas Edison inventa cette lampe après qu'une lumière se soit allumée dans sa tête. Mais à l'époque, cette expression ne revêtait un sens que là où existait l'éclairage au gaz ! En fait, Thomas Edison n'inventa pas l'ampoule électrique en un clin d'oeil, après avoir eu un éclair de génie. Cela lui prit un certain temps, et il procéda de façon très méthodique. Sa méthode d'invention constitue l'un des premiers exemples d'un processus connu sous le nom de « recherche et développement ».

Thomas Edison détenait 6 règles d'invention. Même si vous ne croyez pas inventer un jour quelque chose d'aussi important que l'ampoule électrique, remarquez combien ces lignes directrices peuvent être utiles à tous ceux qui nourrissent des rêves qu'ils voudraient voir se réaliser.

1. Fixez-vous un objectif et ne le perdez pas de vue.

2. Envisagez les étapes qu'il vous faudra franchir pour mener à bien votre projet d'invention et suivez-les.

3. Notez bien vos progrès.

4. Partagez les résultats que vous obtenez avec les collègues de travail.

5. Assurez-vous que tous ceux qui collaborent au projet ont une définition précise de leurs responsabilités.

6. Enregistrez ou notez tous vos résultats pour analyse ultérieure.

Cette approche systématique devant aider à résoudre les problèmes fut utilisée assez longtemps par les scientifiques, mais Thomas Edison l'adapta pour les inventions destinées à être commercialisées. Il était tout autant un entrepreneur qu'un inventeur. Il n'était pas intéressé à mettre au point des choses qui avaient peu de chances de se vendre — il était avide de savoir ce que les gens voulaient acheter. En conséquence, il mettait également beaucoup de zèle à étudier et sonder le marché. Ce qu'il faisait très bien. L'équipe d'inventeurs de Thomas Edison devint le premier laboratoire de recherche industrielle au monde — une institution n'existant qu'en Amérique à l'époque. Son laboratoire fut le premier d'une série d'autres à voir le jour par la suite, parmi lesquels le Bell Laboratory et General Electric.

Quelques années avant que Thomas Edison ne fasse breveter le phonographe naquirent deux frères — l'un dans l'Indiana et l'autre en Ohio — qui allaient plus tard mettre ensemble sur pied une entreprise de bicyclettes. Même s'ils eurent du succès dans ce domaine, c'est leur passe-temps favori qui les rendit célèbres. Les deux frères en question étaient Wilbur et Orville Wright, et leur violon d'Ingres était l'aéronautique.

Après avoir lu avec enthousiasme pendant plusieurs années les résultats des plus récentes recherches sur les problèmes de vol, les deux frères décidèrent, en 1899, de tenter de mettre au point leurs propres solutions. En 1903, ce fut la consécration de leurs efforts : un homme volait pour la première fois. Ayant construit de nombreux aéroplanes et réussi plus de 1 000 vols mécaniques, ils devinrent les pilotes d'aéroplanes les plus expérimentés du monde.

Grâce à cette expérience, ils parvinrent à comprendre un problème de vol fondamental : le contrôle. Après avoir trouvé un moyen de manœuvrer leur appareil en vol, ils le dotèrent d'un moteur à explosion léger et de deux hélices qu'ils avaient eux-mêmes conçus et s'envolèrent vers la gloire. Le premier brevet d'aéroplane dans l'histoire leur fut accordé en 1906. Leur investissement total avait été d'environ 1 000 $.

Le cas d'Alexander Graham Bell, un Américain né en Écosse en 1847, nous donne également une idée de la rapidité avec laquelle de nombreux capitalistes mirent au point leurs produits et leurs inventions au cours de la seconde moitié du XIXe siècle. Il fit breveter le téléphone en février 1876 et exposa, cette même année, son invention à l'Exposition centenaire de Philadelphie. Le succès fut immédiat. À l'époque, la plus importante entreprise de télécommunications aux États-Unis était la Western Union Telegraph Company. Alexander Graham Bell offrit à la Western Union de lui céder les droits de son invention contre 100 000 $ — offre qui fut tout de suite refusée.

L'année suivante, Alexander Graham Bell mit sur pied sa propre société, qui obtint un succès immédiat. Cette entreprise devint plus tard l'American Telephone and Telegraph Company : AT & T. De mars à novembre 1879, la valeur des actions de la société passa de 65 $ à plus de 1 000 $ (pendant ce temps, la Western Union se rongeait les sangs). En 1892, New York et Chicago étaient reliés par téléphone. Lorsqu'Alexander Graham Bell mourut, en 1922, le téléphone était utilisé dans tout le pays. Cette nouvelle invention, dont la vitesse de transmission était remarquable, s'implanta dans les foyers.

Pendant ce temps, Thomas Edison était occupé à mettre au point un moyen de distribuer l'électricité pour faire fonctionner ses ampoules. Il est difficile de vendre des ampoules électriques quand personne n'a le courant pour les allumer! Il créa donc, en 1882, à New York, un petit système de distribution électrique. Ce fut le premier «service public» d'électricité jamais mis sur pied. Ce fut une réussite, mais Thomas Edison eut, au début, quelques problèmes. Ce qu'attestent presque tous nos appareils électriques. Avezvous jamais remarqué que la plupart d'entre eux portent cette indication: «110 volts»?

Pourquoi 110 volts? Le premier système électrique de Thomas Edison ne pouvait maintenir partout un niveau d'énergie suffisant. Les ampoules des personnes habitant près de la centrale électrique brillaient d'une lumière vive, mais au bout de la ligne de distribution, la lumière était plutôt faible. Thomas Edison reçut des plaintes. Alors, comme n'importe quel bon entrepreneur (il voulait vendre *beaucoup* d'ampoules), il décida de faire passer le courant de 100 à 110 volts. Cette nouvelle norme demeura, même quand des systèmes de distribution assez sophistiqués furent créés pour résoudre le problème initial.

Pensez seulement à tous les changements qu'une invention comme l'électricité entraîna. De nouvelles et vastes perspectives s'ouvraient aux entrepreneurs et aux consommateurs — j'ai parlé des téléphones et des ampoules électriques, mais il y eut aussi les postes de radio et de télévision, les ordinateurs et des milliers d'autres produits.

Un bon nombre de ces entrepreneurs dont les inventions eurent le plus d'impact sur notre vie quotidienne vécurent au siècle dernier. L'un d'eux, peu connu, est le «saint patron» de la «culture de l'automobile», un inventeur allemand dont le nom est Nikolaus Otto. Otto inventa, en 1876, le premier moteur à essence d'automobile pratique à quatre temps et à une seule vitesse.

Il avait un employé, un dénommé Gottlieb Daimler, qui s'associa quelques années plus tard avec un ami, Carl Benz. Ils commencèrent à fabriquer des voitures qu'ils dotaient de moteurs conformes aux plans de Nikolaus Otto et décidèrent de donner aux voitures le nom de la fille d'un commerçant qui vendait leurs autos, une fille prénommée Mercedes.

Tout comme le moteur électrique, le moteur à combustion interne* fut bientôt utilisé dans divers petits ateliers et usines. Presque immédiatement après son invention, on s'en servit pour

---

* Ou moteur à explosion. (N.d.T.).

faire fonctionner les pompes, les machines à coudre, les presses d'imprimerie, les scies et toutes sortes d'appareils. Il était gros et encombrant comparé à ceux d'aujourd'hui, mais il marquait quand même un progrès sur la vapeur (en tant qu'énergie). Mais quel était son poids?

En 1901, Nikolaus Otto fabriqua un moteur spécial de voiture de course de 40 chevaux-vapeur et qui pesait 454 kg. Le moteur standard de la «Coccinelle» des années 1960 était de 40 chevaux-vapeur et pouvait être soulevé par 2 hommes de force moyenne. Un moteur de motocyclette moderne de cette puissance peut être soulevé par une seule personne. La concurrence entre les entrepreneurs capitalistes favorisa ces rapides progrès technologiques.

En 1908, Henry Ford, recourant aux nouvelles inventions et aux nouvelles méthodes (moteur à combustion interne, méthode de la chaîne d'assemblage, pièces interchangeables, éclairage électrique et gestion scientifique), créa le «Modèle T». À peine 5 ans plus tard, il y avait 1 258 000 voitures immatriculées aux États-Unis! Henry Ford fabriqua des voitures dont les prix étaient à portée de la bourse des gens ordinaires et de fait, ils en achetèrent en très grand nombre. D'ailleurs, 25 ans plus tard, il y avait 36 millions de voitures sur les routes américaines. L'automobile devint le produit de consommation le plus important de toute l'économie américaine et transforma le pays.

Des perspectives d'affaires s'ouvrirent alors pour des millions d'Américains. Ces voitures nécessitaient beaucoup de matières premières — et il fallait plusieurs personnes pour les produire. De l'acier, du verre, du chrome, du caoutchouc, des fils métalliques ou électriques, du capitonnage (garniture intérieure), du tissu — toutes sortes de choses étaient requises. Il fallait aussi construire des routes, des ponts et des tunnels. Il fallait des mécaniciens pour maintenir les voitures en bon état, des pompistes pour les ravitailler en carburant et des agents d'assurances pour les assurer; la liste était illimitée.

Cette nouvelle mobilité acquise grâce à l'automobile favorisa l'émergence de nouvelles industries: motels et lieux de séjour, restoroutes, camps de caravaning et attrape-touristes. Avec l'automobile, une nouvelle culture vit le jour en Amérique.

Comme nous l'avons vu, la plupart des produits de consommation qui nous paraissent banals sont en fait des créations très récentes. L'esprit d'entreprise est bien vivant et à l'œuvre dans notre milieu. De plus, le rythme du progrès et du changement s'est beaucoup accéléré au cours du siècle actuel. Presque tous ces milliers de produits que notre système capitaliste fabrique ou confectionne avec tant d'efficacité sont le résultat de ce qui s'est passé il y a 100 ans.

Les entrepreneurs d'aujourd'hui

Ne croyez pas un seul instant que la grande époque de la libre entreprise est révolue. S'il est vrai que l'esprit de libre entreprise a toujours été présent chez les gens, il est également vrai qu'il n'y a jamais eu de périodes plus propices pour réaliser ce à quoi tend l'esprit d'entreprise qui vous anime. Les occasions pour vous de devenir un capitaliste prospère n'ont jamais été meilleures. Au cours des 10 dernières années, plus de nouvelles idées ont pris forme et ont été utilisées avec profit que ces siècles derniers.

En fait, l'esprit d'entreprise s'est répandu dans tout le pays et anime les gens de tous les âges. Certains de nos entrepreneurs les plus prospères étaient jeunes quand ils se sont lancés en affaires. On n'est jamais trop jeune, trop pauvre ou trop inexpérimenté pour avoir une bonne idée. Voici quelques exemples de jeunes gens au sujet desquels j'ai lu et qui sont devenus des entrepreneurs prospères.

Les nouveaux jeunes entrepreneurs. Une entreprise prospère fut mise sur pied par deux amis fréquentant l'école secondaire et qui aimaient bien manger. Ils avaient envisagé au départ de faire des petits pains en croissant ou en couronne, mais l'équipement était trop cher. Ils décidèrent alors d'essayer de faire de la crème glacée. Ils s'inscrivirent à un cours par correspondance au coût de 5 $ sur la façon de faire la crème glacée.

Une fois ce nouveau savoir-faire acquis, ils mirent en commun leurs économies, en empruntèrent à des membres de leurs familles et ils ouvrirent leur premier magasin dans une station-service abandonnée dont le loyer était peu élevé. Au bout de quelques années, le chiffre d'affaires de Ben and Jerry's Ice Cream dépassait les 27 millions de dollars.

Avez-vous entendu parler des deux étudiants californiens qui fabriquaient des circuits microélectroniques dans leur garage? Ils vendirent une Volkswagen et une calculatrice pour gonfler leur capital initial, qui était d'environ 1 300 $. Ils espéraient vendre une centaine de circuits pour commencer. Un ami à qui ils en avaient apporté quelques-uns et qui possédait un magasin d'ordinateurs leur dit qu'il n'était pas intéressé aux circuits microélectroniques mais qu'il était désireux d'acquérir 50 ordinateurs tout assemblés. C'était il y a quelques années, alors qu'il était difficile de se procurer des ordinateurs individuels. Ils commencèrent donc à en assembler.

Les affaires n'allèrent pas bon train au début, et l'un des associés se découragea à un point tel qu'il songea à se retirer dans un monastère bouddhiste. Néanmoins, ils n'abandonnèrent pas et leur société prit enfin son essor. Cette société, Apple Computer, a maintenant un chiffre d'affaires de plus d'un milliard de dollars par an. Ces deux amis étudiants s'appelaient Steve Jobs et Steve Wozniak.

Est-ce que de telles histoires vous impressionnent? Un chiffre d'affaires d'un milliard de dollars? Quelles sont mes chances de réussir aussi bien qu'eux? Ne vous laissez pas décourager par les difficultés éventuelles. Vous pouvez réussir comme jamais si vous essayez vraiment et faites de votre mieux! Et souvenez-vous, il n'est pas nécessaire de bâtir une société d'un milliard de dollars pour prospérer. Des dizaines de milliers d'entrepreneurs prospères ont bâti des entreprises beaucoup plus modestes.

L'une de ces entreprises plus petites fut mise sur pied il y a plusieurs années de manière tout à fait inhabituelle. Peut-être avez-vous lu l'histoire dans les journaux ou l'avez-vous entendue à la télévision. Elle me rappelle ces histoires médiévales au sujet des alchimistes qui essayaient de transformer le plomb en or. C'est l'histoire de ces enfants qui réussirent à transformer du fumier en or.

Ces enfants remarquèrent que les gens de leur région avaient besoin d'engrais pour leurs pelouses et leurs jardins. Mais comme il était peu commode d'aller en acheter, ils s'en passaient. Ce simple mais important besoin qu'ils avaient constaté leur donna une idée. Pourquoi ne pas empaqueter du fumier et en vendre ici même, dans le voisinage?

Avec l'aide de leurs parents, leurs conseillers, ils apprirent comment transformer les bouses de vache en fumier. Ils entrèrent en relation avec quelques fermiers de la région qui acceptèrent avec plaisir de laisser les enfants nettoyer leurs enclos en échange de l'engrais «non traité». Les enfants rapportaient donc chez eux les bouses de vache, les traitaient, mettaient le fumier en sac et le vendaient aux voisins.

Après avoir travaillé fort pendant quelque temps, l'entreprise commença à croître et bientôt ce fumier commença à se transformer en «or». Finalement, ils accumulèrent tant d'argent qu'ils fondèrent une société à laquelle ils donnèrent le nom de KIDCO, Inc. Avec de l'aide, ils placèrent leur argent dans l'immobilier et finirent par détenir un impressionnant portefeuille.

Il y a quelques années, un jeune homme du nom de Roger Conner s'arrêta chez le marchand de fleurs de la ville et demanda au propriétaire s'il pouvait travailler gratuitement pour lui afin de s'initier à ce commerce. Roger avait alors 12 ans. Le propriétaire accepta, et Roger commença à travailler à temps partiel, après l'école et les samedis. Puis, 2 ans plus tard, il demanda un petit salaire; ce qui lui fut refusé car le propriétaire ne le trouvait pas assez bon. Roger alla travailler pour un autre fleuriste, mais fut bientôt licencié, après quoi il décida de travailler pour son propre compte.

À l'âge de 15 ans, Roger mit sur pied son propre commerce de fleurs pour lequel il avait investi 65 $. Il acheta de vieux réfrigérateurs qu'il avait dénichés lors de ventes d'occasion et les transforma en refroidisseurs afin de pouvoir conserver ses fleurs. Élaborant ses plans sans l'aide de ses parents, il acquit une bonne réputation en raison de la haute qualité de sa marchandise et de son service. En peu de temps, son entreprise devint si prospère qu'il acheta la boutique où il avait travaillé sans être rémunéré. Il la rénova et y fit de si bonnes affaires qu'il put acheter également la deuxième boutique où il avait travaillé!

Un entrepreneur prospère, Paul Hawken, a déjà dit que souvent les bonnes idées ne semblent pas très bonnes à première vue — ou même au deuxième coup d'œil. Il conseille aux jeunes entrepreneurs de ne pas s'en faire si leurs idées semblent curieuses, folles ou vagues.

Ces exemples de jeunes gens d'affaires qui ont réussi illustrent un aspect important de l'esprit d'entreprise: la valeur de l'imagination. Ce qui nuit à la prospérité des entreprises, petites ou grosses, ce n'est pas le manque d'argent mais le manque de créativité. Loin de subir les effets négatifs d'une insuffisance de fonds, des entreprises comme Ben and Jerry's et KIDCO prospérèrent, en grande partie parce qu'elles étaient modestes et répondaient à un besoin local.

Leurs humbles débuts et l'honnêteté de leurs fondateurs furent leurs principaux actifs — ce qui suscita la confiance des gens. Après tout, leurs fondateurs étaient des gens ordinaires. La valeur de leurs idées était évidente. Combien de fois vous êtes-vous demandé : pourquoi n'ai-je pas pensé à cela ? Eh bien, si vous vous y étiez appliqué, vous y auriez peut-être pensé, justement !

Tandis que nous parlons de créativité, précisons ceci. L'esprit d'entreprise n'est *pas* comparable à l'agressivité des loups qui se mangent entre eux. L'imagination et l'inventivité sont beaucoup plus importantes. Même si vous vous tuez à la tâche et que vous supplantez vos concurrents, vous échouerez probablement si vous n'avez pas vraiment une bonne idée. Les bonnes idées viennent quand on sait *ce dont la société a besoin et ce qu'elle veut.*

Votre esprit d'entreprise à l'œuvre

Depuis notre plus tendre enfance, jusqu'à ce que nous soyons trop vieux (ou trop vieilles) pour rêver, nous sommes hantés par d'importantes questions. Thomas Edison, Alexander Graham Bell, Henry Ford et les plus grands entrepreneurs dans l'histoire ont dû répondre à ces mêmes questions. Steve Jobs et Steve Wozniak y ont répondu aussi, tout comme Ben et Jerry, Bill Gates et les autres jeunes milliardaires qui ont osé passer à l'action et mettre sur pied leurs propres entreprises, alors que la plupart des gens ne faisaient que continuer à rêver. Examinons de près, à titre d'exemple, la liste de questions qui suit. Ces questions vous sont-elles venues à l'esprit ? D'où viennent ces questions ? De Dieu ? De votre conscience ? De votre esprit d'entreprise ? Ce n'est pas tant de trouver la source de ces questions qui importe mais bien de trouver le courage d'y répondre.

1.   Comment pourrais-je gagner plus d'argent et me sentir plus tranquille ?
2.   Quel genre de travail me rendrait plus satisfait de moi-même ?
3.   Qu'est-ce que j'ai toujours rêvé de faire et pourquoi je ne le fais pas ?
4.   Est-ce que de lancer ma propre entreprise m'aiderait à résoudre ces questions ?
5.   Si oui, quel genre d'entreprise aimerais-je lancer, posséder, ou bâtir ?

En répondant honnêtement et courageusement à ces questions, des millions de personnes ont été amenées à franchir l'une des étapes les plus excitantes et les plus utiles qu'un homme ou une femme puisse franchir. Ils ont réfléchi sur les causes de leurs insatisfactions et ont sérieusement envisagé l'occasion de concrétiser leurs rêves. Ils voulaient être libres, devenir leur propre patron, reprendre le contrôle de leur vie. Ils voulaient, pour eux et les êtres qu'ils chérissaient, la sécurité financière. Ils voulaient, en faisant appel à leur créativité, trouver le moyen d'exploiter leurs talents et de mettre fin au cycle de l'ennui qui les faisait sans cesse se sentir prisonniers et fatigués. Pour nos amis qui travaillent au sein de cette entreprise et pour des dizaines de millions de gens comme eux, la réponse fut de créer leurs propres entreprises.

Chris Cherest faisait de bonnes affaires comme détaillant. Sa femme, Judy, était enseignante. Elle était libre les week-ends et durant les vacances mais pour Chris, c'étaient les meilleures périodes de ventes de l'année. «Nous ne nous voyions jamais», se rappelle-t-il. «Nos vies ne se rejoignaient guère. Nous avons commencé à rêver de posséder une entreprise où nous pourrions travailler côte à côte. Il a fallu du courage pour laisser chacun un travail que nous connaissions bien, mais nous avions des plans pour nous-mêmes et pour nos enfants. Le fait que nous menions des vies séparées menaçait nos projets et minait notre relation. La gorge serrée, nous avons finalement plongé, et ces dernières années, durant lesquelles nous avons travaillé ensemble, ont été les meilleures années de notre vie.»

Avant que je ne rencontre Bob et Jackie Zeender, ils possédaient leur propre commerce, un restaurant élégant et renommé situé à Silver Spring, au Maryland. Cet établissement avait un énorme succès, faisait l'objet de critiques élogieuses et avait acquis une clientèle fidèle de fins gourmets. D'autres restaurateurs avaient accordé aux Zeender la coupe Gold à quatre reprises. Les confrères de Bob reconnaissaient ses talents et l'élurent président de l'association des restaurateurs de Washington. Il devint ainsi le plus jeune président que cette organisation ait jamais eu.

Bob Zeender aurait dû être heureux, et pourtant il était triste et épuisé la plupart du temps. Pas étonnant: il travaillait jour et nuit. Il n'avait jamais quelques heures à lui, encore moins de vacances. Et chaque jour, il était soumis à la même pression: déterminer le menu, trouver des aliments frais et de qualité, embaucher et former de nouveaux employés, décorer et redécorer. «Il me fallait trouver une entreprise qui me laisse du temps pour profiter à nouveau de la vie», se rappelle Bob. «Parfois, le prix du succès est trop élevé. Il n'était pas facile de repartir à neuf, mais c'était nécessaire. »

Aujourd'hui, Bob et Jackie possèdent une entreprise de distribution Amway très prospère. Mais ils n'ont pas seulement réussi financièrement. Maintenant, ils peuvent au moins passer du temps ensemble et avec leurs deux enfants, Rocky et Julie. Et parce qu'ils sont libres d'établir eux-mêmes leur horaire, les Zeender sont également libres de mettre leur enthousiasme et leurs talents au service de la défense de causes humanitaires dans tout le pays.

Il y a 25 ans, Al Hamilton était un outilleur-ajusteur qualifié, et son salaire annuel était d'un peu moins de 20 000 $. « Ce n'était pas le travail le plus payant », se rappelle Al, « mais les temps étaient difficiles et j'étais content de travailler même si je ne pouvais jamais gagner assez pour prospérer. Finalement, ma femme, Fran, et moi nous nous sommes assis pour faire le bilan de nos dépenses. Une fois les frais essentiel payés (garde d'enfants, auto, stationnement, déjeuners, taxes, etc.), nous sommes arrivés à la conclusion que même en travaillant fort et longtemps nous n'arriverions jamais à prospérer. »

« Nous ne songions pas à gagner énormément d'argent », ajoute Fran. « Au départ, nous en voulions juste assez pour que je puisse rester à la maison avec les enfants. Puis notre petite entreprise commença à rapporter. Nous avons fait bientôt assez d'argent pour qu'Al puisse laisser son emploi. Il nous a fallu du courage pour mettre sur pied une entreprise, mais avec un peu de cran et en travaillant fort, nous avons découvert la sécurité financière et, ce qui est encore mieux, la liberté. »

Jim et Judy Head désiraient construire une maison à Lake Arrowhead, au-dessus du bassin de Los Angeles voilé par le smog. Étant enfant, Judy passait les étés au lac avec ses parents, rêvant qu'un jour elle y aurait sa propre maison. Jim passait ses week-ends au lac, avec des amis, et désirait de plus en plus, lui aussi, vivre un jour aux abords du lac. Qu'y a-t-il de mal à rêver de vivre près d'un lac d'une beauté tranquille et qui rappelle d'heureux souvenirs d'enfance? Rien !

Val et Randy Haugen, eux, rêvaient d'une maison éloignée de la ville pour échapper au stress et aux tentations urbaines, au sommet d'une haute montagne d'où l'on avait une vue panoramique des salants, du Grand Lac Salé et de la ville d'Ogden, en Utah, où les cerfs à queue noire se déplacent parmi les rochers escarpés de couleur grise et où les chèvres des neiges sautent entre les parois du canyon.

E.H. Erick était un fantaisiste japonais déjà célèbre lorsqu'il commença à se demander s'il n'y avait pas une meilleure façon de gagner sa vie. Selon les normes communément admises, il avait réussi, mais il demeurait insatisfait. «Quand je donnais une représentation, j'étais payé», se rappelle Erick, «mais quand je n'en donnais pas, je n'étais pas payé. Je ne pouvais me permettre d'être malade. Je ne pouvais me réserver du temps pour les affaires, et encore moins pour me reposer, sans en payer le prix. Je voulais trouver un moyen de continuer à bien gagner ma vie sans devoir toujours être là pour donner des représentations.»

Midori Ito, qui fut élevée dans une famille japonaise aisée et puissante, menait une carrière qui lui rapportait beaucoup d'argent. «Mais mon revenu était uniquement basé sur les commissions», se rappelle Midori. «Dès que je cessais de travailler pour prendre des vacances, je cessais également de recevoir des commissions.»

Erick et Midori abandonnèrent leurs carrières lucratives, ayant décidé de lancer leur propre entreprise. Au début, personne ne semblait comprendre, mais aujourd'hui c'est différent. L'histoire de l'entreprise Amway d'E. H. Erick et de Midori Ito est devenue l'une des plus étonnantes histoires de réussite financière du Japon. Ils sont riches. Ils sont compatissants. Et ils sont libres.

Max Schwarz vivait avec ses parents à la ferme familiale, située à Langenmoosen, un village à 90 kilomètres de Munich, en Allemagne. Max désirait, plus que tout au monde, devenir un électricien indépendant possédant sa propre entreprise. Voulant obtenir sa licence, il avait terminé ses études et s'apprêtait à passer l'examen final quand une terrible tragédie frappa sa famille. Sa sœur chérie mourut. Après qu'on l'eut enterrée et pleurée, les parents de Max vinrent à lui et lui dirent d'une voix ferme: «Tu n'as pas besoin d'aller passer l'examen d'électricien. Tu es notre seul fils. Maintenant que ta sœur nous a quittés, la responsabilité de la ferme te revient.» Des décennies plus tard, Max se souvient encore de la fin de cette journée, quand «mon rêve s'effondra».

Imaginez ce jeune Allemand prenant la charrue, alors qu'il avait rêvé de posséder une entreprise et plus tard sa propre ferme pour y élever et y dresser des chevaux. Malgré leur déception, Max et Marianne Schwarz ne voulurent pas abandonner leur rêve. Ils ajoutèrent à leur petite ferme (où ils cultivaient la pomme de terre) 1 000 oies, puis 2 000 lapins, puis des porcs, ainsi que des céréales pour les nourrir. N'arrivant toujours pas à prospérer, ils construisirent et vendirent des maisons. Des années durant, leurs rêves furent déçus et leurs objectifs leur semblèrent tout simplement hors d'atteinte. Mais ils refusèrent de renoncer. Ils tiraient des leçons de chaque nouvelle expérience. Maintenant, ils possèdent une entreprise de distribution internationale et ils ont atteint, dans notre entreprise, les plus hauts niveaux de réussite. Et plutôt qu'une ferme spécialisée dans la culture des pommes de terre et des céréales, ils possèdent aussi la ferme d'élevage de chevaux de leurs rêves. Leur premier poulain de compétition, Crown Ambassador, a déjà remporté 9 courses.

Marshall Johnson, un Américain d'origine africaine, a grandi à Jacksonville, au Texas. Alors qu'il n'était encore qu'un enfant, son père abandonna la famille. Pour subvenir aux besoins de ses 5 enfants et de sa belle-mère invalide, paralysée des pieds à la taille, la mère de Marshall se mit à faire des ménages, ce qui lui donnait 17 $ par semaine. Marshall se souvient combien son père hésitait à donner ne serait-ce que 5 $ par semaine pour les enfants. Désespérée de gagner tout juste assez d'argent pour payer les factures et rêvant d'une vie meilleure pour elle-même et sa famille, la mère de Marshall accepta un emploi dangereux et exigeant dans une chaîne de montage d'usine.

«Elle ne semblait jamais irritée ou amère», se rappelle Marshall. «Mais déjà enfant, je me souviens comment elle trimait dur pour nous faire vivre. Elle partait de la maison tôt le matin et revenait souvent tard le soir. Elle était toujours fatiguée, mentalement et physiquement. À deux occasions, la machine sur laquelle travaillait maman à l'usine fonctionna mal, lui écrasa la main et à chaque fois lui emporta un doigt.»

Malgré tout, la mère de Marshall réussit à pourvoir aux besoins de sa famille. Ils portaient des vêtements d'occasion rapiécés mais propres. À l'heure des repas, il y avait toujours de la nourriture sur la table. Et les dimanches, après la messe, quand la mère rassemblait sa famille — ce qu'elle faisait une fois par semaine — elle rappelait toujours à Marshall qu'un jour il irait à l'université et que ce jour-là, elle serait la femme la plus fière sur terre.

«Le rêve que maman caressait pour moi s'est réalisé», se rappelle Marshall. «J'ai pu aller à l'université de Houston grâce à une bourse d'athlétisme et j'ai joué au football quatre ans, au basket-ball deux ans et fait de l'athlétisme sur piste durant une saison. Après avoir reçu un diplôme en éducation, j'ai été recruté par les Colts de Baltimore. Au cours de ma dernière année d'études, j'ai rencontré et épousé Sherunda, un belle Texane diplômée en psychologie et qui avait une habitude qui la rendait sympathique : elle amenait à la maison les animaux perdus et les laissés-pour-compte pour les nourrir et s'en occuper. À l'époque, je croyais encore à cette vieille idée que mon instruction et ma carrière sportive nous assureraient une vie meilleure, pas seulement à Sherunda et à nos enfants, mais à toute notre famille. »

Marshall Johnson finit bientôt par gagner plus d'argent que n'importe qui dans sa famille, mais il savait bien ce qui l'attendait. Un jour, il ne serait plus avec les Colts. On ne peut jouer dans les ligues professionnelles très longtemps. Et il ne serait plus possible de satisfaire les besoins de sa famille devenue plus nombreuse, même avec deux salaires d'enseignant. « De plus », se rappelle-t-il, « je voulais être un exemple pour ma communauté, prouver que de jeunes hommes noirs et de jeunes femmes noires comme nous pouvaient également réussir dans le monde des affaires. »

Marshall et Sherunda lancèrent leur entreprise de distribution en 1978. Aujourd'hui elle prospère et grâce à l'indépendance financière que cette entreprise leur apporte, les Johnson réalisent leurs rêves. Ils sont devenus un modèle non seulement pour les Américains d'origine africaine, mais pour nous tous.

Des histoires comme celles-ci, il y en a d'innombrables, tant à l'intérieur qu'à l'extérieur de notre entreprise. Dans les bonnes comme dans les mauvaises périodes économiques, des millions de personnes rêvent de posséder un jour une entreprise, et des milliers voient leurs rêves se réaliser. Si l'esprit de libre entreprise vous a amené à vous poser des questions, si vous désirez la sécurité financière, si vous n'aimez pas ce que vous faites, c'est le moment idéal pour changer. Je ne fais pas ici simplement la promotion d'Amway. Quelques-uns de mes meilleurs amis n'utilisent même pas nos produits. Rendons-nous à l'évidence. En Amérique du Nord, comme ailleurs dans le monde, le capitalisme est bien vivant et se porte bien. Même en ces périodes économiques difficiles, les occasions pour les entrepreneurs de réaliser leurs rêves sont nombreuses.

Laissez votre esprit d'entreprise vous guider

Aux États-Unis, par exemple, il n'y avait que 13 022 000 petites entreprises en 1980. À peine 10 ans plus tard, il y en avait 20 393 000. En 1990 seulement, 647 675 nouvelles entreprises ont été constituées au pays, représentant 90 % de l'augmentation nette du nombre d'emplois. Le nombre d'entreprises appartenant à des femmes augmenta de 57 % entre 1982 et 1987, et les recettes de ces entreprises augmentèrent de 81 %. Le nombre d'entreprises appartenant à des Noirs augmenta de 37 % entre 1982 et 1987, et les rentrées de fonds de ces entreprises augmentèrent de plus de 200 %.

Certains mettent sur pied une entreprise parce qu'ils ont perdu un emploi après des années de service. Ils veulent se sentir en sécurité pour la deuxième ou troisième fois et ont découvert que posséder une entreprise — bien que cela soit risqué et difficile au début — peut combler ce besoin. D'autres quittent leur emploi et créent leur propre entreprise parce qu'ils sont las, déçus, en colère et épuisés, ou tout bonnement fatigués de la vie communautaire. Des jeunes frais émoulus des collèges et des universités lancent leur propre entreprise. Dans une récente enquête Roper menée auprès de 1 200 étudiants de 100 universités différentes, 38 % des répondants disaient que « posséder une entreprise représentait une excellente occasion de réussir sa carrière. »

« Ils veulent garder une certaine autonomie », dit le *Wall Street Journal*. « Ils cherchent une plus grande satisfaction profession-nelle et une plus grande indépendance. Ils veulent concentrer leurs énergies dans la direction de leur choix, faire les choses à leur propre manière. Ils veulent découvrir un besoin dans leur commu-nauté et créer une entreprise en vue d'y répondre. Au bout du compte, ils veulent être libres. »

Qu'on ne s'y trompe pas. Beaucoup d'entreprises échouent (60 400 en 1990, 20 % de plus qu'en 1989). C'est pourquoi nous encourageons la majorité des personnes qui songent à mettre sur pied une entreprise à faire ce qui suit:

1. Si vous avez un emploi, conservez-le pendant que vous met-trez sur pied votre propre entreprise. (Vous serez surpris du temps et de l'énergie qu'il vous restera le soir et les week-ends pour vous consacrer à votre nouvelle entreprise. Vous n'aurez jamais besoin de rogner sur votre temps de travail).

2. Laissez votre emploi quand vous aurez accumulé assez d'argent pour pouvoir « surnager » les jours où vos revenus seront moins élevés.

3. Tâchez de trouver ou de créer une entreprise qui ne nécessite qu'un petit capital initial. (Ne vous enfoncez pas dans l'endettement pour une lubie ou un caprice. Au début, vous n'aurez pas besoin de grands bureaux luxueux, de matériel et d'équipement cher ni de douzaines d'employés. Pensez petit. Pensez économie).

4. Assurez-vous que les produits que vous voulez fabriquer ou lancer sur le marché ou les services que vous voulez offrir sont de première qualité. (Ne dupez pas vos clients. Cela vous mènerait sûrement à l'échec).

5. Assurez-vous que vous savez ce que vous faites, que vous avez exploité toutes les ressources possibles, que vous avez consulté un banquier, un avocat et un ami ou deux dont vous connaissez le bon sens et en qui vous avez confiance. Vous apprendrez beaucoup à force d'essais et d'erreurs, mais sachez tout ce que vous pouvez savoir avant de vous lancer.

N'ayez pas peur d'essayer. Souvenez-vous que, malgré la récession économique, les bénéfices des petites entreprises ont augmenté de 6,5 % en 1990 et que partout au pays et ailleurs dans le monde de nouvelles entreprises voient le jour et prospèrent.

Dans les chapitres suivants, je vous suggérerai des étapes concrètes à suivre pour mettre sur pied votre entreprise. Ce n'est pas facile, surtout au début. Ann Landers avait raison lorsqu'elle disait: « Les occasions sont généralement dissimulées derrière le labeur. C'est pourquoi la plupart des gens ne les voient pas. » Mais ce labeur s'accompagne d'un sentiment d'accomplissement et de sécurité susceptible de rehausser la qualité de votre vie pour atteindre le niveau dont vous avez toujours rêvé.

Répétons-le: avant d'envisager sérieusement d'accepter un quelconque emploi ou de vous joindre à une quelconque entreprise, y compris la nôtre, prenez des renseignements! Assurez-vous de l'intégrité de l'entreprise et des gens qui y travaillent. Aujourd'hui, par exemple, Jerry et Cherry Meadows possèdent une entreprise internationale Amway prospère, mais au début ils n'étaient pas si sûrs que nous allions tenir nos promesses.

Une fois qu'ils eurent obtenu leurs diplômes et qu'ils se furent mariés, les Meadows déménagèrent en Caroline du Nord, où Jerry avait accepté un travail dans le domaine du génie chimique. Cherry commença à travailler comme conseillère en économie domestique. Une partie de son travail consistait à animer une émission de télé hebdomadaire sur le stylisme et le design architectural. Leur fils, Greg, n'avait que 6 mois lorsque les Meadows entendirent une présentation du plan de marketing et de distribution d'Amway.

«Je comprenais ce que j'entendais ce soir-là», se rappelle Jerry, «mais je n'y croyais pas. Cherry y croyait, mais ne comprenait pas exactement comment cela fonctionnait. Nous nous sommes donc informés pour vérifier tout cela.»

«Il me fit appeler un tas de gens au sujet d'Amway», se rappelle Cherry en souriant, «y compris le bureau du procureur général de l'État. La femme à qui j'avais parlé m'avait dit alors: «Mince! je crois que le dernier Procureur général lui-même est entré dans l'entreprise Amway.» C'est alors que nous avons tous deux conclu qu'Amway avait réussi l'examen: nous pouvions désormais être sûrs que la société et ses distributeurs indépendants tiendraient leurs promesses.»

L'esprit d'*intraprise*

Il se peut que vous ne vouliez pas posséder d'entreprise, mais que vous soyez néanmoins animé de l'esprit d'entreprise. C'est très bien! Trop de gens croient que les entrepreneurs doivent nécessairement posséder leurs propres entreprises, que l'esprit d'entreprise s'éteint ou, du moins, se ramollit quand ils travaillent pour quelqu'un d'autre. Or, ce n'est pas vrai. En réalité, il y a beaucoup de gens créatifs et talentueux qui aiment travailler dans les entreprises, petites ou grosses, d'autres personnes. Ils se sentent mal à l'aise à l'idée d'avoir la responsabilité de mettre sur pied et de gérer leurs propres entreprises. Ils préfèrent les paies mensuelles au risque qu'ils prendraient en lançant leur propre entreprise. Ils préfèrent faire partie d'une grande communauté de travailleurs qu'être seuls.

Pour plus de clarté, peut-être devrions-nous appeler «*intra*preneurs» les employés qui font plus que pointer leurs cartes. De plus en plus d'entreprises et même de professions trouvent des façons nouvelles et originales de rendre hommage aux contributions de ces employés qui, animés de l'esprit d'entreprise, ont montré la voie. Les *intrapreneurs* aussi se posent des questions dont les réponses orientent leurs actions:

- Qu'est-ce que je peux faire à mon travail, dans l'entreprise qui m'emploie ou dans ma profession pour croître sur le plan personnel, pour utiliser mes dons et mes talents avec davantage de créativité, pour être plus satisfait de ce que je fais chaque jour?

- Comment puis-je contribuer à la solidité et à la prospérité de cette entreprise?

- Comment accomplir ma tâche plus efficacement, en prenant moins de temps et ainsi faire faire des économies à l'entreprise?

- Que pouvons-nous faire pour rendre le lieu de travail plus rassurant, plus reposant, plus agréable pour mes collègues de travail ainsi que pour moi-même?

- Qu'est-ce que nous ne faisons pas convenablement? Quelles sont les corrections à apporter?

On peut passer toute sa vie à faire simplement son travail, comme la plupart des gens, mais les entrepreneurs et les *intra*preneurs voient chaque jour le travail comme l'occasion d'évoluer, de créer, de découvrir, de remettre en doute les vieilles idées et d'en proposer de nouvelles et de meilleures.

Nos amis œuvrant au sein de notre société se répartissent en deux groupes différents. Il y a les distributeurs, qui possèdent leurs propres entreprises, et les employés, qui travaillent dans nos bureaux et nos usines implantés partout dans le monde. Jusqu'à présent, je n'ai raconté que des histoires d'entrepreneurs. Mais n'oublions pas les *intra*preneurs, sans le dévouement et la créativité desquels nous ne pourrions survivre.

Depuis plus d'un quart de siècle, Bob Kerkstra est employé de la société Amway. C'est un employé créatif et dévoué. Il a toutes les aptitudes et les talents requis pour gérer sa propre entreprise de distribution, mais nous sommes reconnaissants envers Bob et envers des milliers d'autres employés comme lui d'avoir choisi de nous faire bénéficier de leurs talents. Leur manière de voir le capitalisme avec compassion est unique. Ils nous voient comme les autres ne peuvent nous voir, et lors du processus de dialogue et de confrontation, ils nous apprennent comment se manifeste le capitalisme avec compassion dans les bureaux des sténographes et dans les chaînes de montage.

« Au moment où je suis entré dans l'entreprise », se rappelle Bob, « il n'y avait que 500 ou 600 employés, mais nous disposions de 41 805 mètres carrés d'espace pour les bureaux, la fabrication, les activités de recherche et l'entrepôt, espace réparti dans un complexe de 112 hectares. Néanmoins, Rich et Jay traversèrent ce labyrinthe pour nous souhaiter la bienvenue, à chacun d'entre nous personnellement. »

Je ne me rappelle pas que Jay et moi ayons jamais eu comme politique officielle d'accueillir chaque employé à son lieu de travail au cours de sa première semaine chez nous, mais nous pouvions voir dans leurs yeux et sentir en entendant leurs voix combien ils appréciaient qu'on reconnaisse dès le début l'importance de leur rôle dans l'entreprise. Nous ne prenions que quelques instants par jour pour accueillir ces gens en les appelant par leurs noms, et les bénéfices immédiats et à long terme que notre société en retirait en termes de loyauté et de productivité m'étonnent encore.

« Au cours de mes deux premières années chez Amway », se rappelle Bob, « j'étais entré en conflit avec l'un des administrateurs occupant une position clé. Vint un moment où il me fut difficile de le supporter, et je suis parti. Cela s'est passé sans que j'en avertisse qui que ce soit, un vendredi tard dans l'après-midi. Rich présidait alors une assemblée quelque part à l'extérieur. Mais le lundi matin, quand il vit que j'avais quitté l'entreprise, il me téléphona, s'excusa du malentendu et me pria de reconsidérer ma décision. Je ne suis pas retourné immédiatement, mais je me souviens encore avoir été surpris que le propriétaire de la société ait appris l'incident aussi vite et encore plus surpris du fait que cet incident le préoccupe assez pour qu'il m'appelle et essaie d'arranger les choses. »

Parfois, on évalue les gens comme s'ils étaient des numéros. Combien ont été embauchés ? Combien ont été congédiés ? Combien sont encore à notre service ? Mais depuis le début de l'histoire de notre société, Jay et moi avons essayé de nous souvenir qu'il est important de traiter avec dignité et compréhension autant les gens qui nous quittent que ceux qui viennent se joindre à nous. Aujourd'hui, nous avons 10 000 employés et plus de 2 000 000 de distributeurs. Il est impossible de rester en rapport avec chacun d'entre eux. Néanmoins, nous essayons.

Bob dit : « Même aujourd'hui, Rich et Jay prennent ce qu'on appelle des « bains de foule ». On ne sait jamais quand ni où ils vont se pointer. Mais ça ne ressemble pas à de l'espionnage, bien que leurs apparitions soudaines et inattendues nous forcent à rester vigilants. Ils sont au contraire joviaux. « Salut, les gars ! Ça va bien?» crient-ils parfois, aux employés travaillant à la chaîne, en se promenant tranquillement dans une de leurs usines. Puis, ils marquent un temps d'arrêt assez long pour entendre leur réponse. «Est-ce qu'on peut faire quelque chose pour rendre votre travail plus agréable?» demande alors Rich ou Jay qui, se tenant à côté d'un opérateur de convoyeur ou d'un technicien de recherche, écoutera d'une oreille attentive la réponse. Et lorsqu'une suggestion est faite ou qu'une critique est formulée et partagée par l'ensemble des travailleurs présents, on peut être sûr que Jay ou Rich l'entendra et qu'il fera quelque chose.»

Bob a gardé de nous une image très positive et je lui en suis reconnaissant, mais j'ai bien peur que Jay et moi n'ayons souvent négligé de demeurer à l'écoute de nos employés et de leurs besoins. Néanmoins, en tant que capitalistes compatissants, nous nous devons de continuer d'essayer. La compassion appelle une rétroaction. Si nous nous mettons à l'écoute des employés, l'entreprise en bénéficiera. Sans leur loyauté, leur idées originales et leur travail, la société ne pourra prospérer. Plus nous prenons d'expansion, plus il devient facile d'oublier les gens et plus ils devient difficile de rester en relation avec eux. Aujourd'hui, par exemple, il est impossible de parcourir les labyrinthes de nos immeubles, et encore moins d'aller visiter les centres de production et de distribution implantés partout en Amérique et ailleurs dans le monde. C'est pourquoi nous nous acharnons à trouver des dirigeants qui comprennent le capitalisme avec compassion et à qui nous puissions confier cette tâche.

«Alors que nous prenions de l'expansion», poursuit Bob, Rich et Jay ont commencé à inviter des hommes et des femmes de tous les services de l'entreprise à représenter leurs collègues de travail aux assemblées de discussion. Aujourd'hui encore, chaque semaine les représentants d'un groupe différent d'employés sont convoqués sur une base informelle à une assemblée qui se tient dans une cafétéria ou un auditorium. On répond à toutes les questions. Les membres de l'assemblée écoutent d'une oreille attentive chaque réponse et interviennent parfois pour la critiquer. Au cours des années, Rich ou Jay, ou les deux, étaient toujours là à l'écoute.»

Lors de ces séances, les employés ont partagé des idées qui sont devenues des traditions dans l'entreprise. La revue des employés (qui s'appelait autrefois *Ambit* et qui s'appelle maintenant *Friends*) fut l'une de ces idées. Bien que cette pratique soit maintenant assez courante partout au pays, l'idée de fonder une revue d'employés était nouvelle pour nous au moment où elle nous fut suggérée. Dans cette revue publiée chaque mois, on retrouve des photos d'employés au travail ou en train de jouer et leurs histoires. Nous avons appris à rendre honneur aux réussites personnelles et professionnelles par le biais de cette revue, d'affiches et d'expositions autour des bureaux, dans des banquets et lors d'hommages et d'événements spéciaux.

« Au lieu des journées de congés pour maladie », dit Bob, expliquant une autre pratique originale proposée lors des discussions avec les employés et adoptée, « nous avons des journées de « comp ». L'accumulation des journées de congés pour maladie s'est révélée être un piège. Les employés devaient tomber malades pour bénéficier de ces journées qu'ils avaient gagnées. Si nous n'étions pas malades, il fallait prétendre l'être. Ce n'était juste ni pour l'employeur ni pour nous. Maintenant, un employé peut accumuler jusqu'à une douzaine de journées de « comp » par année simplement en étant assidu à son travail. Nous prenons ces journées non seulement quand nous sommes malades ou que nous avons des problèmes à régler, mais aussi quand nous voulons profiter d'une journée ensoleillée supplémentaire ou prolonger des vacances en famille. De cette façon, nous n'avons plus à feindre d'être malades pour profiter des journées que nous avons accumulées. »

Les meilleures idées jaillissent souvent d'un affrontement amical entre patrons et employés. Nos employés à Ada nous ont fait valoir, à Jay et à moi, que puisque nous étions sûrs que les dirigeants arrivaient à l'heure et remplissaient bien leurs journées, les employés devaient bénéficier de la même confiance. Et depuis que nous avons jeté les horloges enregistreuses, il n'est pas un seul jour où leur rendement ait diminué et où le taux d'absentéisme ait augmenté.

« L'année où j'ai recommencé à travailler chez Amway », nous a dit Bob, « l'un des employés a été accusé d'être responsable d'un grave accident d'auto dans lequel un homme avait été tué et plusieurs personnes grièvement blessées. Lors du procès de l'employé, Rich s'est présenté devant le juge juste avant que celui-ci ne rende son verdict. Dans sa demande, il promettait de surveiller la « réhabilitation » de l'employé, et le juge finit par se laisser convaincre et confia l'employé à Rich. »

La compassion profite à tous. Que vous soyez un employeur possédant sa propre entreprise ou un employé mettant sa créativité et son dévouement au service de l'entreprise d'un autre, vous devez donner libre cours à votre esprit d'entreprise. Avec la compassion comme guide, il n'y a pas de limites à ce qu'on peut accomplir ou réussir ensemble.

Il y a plus d'un demi-siècle, un enfant de 6 ans marchait à toute vitesse dans la rue principale de sa ville natale, Three Hills, en Alberta, au Canada. Il ouvrit avec peine la lourde porte vitrée de la confiserie et se dirigea rapidement vers un bac de bonbons à rabais. Il y avait une inscription qui se lisait ainsi: «25 bonbons pour 25 sous». Le garçon fouilla dans ses poches, sortit un 25 sous, acheta les bonbons et se précipita ensuite vers un parc pour enfants situé au cœur de la ville et où il y avait un terrain de jeu.

Le bambin remarqua que de nombreux enfants et parents étaient groupés autour des nouvelles balançoires et des toboggans métalliques. Il s'approcha d'eux en ouvrant bruyamment le sac de bonbons et en sortant le plus gros bonbon de son emballage de plastique. En l'entendant sucer son bonbon avec difficulté, les enfants, un par un, se regroupèrent autour de lui et de son précieux sac de plastique d'un vert éclatant.

«En voulez-vous?» demanda-t-il, et une douzaine de petites mains agitées se tendirent vers lui. «Deux sous chacun seulement!» dit-il en plongeant sa main dans le sac pour en retirer une poignée de bonbons rouges, verts, jaunes et noirs.

Immédiatement, des enfants sortirent des sous de leurs poches tandis que d'autres coururent vers leurs parents pour en demander. Au bout de quelques minutes, les 24 bonbons qui restaient étaient vendus, le sac était vide, et le bambin retourna chez lui en traînant les pieds, le sourire aux lèvres, avec 23 sous de profit dans la poche de son jean.

Des années plus tard, cet enfant, Jim Janz, dirigeait avec sa femme, Sharon, une entreprise prospère au Canada et aux États-Unis. Après des années de réussite en affaires, Jim aime encore évoquer ces souvenirs d'enfance. Au moment où il était debout dans ce parc, son sac de bonbons en main, Jim Janz était déjà un capitaliste sans même le savoir.

Que serait-il arrivé si un adulte avait empêché de se développer l'esprit d'initiative de ce jeune enfant? «On a bien essayé de le réprimer», se rappelle Jim plus d'un demi-siècle plus tard. «J'ai été élevé sur le campus d'un institut biblique», explique-t-il. Si on voulait être missionnaire, on était classé « 10 » (la plus haute note) sur leur échelle de valeur. Celui qui voulait devenir pasteur et exercer son ministère en Amérique du Nord, obtenait la note 5 ou 6. Mais si vous vouliez posséder une entreprise, vous ne méritiez même pas 0. »

Durant toute ma vie, j'ai également entendu des gens parler du capitalisme sur un ton ricaneur. Je suppose que c'est l'une des raisons pour lesquelles j'ai eu tendance à utiliser de préférence l'expression «libre entreprise», qui me semble moins «incendiaire», pour nommer notre grand système économique. Quel que soit le nom que vous donniez à cette étincelle de l'esprit d'entreprise qui anime les enfants de ce monde, faites tout ce qui est en votre pouvoir pour qu'elle ne s'éteigne pas. Quand ce petit garçon, après avoir acheté ses bonbons en gros au prix d'un sou chacun, les revendit dans la rue pour faire un profit, sa créativité et son travail auraient dû être loués et encouragés.

Jim et Sharon Janz ont persévéré. Animés de l'esprit d'entreprise, ils ont suivi ce qui leur semblait être la meilleure voie, devenant ainsi des capitalistes prospères. Ils ont fourni à des milliers d'autres personnes l'occasion de prospérer et grâce à leur richesse, ils ont pu continuer à accomplir des actes de compassion qui ont exercé une influence positive et durable sur le monde.

Ce petit garçon sur les joues duquel coulait du jus de bonbon rouge devint ensuite président de la fondation de l'université, président-fondateur de Bibles International au Canada, et président du conseil d'administration des ministres du culte Robert Schuller. Il n'a pas suivi la voie que d'autres voulaient lui faire prendre. Il a poursuivi les rêves dont Dieu avait rempli son cœur et ainsi tant ses propres rêves que ceux que les autres caressaient pour lui se sont réalisés.

Il y a presque 2 000 ans, Jésus disait: «Un petit enfant les guidera.» Rappelez-vous ce petit enfant en vous qui tenait un stand de citronnade. Ressentez de nouveau cet esprit d'entreprise qui vous animait alors. Osez revivre vos vieux rêves d'alors. Le général Douglas MacArthur a dit: «Dans cette vie, il n'y a pas de sécurité. Il n'y a que des occasions.» Qu'aimeriez-vous faire de votre vie? Faites-le! Faites le premier pas aujourd'hui et tout le reste viendra.

L'esprit d'entreprise qui animait Tim Foley l'a amené à entrer dans notre entreprise après sa onzième saison avec les Dolphins de Miami. Il recherchait la sécurité financière pour Connie et sa famille. Mais il recherchait tellement plus que cela! Croyez-le ou non, les entrepreneurs les plus prospères ne sont pas en affaires seulement pour l'argent. Une fois que vous serez animé du véritable esprit d'entreprise, la liberté sera quelque chose que vous voudrez partager.

«Je ne me suis jamais soucié d'acheter une Mercedes», se rappelle Tim. «Et même si nous avions une belle maison à Tavares, en Floride, et tout le confort et les commodités dont une famille peut rêver, ce qui nous rendait vraiment heureux, Connie et moi, c'était d'aider les autres à réaliser comme nous leurs rêves.»

L'été dernier, lors d'un grand rassemblement à l'Hoosier Dome d'Indianapolis, Tim et Connie Foley s'assirent sur la tribune devant un auditoire de 41 000 personnes. Après que Dolly Parton eut diverti la foule enthousiaste et que l'ex-président Ronald Reagan eut prononcé un émouvant discours en faveur de la libre entreprise, une poignée d'hommes et de femmes qui avaient atteint des niveaux de réussite ou de performance jamais atteints au sein de notre entreprise furent ovationnés par l'auditoire.

«Louie et Kathy Carrillo furent l'un des premiers couples à se présenter sur la tribune ce soir-là», se rappelle Tim. «Jusqu'en 1981, Louie menait une carrière prospère de contrôleur aérien. Après avoir été congédié, comme des centaines de ses collègues, il a battu le pavé pour chercher du travail durant des mois. La première fois que j'ai rencontré Louie, il garait des voitures pour 150 $ par semaine. Son épouse, Kathy, qui était auparavant la femme d'un contrôleur aérien prospère gagnant 50 000 $ par année, travaillait maintenant comme domestique et serveuse, et tentait d'aider son mari à sauver leur maison de la saisie en faisant des ménages.»

Louie Carrillo avait eu une vie difficile. Il s'était taillé une place au sein du réseau national de contrôle du trafic aérien en travaillant fort et en faisant beaucoup de sacrifices. Lorsqu'il fut congédié, il n'avait pas suffisamment d'argent en banque pour que la famille puisse faire face à sa nouvelle situation. Et au moment où Louie et Kathy décidèrent d'entrer dans notre entreprise, l'argent s'était envolé depuis longtemps. Louie était un bon gars, mais un piètre communicateur et ne savait pas du tout comment se comporter devant les gens. Et lorsqu'il passait chez ses vieux amis et ses vieilles connaissances pour faire ses premières présentations de produits, il garait sa Datsun 1975 rouillée et de couleur jaune un immeuble plus loin pour cacher sa honte.

« Mais Louie Carrillo rêvait néanmoins d'un avenir meilleur pour lui-même et sa famille », se rappelle Tim, « et soir après soir il empaquetait son matériel et ses échantillons, les mettait dans sa Datsun '75 et parcourait la Floride, présentant du mieux qu'il pouvait ses produits. Nous passions des heures ensemble », se rappelle Tim. « J'ai essayé d'enseigner à Louie tout ce que je savais au sujet de l'entreprise. Connie et moi l'avons aidé à faire ses premières présentations de produits. Nous nous asseyions près de lui et l'encouragions quand il bafouillait ou hésitait. Un soir, alors que Louie était sur le point de se risquer à sortir seul pour la première fois, je me suis rendu jusque chez lui en voiture et j'ai mis une note sur le pare-brise de sa vilaine auto jaune moutarde : « N'oublie pas, Louie, tu as un associé. Ensemble nous y arriverons ! Je t'aime bien. Tim. »

Les yeux de Louie Carrillo se remplissent encore de larmes quand il pense à ce petit mot de Tim Foley. Grâce à Tim et à d'autres capitalistes compatissants de notre entreprise que Louie a rencontrés, il a créé sa propre société qui a des représentants partout en Floride, dans les États du sud, au Mexique, en Amérique du Sud et en Angleterre.

J'aurais aimé que vous puissiez voir Louie et Tim après ce rassemblement triomphal à Indianapolis, l'été dernier. Après avoir vu son rêve se matérialiser, Louie s'est retrouvé sous les acclamations de la foule qui applaudissait, cherchant Tim du regard tout en exprimant avec difficulté ses remerciements. Quand les mots lui manquèrent, il prit Tim dans ses bras et l'étreignit. Il est assez fréquent de voir, dans notre entreprise, des hommes et des femmes s'étreindre et pleurer de gratitude. Ils sont reconnaissants envers Dieu et les uns envers les autres de ce qu'ils ont accompli ensemble.

L'esprit d'entreprise qui est quelque part en vous lutte pour se libérer. N'ayez pas peur d'essayer ! Allez-y, foncez ! Le voyage débutera quand vous aurez fait un premier pas. Trouvez quelques amis qui vous aideront à réaliser votre rêve. Et un jour, vous saurez ce que Tim et Connie Foley et Louie et Kathy Carrillo savent, que ce qui fait vraiment la joie du capitaliste compatissant, ce n'est pas simplement de se réaliser et de jouir d'une sécurité financière mais d'aider aussi les autres à se réaliser et à trouver la sécurité financière.

Partie III

Partez !

CHAPITRE 9

Quelle attitude faut-il avoir pour réussir et comment développer une telle attitude ?

Le jeune vendeur, qui conduisait son camion West End Brewery depuis Utica, arriva par la route 49 à Rome, dans l'État de New York. Comme il traversait la rivière Mohawk par le pont East Dominick Street, le ciel s'obscurcit et des éclairs transpercèrent l'horizon. Voulant battre de vitesse l'orage de fin d'été qui arrivait il appuya sur l'accélérateur, vira brusquement à la hauteur de James Street et stoppa en faisant crisser ses pneus à une halte située en face d'un marché d'alimentation Gillette, sur la route Turin.

Alors que les premières gouttes de pluie commençaient à crépiter sur le pare-brise, le jeune homme prit ses cartons publicitaires et traversa le parking à toutes jambes. Il était vêtu d'un pantalon gris et d'une chemise grise assortie sur la poche de laquelle étaient imprimés le logo de la West End Brewery ainsi que son nom en caractères gras: Dexter Yager.

«Pas d'affiches, mon vieux», marmonna le nouveau directeur à l'adresse de Dexter, qui commençait à assembler les cartons (il s'agissait de publicité pour une bière). «Sors-moi ça d'ici. On n'a pas de place pour ça. C'est un commerce d'alimentation ici, t'as compris?»

Dexter s'efforça de sourire, empila ses cartons et se dirigea vers la sortie, irrité et embarrassé. Dehors, l'orage s'était déchaîné. Pendant un moment, il se tint sur le pas de la porte, espérant que la pluie diluvienne diminuerait avant qu'il n'ait à retourner à son camion en courant. Il se sentit coincé: derrière, le directeur et devant, la violence de cet orage de fin d'été.

Dexter s'était en fait senti coincé tout l'été, l'été 1964. Il vendait de la bière et installait les affiches publicitaires de la West End Brewery dans des épiceries du comté d'Oneida, travail pour lequel on le payait 95 $ par semaine. Il travaillait fort mais ne semblait jamais parvenir à prospérer. Dexter et sa femme, Birdie, conduisaient encore un break Ford 1955 rouillée, et habitaient avec leurs 7 enfants une vieille maison attenante aux maisons voisines et dont la façade donnait sur une ruelle. «Quand nous sortions par la porte d'entrée», se rappelle Birdie, «nous nous retrouvions dans la rue. Il n'y avait aucun coin de verdure ni aucun endroit pour que nos enfants puissent jouer, nous n'avions jamais la paix et certainement pas la tranquillité.»

«Je caressais de grands rêves pour ma famille et moi», se rappelle Dexter, «mais quelque chose se dressait entre ces rêves et moi. Alors, au lieu de m'appliquer à trouver ce qui clochait et de voir quels changements s'imposaient, je me suis forgé des excuses pour expliquer mes échecs.

«Je ne suis pas allé à l'université», dit-il. «Au début, j'ai pensé que cela constituait un handicap. Chaque fois que je posais ma candidature pour un meilleur poste, les hommes en complet gris et portant une cravate à rayures me jetaient au visage: «Pas de diplôme universitaire, mon garçon?», ils marmonnaient tout en jetant un coup d'œil sur ma demande d'emploi et en gloussant intérieurement. Gêné, je faisais non de la tête. Après avoir parcouru rapidement mon bref curriculum vitae, ils souriaient, me rendaient ma demande et me montraient la porte en marmonnant quelque chose comme « Eh bien, revenez quand vous aurez obtenu un diplôme, et nous reparlerons ».

« Je n'avais pas non plus beaucoup de vocabulaire », dit Dexter. « Pendant longtemps, j'ai pensé que cela m'empêchait de réussir. Je n'oublierai jamais ce jour où quelqu'un m'a rappelé la pauvreté de mon vocabulaire. « Aucune personne prospère ne voudra vous connaître », m'a-t-il averti. « Donc, même si vous êtes important, vous ne pourrez pas vous intégrer. »

« Enfin, le milieu dont je suis issu ne m'a pas aidé », ajoute-t-il, se rappelant la troisième excuse qu'il invoquait à l'époque. « J'ai été élevé dans la partie nord de l'État de New York, dans un village qui s'appelle Rome. J'étais protestant dans une communauté catholique ; à moitié allemand et à moitié écossais, j'étais un « hybride » entouré d'Italiens pure race ; j'étais fils de plombier, et les enfants des médecins, des avocats et des hommes politiques ne faisaient que rarement attention à moi.

« Mais les « raisons » de mon échec, explique-t-il n'étaient absolument pas de vraies raisons. C'étaient des excuses qui me servaient à construire un mur entre mes rêves et moi. Mon attitude envers moi-même était mauvaise. Il fallait que quelque chose ou mieux, que *quelqu'un* change. Il fallait que je change, mais je n'en étais pas conscient alors. En cette journée d'été orageuse, je me contentais de conduire ce camion avec lequel je transportais de la bière, me demandant si mes rêves allaient être emportés comme l'eau de cette pluie qui tombait dans Wood Creek, qui se jetait dans la rivière Mohawk, pour se perdre ensuite à jamais dans l'océan.

Comment devenir un entrepreneur prospère. Croyez en vous-même !

J'espère que certains d'entre vous disent : J'en connais maintenant un peu plus sur les entrepreneurs, mais comment est-ce que *je* peux en devenir un ? Dexter Yager et des millions d'hommes et de femmes d'affaires comme lui ont commencé à prospérer quand ils ont changé d'attitude.

Quand on dit que quelqu'un a une « attitude », on veut souvent dire par là qu'il est arrogant. Ce n'est pas ce dont je parle ici. L'arrogance et la confiance sont deux choses différentes. Je parle d'une attitude positive envers soi-même, celle qui consiste à se dire : « Je peux le faire ! » Une fois que Dexter Yager a pris conscience qu'il devait modifier son attitude, il laissa son travail et atteignit l'un des plus hauts niveaux de réussite jamais atteints au sein de notre entreprise.

Vous n'êtes pas très confiant? Quand quelqu'un vous dit: « Tu peux devenir un entrepreneur prospère », ne répondez-vous pas instinctivement: « Aucune chance » ? Eh bien, vous n'êtes pas le seul. Dexter et Birdie Yager seraient les premiers à vous comprendre. La plupart d'entre nous, du moins au début, croient ne pas avoir les aptitudes requises pour réussir. Mais nous nous trompons. Souvent, nos aptitudes sont enfouies sous une avalanche de foutaises. Durant toute notre vie, on nous dit — parfois de façon subtile, parfois de façon moins subtile — que nous n'avons pas la compétence, que nous avons des points faibles ou des défauts, que nous ne réussirons jamais. Comme le disent les experts en informatique: « Éliminez les informations parasites ».

Un des mensonges qu'on nous répète est celui-ci: « Il faut avoir fait des études supérieures pour réussir. » Je crois à l'instruction. J'ai siégé à plusieurs conseils d'universités et j'ai reçu plus d'une douzaine de diplômes honorifiques. Mes enfants sont tous des diplômés d'université, mais je n'ai pas fait d'études universitaires. Dexter Yager n'avait pas fait d'études universitaires. La revue *Fortune 500* contient une longue et impressionnante liste de sociétés dont les fondateurs ou les directeurs généraux ne sont pas allés à l'université. Karl Barth, l'un des plus importants théologiens de notre siècle, n'a même pas fréquenté le séminaire, et cependant ses œuvres complètes sont étudiées dans tous les séminaires du monde.

Je ne dis pas qu'un diplôme universitaire n'est pas important, mais ne croyez pas un seul instant que vous ne pouvez réussir sans en avoir un. L'un des héros de Dexter Yager était son oncle. « J'ai connu oncle John à l'époque où il était laveur de vaisselle », se rappelle Dex. Il a laissé l'école alors qu'il faisait sa huitième année. Puis, à l'époque où il travaillait au salaire minimum comme manœuvre, il a commencé à regarder travailler les menuisiers qualifiés et a appris le métier. Quand l'entrepreneur de construction pour lequel il travaillait a fait faillite, il a créé sa propre petite entreprise de construction. Ensuite, il a emprunté de l'argent pour acheter une terre et il est devenu promoteur. Avec les profits réalisés, il a acheté son restaurant favori. Il était toujours en train d'entreprendre quelque chose. Dans les années 1960, il possédait une bonne douzaine d'entreprises et prospérait davantage qu'il n'avait jamais osé imaginer. Je voulais être exactement comme lui.

«Mais tu dois d'abord aller à l'université», me disait oncle John. «Obtiens ton diplôme», reprenait en écho mon père. «Mais je veux être comme vous», leur disais-je. Tout comme oncle John, papa a laissé l'école alors qu'il était en huitième année. Et pourtant ils n'ont jamais cessé d'apprendre, de prospérer et d'évoluer. Je connaissais beaucoup de gens qui détenaient un baccalauréat ou un diplôme de troisième cycle d'université, mais c'est mon père et oncle John qui m'inspiraient le plus de respect. J'admirais ce qu'ils avaient accompli et la façon qu'ils l'avaient accompli. Pourtant, tous deux me disaient: "Tu ne pourras réussir si tu ne vas pas à l'université."»

Même nos héros peuvent nous induire en erreur. Dexter l'a appris tôt. «À l'époque où je conduisais mon camion rempli de bière à travers Rome, dans l'État de New York, j'étais persuadé que sans diplôme universitaire je ne pourrais jamais réussir. Mais j'étais trop vieux pour commencer des études universitaires. J'avais une femme et des enfants, ainsi que de nombreuses factures à payer. Je ne pouvais me permettre d'entreprendre des études universitaires, bien que j'aurais pu réussir l'examen d'admission.»

La première chose qu'on sait ensuite, c'est qu'on finit par croire les mauvais conseils. Ils se répercutent dans notre cerveau et assombrissent nos rêves. «Tu n'arriveras jamais à rien sans diplôme universitaire.» «Si tu n'enrichis pas ton vocabulaire, personne ne voudra te donner une chance.» «Il n'y a pas de place au haut de l'échelle pour un protestant, ni pour un catholique, ni pour un juif, ni pour un Latino-américain, ni pour un Afro-américain, ni pour un homme chauve, ni pour une femme grassouillette.» La liste continue ainsi jusqu'à ce qu'il n'y ait plus personne qui puisse réussir.

Ces préjugés nous sont transmis dès le début de notre vie. Ils prennent d'abord la forme de blagues ou de rumeurs. Puis, de conseils «amicaux» ou particuliers. Ils finissent enfin par détruire nos potentialités et par tuer nos rêves. Ne laissez pas ces mensonges sur vos limites menacer un jour de plus votre avenir. Faites plutôt la liste de vos dons ou de vos talents. Servez-vous de l'une des grandes qualités que vous reconnaissez être vôtre comme d'un coin pour vous ouvrir à toutes les potentialités qui dorment en vous. Commencez à développer dès aujourd'hui une nouvelle attitude, une attitude positive et optimiste face à l'avenir.

Il n'y a pas longtemps, j'ai été conduit d'urgence dans la salle de réanimation de l'hôpital Butterworth, à Grand Rapids, au Michigan, après avoir eu les symptômes classiques d'une crise cardiaque. Les médecins m'ont fait un pontage afin de désobstruer les vaisseaux sanguins alimentant le cœur. Au cours de ce long séjour à l'hôpital, il devint douloureusement clair que je n'avais que deux possibilités. Je pouvais continuer exactement à faire comme avant et finir probablement une fois de plus sur la table d'opération (ou peut-être même enterré dans le lot familial). Ou je pouvais modifier sérieusement et définitivement mes habitudes et espérer vivre jusqu'à un âge vénérable.

Alors que j'étais étendu sur mon lit d'hôpital, assisté d'un respirateur artificiel qui clignotait et bourdonnait dans la nuit, je repensais aux conseils de mon médecin. Il disait que trois facteurs étaient à l'origine de l'obstruction de mes artères : l'hérédité, une mauvaise alimentation et un manque d'exercice. Ces trois facteurs me donnaient en quelque sorte des «leçons» dont je devais tirer profit et qui pouvaient me sauver la vie. Ces même leçons devraient nous amener à changer d'attitude, c'est-à-dire à délaisser l'attitude qui mène à l'échec et à adopter l'attitude qui mène à la réussite.

Posons le problème de la façon suivante. Dexter se sentait entravé. Il avait des rêves, mais quelque chose freinait la réalisation de ces rêves. Il comprit que c'était son attitude négative. Qu'arrive-t-il lorsqu'on en vient à considérer une attitude négative comme une sorte de contrainte? Les mêmes facteurs — hérédité, mauvaise alimentation et manque d'exercice — s'appliqueraient-ils? Se pourrait-il que la non-confiance en soi soit quelque chose dont nous héritons? Est-il possible qu'un nouveau «régime de pensée» puisse faire une différence? Y a-t-il moyen, en exerçant notre esprit, de briser notre conditionnement négatif et de donner à nouveau libre cours à notre esprit d'entreprise?

L'hérédité. Mon père, Simon C. DeVos, a subi plusieurs crises cardiaques avant de mourir prématurément, à l'âge de 59 ans. J'ai hérité de lui la plupart des attributs qui m'ont mené au succès, et je lui suis reconnaissant de chacune de ces qualités qu'il m'a transmises. Cependant les traits psychologiques et physiologiques dont j'ai hérité comportaient des aspects dangereux. N'ayant pas pris au sérieux ces aspects négatifs de mon héritage génétique, je me suis retrouvé à l'hôpital, me demandant si j'irais aussi rejoindre prématurément mon père dans l'au-delà.

Il ne s'agit pas d'essayer de rejeter sur qui que ce soit la responsabilité de nos points faibles. Rappelez-vous simplement que, peu importe d'où elle vient et de qui elle vient, l'attitude qui consiste à dire: «Je ne peux pas le faire» peut être «transmise». Non pas génétiquement, mais au sens où une génération peut transmettre un trait de caractère à la suivante.

Si vos parents se voyaient comme des perdants — s'ils n'avaient pas la certitude ou le désir de réussir — quelle sorte d'attitude vous ont-ils transmise? Il y a fort à parier qu'ils vous ont amené à vous voir vous-même comme un perdant. Ce n'est pas nécessairement leur faute. Ils avaient eux-mêmes leur propre «bagage héréditaire». Nous avons hérité de nos parents de nombreux points forts et de nombreux points faibles. Mais cela ne veut pas dire qu'on ne peut pas changer. Pardonnez à vos parents de vous avoir transmis des traits négatifs et pensez avec reconnaissance aux traits positifs qu'ils vous ont légués.

«Ma mère était une femme très déterminée», se rappelle Dexter. «Toute sa vie, elle a eu une faiblesse au dos, ce qui la faisait souffrir. Ses médecins lui disaient qu'elle ne pourrait jamais avoir d'enfants. Elle en a eu 5. Ils lui recommandaient de ne pas nous prendre dans ses bras. Ignorant leurs recommandations, elle nous serrait dans ses bras longtemps et souvent. Alors que nous étions de jeunes enfants, les médecins ont observé que maman faisait de l'hypertension et ont tenté de nous faire croire qu'elle allait mourir prématurément. Elle a souri sans cesser une seconde de croire en elle-même et aux ressources de son corps frêle. Elle n'a jamais pris les médecins au sérieux et à 80 ans elle les avait enterrés tous.

«Peu après son 80e anniversaire de naissance, maman a eu une attaque. Son côté droit était paralysé. Les infirmières la firent s'asseoir doucement dans un fauteuil roulant. «Elle ne remarchera plus jamais», disaient-elles. Mais ces infirmières bien intentionnées ne connaissaient pas ma mère. «Je veux une canne», disait-elle durant sa première semaine de thérapie. «Je remarcherai.» Peu de temps après je lui ai rendu visite. Debout dans sa chambre, je la regardais avec stupéfaction lutter pour se lever de sa chaise. «Bonjour, mon gars», a-t-elle dit. «Viens serrer ta mère dans tes bras.» Et sur ce, elle s'est mise à marcher vers moi, souriante, croyant en elle-même, déterminée à ne se laisser arrêter par aucun obstacle et à faire mentir tous ceux qui avaient décrété qu'elle ne remarcherait plus.

« Mon père ne faisait que 1,68 m », se rappelle-t-il également, « mais il était coriace, et quand j'étais enfant, à Rome, nous habitions un quartier malfamé de la ville. Un samedi, un couple de jeunes punks a voulu commencer une bagarre avec mon père. Il a essayé de l'éviter, mais après qu'ils eurent donné un premier coup, il leur a couru après comme un tigre. Ils ont disparu à toutes jambes en direction du sud.

« Pendant longtemps, j'ai eu sur mon bureau une petite plaque avec cette inscription: *« Ce qui importe, ce n'est pas la taille de l'homme qui se bat, mais le degré de combativité en l'homme*.»* Chaque fois que je lisais ces mots, je pensais à mon père et à cette combativité qu'il m'avait transmise. »

Comme Dexter, nous avons hérité de notre famille et de nos amis des qualités et des faiblesses, mais nous ne devons pas nous contenter de ce qui nous a été légué. Voyez ces qualités et ces points faibles comme une base sur laquelle vous pouvez *bâtir*. Si vous avez hérité d'une tendance à sous-estimer vos possibilités, réagissez. Dites-vous: je ne suis pas un perdant, je *peux* et je *vais* réussir. Les circonstances qui ont refréné les élans ou les désirs de mes parents ne vont pas refréner les miens. Soyez bien content que quelqu'un vous dise, là, maintenant, ce que personne peut-être ne leur a jamais dit: *Vous pouvez le faire!*

L'alimentation. Même quand on a hérité d'un corps vigoureux et souple, si nous nous nourrissons toujours de frites et de hamburgers au fromage, de gâteau au chocolat et de bière, on sait ce qui arrive. À moins d'être très chanceux, nos artères finissent par s'encrasser. L'intérieur de nos vaisseaux sanguins ressemblent alors à de vieux tuyaux rouillés. Mais si on adopte un régime bien équilibré, à faible teneur en gras (un tel régime n'est pas aussi fade que vous croyez), il y a de bonnes chances qu'on n'ait jamais de problèmes artériels.

De même pour notre esprit, si nous nous « nourrissons » continuellement d'idées malsaines ou nuisibles, qu'arrivera-t-il? Nous développerons probablement une attitude malsaine (une perception de soi négative). Un petit poème de Walter De la Mare dit avec raison:

---

* Dans l'édition originale anglaise: «It isn't the size of the man who fights, but the size of the fight in the man.» (N.d.T.).

« C'est une chose très curieuse
La plus curieuse qui soit
Que tout ce que Mlle T. mange
Se transforme en Mlle T. »

Il y est fait référence à cette vieille idée : vous êtes ce que vous mangez. Si vous suivez un « régime » strict de pensées négatives (« je ne peux pas le faire »), il est à peu près certain que vous échouerez !

Durant l'entrevue que j'ai eue avec Birdie et Dexter Yager, celui-ci s'est penché en avant à un moment donné et a pris un verre. « Voyez ce verre », dit-il. « Maintenant, il est plein de coca-cola et de glace. Quand j'aurai fini de le boire, il sera plein d'air. Un verre vide, ça n'existe pas.

« Un esprit vide, ça n'existe pas non plus », poursuivit-il. « Notre esprit est rempli de pensées négatives, de pensées positives ou d'un mélange de pensées positives et négatives. Des souvenirs heureux et des souvenirs tristes, des sentiments d'espoir et des sentiments de désespoir flottent pêle-mêle dans notre esprit. Mais notre esprit, tout comme ce verre, n'est pas vide. Il faut que nous apprenions à chasser les pensées empoisonnées et superflues, tout comme nous chassons l'eau des toilettes en tirant la chasse d'eau. Et il faut que nous apprenions à remplir à nouveau notre esprit de pensées saines, positives, optimistes, utiles et stimulantes. »

Essayez de vous imaginer Dexter et Birdie Yager dans les premiers temps, dans les années 1960, alors qu'ils mettaient en jeu leur avenir financier en se risquant dans une toute nouvelle entreprise. Ils habitaient toujours leur maison attenante aux maisons voisines et avaient toujours leur break 1955. Mais chaque soir, juste avant d'aller se coucher, Dexter descendait la rue Dominick et s'arrêtait devant l'unique garage concessionnaire Cadillac de Rome.

« Je restais là, debout dans le noir », se rappelle-t-il, regardant les Cadillac luisantes que reflétait la vitrine du magasin. « Mes yeux se sont fixés sur une DeVille bleu clair aux sièges de cuir somptueux et aux fenêtres électriques. Je n'avais même pas 10 sous de réserve en banque debout dans l'obscurité, je me disais sans cesse qu'un jour prochain cette voiture serait à moi. »

« Dexter n'était pas le seul à avoir des rêves », nous rappelle Birdie. « Tandis qu'il rêvait de faire reprendre sa Ford et de s'acheter une Cadillac DeVille, je rêvais d'une certaine maison pas très loin, située en banlieue de Rome. Je rêvais d'une arrière-cour gazonnée pour les enfants et d'une rue avec peu de circulation, calme et sans danger. Une fois que j'eus confié mon rêve à Dexter, il garait parfois la vieille Ford 15 minutes devant la maison de mes rêves, la revendiquant pour lui et sa famille. Il est surprenant que les voisins n'aient pas appelé la police en le voyant s'asseoir là, regarder fixement et réclamer comme sienne cette maison dont il rêvait. »

« J'ai appris à me concentrer sur ce que je voulais », explique-t-il. « C'était la meilleure façon de ne pas me laisser influencer par ceux qui voulaient me faire faire ce que je ne n'avais pas envie de faire ou qui ne voulaient pas que je fasse ce que j'avais envie de faire. Je devais, en quelque sorte, réclamer ma vie à tous ces gens bien intentionnés qui croyaient que ce dont ils rêvaient pour moi était mieux que ce dont moi je rêvais. Jour après jour, nuit après nuit, j'entretenais des rêves pour l'avenir. »

Aujourd'hui, Dexter et Birdie Yager vivent à Charlotte, en Caroline du Nord, dans une vaste maison style XVIIIe siècle et comprenant 6 cheminées. La vieille maison attenante aux maisons voisines n'est plus qu'un souvenir. Le break Ford qui tombait presque en ruines a été remplacé par une collection de voitures anciennes d'une valeur inestimable. Non seulement soutiennent-ils financièrement de nombreuses œuvres chrétiennes et de nombreuses fondations charitables régionales et nationales, mais ils sont en train de créer une colonie de vacances pour enfants où ceux-ci pourront apprendre ce qu'est un système de libre entreprise et comment eux aussi peuvent en tirer bénéfice. Les Yager veulent contribuer à la reprogrammation de toute une génération, pour que les gens de cette génération ne disent plus « je ne peux pas » mais « je peux le faire si j'essaie ». Mais il fallait d'abord qu'ils se reprogramment eux-mêmes.

Un bon moyen d'améliorer votre « régime » est d'*écouter des bandes magnétiques ou des cassettes et de lire des livres*. Dès les premiers jours de l'enfance, le cerveau agit comme un magnéto-phone dont le microphone est toujours réglé sur « Enregistrer ». Les voix que nous entendons — certains experts disent avant même que nous ne quittions l'utérus — sont enregistrées et emma-gasinées à jamais dans ces mystérieuses archives conservées quelque part entre nos deux oreilles. Certaines voix donnent de bons conseils, d'autres de moins bons. Mais toutes les voix sont enregis-trées, et que cela nous plaise ou non, ces vieilles bandes — surtout les mauvaises — sont passées et repassées sans cesse dans notre tête.

« Tu es laid ! »

« Tu es stupide ! »

« Tu n'es qu'une fille ! »

« Tu es sujet aux accidents, tu sais ! »

« Tu as échoué, tu seras toujours un raté ! »

Et les bandes, les vieilles bandes, les bandes auxquelles on ne croit plus mais qu'on ne peut arrêter, continuent de tourner. Prenez une minute pour vous demander quelles sont les bandes, parmi celles que vous entendez, qui minent votre amour-propre et qui vous portent à sous-estimer vos potentialités ? Pour Dexter, c'était les diplômes universitaires, le vocabulaire limité et le fait d'avoir grandi du mauvais côté de la rue. Parmi les bandes que vous repassez, quelles sont celles qui vous démoralisent et quelles bandes encore jamais entendues pourriez-vous écouter pour vous remonter le moral ?

Il y a quelques années, à Innsbruck, en Autriche, mon bon ami et confident Billy Zeoli (l'homme qui m'a le plus encouragé à écrire ce livre), président de Gospel Films, prononçait un discours au Stade olympique. Aux milliers d'Européens venus l'entendre et qui découvraient alors la libre entreprise et les bénéfices qu'on peut en tirer, Billy relata les circonstances d'un discours que Winston Churchill adressa peu avant sa mort à une classe de diplômés d'une grande université anglaise.

Winston Churchill arriva un peu en retard à l'endroit où avait lieu l'assemblée, raconta Billy. Portant toujours son lourd manteau et son noir chapeau melon noir, il marcha vers la scène du vaste auditorium. Sous les applaudissements et les acclamations des étudiants, l'ancien Premier ministre se débarrassa lentement de son chapeau et de son manteau et les accrocha au portemanteau à côté de lui. Il paraissait vieux et fatigué, mais il était là devant eux bien droit et fier.

Le silence se fit dans la salle. Les gens de l'auditoire savaient que le vieux Premier ministre était sur le point de prononcer peut-être son dernier discours. Un millier de visages roses et bien propres étaient tournés vers l'homme qui avait vaillamment dirigé la résistance de l'Angleterre face à l'agression nazie. Homme d'État, poète, artiste, auteur, correspondant de guerre, mari et père, il avait eu une vie riche et bien remplie et il arrivait maintenant au terme. Quels conseils allait-il leur donner ? Comment allait-il pouvoir

résumer toute son expérience dans un discours de 60 minutes ?
Churchill les regarda pendant une longue minute, puis prononça
ces 3 mots :

« N'abandonnez jamais ! »

Les étudiants regardèrent le vieil homme, attendant qu'il
poursuive. Durant encore 30 ou 45 secondes, l'ancien Premier
ministre les fixa du regard sans rien dire. Ses yeux brillaient. Son
visage rayonnait. Puis il parla de nouveau. Cette fois, il grommela
avec plus de force :

« N'abandonnez jamais ! »

Une fois encore, Winston Churchill s'arrêta. Dans l'assistance,
les yeux des professeurs se remplissaient de larmes. Ils se souvenaient des avions nazis au-dessus de Londres et des bombes tombant sur les écoles, les maisons et les cathédrales. Ils se souvenaient
de Winston Churchill marchant à travers les décombres de leurs
rêves en tenant fermement son cigare de la main gauche, tandis que
de sa main droite il leur faisait le signe de la victoire. Durant ce
long silence, même les plus jeunes d'entre eux étaient émus jusqu'aux larmes. Finalement, le vieil homme parla une dernière fois.

« N'abandonnez jamais ! »

Ces mots, cette fois, il les cria. Son discours de trois mots
adressé aux étudiants résonna dans tout l'auditorium. D'abord la
foule silencieuse et surprise, attendit qu'il poursuive. Personne ne
bougea. Puis, peu à peu, les gens comprirent qu'il n'avait pas
besoin d'en dire davantage. Il avait tout dit. Jamais, lors des crises
auxquelles il avait dû faire face dans son existence, il n'avait
renoncé. Et sa détermination influença le destin du monde entier.

Lentement, Winston Churchill remit son chapeau et son manteau. Avant qu'ils ne réalisent que le discours était terminé, il se
retourna et descendit de la scène. C'est alors que commencèrent les
applaudissements et les acclamations qui durèrent longtemps
après que le vieil homme fut parti.

C'est par cette histoire que Billy Zeoli avait conclu son discours qui était enregistré sur bande audio et vidéo. Des milliers de
gens demandèrent la bande, parmi lesquels un jeune Allemand,
Wolfgang Backhaus. Il emmena l'enregistrement vidéo en Allemagne, où sa femme et lui travaillaient à la mise sur pied d'une
entreprise.

« Je ne peux vous dire combien de fois ma femme et moi avons
écouté cette bande », nous dit Wolfgang. « Après la chute du mur

de Berlin, nous savions qu'il était temps d'aller proposer nos produits et notre plan en Allemagne de l'Est. Mais cela n'allait pas être facile. Nous avons couru la chance! Nous avons invité des gens à assister à nos présentations. Peu d'entre eux savaient en quoi pouvait consister la libre entreprise. Peu d'entre eux voulaient courir cette chance. Mais chaque fois qu'il nous prenait l'envie d'abandonner, nous repassions la bande sur laquelle était enregistré le discours de Billy et réécoutions les paroles de Winston Churchill: « N'abandonnez jamais! »

Aujourd'hui, les Backhaus possèdent une organisation de distribution qui a des ramifications partout en Europe. Dans leur tête, la voix enregistrée qui disait « Nous ne pouvons pas le faire » a été couverte par une autre voix, celle qui citait les célèbres paroles de Winston Churchill: « N'abandonnez jamais! »

Peu après s'être lancés en affaires, Brian Herosian, ancien joueur-étoile de football des Colts, et sa femme, Deidre, ont compris qu'écouter des enregistrements sonores qui les inspireraient et les motiveraient était ce qui pouvait le mieux les aider à modifier leur attitude. « Nous écoutons une bande par jour », déclare Brian. « Nous avons un lecteur de bandes dans notre voiture, dans notre salon ainsi que dans notre chambre. Nous emportons un magnétophone quand nous allons en vacances et écoutons même les enregistrements en marchant le matin ou en faisant des exercices au gymnase. »

Brian et Deidre ont l'habitude d'écouter des enregistrements qui leur semblent utiles et de lire des livres ou des brochures dont le contenu est susceptible de les motiver. « Nous lisons ou écoutons chaque jour quelque chose de positif », nous dit Brian. « Nous aimons particulièrement les témoignages de personnes qui ont vécu des moments difficiles et qui s'en sont sortis. Cela nous rend plus confiants quand nous traversons des périodes difficiles. »

Dexter et Birdie Yager sont d'accord. « Ma mère était une liseuse », se rappelle-t-il. « Presque tous les soirs, elle s'asseyait pour lire la Bible. Elle l'a fait durant toute sa vie. Quand j'ai demandé à maman pourquoi elle la lisait aussi régulièrement, elle m'a répondu sans hésiter: « Des gens s'assoient chaque soir pour regarder la télévision. Mais ce n'est pas en regardant la télévision que je me sens plus satisfaite de moi-même et de ce qui se passe dans le monde. Je lis donc plutôt la parole de Dieu. »

« Quand je repense à la vie de ma mère », conclut Dexter, « je me rends compte qu'une grande partie de sa force venait de ces soirées qu'elle passait seule à lire ce livre ancien. Elle lisait l'histoire de la Création afin de découvrir ses propres racines spirituelles. Elle mémorisait les Psaumes quand elle était inquiète ou avait peur. Ces histoires relatées dans l'Ancien Testament, celle de la sœur de Moïse, Miriam, de la reine Esther et de la prophétesse Deborah, de Ruth et de Naomi, ainsi que les histoires racontées dans le *Nouveau Testament*, celle de Marie, mère de Jésus, des amies de ce dernier, Marie et Marthe, de Lydie et des autres femmes juives courageuses qui ont contribué à la transformation du monde, l'inspiraient et la fortifiaient. Et elle lisait la vie et les enseignements de Jésus pour obtenir grâce et miséricorde et pour y puiser la force de surmonter ses propres difficultés. »

Grand-mère Yager a transmis à ses enfants et petits-enfants l'amour de la lecture, pas seulement de la lecture de la Bible mais de la lecture de livres de tous genres. Dexter n'a pas été à l'université mais, inspiré par sa mère, il a lu avec voracité tout au long de ces 30 dernières années. Y a-t-il un meilleur moyen de se cultiver ou de s'instruire ? À quoi bon obtenir un diplôme si les connaissances acquises à l'université ne sont pas complétées et consolidées ensuite par la lecture constante ?

« Chaque semaine, nous essayons de lire au moins un nouveau livre », dit Dexter, dont les propos rejoignent ainsi ceux des Herosian. « Il existe des livres de croissance personnelle, des livres qui sont source d'inspiration, des livres de spiritualité, des livres d'apprentissage, des livres portant sur les principes de la réussite et des organisations. Il nous arrive même de lire des livres traitant de pratiques commerciales menant au succès », ajoute-t-il en souriant. « Après tout, nous sommes en affaires. Pourquoi ne pas s'arranger pour prospérer ? Un médecin doit se tenir au courant de la recherche qui se fait dans son domaine. Un avocat doit connaître à fond toutes les causes qui lui sont confiées. Un ministre du culte lit la Bible et des ouvrages de théologie jusqu'à sa mort. Pourquoi les capitalistes compatissants devraient-ils en faire moins ? »

Parmi les livres que vous lisez et les enregistrements que vous écoutez, quels sont ceux qui vous aident à acquérir un attitude plus positive à l'égard de vous-même et de vos possibilités ou de vos potentialités en tant qu'entrepreneur ? Au sein de notre entreprise, la règle d' « un livre par semaine » est assez bien suivie.

Puisque nous parlons de «nourrir» notre esprit et d'acquérir ainsi une attitude plus positive à l'égard de nous-mêmes et de nos possibilités, souvenons-nous que nos amis exercent sur nous un ascendant. Les gens que nous fréquentons ou côtoyons ont plus d'influence qu'on croit sur notre attitude.

Le secret de la prospérité de notre entreprise, ce sont des gens comme les Yager, les Herosian et les Backhaus, réunis par leurs rêves communs. Lors des séminaires et des rassemblements, autour des tables de cuisine ou assis près de la cheminée, ces hommes et ces femmes se confient leurs rêves. Dans le Nouveau Testament, l'apôtre Paul donne ce conseil aux nouvelles églises: «Ne renoncez pas à vous réunir.» Et 2 000 ans plus tard, les Beatles chantaient une chanson qui racontait comment «I get by with a little help from my friends* ».

Malheureusement, trop parmi nous ont des amis qui ne les aident pas à prendre l'attitude qu'il faut pour améliorer son existence. Ils nous enlèvent notre enthousiasme. Lorsqu'un jour un homme politique se plaignit au président Charles de Gaulle que ses propres amis le dépréciaient, le général de Gaulle répondit: «Changez vos amis!» D'ailleurs, 100 ans plus tôt, un autre Français, Jacques Delille, prononçait ces paroles qu'il faut sérieusement méditer: «Le Destin choisit vos relations», dit-il, «mais vous devez choisir vos amis.»

Quand on parle de changer son régime, on ne se fait pas de souci au sujet des calories ou des glucides, des grammes de matières grasses ou du sodium. Dans ce cas-ci, il s'agit de notre «consommation» de pensées, d'espoirs et de rêves. Êtes-vous entouré de mauvaises langues, de prophètes de malheur, de gens qui trouvent toujours à redire ou qui ont le don de vous rendre triste? Ou, au contraire, avez-vous un cercle de plus en plus étendu d'amis au contact desquels vous vous sentez plus satisfait de vous-même et plus confiant dans l'avenir. Prenez garde! Éliminez les «parasites»!

L'exercice. Pour être vraiment en forme, vous devez faire de l'exercice. Ne faites pas comme ce type qui disait: «Chaque fois que j'ai envie de faire de l'exercice, je me couche jusqu'à ce que mon envie passe.» Si vous voulez devenir entrepreneur, vous devez

---

* «Je peux m'en sortir si mes amis m'aident un peu.» (N.d.T.).

faire jouer vos muscles. Il faut que vous sortiez et que vous essayiez.

Winston Churchill a dit: «Le succès, c'est d'aller d'échec en échec avec beaucoup d'enthousiasme.» Et Thomas Edison ajoutait: «Le succès est fait de 90 % de transpiration et de 10 % d'inspiration.» Tant Winston Churchill que Thomas Edison savaient que pour avoir une chance de remporter une course, il faut d'abord se rendre sur la piste.

Peut-être ne gagnerez-vous pas toutes les courses. En fait, il se pourrait que vous alliez d'échec en échec. Mais de sortir et de vous exercer vous aidera à perfectionner vos dons — cela vous mettra «en forme». La plupart des gens n'essaient même pas d'accomplir quoi que ce soit et ne développeront jamais assez leur «muscle» (leur esprit d'entreprise) pour réussir en affaires.

Dans ma ville natale, nombreux sont les exemples qui peuvent nous permettre d'affirmer qu'une bonne attitude est d'une grande importance. Un ami, Peter Secchia, fils d'immigrants italiens avait été «averti» par sa famille, prolongation vivante du monde ancien, que les études étaient un gaspillage de temps et d'énergie. Peter ne les a pas écoutés.

Un autre ami, Paul Collins, entendait presque tout le monde dire qu'un jeune Noir pouvait devenir athlète ou musicien de jazz, mais pas peintre à succès. Paul ne les a pas écoutés.

Un autre de mes proches amis, Ed Prince, a appris tôt qu'un pauvre garçon dont le père meurt jeune ne pouvait pas réussir en affaires. Ed ne les a pas écoutés lui non plus.

Aujourd'hui, Peter Secchia occupe le poste d'ambassadeur des États-Unis en Italie. Les magnifiques peintures de Paul Collins sont exposées partout dans le monde, dans des galeries et des musées prestigieux. Et Ed Prince est le directeur général d'une société prospère et admirée, société qui lui appartient.

Ces personnes, victimes d'un véritable «bourrage de crâne», n'ont pas laissé les préjugés traditionnels les influencer — cet état d'esprit négatif qui aurait pu paralyser leur esprit d'entreprise. Ils se sont «nourris» d'idées saines et positives et se sont entourés de gens sains et positifs. Ils se sont éloignés des amis et des connaissances qui exerçaient sur eux une influence négative et démoralisante. Et depuis qu'ils sont jeunes, ils exercent leurs muscles (l'esprit d'entreprise qui les anime). Ils ont cru en leurs rêves, ont pris des risques et bien qu'ils aient parfois trébuché et échoué en cours de route, ce sont aujourd'hui des gagnants, car ils avaient une bonne attitude!

Efforcez-vous d'écarter de votre esprit ces idées négatives de vous-même qu'on a voulu vous inculquer. Suivez un «régime» de pensées positives, stimulantes et optimistes. Et commencez à exercer vos muscles (votre esprit d'entreprise) dès aujourd'hui. Vous avez une idée? Mettez-la à exécution. Vous serez surpris de votre réussite. Parmi mes amis, nombreux sont ceux dont l'histoire le prouve!

Bill et Hona Childers n'ont pas eu des parents précisément pauvres. «Simplement fauchés», explique Hona. Son père était mécanicien et gérait son propre garage. Le père de Bill possédait une petite usine textile. Lorsque monsieur Childers tomba malade, Bill laissa l'université pour prendre soin de son père, et après sa mort il fallut vendre l'usine pour payer les factures. Il n'y avait pas de bouée de sauvetage, pas d'assurances, pas de legs. Quelques années plus tard, le père de Hona mourut lui aussi, laissant dans le deuil deux jeunes enfants, Billy et Beth, ainsi que deux mères devenues veuves.

À cette époque de leur vie, les Childers auraient pu s'apitoyer sur eux-mêmes. Ils avaient plus que leur lot de responsabilités et peu de revenus pour y faire face. Après un certain temps passé dans l'armée, Bill travailla dans la vente pour un fabricant de feuillards de fer, à Charlotte, en Caroline du Nord, et Hona accepta un travail de «Polaroid Girl» à temps partiel et qui consistait à faire la promotion d'appareils-photos dans les centres commerciaux et à animer des visites libres d'immeubles en copropriété de la région de Charlotte. Ils n'avaient pas de diplômes, pas de comptes d'épargne, pas d'oncles riches pour les aider. Mais ils croyaient en eux-mêmes. Ils avaient une bonne attitude. Ils savaient au fond d'eux-mêmes que quelque chose allait survenir qui leur donnerait la stabilité financière dont ils rêvaient, et quand ils virent qu'ils avaient l'occasion de posséder leur propre entreprise, ils décidèrent de courir le risque, peu importe les coûts.

Aujourd'hui, les Childers habitent une belle maison. Sur un des murs, dans la pièce des trophées, est fixé sur un support un marlin bleu de 230 kilos et sur un autre mur, un élan de 45 kilos que Bill abattit au Colorado. Et surtout, leur avenir et l'avenir financier de leurs enfants est assuré. Ils s'occupent avec amour des deux mères veuves. Dégagés des soucis matériels, Bill et Hona sont également libres de mettre leur temps, leur énergie et leurs qualités de leadership au service d'œuvres humanitaires dont ils se soucient profondément. Après que l'ouragan Andrew eut dévasté la Floride, les Childers, avec d'autres bénévoles d'Amway de tous les coins du pays, se rendirent sur place pour apporter espoir et aide à ceux qui étaient dans le besoin. À l'époque où ils créèrent leur entreprise, les Childers caressaient de grands rêves et, disposant de peu de ressources, ils conservaient néanmoins une attitude positive. C'est cette attitude positive qui changea tout.

Nous vivons une grande période de l'histoire et devrions être heureux de vivre à une telle époque! Bien sûr, il y a des problèmes, mais considérons le passé et pensons aux problèmes que nous avons déjà surmontés. Nous en avons tous assez des prophètes de malheur qui, de leur voix criarde et d'un ton pessimiste, nous avertissent de la destruction imminente de notre civilisation. «Nos ressources s'épuisent!» «Le système bancaire est sur le point de s'écrouler!» «La grande dépression économique que nous connaîtrons bientôt va changer complètement nos vies!» «La fin est proche!»

Quelques-uns de ces oiseaux de mauvais augure font beaucoup d'argent en faisant de fausses prédictions. Mais au lieu de contribuer à améliorer la situation, ils paralysent notre esprit et nous mènent au désespoir. Nous ne devons pas écouter ceux qui sont toujours négatifs!

Quand mon fils, Douglas, eut 13 ans, je l'emmenai en bateau sur le lac Michigan. Je me souviens du moteur vrombissant et du vent nous aspergeant de gouttelettes, alors que nous fendions les flots. «Un jour» criai-je à mon fils, «tu auras un bateau qui ira même plus vite que celui-ci.» «J'ai bien peur que non», répondit-il. «Le monde sera probablement à court d'essence avant cela.»

J'arrêtai le moteur. Pendant un moment, nous avons dérivé en silence. «Je vais te dire quelque chose, Douglas», lui dis-je catégoriquement. «Quand tu achèteras ton bateau, tu n'auras pas à t'inquiéter au sujet de l'essence, car le bateau contiendra sa propre réserve de carburant, grâce à laquelle tu pourras le faire fonctionner ta vie durant.» «Tu ne peux pas le savoir», dit-il d'un ton sceptique. «Tu ne peux pas en être sûr.»

«Il y a quelques années, je ne savais pas, moi non plus, qu'il serait un jour possible de franchir en trois heures à peine la distance séparant Washington, D.C., de Paris», lui dis-je, «ou de nous envoyer d'un bout à l'autre du pays des messages par télécopieur en quelques secondes. Pourtant, c'est aujourd'hui bel et bien possible. Les problèmes qui semblaient insurmontables ne le sont plus aujourd'hui. Et nous devons continuer à croire que les problèmes qui semblent invincibles aujourd'hui ne le seront plus demain. »

Je suis un optimiste incurable. Je crois au génie créateur dont Dieu nous a fait don pour nous permettre de résoudre des problèmes tels que le manque d'essence ou la faim dans le monde. Si nous continuons à être animés de cette foi et de cette vision des choses, nous continuerons à trouver des solutions aux grands problèmes du monde. Votre attitude et la mienne détermineront notre réussite ou notre échec en tant qu'êtres humains et en tant qu'entrepreneurs.

Il y a 6 ans, Dexter et Birdie Yager avaient connu une prospérité en affaires qui dépassaient leurs plus grandes espérances. Des dizaines de milliers de gens avaient été mobilisés grâce à leur vision et à leur travail. Ils étaient riches et puissants. L'ancien représentant de bière et sa femme avaient été invités à la Maison Blanche par 5 présidents américains. Les Yager étaient au septième ciel. Ils ne se doutaient pas qu'une autre grande épreuve les attendaient.

En octobre 1986, Dexter éprouva une étrange sensation à sa main et à son bras gauches. « Je croyais que j'avais un nerf coincé », se rappelle-t-il. « Je ne voulais ennuyer personne avec mes problèmes et j'ai donc essayé de les ignorer, attendant qu'ils disparaissent. Mais cette fois, ils n'ont pas disparu. »

Trois jours plus tard, Dexter était incapable de marcher. Son côté droit était complètement paralysé. Les auxiliaires médicaux le conduisirent d'urgence au service des soins intensifs. On fit venir les médecins. On procéda à des analyses. La courbe de sa tension artérielle avait monté.

« Les spécialistes m'ont averti », se rappelle Birdie en secouant la tête, « que si Dexter vivait, il ne remarcherait plus jamais. Nous nous sommes réunis, la famille et moi, autour de son lit d'hôpital. Nous avions peur que cet homme fier et énergique soit forcé de rester là, étendu, paralysé et impuissant, jusqu'à sa mort. Dans le meilleur des cas, nous avaient prévenu les médecins, Dexter serait condamné le reste de sa vie au fauteuil roulant, dont il faudrait l'aider à se lever et dans lequel il faudrait l'asseoir. »

«J'ai mis un certain temps à comprendre cela», se rappelle-t-il. «Au cours des deux dernières décennies, j'avais couru ici et là dans le monde pour prendre soin ou m'occuper des gens que j'aimais. Désormais, ils allaient devoir prendre soin de moi. J'étais paralysé, avaient déclaré les médecins. Je ne remarcherais plus jamais.»

Comme il aurait été facile, pour Dexter, de croire les médecins, d'accepter leur diagnostic, de laisser leurs prévisions assombrir ou remettre en question ses rêves. Mais après quelques jours passés dans son lit d'hôpital, il prit une décision au sujet de son avenir. Depuis cette journée d'orage où Dexter était au volant du camion de la West End Brewery, sa femme et lui avaient découvert l'un des plus grands dons de Dieu, le pouvoir d'une attitude positive. Durant les six mois qui suivirent, ils recoururent à ce pouvoir comme jamais auparavant.

«Chaque jour, je m'efforçais de redonner vie à mes membres morts», dit-il calmement. «Mon côté droit était paralysé. J'ai donc appris à me servir de mon côté gauche. Birdie et les enfants m'aidaient à me lever, me retournaient, me frottaient et me donnaient à manger. Les infirmières et les physiothérapeutes me faisaient faire des exercices d'assouplissement, tapotaient mes membres et les massaient. Les médecins donnaient des traitements et notaient les progrès accomplis. Les amis m'ont envoyé des milliers de cartes et de fleurs. Les lignes téléphoniques étaient encombrées. Les gens priaient. Avec de plus en plus d'espoir, je me traînais sur ces tapis bleus, avançant de deux centimètres à la fois, regardant mes bras tordus et mes jambes inutilisables. Et durant tout ce temps, au fond de moi une voix disait: «Tu peux le faire. Tu remarcheras. N'écoute pas les mensonges!»

Nous étions à la fin de 1988. Des amis et des camarades de travail de Dexter et de Birdie étaient assemblés en grand nombre dans l'amphithéâtre situé en Caroline du Nord. Le programme était simple. Birdie pousserait sur la tribune Dexter dans son fauteuil roulant. Il saluerait la foule de son bras encore valide, prononcerait quelques paroles d'encouragement puis serait ramené, toujours dans son fauteuil roulant. Dexter avait une meilleure idée.

Les gens présents ce soir-là n'étaient pas d'une humeur joyeuse. Leur ami et mentor avait été gravement touché. Ils s'attendaient à voir un homme diminué, et ils voulaient plutôt conserver le souvenir des jours meilleurs. Puis Dexter apparut. Il n'était pas dans son fauteuil roulant. Il marchait. Il faisait plus que se traîner: il marchait. Et la tristesse se dissipa comme la fumée s'évapore avec le vent. Les yeux des assistants se remplirent de larmes, pas de larmes de chagrin mais de joie et de reconnaissance. Dexter marchait.

Une de ses mains pendait mollement le long de son corps et il traînait la jambe droite, mais cela n'avait pas d'importance. Ce qui importait, c'était qu'avec l'aide de Dieu, de sa famille et de ses amis, Dexter Yager avait gagné la partie. Il marchait malgré les prédictions sinistres de tous ces spécialistes. Il croyait en lui-même.

Peu importe ce qui vous a paralysé dans le passé, peu importe ce qui vous a donné l'impression d'être un perdant et quelles que soient les craintes que vous nourrissiez au sujet de la réalisation de vos rêves personnels et de vos projets d'entreprise, écoutez cette voix en vous qui dit: «Tu peux le faire. Tu remarcheras. N'écoute pas les mensonges!»

CHAPITRE 10

Qu'est-ce qu'un mentor, et pourquoi est-il nécessaire d'en avoir un pour nous guider ?

✧   ✧   ✧

CREDO 10

Nous croyons qu'avant de réussir en tant que capitaliste compatissant, nous devons nous laisser guider par un mentor expérimenté.

Par conséquent, il nous faut trouver quelqu'un que nous admirons et qui a déjà réussi ou accompli ce que nous voulons réussir ou accomplir, et demander à cette personne de nous aider à atteindre nos objectifs.

Le 9 novembre 1950, les forces militaires des Nations unies étaient sur le point d'entrer en guerre contre les communistes chinois en Corée. Sans avertissement, 2 divisions chinoises franchirent en masse la frontière coréenne. Les troupes des Nations unies. furent mises en déroute. D'ailleurs, 5 autres divisions — 300 000 combattants chinois — étaient massées en Manchourie et s'apprêtaient à traverser le fleuve Yalu. Stupéfait par la soudaine tournure des événements, le président Harry S. Truman décréta l'état d'urgence aux États-Unis et exhorta tous les Américains à prendre part à la bataille contre l'«impérialisme communiste».

À la base militaire américaine située près du 38e parallèle, le lieutenant Bill Britt, frais émoulu de l'école des officiers, était debout devant ses hommes. «Toutes les forces étaient en état d'alerte», se rappelle Bill, «et pendant ce moment de grande tension, l'un de mes soldats nouvellement arrivés en Corée a fait une erreur. Je ne me rappelle pas ce qu'il a fait, mais je me souviens l'avoir engueulé un bon coup alors que nous étions en rangs. Il était au garde-à-vous devant moi et le reste de mes hommes. J'ai pu voir qu'il refoulait des larmes d'embarras en clignant des yeux.» Quand il eut fini de donner ses ordres, les hommes retournèrent à leurs postes au pas de course. Il regagnait en hâte son bureau quand un vieux sergent, qui en avait vu d'autres vint tranquillement se placer devant lui.

«Mon lieutenant», dit-il respectueusement, «pourrais-je vous parler un moment dans votre bureau?»

Bill entra dans sa tente, marcha jusqu'au bureau et se tourna vers lui. «Mes relations avec mes officiers et mes soldats étaient très bonnes. Ils me respectaient parce que je les respectais. Mais ce sergent n'était pas heureux avec moi et il n'était pas difficile de s'en apercevoir.»

«Mon lieutenant», dit-il allant droit au but, «le siège de votre autorité, c'est cette chaise. La prochaine fois que vous aurez un problème avec un de nos hommes, dites-le-moi. J'irai le chercher et l'emmènerai ici, devant vous. Puis je m'en irai et vous pourrez l'engueuler autant que vous voudrez.»

Bill était surpris qu'on lui parle ainsi. Il était le lieutenant. Mais il comprit bientôt que le sergent était non seulement plus vieux mais aussi plus sage et plus expérimenté que lui.

«Vous avez le droit de faire comme bon vous semble», conclut le sergent, «mais j'ai voulu vous donner un conseil, mon lieutenant. Engueulez-les ici, en privé, pas devant les autres hommes. Ils vous respecteront pour cela.»

Il fallait que cet homme ait du courage pour affronter ainsi un supérieur. Mais Bill avait su dès qu'il avait commencé à parler que le sergent avait raison et qu'il avait eu tort.

«Sergent», dit-il en allant vers lui pour lui serrer la main, «vous avez parfaitement raison. J'aurais dû le savoir. J'apprécie votre conseil. Je ne l'oublierai pas.»

Ils se serrèrent la main. Le sergent sortit et se dépêcha de rejoindre ses hommes. «Durant ces jours difficiles où nous déminions des champs de mines et construisions des ponts», conclut Bill, «j'ai appris à me fier, sous le feu de l'ennemi, à ses conseils pratiques. Quand on m'a transféré à une autre service de matériel et d'équipement, j'ai demandé une autorisation spéciale, celle d'emmener le sergent avec moi. Il est triste que je ne puisse même pas me rappeler son nom, mais en cette période très difficile de ma vie, il a été mon mentor et mon ami. »

Qu'est ce qu'un mentor, et pourquoi est-il nécessaire d'en avoir un pour réussir dans la vie aussi bien qu'en affaires?

Au VIIIe siècle avant Jésus-Christ, l'écrivain grec Homère écrivit un poème épique relatant les aventures d'Ulysse au cours des 10 années que durèrent son voyage de retour, après la guerre de Troie. Il avait confié la garde et l'éducation de son fils bien-aimé, Télémaque, à son fidèle ami, Mentor. Presque 3 000 ans plus tard, le nom de cet homme a fini par signifier « conseiller sage et en qui l'on a toute confiance ».

Au cours des années, le terme *mentor* a été employé pour désigner un enseignant aimé, un maître sage, un ami clairvoyant, un guide expérimenté. Ceux qui ont des mentors pour les aider tout au long de leur vie, quand ils en ont besoin, ont de la chance. Le mentor du lieutenant Bill Britt, lequel était au front depuis peu, fut ce sergent qui parla avec courage et sagesse. Regardez en arrière. Quel souvenir conservez-vous des mentors que vous avez connus, qui ont marqué votre existence, qui sont devenus des amis fidèles ou qui ont simplement disparu?

J'ai rencontré Jay Van Andel à l'époque où je fréquentais l'école secondaire. Je l'ai aimé dès le moment où nous nous sommes rencontrés. Il était brillant. Il était sérieux. Et il était toujours positif. Nous rêvions tous deux de créer notre propre entreprise. Les idées jaillissaient de mon cerveau comme l'eau qui jaillit d'une bouche d'incendie de Brooklyn en pleine vague de chaleur estivale. Jay réglait ce flot d'idées, posait des questions, faisait des suggestions, canalisait et dirigeait notre énergie. Nous sommes devenus des associés et de grands amis. Et bien que, durant près de 50 ans, Jay ait reconnu que nous étions tous deux responsables de nos succès (et de nos échecs), il a été un mentor pour moi — un conseiller et un ami sage et en qui j'avais toute confiance — et je le remercierai toujours avec joie et reconnaissance de son amitié.

Les mentors sont les gardiens d'importantes traditions et les transmetteurs d'histoires susceptibles de nous aider à réussir notre vie. Il est indispensable que nous nous inspirions de ces histoires si nous voulons croître sur le plan personnel et atteindre nos objectifs. La grand-mère de Bill Britt, qui avait de nombreux dons, devint pour lui un mentor alors qu'il était âgé de 7 ans.

«Mon père était alcoolique», explique Bill. «C'était un homme bien quand il était sobre mais sous l'effet de la boisson, il n'était plus le même. Il maintenait la famille dans le chaos le plus complet. Nous ne savions même pas ce qui arriverait le soir même ou le lendemain. Un dimanche matin, ma grand-mère est venue chez nous. Elle avait mis son chapeau et ses gants. Elle m'a pris par la main et m'a emmené à une école du dimanche méthodiste. «Je désire que tu rencontres le Seigneur», m'a-t-elle dit, «et ce jour-là, pour la première fois, on m'a parlé de mon autre Père, ce Père céleste qui m'aimait et qui allait être mon mentor et mon ami durant toute ma vie.»

Nos parents sont quelquefois nos meilleurs mentors. Mais pas toujours. Quand le père de Leonard Bernstein fut blâmé de ne pas avoir davantage encouragé son fils à l'époque où celui-ci était un enfant, il répondit: «Comment pouvais-je savoir qu'il deviendrait un jour le grand Leonard Bernstein?» Si le père de Bill Britt était vivant aujourd'hui, il dirait peut-être: «Si seulement j'avais su.» Il n'a pas su remplir son rôle de mentor auprès de son fils. Il lui a plutôt causé beaucoup de chagrin et de peine que Bill devait s'efforcer de surmonter. Heureusement, sa grand-mère est intervenue et lui a fait connaître ces exemples édifiants de foi chrétienne.

Les mentors nous transmettent un savoir qui, sans eux, serait difficile à acquérir. Sans mentors, il nous faut réinventer la roue à chaque nouvelle génération. Aristote a dit: «Ce que nous devons apprendre à faire, nous l'apprenons en le faisant.» Il est vrai que nous l'apprenons en le faisant, mais un mentor peut nous empêcher de faire les erreurs que lui-même a déjà faites. Un mentor nous aide à avancer ou à prospérer, nous donne un certain pouvoir ou un certain avantage et multiplie ce que nous savons par ses propres connaissances.

Lorsqu'il avait 8 ans, Francis Spellman, qui fut plus tard un cardinal catholique, aidait son père qui tenait une épicerie. Celui-ci lui avait donné un conseil qui est resta gravé à jamais dans sa mémoire: «Fréquente toujours des gens qui sont plus dégourdis que toi», disait-il à son fils. Puis (on aime croire qu'il prononçait ces paroles en souriant ou en faisant un clin d'œil) il ajoutait: «Et tu n'auras pas de difficulté à les trouver.»

«J'étais un très mauvais élève au secondaire», se rappelle Bill Britt. «À cause de son alcoolisme, mon père ne pouvait jamais garder longtemps un emploi. La famille déménageait donc constamment. À l'époque où je terminais ma dernière année d'études, nous vivions à Daytona Beach, en Floride. Pour aider ma famille à payer les factures, je travaillais tous les soirs jusqu'à 23 h dans une station-service Sinclair, située sur Main Street. Quand il avait bu et qu'il n'était plus tout à fait lui-même, mon père essayait de prendre l'argent dans le tiroir de la caisse enregistreuse de la station-service. Je devais donc garder l'endroit le jour comme le soir. Il ne me restait pas de temps pour les sports ni pour les activités organisées par l'école, comme les concerts ou les soirées dansantes. Je n'avais pas de temps à consacrer à mes amis et, ce qui est pire, je n'ai jamais appris à étudier. Je n'apportais jamais un livre à la maison, je faisais juste ce qu'il fallait pour passer et j'ai réussi, je ne sais trop comment, à obtenir mon diplôme d'études secondaires.

« C'est pourquoi, une fois dans l'armée, j'ai été stupéfait quand on m'a choisi pour apprendre à exercer mon leadership, puis pour aller à l'école des officiers. Je voulais réussir, mais je ne savais même pas comment lire les questions d'un examen, et encore moins comment rédiger un exposé didactique. J'ai échoué à la première série d'examens et je m'attendais à être exclu du programme. Un après-midi, j'ai été convoqué au bureau du capitaine Schwartz, un officier juif qui avait été blessé en Corée. À cette époque, il exerçait la fonction de conseiller auprès de l'école des officiers.

« Cadet Britt, dit-il (je croyais deviner au ton de sa voix que mon rêve de devenir officier dans l'armée de terre des États-Unis était sur le point de s'écrouler), il ne fait pas de doute que vous avez l'étoffe d'un officier. » Je ne pouvais en croire mes oreilles. « Vous êtes fort physiquement », dit-il. « Vous imposez le respect aux autres hommes. Vous êtes brillant et apprenez vite les exercices et les manœuvres. Vous avez le quotient intellectuel, vous ne savez simplement pas comment étudier. »

« J'étais tellement excité que je pouvais entendre battre mon propre cœur. Cette homme allait me donner une seconde chance. Au-delà du piètre étudiant que j'étais, il voyait en moi celui que je pouvais devenir. Il avait pris le temps d'analyser mes points forts et s'apprêtait à m'aider à corriger une faiblesse à cause de laquelle j'aurais peut-être raté ma vie.

« Assieds-toi là, mon garçon », dit-il en m'indiquant une chaise près de son bureau de métal. « Laisse-moi te révéler quelques petits secrets sur la façon d'étudier. Premièrement, quand les autres gars vont se coucher, toi tu n'y vas pas et tu continues à lire ces livres et à souligner les passages qui te semblent importants. Deuxièmement, tu trouves pour chacun des cours quelqu'un qui connaît bien les ouvrages et la documentation à lire ou à consulter et tu lui demandes de t'aider. Troisièmement, pour chaque sujet tu te fais un plan d'ensemble. Chaque fois que tu lis un livre, tu étoffes un peu plus ton plan. Chaque fois que tu écoutes une conférence, tu ajoutes des détails. Quand un professeur cite un ouvrage, trouve cet ouvrage dans la bibliothèque et parcoure-le. Reporte sur ton plan les points que tu notes... »

« Le capitaine Schwartz a pris 15 ou 20 minutes pour me montrer comment étudier. Durant toutes les années où j'ai fréquenté l'école, aucun professeur n'avait suffisamment analysé mon cas pour se rendre compte qu'il se pouvait que je sois intelligent mais que je ne sache tout simplement pas utiliser cette intelligence. Mes notes passèrent de 18-20 % à 90-95 %. J'ai obtenu mon diplôme de l'école des officiers avec mention parce qu'un homme qui en savait plus que moi sur la façon d'étudier a pris le temps de me donner des conseils. »

Les mentors nous apprennent ce que nous avons besoin de savoir pour réussir dans la vie. Socrate, ce mentor de l'Antiquité, se décrivait comme « une sage-femme qui aide l'esprit à accoucher du savoir et de la sagesse ». Imaginez-vous « enceinte » d'un rêve. Le mentor est près de vous et vous aide à vous détendre et à respirer durant vos contractions douloureuses, alors que vous êtes en train d'accoucher d'un rêve. Le mentor tire le « bébé-rêve » hors de vous. Il le tient ensuite par les talons et lui donne des claques jusqu'à ce qu'il crie, preuve qu'il est bien en vie. Puis le mentor met le « nouveau-né » dans vos bras, sourit et va aider un autre rêveur qui commence à avoir des contractions.

Déjà 400 ans avant le Christ, Hippocrate, médecin grec et père de la médecine, a décrit à l'intention de ses jeunes étudiants sa tâche de mentor. « Les étudiants sont comme le sol », dit-il. « Et les maîtres sont les planteurs de graines. La tâche du maître est de semer durant la saison appropriée. Alors, les étudiants appliqués cultivent les champs. »

À la fin de la guerre de Corée, Bill Britt rentra en Caroline du Nord et se prévalant de la loi sur les bourses pour les anciens combattants, s'inscrivit à l'université d'État de la Caroline du Nord pour des études d'ingénieur. Il rencontra Peggy Garner, dont il devint amoureux, et se maria. Après avoir obtenu son diplôme, il travailla d'abord comme adjoint de l'administrateur communal de Raleigh, en Caroline du Nord.

«Mon patron était Bill Carper», se rappelle Bill. Il administrait l'une des grandes villes du sud, mais il me convoquait presque tous les jours à son bureau. Assis derrière son grand bureau, il me regardait dans les yeux et me demandait d'une voix forte: «Eh bien, Bill, qu'as-tu appris aujourd'hui?» Bientôt, je pris l'habitude de me poser cette question: «Qu'est-ce que j'ai appris durant cette réunion du conseil ou en étudiant ce projet? Quelle nouvelle information ai-je obtenue en parlant avec ce collègue rencontré dans le couloir ou en examinant ce plan budgétaire?» Bill Carter voulait que je réussisse en tant qu'administrateur communal. Il était mon mentor et malgré son horaire chargé, il prenait chaque jour quelques minutes pour me pousser à réfléchir, à analyser, à évoluer intellectuellement et à développer les dons que j'avais reçus de Dieu.»

Les mentors qui savent le mieux aimer sont ceux qui nous en apprennent le plus. Augustin affirmait qu'enseigner est le plus grand acte d'amour et que l'amour est le meilleur moyen de favoriser l'apprentissage. Je ne sais qui a ajouté ces paroles, mais elles ont toujours été pour moi une source d'inspiration: «Ceux qui aiment le plus sont les meilleurs enseignants.» Une autre version de cette idée traditionnelle est devenue fort populaire auprès de certains de mes amis: «Peu leur importe la quantité de choses que vous savez, dit l'adage, jusqu'à ce qu'ils sachent à quel point vous vous souciez d'eux.»

Pensez aux personnes qui, au cours de votre vie, vous ont le plus aimé. Ne sont-ce pas ces mêmes personnes qui vous en ont le plus appris? Le père de Peggy Britt fut un mentor pour Bill et Peggy durant les premières années de leur vie conjugale.

«Chez nous, à cause de mon père, nous étions tous inquiets et profondément préoccupés à propos de l'avenir», reconnaît Bill, «mais chez Peggy j'ai découvert ce qu'était l'amour paternel. Son père, G.B. Garner, offrait un service de réparation d'appareils de réfrigération à Raleigh. Quand on le voyait marcher dans la rue, on se demandait s'il avait des vêtements convenables à sa disposition. Les vêtements qu'il achetait étaient toujours pour sa famille et non pour lui-même. Chez les Garner, chacun avait une tâche à accomplir mais l'amour régnait, un amour qu'on pouvait discerner derrière le sourire naturel de monsieur Garner et qu'il savait communiquer à tous ceux et celles qui franchissaient le seuil de leur maison.

« Il avait son bureau chez lui. Des restaurateurs ou des épiciers pouvaient l'appeler le jour comme le soir pour des réparations urgentes. Monsieur Garner était comme un médecin : il répondait aux appels 24 heures sur 24 conduisant son petit camion et utilisant sa panoplie d'outils. Le jour, monsieur Garner se précipitait seul chez les clients pour réparer leurs bacs à viande ou leurs congélateurs à crème glacée. Mais quand il recevait des appels d'urgence le soir, toute la famille se précipitait vers le camion de monsieur Garner, chacun prenait le siège qui lui était assigné et ils partaient tous ensemble. »

« Mon père estimait que les membres de la famille devaient rester ensemble le soir, chaque fois que c'était possible », se rappelle Peggy. « Nous trouvions cela naturel, quand le téléphone sonnait au milieu de la veillée familiale, de monter dans le camion avec papa, de lui passer ses outils, de lui apporter des boissons fraîches pendant qu'il travaillait puis d'être récompensés par une halte au comptoir de crème glacée une fois le travail terminé. »

« On pouvait sentir l'amour qui animait monsieur Garner », dit Bill. « Sa femme Hattie Mae et lui, étaient des gens extraordinaires et ils nous ont communiqué cet amour, à Peggy et à moi. Maintenant nous nous efforçons de communiquer ce même genre d'amour aux milliers d'« enfants adoptés » œuvrant au sein de notre entreprise. »

Les mentors ont le courage de faire front. Augustin avait raison quand il disait que l'apprentissage est facilité par l'amour, mais il arrive parfois que même des gens qui ne nous aiment pas nous fassent réfléchir. Après tout, quelquefois les affrontements entre individus sont parfois une sorte d'amour. Si les gens se fichent complètement de vous, pourquoi devraient-ils prendre la peine de vous dire en quoi vous avez tort et ce que vous devriez faire ?

C'est une jeune homme travaillant dans notre entreprise qui m'a appris cela. Il y a longtemps, à l'occasion d'une assemblée à Rio, dans une grande salle remplie de nos distributeurs les plus prospères, je prenais la parole. J'étais plutôt exubérant en ce temps-là, allant et venant à pas mesurés devant l'auditoire, étant plus proche par mon comportement du général Patton que du général

Schwarzkopf. Une fois ma présentation enthousiaste terminée et après avoir demandé s'il y avait des questions, un silence alarmant se fit dans l'assistance. Personne ne parla. Les gens applaudirent poliment puis baissèrent les yeux ou les détournèrent.

« Êtes-vous sûr de ne pas avoir de questions à poser? » demandai-je en promenant mon regard sur l'auditoire, espérant que quelqu'un briserait enfin la glace. Personne ne parla. Finalement, après un long silence embarrassé, un jeune homme dit doucement: «Je n'oserais pas vous poser de question.» Il s'arrêta, la gorge serrée, rassembla son courage et poursuivit: «J'ai peur qu'une fois ma question posée, vous ne m'enleviez mon pantalon et je crains de me retrouver nu devant tout le monde.»

Sans le savoir et sans le vouloir, j'avais répondu aux gens d'une manière humiliante. Au lieu de leur communiquer de l'information, je les avais abasourdis, paralysés avec mon exposé. Les gens avaient peur de me parler, mais je n'étais pas conscient du pouvoir que j'exerçais sur eux et sur leurs vies. Sans le vouloir, je les avais paralysés et humiliés au point où ils n'avaient plus vraiment envie d'être honnêtes avec moi.

Cette situation embarrassante est survenue il y a 20 ans, mais elle me revient encore en mémoire chaque fois que quelqu'un me pose une question. Ce jeune homme, en m'affrontant courageusement, a changé ma vie. Depuis ce jour, j'essaie de prêter attention à tous ceux et celles qui me questionnent. J'essaie de deviner d'où ils (elles) viennent. J'essaie de leur donner une réponse imprégnée d'amour et de compréhension.

Les mentors sont accessibles

Quand nous avons interrogé Greg Duncan, un autre de nos distributeurs prospères, pour inclure son témoignage dans ce livre, il a raconté une histoire qui m'a ému. J'espère que vous comprendrez les raisons pour lesquelles je vous livre son témoignage. L'histoire de Greg m'a donné espoir, un espoir qui n'a cessé de s'accroître.

«Nous étions à Hawaii, dans une station balnéaire», dit Greg à Billy Zeoli, directeur de notre série vidéo sur le capitalisme avec compassion. «Je n'avais jamais été seul avec Rich DeVos auparavant. Lauri et moi étions dans l'entreprise depuis peu de temps. J'étais gêné de demander à cet homme occupé de m'accorder un rendez-vous. Mais j'entendis dire que tous les matins il marchait seul sur la plage. Alors le matin de ma première journée à Hawaii, je me suis levé à 7 h, j'ai descendu précipitamment l'escalier de l'hôtel et j'ai couru le long de la plage, espérant apercevoir Rich, mais je l'avais manqué. Le matin suivant, je me suis levé à 6 h, mais je l'ai encore manqué. Finalement, j'ai renoncé. Je suis allé dans la salle à manger de l'hôtel, je me suis dirigé vers le buffet, j'ai pris plusieurs crêpes et du sirop de noix de coco et je suis allé m'asseoir à une table donnant sur la mer pour manger en paix. Tout à coup, Rich est apparu, une assiette de fruits dans les mains. Il me regardait.

«Bonjour, Greg!» dit-il. Il se souvenait de mon nom et me regardait droit dans les yeux. «Puis-je me joindre à vous?» J'avais 28 ans. Lauri et moi travaillions dans l'entreprise depuis peu. Il n'y avait pas de raison que Rich se souvienne de moi et pourtant, il s'en souvenait. J'avais tellement de questions à lui poser au sujet de l'entreprise. Je ne pouvais attendre ses réponses, c'est moi qui parlais tout le temps. Nous sommes restés ensemble 45 minutes durant lesquelles il a à peine placé un mot. Il ne faisait que poser une petite question, puis une autre petite question, puis une autre et une autre jusqu'à ce que j'eusse trouvé tout seul la solution à mes problèmes. Il m'a appris que les dirigeants sont des personnes qui écoutent, que les mentors les plus prospères savent poser des questions sans y répondre.

« Ce jour-là, avant de me laisser », se rappelle Greg, « Rich m'a donné des conseils que je n'ai jamais oubliés. «Le danger qu'il y a à connaître une telle réussite à votre âge», m'a-t-il prévenu, «c'est que vous pourriez vous reposer sur vos lauriers et ne plus jamais progresser.» Puis Rich a fait naître dans mon cœur le rêve d'améliorer la vie des gens, mais il m'a fallu plusieurs années pour m'en apercevoir. «Quand un rêve se réalise», m'a-t-il conseillé, «remplacez-le toujours par un rêve plus grand. Et ces grands rêves entretiendront toujours votre vitalité et votre enthousiasme.» »

Après avoir profité des conseils de son mentor en Corée, Bill Britt est devenu lui-même l'un des plus grands mentors de l'histoire de notre entreprise. Le réseau de distributeurs Britt a des ramifications partout, à Durham sur la place Britt, en Caroline du Nord, dans tous les États américains et dans des douzaines de pays. Sa femme et lui ont commencé avec un échantillonnage de produits qui ne leur avait coûté que 30 dollars. C'est parce qu'ils ont développé leurs dons de mentor qu'ils purent ensuite mobiliser des centaines, puis des milliers, puis des dizaines de milliers de personnes pour travailler au sein de l'entreprise.

Comme mentor, Bill Britt a adopté un style qu'il appelle le «pouvoir du père». «Dans cette entreprise», explique-t-il, «on pourrait l'appeler «pouvoir du père et de la mère». Nous, les «pères et mères» qui sommes au sommet de la hiérarchie, devons apprendre à assumer notre rôle de «parents» auprès des «fils et des filles» qui sont au bas de la hiérarchie. Comme de bons parents, nous nous réjouissons quand nos «enfants» deviennent adultes, quand ils deviennent nos égaux et quand ils font mieux même que ce que nous avons fait.

«Nous devons nous rappeler», ajoute Bill, «que tout comme des parents naturels, nous exerçons une influence sur les générations qui nous suivent. Dans le livre de l'Exode de l'Ancien Testament, Moïse nous rappelle qu'on ne manifeste pas notre amour à nos seuls enfants mais aux quatre générations suivantes. Si nous aimons nos «fils et nos filles», si nous les guidons et les conseillons avec amour et en donnant l'exemple, ils aimeront à leur tour leurs «fils et leurs filles». Nous nous mettrons alors dans un fauteuil et nous observerons avec étonnement nos «petits-enfants» et «arrière-petits-enfants» qui, au sein de l'entreprise, aimeront leurs «enfants» comme nous avons aimé avant eux leurs «parents» et dont la réussite en affaires dépassera nos plus belles espérances.»

Nos parents sont en général nos premiers mentors. Ce qu'ils nous ont inculqué, nous l'inculquons à notre tour à nos enfants et à travers eux à nos petits-enfants et aux générations à venir.

Le père de Stan Evan était fermier. Stan reconnaît que s'il a connu des années de prospérité au sein de notre entreprise, c'est à cause des qualités ou du talent de mentor de son père. «Les fermiers se prêtaient les uns aux autres du matériel et de l'équipement», se rappelle-t-il. «Nos voisins empruntaient à papa sa planteuse au moment de la rentrée des récoltes, et nous leur empruntions leur moissonneuse à la fin de la saison. Parfois, quand papa récupérait son équipement, celui-ci était rouillé, brisé ou sans carburant. Mais quand papa retournait les machines qu'il avait empruntées, elles étaient toujours en meilleur état qu'au moment où il les avait empruntées.

«Ne te contente pas d'agir correctement, mon garçon», disait-il. «Agis généreusement. Et tes voisins ne l'oublieront jamais.»

« Quand on lui rendait ses machines, si l'une d'entre elles était brisée », se rappelle Stan, « papa la réparait. Si elle avait besoin d'un réglage ou d'une mise au point, papa la révisait. Si une courroie était usée, papa la remplaçait. Si un pneu était crevé, il en installait un nouveau. Évidemment, sa générosité lui coûtait cher, mais à la longue elle lui a rapporté des dividendes.

« Quand j'offre aux gens de les payer pour me laisser utiliser leur équipement », expliquait mon père, « ils disent toujours *non*. Pour moi, réparer, remplir de carburant et nettoyer leur équipement avant de le rendre est donc une façon de dire merci. En général, un type qui me prête son équipement le graisse et enlève la boue en l'arrosant au jet », m'expliquait-il, « mais je veux que l'homme qui a couru un risque en me prêtant son équipement se souvienne qu'au moment où il l'a récupéré, il était en meilleur état qu'au moment où il me l'a prêté. Ainsi, quand je lui demanderai de nouveau de me le prêter, il n'hésitera pas. »

« Par son exemple », se rappelle Stan avec gratitude, « mon père m'a appris à penser aux réactions intérieures des autres individus, à faire pour eux ce que je voudrais qu'ils fassent pour moi. J'ai tenté d'inculquer cette règle à ma propre famille et aux gens de l'entreprise. Et les résultats ont été profitables à tous. »

Bernice Hansen nous prouve, à Jay et à moi, son « pouvoir de mère » depuis 1950, alors que Walter Bass, celui qui parrainait Bernice, et moi-même roulions vers la maison des Hansen, à Cuyahoga Falls, en Ohio. Nous voulions parler à Bernice et à son mari, Fred, de la vente des produits Nutrilite. Harry Truman était président à l'époque, le salaire minimum était seulement de 75 sous l'heure, et la chanson la plus en vogue en Amérique, au moment où Bernice se joignit à nous était « Good Night, Irene ».

Après la mort de son mari, Bernice Hansen mit sur pied l'un de nos plus importants et de nos plus prospères réseaux de vente, réseau dont les distributeurs sont présents partout en Amérique et dans 60 pays et territoires. Bernice nous a toujours considérés, Jay et moi, comme les « garçons ». Son sourire contagieux et franc ainsi que l'affection qu'elle nous témoignait ont été tellement importants pour nous au cours des dernières décennies. Envisageant toujours la vie avec enthousiasme, Bernice épousa, en 1987, le docteur Ralph Gilbert, un ophtalmologiste à la retraite. Maintes et maintes fois au cours des quatre dernières décennies, Bernice Hansen-Gilbert, par ses suggestions et ses conseils, nous a donnés à Jay et à moi de nouvelles idées et nous a amenés à envisager de nouvelles avenues. Et nous avons fait de notre mieux pour transmettre à des milliers d'autres ce que Bernice et d'autres comme elle nous ont appris.

Joe et Helyne Victor ont eux aussi prouvé leur «pouvoir de parents» à leur propre famille et à notre entreprise. Joe était laitier dans la petite municipalité de Cuyahoga Falls, en Ohio, quand Fred et Bernice Hansen déménagèrent en ville avec en tête ce rêve, que Jay et moi avions partagé avec eux, et qui était de fonder la société Amway sur un réseau de distributeurs qui posséderaient leurs propres entreprises. Walter Bass avait confié son rêve à Fred Hansen, qui était coiffeur pour hommes, pendant que ce dernier lui coupait les cheveux dans sa boutique d'Ada, au Michigan. Fred en parla à son tour à Joe et Helyne Victor, à Cuyahoga Falls. Et les Victor partagèrent à leur tour ce rêve avec leurs fils et leurs belles-filles, Jody et Kathy Victor et Ron et Debra Victor.

«Je me souviens encore du jour où vous avez livré un plein camion de Frisk à notre domicile, à Cuyahoga Falls, me disait récemment Jody. J'avais 11 ans. Vous m'avez embauché pour coller des étiquettes sur ce premier produit d'Amway. J'étais payé 5 sous la bouteille. Le soir, dans mon lit, je vous écoutais parler avec mes parents, les Hansen, et avec les Dutt. Vous élaboriez avec eux le premier plan de marketing. Je n'étais qu'un enfant», ajoute-t-il, «mais déjà le rêve germait dans mon esprit.»

Notre première petite fabrique était située à Ada, au Michigan, et notre premier groupe de distributeurs était établi à Cuyahoga Falls, en Ohio. Alors que leur entreprise prenait de l'expansion, Helyne Victor fit scier en deux la table familiale rouge cerise de la salle à manger pour en faire deux bureaux: un pour Joe et un pour elle. Depuis, les Victor ont remplacé leur salle de séjour transformée en bureau il y a 32 ans par un complexe comprenant des bureaux et des salles de conférence. Les parents des Victor faisaient partie de ce petit groupe de pionniers qui signèrent les statuts constitutifs définissant le plan de distribution et ils partagèrent avec leurs enfants le rêve qui avait été à l'origine de l'élaboration de ce plan. Apparemment, ils ont été pour leurs enfants de bons guides. Aujourd'hui, Jody et Kathy ainsi que Ron et Debra ont des entreprises avec des ramifications dans tout le pays et aux quatre coins de la planète.

Nos frères et nos sœurs peuvent aussi partager avec nous des rêves, nous inspirer et nous guider. Greg et Lauri Duncan partagèrent leur rêve avec le frère de Greg, Brad. « Et ce n'est pas seulement une entreprise que Greg nous a léguée », se rappelle Brad. « Greg et Lauri sont des modèles et des mentors pour ma femme, Julie, et pour moi. Leur vie conjugale et leur famille sont de celles qu'on voudrait avoir. Ils représentent, dans leur paroisse et dans leur communauté, ce genre de valeurs qu'on aspire tous à intégrer dans nos propres vies. »

Brad et Julie Duncan ne sont pas dans l'entreprise depuis longtemps, mais ils ont déjà accompli beaucoup plus que certaines personnes qui sont deux fois plus âgés qu'eux ou qui ont deux fois plus d'expérience. « Et même si nous avons travaillé dur », reconnaît Brad, « nous n'aurions pu y arriver sans Greg et Lauri, qui nous ont inspiré et nous ont montré la voie. »

Brad et Julie Duncan ont ensuite parrainé les parents de Julie, Bob et Louise Eckard, qui ont réussi à bâtir leur propre entreprise de distribution, ainsi que le père de Greg et de Brad, David Duncan, un autre dont les performances dans notre entreprise ainsi que dans d'autres entreprises qu'il a créées ont été remarquables. « J'ai été un libre entrepreneur toute ma vie », admet le père Duncan. « J'ai été propriétaire d'entreprises de location et d'entreprises de construction, mais ce sont mes enfants qui m'ont légué ce rêve particulier. » David et sa femme, Darlene, ont parrainé plus tard leur troisième fils, Dru, pour le faire admettre dans notre société. Aujourd'hui, tous les membres de la famille ont atteint, dans l'entreprise Amway, de hauts niveaux de performance.

Le pouvoir du père. Le pouvoir de la mère. Le pouvoir du frère, de la sœur, du fils ou de la fille. Chacun de nous a le pouvoir d'influencer quelqu'un et à travers cette seule influence que nous exerçons, de contribuer à changer le monde. « Quand on se marie et qu'on a des enfants », nous rappelle Bill Britt, « nous n'exerçons pas seulement une influence sur nos enfants, mais aussi sur leurs enfants et les enfants de leurs enfants. Tout ce que nous leur enseignons — de bon et de mauvais — est transmis de génération en génération. Par les conseils et l'éducation que nous donnons à nos enfants, nous influençons profondément et de façon durable nos petits-enfants, nos arrière-petits-enfants et les générations suivantes. C'est ce qu'a fait Jésus », conclut Bill en souriant. « Il n'a « parrainé » que 12 disciples, mais il fut pour eux un bon mentor et aujourd'hui il en a plus d'un milliard et demi. »

Jésus en tant que mentor

Dans le Nouveau Testament, le mot *maître* revient 58 fois, et dans plus de la moitié des cas il renvoie à Jésus. J'ai cherché la signification originale grecque du mot *enseigner*. C'est un mot d'une portée considérable, étonnante. Il signifie «instruire, démontrer, informer, prouver et montrer». Jésus était considéré tant par ses disciples que par ses ennemis avant tout comme un maître habile à faire tout cela. Il enseignait aux foules et aux individus, et son désir était que les gens à qui il enseignait aient comme objectif ultime de communiquer ensuite à d'autres ce qu'ils apprenaient.

Tout comme le sergent qui avait changé la vie de Bill en Corée, Jésus transformait souvent la vie des gens au cours d'une seule brève rencontre. Vous souvenez-vous de cette histoire de la jeune femme surprise «en flagrant délit d'adultère» racontée dans le Nouveau Testament? Un groupe d'hommes en colère et pleins de fourberie la jetèrent aux pieds de Jésus. La moralité de cette femme ne les préoccupait aucunement. Ils voulaient mettre le «maître» dans l'embarras. La loi de l'Ancien Testament était claire. Les adultères pris en flagrant délit pouvaient être lapidés à mort. Jésus allait devoir choisir entre l'obéissance à une loi ancienne et la vie de cette jeune femme.

Trouvez un mentor qui sait écouter. Cerné par une foule bruyante venue pour lui tendre un piège, Jésus ne dit rien tout d'abord. C'est là la première leçon à apprendre concernant les mentors. Ceux qui ne se pressent pas pour donner des conseils sont habituellement ceux en qui on peut le plus avoir confiance. Ceux qui prennent vraiment le temps d'écouter donnent invariablement les meilleurs conseils — lorsqu'ils en donnent.

Au lieu de se prononcer, Jésus s'agenouilla sur le sable et écrivit des mots avec son doigt. À ce jour, personne ne sait quels mots il écrivit. Dans un film devenu un classique du cinéma et réalisé par Cecil B. DeMille, *Le Roi des rois*, Jésus écrit la liste des péchés commis par ces hommes pharisaïques qui sont dans la foule qui l'entoure. Ce qu'on sait avec certitude, c'est que Jésus fit une pause pour écouter, réfléchir, prier, laisser la foule se calmer et rassembler ses idées avant même de commencer à parler

Trouvez un mentor qui pose des questions. Après une longue pause, il releva la tête et vit les pierres qu'ils tenaient serrées dans leurs mains. Ces hommes étaient prêts à exécuter la sentence

de mort. Plutôt que de répondre à leurs questions, il leur rétorqua :
« Que celui de vous qui est sans péché lui jette la première pierre ! »

C'était vraiment une réflexion qui les questionnait. « Il se peut
que la femme soit coupable, laissait-il entendre, mais lequel d'entre
vous n'est pas coupable de la même faute ? » Apparemment, sa
question les désarçonna. C'est là un autre signe auquel on reconnaît un bon mentor. La personne qui sait quelle question poser et
quand la poser nous est d'une bien plus grande aide que celle qui
se dépêche de répondre.

L'un après l'autre, les hommes laissèrent tomber leurs pierres
et se retirèrent, et la femme se retrouva seul avec Jésus et ses
disciples. Une fois de plus, Jésus posa une question, s'adressant
cette fois à la jeune femme terrifiée qui était à ses pieds.

« Personne ne t'a condamnée ? » lui demanda-t-il d'une voix
calme. La femme, qui était couchée sur le sol en boule, releva
lentement la tête. Elle ne pouvait en croire ses yeux. Ses persécu-
teurs étaient partis. Elle avait une seconde chance. « Personne,
Seigneur », répondit-elle. « Moi non plus, lui dit doucement Jésus,
je ne te condamne pas. » Puis, après coup, il ajouta ces mots
d'espoir (ces paroles n'étaient sûrement pas une condamnation ou
un jugement) : « Va, désormais ne pèche plus. »

Trouvez un mentor qui donne de bons conseils. À la fin, le
mentor prononce cinq mots de sagesse. Que croyez-vous que Jésus
essayait de dire à cette pauvre femme qui était à ses pieds ? Il lui
avait déjà dit qu'il ne la condamnait pas. Il lui recommandait de ne
plus pécher, mais ne croyez-vous pas que la femme était déjà
parvenue toute seule à cette conclusion ? Vous pouvez imaginer ce
qu'elle se disait, couchée sur ce sol couvert de sable et encerclée par
ses bourreaux : « Mon Dieu, si je m'en sors, je ne prendrai plus
jamais un tel risque. »

Ces paroles de Jésus étaient des paroles d'espoir. Il savait à
quel point il serait difficile pour cette femme de rompre avec la vie
qu'elle avait vécue jusque-là. Alors quand il lui a dit : « Va, désormais ne pèche plus », il lui a apporté l'espoir, l'espoir qu'elle pouvait et allait réussir ce qu'elle avait déjà résolu de faire dans son
cœur.

**Trouvez un mentor dont les conseils sont inspirés par
l'amour.** Les paroles de Jésus étaient la réponse à la véritable
question qu'elle se posait. « Est-ce que je peux changer ? » « Est-ce
que je peux mettre un terme à ce cauchemar ? » « Est-ce qu'il y a

vraiment de l'espoir pour moi?» «Oui», sous-entendait la réponse, «tu peux y arriver.» De prime abord, ces mots: «Va, désormais ne pèche plus», peuvent sembler une sorte de condamnation. Mais reportez-vous au contexte. Mettez-vous à sa place quand elle a entendu ces paroles et entendez-les comme elle a dû les comprendre.

Voilà un maître sage et rempli d'amour dont la réputation a fait le tour du pays. Il lui répond d'abord en disant: «Moi non plus je ne te condamne pas.» Et pour finir, il lui donne ce conseil: «Va, désormais ne pèche plus.» Je suis convaincu que lorsqu'elle a entendu ces paroles ce jour-là, elle les a comprises comme des paroles d'espoir. Elle est pardonnée. Elle réussira. Maintenant elle peut partir et avec la bénédiction de Jésus entreprendre sa nouvelle vie. L'amour qui se dégageait de Jésus et qu'elle a senti ce jour-là a dû transformer sa vie. C'est à l'amour qu'il manifeste qu'on reconnaît en fin de compte un bon mentor. Comme le disent souvent mes amis d'Amway: «Les autres ne se soucient pas de la quantité de choses que vous savez jusqu'à ce qu'ils sachent que vous vous souciez d'eux.»

David Taylor lança sa propre entreprise au moment où il assurait encore le plaquage à l'attaque dans l'équipe des Colts de Baltimore. «Beaucoup de gens riaient et doutaient que je puisse prospérer en travaillant pour mon propre compte», se rappelle Dave. «Les premières fois que j'ai essayé de présenter mon plan aux autres, les réactions ont été décourageantes. Il m'est arrivé plusieurs fois d'avoir envie d'abandonner. Puis je me suis rendu à une conférence où j'ai rencontré mes mentors, Rex Renfrow et Bill Britt. Ils m'ont dit qu'ils m'aimaient», se rappelle Dave. «Ils ont dit qu'ils croyaient en moi et qu'ils étaient fiers de moi.

«J'étais bouleversé», dit-il. «Durant des années, j'avais été joueur de football. Quand «Mean» Joe Green me jetait au sol, il ne m'aidait pas ensuite à me relever et à enlever la poussière de mes vêtements, et ne me disait pas: «Hé, mon vieux, je t'aime.» Le plus souvent, il crachait sur moi et s'éloignait. Mais ceux qui ont été mes mentors dans cette entreprise s'aimaient mutuellement et ils m'ont communiqué cet amour. Leurs conseils étaient importants, mais c'est grâce à leur amour que j'ai réussi à traverser ces difficiles premiers mois.»

Méfiez-vous des mentors indignes de confiance

«Jim Jones», est-ce un nom qui vous rappelle quelque chose? En octobre 1978, une nouvelle en provenance de Jonestown, en

Guyane, atterra et attrista le monde entier. Pour des raisons qu'on comprend mal encore aujourd'hui, le « révérend » Jim Jones et près d'un millier de ses disciples rassemblés dans le Temple du Peuple prirent (ou furent forcés de prendre) du Kool-Aid empoisonné dans un acte de sacrifice religieux. Les premières images de leurs corps boursouflés gisant dans la jungle resteront gravées à jamais dans ma mémoire. L'histoire de Jim Jones et de ses disciples inno-cents nous rappellera toujours de nous méfier des mentors indi-gnes. Elle illustre de façon tragique les conséquences de la naïveté de ceux qui leur font confiance.

Un mentor honnête n'abusera pas de votre temps. Jim Jones maintenait ses disciples dans un état d'épuisement. Avant que le Temple du Peuple ne déménage à Jonestown, l'église était située à San Francisco, dans le district de Tenderloin. Jim Jones et ses disciples s'employaient jour et nuit à aider les pauvres, les person-nes seules, les chômeurs, les drogués, les ex-détenus, les personnes âgées et les retardés. Ils servaient des milliers de repas gratuits par semaine aux gens affamés de leur voisinage.

Plus ils travaillaient fort et longtemps, plus ils s'épuisaient. Personne ne le savait alors, mais l'un des objectifs de Jim Jones était d'épuiser ses gens. Quand on est exténué — même par de bonnes actions — on perd sa capacité de penser, de prendre de sages décisions, de se protéger et de protéger ceux et celles qu'on aime. Si un mentor vous pousse au-delà de vos limites, si vous êtes de plus en plus épuisé, méfiez-vous !

Un mentor honnête vous fera comprendre l'importance d'être reposé physiquement et spirituellement. Il vous louera pour votre travail, mais vous mettra en garde quand vous dépasserez vos limites et vous aidera à redevenir maître de votre vie.

Un mentor honnête n'abusera pas de votre argent. Jim Jones savait combien les gens occupés ont peu de temps pour payer leurs factures ou pour garder leurs finances en ordre. Il savait combien de gens ne parvenaient même pas à équilibrer leur budget. Alors il suggéra que tous leurs comptes de chèque et d'épargne soient au nom de l'église. Pour « leur propre bien », il fit mettre à son nom leurs cartes de crédit, leurs hypothèques et même leurs actions et leurs obligations d'épargne. Fatalement, il finit ainsi par avoir le contrôle de leur argent et du coup par devenir maître de leur vie. Si un mentor veut prendre le contrôle de vos finances, si vous vous apercevez qu'il vous escroque ou qu'il garde — même temporairement — quelque chose qui vous revient sans vous en avoir informé, méfiez-vous!

Un mentor honnête vous aidera à reprendre le contrôle de vos finances, mais il insistera pour que vous preniez vous-même les décisions finales qui concernent votre argent. Il vous aidera à devenir financièrement indépendant, ne tirera pas profit de votre argent et n'en fera pas un mauvais emploi.

Un mentor honnête n'abusera pas de discipline. Trop de gens n'aiment pas prendre eux-mêmes les décisions les concernant. Ils préfèrent demander à une personne plus énergique de prendre les décisions pour eux. Jim Jones exploita cette faiblesse. Non seulement il leur disait ce qui était bon et ce qui était mauvais, mais il institua des sanctions pour ceux qui agissaient mal, parmi lesquelles l'abus verbal et physique, en public et en privé. Il criait après eux. Il les humiliait. Il leur donnait des fessées et les obligeait à se donner des fessées mutuellement. Des fessées on passa ensuite aux raclées. Les gens vivaient dans la peur. Si un mentor vous humilie publiquement, s'il vous maltraite verbalement ou physiquement de quelque façon que ce soit, méfiez-vous!

Un mentor honnête ne vous humiliera jamais, ni verbalement ni physiquement. S'il fait une erreur et vous met dans l'embarras, il s'excusera aussitôt. Les mentors honnêtes désirent vous aider à vous prendre en main et non pas vous démolir. Leur objectif, c'est votre indépendance. Ils veulent que vous dépendiez de vous-mêmes, et non pas d'eux.

Un mentor honnête n'abusera pas de vous sexuellement. Jim Jones était habile à tromper les gens en vue d'en obtenir des faveurs sexuelles. Par exemple, il pouvait témoigner de la sympathie à une femme que son mari avait maltraitée. Il lui apportait le réconfort et la sollicitude dont elle avait besoin. Plus sa confiance en lui grandissait, plus il profitait de cette confiance pour obtenir ses faveurs. Si un mentor vous fait des avances, s'il se sert du pouvoir qu'il a de vous aider à changer de vie pour obtenir vos faveurs, méfiez-vous!

Un mentor honnête ne vous trompera jamais pour obtenir vos faveurs et ne vous abusera jamais sexuellement. Il agira de manière professionnelle, sachant que vous êtes vulnérable, et ne cherchera jamais à exploiter votre vulnérabilité.

Un mentor honnête respectera votre intimité. Jim Jones était maître dans l'art de manipuler les autres. Il sut gagner la confiance de chacun de ses disciples. Il se souvenait du nom de chacun. Il passait du temps seul avec chacun d'entre eux. Il adorait recourir aux ragots, aux semi-vérités et aux mensonges pour séparer des amis, pour détruire des relations. Il voulait que les gens n'aient confiance qu'en Jim Jones. Il les maintenait donc isolés des amis et des membres de leurs familles vivant à l'extérieur du Temple du Peuple. Puis il s'arrangeait pour les séparer les uns des autres. Si un mentor s'emploie à détruire vos relations, s'il veut que vous ayez confiance en lui et en lui seul, méfiez-vous !

Un mentor honnête respecte et encourage vos relations avec votre femme ou votre mari, vos enfants et vos amis. Il vous rappellera sans cesse qu'il est beaucoup plus important de maintenir de bonnes relations avec votre famille et vos amis que de gagner un million de dollars.

Un mentor honnête n'abusera pas de son autorité. Dès le commencement, Jim Jones s'employa à détruire la confiance que ses disciples avaient envers les autorités auxquelles ils s'en étaient remis jusque-là. Il leur montrait à quel point leurs parents étaient indignes de confiance et les encourageait à cesser de les appeler et de leur écrire. Il tournait en dérision leurs anciennes croyances religieuses et les principes importants qui les avaient guidés depuis leur enfance. Il ridiculisait les livres et les bibliothèques (sauf les livres qu'il préconisait). Il leur recommandait de ne pas se donner de conseils les uns aux autres (sauf s'ils citaient ses propres paroles). Et il refusait de les laisser mettre en doute son autorité et de répondre honnêtement à leurs questions. Si un mentor refuse de répondre à vos questions, quelles qu'elles soient, s'il essaie de vous isoler des sources extérieures d'information, méfiez-vous !

Un mentor honnête est ouvert à toute question que vous lui adressez. Il ne se sentira pas menacé par vos questions, mais fera de son mieux pour y répondre honnêtement, directement, complètement. Les mentors dignes de confiance vous respecteront, respecteront vos valeurs, vos croyances religieuses, vos traditions. Ils peuvent partager avec vous leurs expériences et vous pouvez décider de la façon dont vous leur répondez, mais ils ne vous déprécieront et ne vous rabaisseront jamais, pas plus que vos croyances.

Un mentor honnête évolue continuellement.

En 1927, Charles Mayo écrivait : « Ce qui peut arriver de mieux à un patient, c'est d'être soigné par un homme enseignant la médecine. Pour enseigner la médecine, un docteur doit toujours étudier.» Les gens qui réussissent dans la vie et dans les affaires ne cessent jamais d'évoluer. Ce sont de grands mentors parce qu'ils s'occupent des autres et les instruisent. Ils peuvent avoir des dons et des expériences différents, mais ils ont en commun cette règle d'or: «Aime Dieu et aime ton prochain comme toi-même.» En aimant, on évolue, on prospère. C'est là le secret de la réussite d'un mentor. Ce fut là le secret du capitalisme avec compassion, dans toutes les régions et à toutes les époques où il fut pratiqué. C'est là le secret de l'épanouissement personnel et de la réussite financière.

Bill Britt n'a sans doute pas reçu ce genre d'amour de son père alcoolique, mais le pouvoir qu'a l'amour de changer quelqu'un lui fut démontré par son grand-père quand il n'était encore qu'un enfant. Il se souvient encore du jour où l'amour le tenait dans ses bras, essuyait ses larmes et lui communiquait l'espoir qu'un jour tout irait bien à nouveau.

«La ferme de mon grand-père était située à proximité de Kinston, en Caroline du Nord», se rappelle Bill. «Je revois encore la petite maison de ferme en briques avec sa longue véranda qui faisait tout le tour de la maison, et le fauteuil à bascule de grand-père à la «place d'honneur», comme un trône. De cette chaise, grand-papa pouvait voir le jardin potager et au loin le fumoir, les champs de tabac et les prés verts où le bétail broutait le long d'un ruisseau paisible.

«À l'époque où j'avais 6 ou 7 ans, les beuveries de mon père menaçaient de détruire notre famille. Nous avions tous peur de ses accès de colère. Un après-midi, mon grand-père put constater lui-même à quel point la conduite de mon père était devenue scandaleuse. «J'emmènerai le garçon chez moi», a dit gravement grand-père au terme d'une de ses rares visites. «Et il y restera un an, peut-être davantage». Peu de temps après que maman eut mis mes vêtements dans un petit sac, je me retrouvais avec mon grand-père qui roulait en direction de sa ferme à travers champs.

«Après cette longue promenade en voiture, nous nous sommes assis pour prendre un déjeuner dominical tardif», se rappelle Bill. «Je me souviens encore du goût des frais petits pains d'avoine de grand-mère sur lesquels étaient étendus du beurre baratté par elle-même et de la confiture de fruits sauvages. À la fin du repas, grand-mère s'est dépêchée de retourner à la cuisine et grand-père est allé s'asseoir dans son fauteuil à bascule sur la véranda avant. J'avais à peine 7 ans à l'époque. Je me tenais debout sur cette véranda, regardant les nuages blancs dans le ciel bleu foncé de l'été. Tout à coup, je me suis senti triste. Quelque chose au fond de moi voulait pleurer. Je ne sais pas pourquoi exactement, des larmes ont alors rempli mes yeux, et je ne parvenais pas à les refouler.

«Soudain, j'ai senti les bras de grand-père autour de moi. Il me souleva doucement, me transporta dans ses bras d'un côté à l'autre de la véranda et me fit asseoir sur ses genoux, ce vieux fauteuil à bascule. Je sens encore sa main de fermier rugueuse lissant mes cheveux. Je l'entends encore murmurer: «Ça va aller, mon garçon. Tu verras. Tout va bien aller. »

«Durant un moment, je suis resté là, tendu et gêné. Je n'avais jamais senti les bras de mon père autour de moi. Je n'avais jamais appuyé ma tête contre sa poitrine et je n'avais jamais laissé tomber mes larmes sur son visage. Lentement, mes pleurs se sont apaisés. Blotti contre la poitrine de grand-père, j'ai alors entendu, en ces instants magiques, un son que je n'avais jamais entendu avant. Son cœur battait et je pouvais l'entendre. C'était un gros et vieux cœur rempli d'amour et à ce moment-là, j'ai compris pour la première fois que j'étais aimé, et qu'avec un amour aussi gros que l'amour de grand-père tout irait bien à nouveau. »

CHAPITRE 11

Pourquoi est-il si important d'avoir des objectifs pour réussir, et comment se fixer de tels objectifs et ne pas les perdre de vue ?

✧   ✧   ✧

CREDO 11

Nous croyons que le succès sourit seulement à ceux qui se fixent des objectifs et qui travaillent avec assiduité en vue de les atteindre.

Par conséquent, avec l'aide de notre mentor, nous devons commencer immédiatement à déterminer des objectifs à court et à long terme, à les noter, à évaluer nos progrès à chaque étape, à fêter l'événement quand un objectif a été atteint et à tirer des leçons de nos échecs.

Rex Renfrow était debout, seul, sur les marches du Lincoln Memorial. Le soleil se levait lentement derrière le dôme du Capitole. Rex vit des rais de lumière dorée transpercer le sombre ciel d'hiver. Autrefois, il aimait marcher seul à l'aube, aux alentours de la colossale statue de marbre de Honest Abe, mais aujourd'hui les paroles de liberté d'Abraham Lincoln gravées sur ce grand monument de marbre l'obsédaient et le mettaient en colère.

«Durant toutes ces années où je travaillais pour le gouvernement fédéral», se rappelle Rex, «je croyais que j'étais libre. Je m'imaginais que si je travaillais assez fort et assez longtemps, si je développais mes aptitudes et je suivais fidèlement les ordres, je gagnerais suffisamment d'argent pour pouvoir mettre sur pied ma propre petite entreprise. Puis, à l'âge de 40 ans, je me suis trouvé à l'endroit même où mes rêves auraient dû se réaliser. Or au contraire, ils avaient été anéantis. »

Rex commença à travailler pour le gouvernement fédéral après avoir servi quatre ans dans l'armée. Il était fier d'être commis-dactylo classe GS-3. C'est à peu près l'échelon le moins élevé dans la hiérarchie de la fonction publique, mais Rex n'avait pas fait d'études supérieures et avait accepté ce poste de débutant avec reconnaissance. Il pensait que s'il essayait vraiment très fort, il pourrait réussir à obtenir un poste au ministère fédéral de l'Agriculture. Entre-temps, il escomptait mettre de côté assez d'argent pour créer sa propre entreprise. Et il était prêt à faire tout ce qu'il fallait pour y parvenir.

Durant un certain temps, Betty Jo Renfrow travailla afin de procurer au couple un deuxième revenu. Quand les Renfrow adoptèrent Drew et plus tard Melinda, qui venaient tous deux de la maison pour enfants de Greensboro, Betty Jo laissa son travail pour pouvoir s'occuper des enfants à la maison.

« Nous avons décidé que l'un de nous serait à la maison à plein temps, le temps que nos enfants grandissent », se rappelle-t-elle. « Nous étions peut-être vieux jeu, mais nous voulions que l'odeur de petits gâteaux cuisant au four et la voix des enfants riant et parlant avec leurs parents remplissent notre maison. Nous voulions que l'un de nous soit là quand Drew ou Melinda s'écorcherait un genou ou perdrait un ami. Nous voulions que nos enfants apprennent de nous ce que signifiait aimer, être un être humain responsable, et non pas des baby-sitters des éducatrices de garderies, si merveilleuses puissent-elles être. »

Afin d'assurer à la famille un deuxième revenu, Rex travailla le soir et les week-ends comme pompiste, distribuant l'essence, changeant l'huile et nettoyant les pare-brise. Les longues heures et le travail difficile ne l'ennuyaient pas. Il caressait le rêve de posséder une entreprise et était résolu à faire presque n'importe quoi pour le réaliser. Il emmenait sa femme et ses deux enfants là où le gouvernement l'envoyait. De la Caroline du Nord, ils déménagèrent au Nouveau-Mexique, du Nouveau-Mexique ils déménagèrent au Dakota du Sud et finalement de là, ils déménagèrent à Washington où se trouvait le siège social du ministère de l'Agriculture et où Rex se levait à 5 h 30 et ne rentrait pas avant 18 h 30. Les mauvais jours, il travaillait à son bureau 15 heures d'affilée.

« Finalement, après avoir travaillé 26 ans et demi comme un esclave pour quelques dollars par semaine », se rappelle Rex, « j'ai atteint le rang GS-14. Durant toutes ces années, j'avais cru que si j'atteignais ce rang élevé je disposerais des ressources nécessaires pour franchir l'étape suivante et mettre sur pied ma propre entreprise. C'était mon objectif, celui dont j'étais censé me rapprocher chaque fois que je passais à un échelon supérieur. »

Ce matin-là, les rayons du soleil qui se levait dans la capitale fédérale ne réchauffaient pas et ne réconfortaient pas Rex Renfrow. Il était triste et déçu. Il avait gravi les échelons de l'échelle bureaucratique, mais il n'avait pas une meilleure sécurité financière qu'au moment où il avait commencé. L'inflation avait englouti chacune des augmentations de salaire. Betty Jo et Rex n'avaient pas de compte d'épargne. Comment auraient-ils pu en avoir un? À la fin du mois, il ne leur restait jamais d'argent à mettre de côté. La veille, lorsque Rex avait demandé à ses supérieurs quand il pourrait demander à nouveau de l'avancement, ils lui dirent avec regret: « Rex, sans diplôme universitaire vous ne pouvez monter plus haut. »

« J'avais un rêve », se rappelle Rex aujourd'hui, « celui de posséder ma propre entreprise. Mais après avoir passé la moitié de ma vie à travailler dur en vue de le réaliser, j'ai commencé à penser que je n'y arriverais pas. J'ai reçu le coup fatal quand mes supérieurs m'ont dit que quelqu'un comme moi, sans diplôme universitaire, ne pouvait monter plus haut, même s'il travaillait dur et faisait bien son travail. »

Posséder sa propre entreprise est un grand rêve. Cela a dû être une terrible déception pour Rex Renfrow de voir qu'il ne pourrait jamais y parvenir. Il caressait ce rêve depuis l'époque où, adolescent, il travaillait dans la ferme où son père cultivait du tabac, en Caroline du Nord.

Avez-vous déjà entretenu le même rêve? Parmi ceux qui s'attachent à ce rêve, certains parviennent à réussir presque immédiatement. Pour d'autres, comme Rex, cela peut être long et ardu. J'ai déjà lu quelques versions de l'histoire d'Amway qui semblaient suggérer que Jay Van Andel et moi avions lancé notre entreprise un matin, dans le sous-sol du domicile de Jay, et que le soir même nous étions déjà millionnaires. Nous sommes encore étonnés et pleins de reconnaissance quand nous pensons à la rapidité avec laquelle nous avons prospéré, mais cela nous a pris à nous aussi la moitié d'une vie pour voir nos rêves se réaliser. Nous avons eu, nous aussi, notre lot de difficultés et nous avons dû même faire face à un ou deux désastres au cours des années.

C'est à l'époque où nous allions à l'école secondaire que Jay et moi avons commencé à rêver de posséder une entreprise en commun. Nous nous rencontrions après l'école pour élaborer nos plans. Alors que Jay était en terminale, son père nous a embauchés et ce fut notre première expérience de travail au sein d'une entreprise. Il était propriétaire d'un garage et vendait des voitures d'occasion. Il devait faire livrer deux camionnettes d'occasion à un client du Montana. Cette première «mission» qu'on nous avait confiée se transforma en un excitant voyage vers l'Ouest de 6 440 kilomètres qui dura 3 semaines. Nous étions en affaires. Nous travaillions à notre compte. Et même si nous avons eu des crevaisons et que la route devenait parfois rocailleuse, nous avons apprécié chaque minute du voyage.

La Seconde Guerre mondiale fut le premier contretemps majeur qui retarda la mise sur pied de notre entreprise. Nous nous sommes engagés dans le corps de l'armée de l'air, et quand nous nous sommes de nouveau rencontrés à la maison, alors que nous étions en permission, Jay et moi avons planifié la mise sur pied de notre première véritable entreprise, une école de pilotage et un service d'affrètement d'avions à Comstock Park, près de chez nous, à Grand Rapids. Mais il y avait des problèmes. Au début, aucun de nous ne pouvait piloter. Après avoir terminé notre service militaire, nous avons donc mis en commun nos économies, obtenu un prêt, acheté un Piper Cub d'occasion sur lequel nous avons inscrit en lettres géantes: «WOLVERINE AIR SERVICE». Quand la piste d'atterrissage de la ville était boueuse, nous fixions des flotteurs à notre petit avion et nous décollions et atterrissions sur la petite rivière située à proximité. Inutile de dire que cette première entreprise ne fut pas un véritable succès.

Disposant de plus de temps, nous avons ensuite élaboré notre second projet commercial: nous voulions fonder l'un des premiers restaurants du monde où les clients seraient servis dans leurs voitures. Nous avons monté une petite maison préfabriquée en bordure de la piste. Les jours pairs, je préparais les hamburgers sur le gril et Jay les portait en vitesse aux occupants des voitures. Les jours impairs, les rôles étaient inversés. Nous ne faisions pas beaucoup d'argent, mais nous nous attachions à notre rêve. Nous avions notre propre entreprise et travaillions à notre compte.

En 1948, Jay et moi avons acheté l'*Elizabeth*, une goélette de 11 mètres et demi. Après avoir fermé nos autres entreprises, nous avons projeté de faire à bord de cette goélette une croisière d'un an le long de la côte atlantique, en mer des Caraïbes et le long de la côte sud-américaine. C'était en quelque sorte des vacances en même temps qu'un voyage d'apprentissage. Notre but était d'en apprendre davantage sur les bateaux et la navigation, l'affrètement de bateaux et l'industrie du voyage. Évidemment, nous n'avions jamais navigué auparavant. Donc, tenant un livre de navigation d'une main et la barre du gouvernail de l'autre, nous avons commencé notre voyage. À un moment donné, plongés dans un brouillard en provenance du New Jersey, nous avons dévié de notre cap et nous nous sommes retrouvés dans des marécages peu profonds, si loin de la mer que les garde-côtes furent stupéfaits quand ils nous virent et qu'ils durent attacher notre bateau au leur avec une corde et nous ramener vers l'Atlantique.

Avant même d'avoir appris à naviguer, une importante voie d'eau se déclara dans la coque de l'*Elizabeth*. Au cours d'une nuit sombre, de mars 1949, nous avions quitté La Havane et nous faisions voile vers Haïti; la vieille goélette couverte d'une grosse croûte commença à prendre l'eau. Nous avons écopé sans relâche, mais malgré nos efforts désespérés et plutôt désopilants pour qui nous aurait observés, notre goélette sombra dans 460 mètres d'eau, à 20 kilomètres de la côte nord de Cuba. Nous fûmes rescapés par un cargo américain et laissés 3 jours plus tard à San Juan, Porto Rico.

«Il est temps de vous trouver un travail et de vous ranger», nous conseilla un ami. Mais, comme Rex Renfrow et des millions comme lui — comme vous peut-être — nous étions déterminés à gérer notre propre entreprise et nous avons continué à nous lier à ce rêve, même si nous ne savions pas exactement où il allait nous mener.

En août 1949, peu après notre retour de ce voyage malheureux, Neil Maaskant, un immigrant hollandais et un parent lointain de Jay, nous donna l'occasion de devenir des distributeurs indépendants de produits Nutrilite (suppléments alimentaires). Leur brochure s'intitulait How to Get Well and Stay Well*, et nous signâmes le contrat. Nous mîmes bientôt au point un système de

---

* Pour être en bonne santé et le rester. (N.d.T.).

commercialisation « personne à personne » : ce fut notre troisième tentative commerciale.

Nous avons embauché au nom de Nutrilite d'autres distributeurs indépendants, et en quelques années nous avons formé une équipe formidable. En travaillant dur et en faisant de longues heures, nous sommes parvenus à faire prospérer notre entreprise. En 1957, Carl Rehnborg, le fondateur de Nutrilite, proposa à Jay de devenir président de l'entreprise. Après y avoir mûrement réfléchi, Jay décida de repousser l'offre. Une fois de plus, nous étions restés unis à cause de notre rêve commun. Malgré tous les obstacles (et les offres de salaire élevé pour travailler dans des bureaux somptueux), nous posséderions *notre propre* entreprise.

En 1958, nous avons annoncé à nos distributeurs de Nutrilite que nous allions ajouter de nouvelles gammes de produits et en 1959, la Corporation Amway était fondée. À peine 35 ans plus tard, plus de deux millions de distributeurs indépendants travaillant pour le compte d'Amway et répartis dans 60 pays et territoires ont fait au total une recette brute de près de 4,5 milliards de dollars.

Avant de fonder Amway, Jay et moi-même avons, pendant près de 20 ans, mis à l'essai différents plans commerciaux. Et maintenant, quand nous regardons en arrière, nous n'évaluons pas d'abord notre réussite selon les milliards de dollars de profits réalisés. Nous la mesurons au fait que nous sommes restés fidèles à notre rêve. Depuis le début, nous désirions posséder notre propre entreprise.

Quel est votre rêve ? Vous ne voulez peut-être pas posséder votre propre entreprise ? Peut-être que l'idée de travailler pour une grande société ou une merveilleuse petite entreprise dans votre ville natale vous sourit davantage. Vous voulez peut-être écrire un livre, devenir pasteur ou faire campagne pour être élu à une fonction politique ? Peut-être avez-vous choisi de faire carrière dans l'armée, dans la police ou dans le corps des sapeurs-pompiers ? Que vous projetiez de lancer votre propre entreprise, de vendre vos talents d'athlète ou vos dons artistiques, ou encore de travailler pour le gouvernement ou dans une entreprise privée, vous avez l'occasion d'exercer vos « muscles » en tant que capitaliste compatissant, entrepreneur, personne de valeur sur le point de relever le défi de votre vie. Et quel que soit votre rêve, les règles sont à peu près les mêmes.

Premièrement, vous devez croire en vous-même. C'est pourquoi nous avons souligné précédemment l'importance d'avoir une attitude positive. Deuxièmement, vous devez avoir un mentor qui vous guide au cours de votre cheminement. Puis, avec une bonne attitude et un peu d'aide de vos amis, vous êtes prêt! C'est maintenant le vrai départ. Attachez-vous à votre rêve! Élaborez un plan en vue de le réaliser et travaillez dur à sa mise au point. Et quoi que vous fassiez, ne vous laissez pas décourager par toutes les voix négatives autour de vous (ou en vous) qui hurlent: «Tu n'arriveras jamais à rien» ou «Même en essayant, tu ne réussiras jamais en ces temps difficiles!»

Poursuivez votre rêve. Le jeune Paul Collins était assis sur le bord d'une chaise dans mon bureau, à Ada, au Michigan. Il avait un rêve. «Je veux être peintre», dit-il. «Voici un échantillon de mon œuvre» Tandis qu'il posait quelques-unes de ses peintures sur ma table de conférence, sa main tremblait légèrement. Les yeux vibrants et lumineux des personnages de ses tableaux aux coloris accentués et vigoureux me regardaient fixement. «Très joli», dis-je. «Merci!» répondit Paul d'une voix calme. Puis, essayant de refréner un sourire irrépressible, il ajouta: «Ils sont jolis, n'est-ce pas!»

Paul Collins avait la bonne attitude. Alors que tout était contre lui, il croyait en lui-même. Paul est un Noir. Il a grandi au milieu d'une famille appartenant à la petite bourgeoisie, à Grand Rapids. Il n'avait pas d'argent. Et bien que ses professeurs reconnaissaient ses talents, ils lui conseillèrent de se trouver «un vrai travail» et de peindre à titre de passe-temps. Paul refusa d'écouter. Si ses professeurs ne croyaient pas en lui, lui croyait en lui-même. Il caressait un rêve et était prêt à tout risquer pour le réaliser.

Ses professeurs n'étaient pas aussi persuadés que lui. «Tu ne pourras pas gagner assez d'argent en vendant tes peintures pour subvenir à tes propres besoins», disaient-ils. Mais encore une fois, Paul ne les écouta pas, et il vendit sa première peinture alors qu'il avait à peine 18 ans. Cette petite victoire le poussa encore plus à utiliser ses dons artistiques pour gagner sa vie. Ce jour où, dans mon bureau, je regardais ces visages rayonnants sur les toiles et j'observais le regard étincelant et déterminé de leur créateur, il ne fallait pas être critique d'art pour comprendre que le rêve de Paul Collins se réaliserait un jour.

Contrairement à Paul, Rex Renfrow n'avait pas de talent particulier à vendre. Il savait seulement qu'il voulait avoir sa propre entreprise. Ce qui est également très bien. En fait, Rex avait passé une si grande partie de sa vie à travailler pour gagner l'argent qui devait l'aider à réaliser son rêve qu'il n'avait pas eu le temps de donner corps à ce rêve, de découvrir ses propres talents, d'étudier les choix qu'il avait et encore moins de faire ces choix importants.

Puis, un soir, à l'époque où Rex croyait que son rêve de posséder une entreprise était définitivement mort, il entendit parler de notre programme de vente directe. Il créa sa propre entreprise et finit par prospérer plus qu'il n'avait jamais rêvé dans sa vie. Si vous voulez créer votre propre entreprise, Amway n'est qu'une idée parmi des millions d'autres mais pour Rex Renfrow, ce fut comme un lever de soleil au terme d'une longue nuit noire.

Vous pouvez rêver de posséder votre propre entreprise, mais à un moment donné, vous devrez donner à votre rêve un contour plus précis. Quel genre d'entreprise voulez-vous posséder? À quoi voulez-vous consacrer *votre* vie? Quel genre de travail voudriez-vous faire? Quand j'étais adolescent, je n'avais pas le bonheur d'avoir, comme Paul Collins, un don artistique. (Et je ne travaillais pas beaucoup à perfectionner les quelques autres dons que je pouvais avoir). Quand les gens me posait cette terrible question: « Qu'est-ce tu veux faire quand tu seras grand? », je leur disais que je n'en avais pas la moindre idée. Mais mon père avait fait naître chez moi le même genre de rêve qu'il avait poursuivi et grâce auquel il était sorti de son cauchemar. « Crée ta propre entreprise », me conseillait-il. « Ne travaille pour personne, mais pour ton propre compte. »

Durant 19 ans, mon père travailla pour la société General Electric. À l'époque où je faisais mon cours secondaire, la G.E. promit à mon père une promotion et une augmentation de salaire s'il acceptait un nouveau poste à Detroit. Papa adorait Grand Rapids. Ses racines étaient là. Il ne voulait pas forcer les membres de sa famille à déménager dans une autre ville, à trouver de nouvelles écoles et une nouvelle église, et à se faire de nouveaux amis. Papa refusa cette offre qui était pourtant la meilleure occasion de réussir qu'il avait jamais eue. Pour une raison quelconque, le patron de mon père, à Grand Rapids, s'est retourné contre lui, et l'entreprise, ne tenant aucun compte de ses années de bons services, l'a congédié. Juste un an avant sa retraite, mon père a perdu son emploi, ses avantages et ses prestations de retraite. Dès lors, une idée l'a obsédé: «Travaille pour ton propre compte», me disait-il. «Crée ta propre entreprise.» Le rêve que mon père caressait pour moi a fini par devenir également le mien. Mais cela ne suffisait pas de rêver. Jay et moi devions faire des plans pour donner forme à ce rêve. Il fallait nous mettre au travail et nous demander: où allons-nous en poursuivant notre rêve et comment y arriver?

Paul Collins rêvait de peindre. Jay et moi avons rêvé de mettre sur pied un service de transport aérien, puis un restaurant pour automobilistes, puis un réseau de distributeurs Nutrilite. Rex Renfrow voulait simplement posséder une entreprise dont il serait fier et qui lui assurerait un source de revenu pour le reste de ses jours. Quel est votre rêve? Ne vous en faites pas si vous ne savez pas exactement quel genre d'entreprise vous aimeriez posséder. Si vous avez un rêve, même si ses contours sont encore mal définis, poursuivez-le. Ne le perdez pas de vue. Si vous n'avez pas de rêve ou si vous en avez un mais n'êtes pas sûr que ce soit une bonne idée, voici quelques questions qui peuvent vous aider à décider.

Ce rêve est-il vraiment votre rêve? Si vous pouviez choisir parmi tous les emplois, toutes les vocations, toutes les carrières existantes, que choisiriez-vous? Oubliez un moment ce que votre entourage veut que vous fassiez. Les membres de votre famille, vos amis et votre conjoint veulent chacun que vous visiez tel ou tel objectif, mais *vous*, qu'est ce que *vous* voulez? Fiez-vous à votre sentiment ou à votre intuition. Nourrissez ce rêve ou même cette petite part de rêve qui vous enthousiasme et qui vous donne espoir en l'avenir.

Le philosophe français Blaise Pascal a dit: «Le cœur a ses raisons que la raison ignore.» N'écoutez pas ces voix au fond de vous qui vous disent que vos possibilités sont limitées. Laissez parler votre cœur. Écoutez les voix de ceux et celles qui entretiennent de grands rêves pour vous. Puis foncez, poursuivez ces rêves!

Il ne suffisait pas que mon père ou le père de Rex nous transmette leur rêve. Nous devions être sûrs que nous avions vraiment fait nôtres leurs rêves. Même au moment où notre goélette sombrait, Jay et moi savions que nous voulions posséder notre propre entreprise, établir notre propre horaire, être libres.

Ce rêve est-il approprié à vos dons? Avoir un rêve est une chose, mais avoir les qualités requises pour le réaliser est une autre chose. Helen Keller aurait pu vouloir conduire une voiture, mais elle aurait constitué une menace sur les autoroutes. Sa cécité lui interdisait certaines options. Elle caressait néanmoins de grands rêves. «On ne pourrait jamais apprendre à être brave et patient», écrivait-elle en 1890, «s'il n'y avait que de la joie en ce monde.»

N'ayez pas peur de vos limites, mais ne soyez pas non plus irréaliste. Si les mathématiques fondamentales sont pour vous du chinois, vous n'avez probablement pas d'avenir comme physicien spécialiste des particules élémentaires. Si vous avez 55 ou 65 ans, mieux vaudrait peut-être ne pas songer à une carrière dans le basket-ball. Si vous vous évanouissez à la vue du sang, reconsidérez votre projet de devenir un grand chirurgien (ou un boucher, ou un boxeur professionnel). Mais quand un rêve est éliminé, remplacez-le par un autre.

Pensez à ce en quoi vous êtes bon, à ce que vous aimez faire. «Je ne suis bon à rien», dites-vous? Ridicule! Aucun de nous n'est aussi doué qu'un pur génie comme Wolfgang Mozart. Peu d'entre nous joueront un jour du piano comme André Watts. Il y a de fortes chances que vous ne puissiez écrire de romans à succès comme Stephen King. Mais nous avons tous reçu de Dieu des dons.

La plupart des gens qui ont réussi ne se considèrent pas comme des génies. Mais cela ne veut pas dire que chacun d'entre nous n'a pas reçu ces dons précieux que sont l'aptitude à persévérer et la capacité de travailler dur. Vous rappelez-vous ce que nous avons dit au sujet de l'hérédité? Ne laissez personne vous dire que vous n'avez aucun don. Ce n'est pas vrai!

Les gens confondent parfois génie et travail. Il est vrai que quelques rares génies accomplissent de grandes choses avec une facilité renversante. Si tous les musiciens et compositeurs se comparaient avec Mozart, ils seraient très déprimés. Mais parfois il nous est difficile d'admettre le fait que les grands musiciens, les grands athlètes, les grands auteurs, les grands artistes et (ne les oublions pas) les grands capitalistes compatissants soient devenus «grands» parce qu'ils ont développé leur génie en travaillant dur. Vidal Sassoon a dit: «Le seul endroit où la réussite vient avant le travail, c'est dans un dictionnaire.» Souvenez-vous de cela quand vous évaluerez vos dons.

Pensez à ce que vous aimez faire, à ce qu'il vous est facile de faire (non parce que cela ne demande pas de travail, mais parce que vous aimez le faire), à ce que, au dire des autres, vous faites bien. Cela vous aidera à identifier vos dons. Si vous les mettez à profit en poursuivant vos objectifs, vos chances de réussite seront stupéfiantes.

C'est à Washington que Rex et Betty Jo Renfrow ont commencé à présenter nos produits et notre plan de marketing à des voisins et amis. Rex continua à travailler au ministère de l'Agriculture, mais le soir et durant les week-ends il faisait des appels téléphoniques, organisait des réunions pour ses présentations et passait des coups de fil de rappel. Finalement, après 26 ans, il mettait sur pied sa propre entreprise. Ne croyez pas ces types que vous voyez tard le soir à la télévision. Le chemin de la sécurité financière ou du succès n'est jamais court ou facile. Et même si ce fut lent et difficile au début, Rex et Betty Jo savaient qu'un jour leur travail commencerait à leur rapporter des dividendes et ne cesserait de leur en rapporter.

« Le prix à payer n'était pas élevé », se rappelle Rex. « Je bâtissais enfin quelque chose pour ma famille et moi, et qui serait à nous pour toujours. J'avais investi ma vie dans les rêves des autres. Maintenant je consacrais mon temps et mon énergie à la réalisation de mon propre rêve. »

Avez-vous (ou pouvez-vous trouver) les ressources pour financer votre rêve? Une des raisons pour lesquelles Rex Renfrow fut si enthousiasmé par notre entreprise était le « prix d'entrée » peu élevé. « La trousse de départ, assortie d'une garantie de remboursement, m'a coûté 28 $ », se rappelle Rex. « Je pensais pouvoir réussir à économiser cette somme. Je me suis enthousiasmé. Nous nous disions : ma foi, qu'avons-nous à perdre ? »

De nombreuses autres entreprises demandent des « frais d'admission » peu élevés. D'autres demandent des frais supérieurs. Allez au marché des concessions, par exemple. Vérifiez le prix d'achat d'une chaîne de restaurants spécialisés dans les hamburgers ou les pizzas. Voyez quels sont les frais de démarrage que vous devriez normalement payer pour la location et l'ameublement d'un bureau, pour une salle de vente ou un studio. Ajoutez à cela le prix du matériel et de l'équipement de bureau, le prix du matériel et des logiciels d'ordinateur. Même un téléphone ou un télécopieur, des feuilles de papier et 500 cartes de visite coûtent de l'argent. Disposez-vous de tant d'argent ? Si vous n'avez pas actuellement cet argent, combien de temps devrez-vous travailler avant de l'avoir ?

« Notre entrée dans cette entreprise nous a coûté moins cher, à Betty Jo et à moi, que notre dîner d'anniversaire », se rappelle

Rex. «Et ce restaurant quatre étoiles», ajoute en souriant Betty Jo, «ne nous offrait pas de garantie de remboursement.»

Quelle que soit l'entreprise que vous choisissiez, assurez-vous d'avoir les ressources qui vous permettront de surnager ces premiers jours où vous lancerez votre entreprise et où vos revenus seront (peut-être) peu élevés. Souvenez-vous de l'avertissement du Nouveau Testament: avant de vous lancer dans un projet, assurez-vous d'en connaître le coût.

Ce rêve est-il compatible avec vos valeurs? Les rêves sont parfois dangereux. Il peut arriver qu'ils soient tout à fait incompatibles avec ce que nous croyons être juste. Ils peuvent même mener à notre destruction. Voyez loin. Sachez dès le début du voyage où mène la route. Si vous atteignez votre objectif, si votre rêve se réalise, est-ce qu'il vous apportera, à vous ou à celui ou celle que vous aimez, la joie ou la honte?

Dans les grandes villes de notre pays, de jeunes hommes se lancent dans le trafic des stupéfiants. Pourquoi voudraient-ils vendre des hamburgers ou des abonnements à des journaux, des automobiles, des propriétés ou du savon quand les profits de la vente de marijuana, de cocaïne et d'héroïne sont beaucoup plus intéressants. Et pourtant un jour ces jeunes hommes regarderont en arrière et regretteront leur choix — s'ils ne meurent pas avant sous une pluie de balles.

Rex et Betty Jo Renfrow durent se poser ces questions que nous devons tous nous poser:

Les *produits* sont-ils bons pour les consommateurs? Les utiliserais-je moi-même? Sont-ils des produits de qualité, vendus à un prix raisonnable avec remboursement garanti en cas d'insatisfaction?

La *présentation* des produits est-elle honnête? Est-elle claire? Peut-on s'y fier? Ou n'est-elle qu'un tissu de demi-vérités, d'exagérations ou même de mensonges?

Le *plan* est-il cohérent? Est-il juste? Est-il généreux? Est-il libérateur?

Les *gens* sont-ils honnêtes, justes, ouverts? Aurai-je du plaisir à passer ma vie en leur compagnie? Quel genre d'influence exerceront-ils sur moi, sur mon conjoint et sur mes enfants?

«Avec le recul», se rappelle Rex, «j'ai réalisé que mes rêves avaient toujours eu un côté humain. Je voulais non seulement une entreprise qui m'appartienne, mais une entreprise grâce à laquelle je pourrais aider les gens. Nous étions tellement heureux d'apprendre que cette entreprise valorisait l'entraide. «Ses valeurs correspondent aux miennes.»

Ce rêve est-il assez ambitieux pour vous stimuler? Ne vous fixez pas d'objectifs trop modestes ou trop «raisonnables». Ayez le courage de poursuivre de grands rêves susceptibles de vous mener loin. N'importe qui peut se fixer sans risque l'objectif de traverser la rue. Faites un pas de géant. Ouvrez-vous sur le monde. Pourquoi vous fixer des objectifs timides alors que vous pourriez véritablement accomplir quelque chose de merveilleux? Ayez foi en vous-même. Poursuivez votre rêve! Ce sont là les étapes les plus importantes. Tout le reste s'ensuivra.

La plupart des gens qui entrent dans notre entreprise ont des rêves modestes au début. Il n'y a rien de mal à cela. Ils peuvent s'engager chez nous simplement pour obtenir des remises sur les quelque 6 000 produits que nous avons. Ou ils peuvent avoir besoin d'un revenu mensuel supplémentaire de 400 ou 500 dollars pour payer leurs factures ou pour se faire quelques économies.

Kaoru Nakajima nous a raconté une ancienne légende japonaise qui illustrera ce point. Un vieux fermier japonais et son chien marchaient dans la forêt. Pendant 10 ans, ils avaient parcouru ces bois à la recherche d'un trésor. Soudain, le chien s'arrêta au pied d'un arbre. Pendant un moment, il renifla les racines. Puis il se mit à aboyer. Le vieil homme savait que le chien aimait aboyer. Souriant intérieurement, il poursuivit donc son chemin, croyant que le chien allait le suivre. Mais le chien continua à aboyer. L'homme s'arrêta et appela le chien par son nom. Le chien refusa de bouger. L'homme cria et exprima sa colère par des gestes; finalement il jeta une petite branche au chien en espérant que l'animal têtu cesserait d'aboyer et obéirait. Lorsqu'il vit que le chien refusait toujours d'obéir, le vieil homme retourna près de l'arbre, prit une pelle dans son sac et commença à creuser. Après avoir creusé pendant une demi-heure, le vieil homme découvrit l'inestimable trésor.

«Quand quelqu'un me dit non», explique monsieur Nakajima, «je vois cela comme le début et non comme la fin de nos relations. Comme le chien, je continue à pointer dans une direction et à aboyer. Après avoir attendu une semaine ou deux, je rappelle. Mon client potentiel pose d'autres questions. Chacune me donne une autre occasion de répondre. Si je n'abandonne pas, mon client se met bientôt à creuser. La première chose que j'apprends ensuite, c'est qu'il a découvert le trésor. La plupart des gens ont tendance à considérer un « non » comme une réponse finale. Pour moi, un « non » est un premier pas vers un « oui ».

Élaborez un plan et travaillez-y fort! Vous avez un rêve. Maintenant vous avez besoin d'un plan. Dans les plans, vous tracez les grandes lignes de vos projets. Ils vous permettent d'évaluer vos progrès. Grâce à eux vous acquérez un bon sens de l'orientation et de la détermination. Souvenez-vous de l'autocollant pour voiture : « Croyez en quelque chose ou vous goberez n'importe quoi. »

Certaines personnes caressent de grands rêves mais n'élaborent jamais de plans comportant des objectifs et stratégies en vue de réaliser leurs rêves. Sans plan, vous finirez par tourner en rond et par épuiser inutilement vos énergies. D'autres ont des plans inadéquats. Ils ne comprennent pas comment le capitalisme fonctionne et, par conséquent, ils échouent.

Rex Renfrow pensait que son rêve était de posséder une entreprise. Mais ce n'était pas du tout son rêve. Son vrai rêve était d'avoir un revenu stable qui le rendrait libre.

« J'étais fatigué de me voir imposer des limites », reconnaît-il aujourd'hui. « J'étais trop créatif et trop dynamique pour me laisser enfermer dans des limites. Je voulais être libre de décider moi-même de mon avenir, ce qui voulait dire qu'il me fallait de l'argent. »

Rex voulait obtenir à long terme ce que nous voulons tous : une certaine sécurité financière. Pour être vraiment libre, il faut de l'argent, pas nécessairement des millions de dollars, mais assez d'argent pour payer les factures et pour pouvoir en mettre un peu de côté.

Nous ne devrions jamais avoir honte de notre désir de posséder des biens matériels. Nous devrions être fiers de chaque dollar gagné honnêtement et l'accepter avec reconnaissance. L'argent que vous gagnez améliorera votre qualité de vie et celle de votre famille, et (si vous êtes compatissant) vous permettra aussi de contribuer à soulager les maux ou la souffrance des affamés, des pauvres, des sans-abri et des malades autour de vous et dans le reste du monde. N'oubliez jamais que le profit demeure l'objectif d'un bon plan commercial. Quels sont vos objectifs et comment prévoyez-vous les réaliser?

Qu'est-ce qu'un objectif? Peu importe votre définition du mot « objectif » (« le but ultime », « l'objectif de notre travail », « le but qu'on vise», «le résultat ou le succès vers lequel tend notre travail»), la clarification de vos objectifs est le premier pas vers la concrétisation et la réalisation d'un rêve. Et pour une entreprise, l'objectif premier est le profit.

La sécurité financière est un objectif à long terme que nous atteignons en établissant et en réalisant des objectifs à court terme. À ses débuts dans notre entreprise, Rex Renfrow travaillait le soir et les week-ends dans l'espoir d'augmenter son revenu de 300 $ ou 400 $ par mois. Une fois que cet objectif à court terme fut atteint, Rex et Betty Jo se fixèrent un objectif plus ambitieux: réaliser un revenu mensuel supplémentaire de 1 000 $. Puis, alors qu'ils s'occupaient toujours à temps partiel de leur entreprise, ils se fixèrent comme objectif de réaliser un revenu égal au salaire qu'il recevait du ministère de l'Agriculture. Quand cet objectif à court terme fut atteint, Rex quitta son emploi au ministère. À ce moment-là, ils possédaient une entreprise en pleine croissance. Ils avait des revenus suffisamment élevés pour se sentir en sécurité financièrement. Étape par étape, Rex et Betty Jo Renfrow ont réalisé leur rêve.

John et Barbara Sims entrèrent dans notre entreprise dans le but de passer plus de temps ensemble. «J'ai commencé à participer aux activités de la Parent-Teacher Association*», se rappelle Barbara. «Juste conduire en voiture nos enfants, Scott, Karen et David, à travers la ville me tenait occupée. Et John était tellement affairé à la gestion de son garage et les appels d'urgence auxquels il répondait 24 heures sur 24 avec sa dépanneuse que nous avions rarement le temps de nous asseoir ensemble, et encore moins de parler, de faire des projets ou de prier.» Ils atteignirent leur objectif en lançant une entreprise qu'ils purent administrer ensemble.

Jack Spencer était enseignant au secondaire et entraîneur. En plus, il travaillait le soir durant des heures tardives en vue d'obtenir sa maîtrise. «Je travaillais souvent 17 heures par jour, étant convaincu que le travail et un meilleur niveau d'études étaient les secrets de la réussite», se rappelle-t-il. Toutefois, quand Jack eut terminé son programme de maîtrise, il fut consterné de voir que la récompense à tous ses efforts n'était qu'un maigre 25 dollars d'augmentation de salaire net. Jack et Magee Spencer voulaient obtenir un meilleur rendement de leur investissement de temps et d'énergie. Ils atteignirent leur objectif en créant une entreprise où leurs

---

*   Association des parents d'élèves et des professeurs. (N.d.T.).

revenus n'étaient pas plafonnés et où il n'y avait ni culs-de-sac ni impasses.

Dave et Marge Lewis désiraient bâtir une entreprise prospère sans quitter leur village d'Hersey, au Michigan. « On ne peut prospérer dans une petite ville«, dit Dave en souriant, « du moins c'est ce qu'on nous disait. Les gens nous informaient que nous devions nous établir dans une grande métropole pour obtenir ces résultats financiers et ce succès professionnel qui vous permettent de devenir chef de file dans votre domaine. » « Mais nous aimions Hersey », ajoute Marge, « et nous voulions que nos enfants profitent de tous les avantages qu'il y a à grandir dans une communauté tranquille et unie. » Dave et Marge ont atteint leur objectif en lançant une entreprise qui pouvait prospérer n'importe où, dans une petite ville aussi bien que dans une grande.

Toutes les entreprises prospères ont au début été créées par des gens désireux d'atteindre un seul et unique objectif. Cet unique objectif est bientôt remplacé par de multiples objectifs à court et à long terme qui, pour être atteints, doivent être soutenus par une série d'actions ou de stratégies.

Qu'entend-on par stratégies ? Des mesures concrètes doivent être prises jour après jour pour atteindre nos objectifs. Vous vous souvenez de la formule BM = RN + ÉH x O ? Si les BM (biens matériels) sont notre objectif à long terme, alors les ressources naturelles (RN), l'énergie humaine (ÉH) et les outils (O) sont nos stratégies pour atteindre cet objectif.

Les ressources naturelles. C'est grâce à une utilisation imaginative des ressources naturelles de la terre que la plupart des biens et mêmes des services peuvent nous être offerts. Les besoins de Paul Collins sont relativement simples : de la peinture et de la toile. Les plans de marketing de ces jeunes entrepreneurs prospères dont nous parlions plus haut prévoyaient l'utilisation de diverses combinaisons de ressources naturelles : des roses, des œillets et des fougères (Roger Conner, pour sa pépinière) ; des œufs, du sucre, de la crème et une variété de parfums naturels (Ben et Jerry) ; des pièces d'ordinateurs séparées (Jobs et Wozniak) ; et même du fumier de vache (les enfants de KIDCO).

Notre société et des milliers d'autres entreprises ont transformé les nombreuses ressources de la terre en des milliers de merveilleux produits, et pourtant chaque jour quelqu'un nous arrive dans nos bureaux d'Ada, au Michigan, avec quelque nouveau produit améliorant la qualité de la vie de ceux et celles qui l'utilisent. Allez-y! Relevez le défi! Inventez! Créez! Transformez! Rêvez! Ayez des idées! Servez-vous de votre imagination! Risquez! Essayez! La planète est encore riche en ressources naturelles qui pourraient être refaçonnées par votre génie créatif. Allez-y, essayez!

L'énergie humaine. Peut-être que vous vous dites: «Donne-moi une chance!» Des types comme Roger Conner ou Ben et Jerry ont tout simplement été chanceux. Ils se sont trouvés au bon endroit au bon moment. Ils ont eu une chance incroyable, et je ne suis pas aussi chanceux qu'eux, voilà tout!

La chance, certes, joue un rôle. Mais d'après mon expérience, c'est le travail et non la chance qui conduit au succès. Stephen Leacock l'a dit en ces termes: «Je crois beaucoup en la chance, et je m'aperçois que plus je travaille dur, plus j'en ai.»

Dieu veut que vous utilisiez une partie de l'énergie qu'Il vous a donnée pour transformer la terre et ses ressources. Comme toute autre ressource, votre énergie est limitée. Ne la gaspillez pas. Ne la sous-évaluez pas. Élaborez un plan en vue de réaliser vos propres rêves, et utilisez chaque gramme de force et d'énergie pour y arriver.

Dans notre entreprise, l'énergie humaine est le facteur-clé. Une fois que les ressources naturelles ont été transformées et que nous nous retrouvons avec plus de 6 000 produits en stock, tout ce qu'il faut pour bâtir une entreprise dont l'importance et la prospérité font l'étonnement de tous, c'est l'énergie d'un homme ou d'une femme.

Les outils. Il existe toutes sortes d'outils et de machines qui peuvent rendre votre travail plus facile, plus efficace, plus économique. Paul Collins se sert de différents pinceaux, de différents chevalets portatifs et de différents cadres d'aluminium pour garder ses toiles tendues. Son plan prévoit aussi des voyages en jet et l'utilisation de téléphones et de télécopieurs.

Imaginez les outils que ces entrepreneurs ont utilisés pour réaliser leurs plans. Roger Conner mendia, emprunta et acheta de vieux réfrigérateurs pour garder ses fleurs au frais. En utilisant des bacs d'aluminium et des malaxeurs pour faire leur crème glacée, Ben et Jerry purent travailler avec rapidité et efficacité. Steve Jobs et Steve Wozniak n'avaient besoin que d'outils de base et de lampes à souder pour assembler leurs premiers ordinateurs, et les enfants de KIDCO avaient besoin de pelles, de brouettes et des étendoirs pour mettre sur pied leur entreprise d'engrais.

En passant, si vous projetez de fournir un service (plutôt que de vendre un produit), pensez aux outils que vous avez déjà (ou que vous pourriez emprunter), outils que vous pourriez inclure dans votre plan et qui rendrait votre vie plus facile et votre service plus efficace.

Les entrepreneurs doivent être particulièrement économes et inventifs. Ils se servent de vieilles voitures pour livrer des pizzas ou des médicaments vendus sur ordonnance. Ils font leur tournée de livraison de journaux en bicyclette. Ils se servent de leur téléphone pour mener des enquêtes ; de leur stylo, de leur machine à écrire ou de leur ordinateur pour écrire des pièces de théâtre, de la musique, de la poésie ou pour créer des prospectus ou des réclames. Ou ils lancent une entreprise de jardinage en se servant de leur tondeuse à gazon. Ils utilisent leur machine à laver et leur sèche-linge pour laver et sécher le linge des résidants d'un campus local, ou une planche à repasser pour repasser des chemises.

Tout ce qu'il faut pour réussir dans notre entreprise, c'est un téléphone, un carnet de commande, un endroit où entreposer les produits et le matériel, ainsi qu'un moyen de transport pour vos déplacements en ville (ou vos voyages d'affaires dans le reste du monde). Quel genre d'entreprise aimeriez-vous mettre sur pied ? Quels sont les outils dont vous disposez déjà ? Ayez foi en votre créativité !

Récapitulons. Même si vous croyez en vous-même et si vous avez un rêve, vous aurez besoin d'un plan pour réussir. Les plans prévoient généralement l'utilisation créative de ressources naturelles, d'énergie humaine et d'outils ou de machines. Maintenant, examinons de plus près comment ces plans sont élaborés.

Paul Collins avait un plan la première fois qu'il est venu dans mon bureau il y a près de 20 ans. «Je veux peindre des portraits d'Africains», dit-il, et son enthousiasme était contagieux. «Et j'espérais que vous financeriez le voyage.» Déjà, Paul croyait en lui-même et en son rêve, mais pour gagner sa vie en tant que peintre, il lui fallait élaborer un plan commercial financièrement cohérent.

«Je paierai le voyage», dis-je, «mais alors je posséderai 50% des peintures.» Pendant un moment, Paul me fixa d'un œil morne. «Cinquante pour cent ?» dit-il. «Cinquante pour cent !» répondis-je. «Mais c'est moi qui fais tout le travail», protesta-t-il. «Et c'est moi qui paie toutes les factures», répliquai-je. Alors il sourit et me tendit sa main. «Associés?» demanda-t-il. «Associés!» répondis-je.

Paul alla en Afrique et rapporta une collection de brillants et émouvants portraits d'Africains. Avec son importante première exposition, il acquit une solide réputation et fut considéré dès lors comme un portraitiste de premier plan en Amérique. Mais il démontra aussi ses talents d'homme d'affaires. Le plan de Paul était simple. «Je vends des actions pour faire face à mes dépenses», dit-il. «J'utilise l'argent pour voyager, pour organiser mon atelier, pour payer les dépenses de ma famille et pour peindre. Quand les tableaux sont vendus, j'ai amplement de quoi vivre et mes investisseurs récupèrent leur argent avec en plus un profit.»

«Voici mon plan d'affaires», dit Bill Swets en me tendant plusieurs pages dactylographiées. «C'est tout ce dont je vais avoir besoin pour démarrer, ce qui comprend un budget détaillé.» Bill était étudiant de première année à l'université. Quelques semaines auparavant, il m'avait demandé conseil au sujet de la mise sur pied de sa propre entreprise. «Regarde dans ta propre cour», lui dis-je. «Il y a un entrepôt de vieux chiffons et de ferraille dans ma cour», répondit-il. Nous avons ri tous les deux. Puis, les yeux de Bill commencèrent à pétiller. Quelques jours plus tard, il revint avec un plan.

«Ma cour est remplie de trésors», s'exclama-t-il. «De vieilles chaises, des tables, des canapés, des sommiers, des matelas, des vaisseliers, des lampes et de petits tapis.» Il affichait un large sourire. «Les meubles sont les biens de consommation les plus durables sur le marché», poursuivit-il. «Ils conservent toujours de la valeur. Mais», ajouta-t-il, «les gens n'aiment pas acheter des meubles d'occasion parce qu'en général on ne peut les trouver que dans des taudis. Je vais vendre des meubles d'occasion dans un emplacement propre, sûr et plaisant. Et voici la liste exacte de ce dont j'ai besoin pour commencer.»

Je jetai un coup d'œil sur le plan de Bill. La plupart des plans répondent à ces questions essentielles: qui, où, quoi, pourquoi, comment, quand et combien.

Qu'est-ce que je veux faire?

Vendre un produit?
Vendre un service?
Promouvoir mes talents d'artiste ou d'athlète?

Comment puis-je le faire?

Par quelles étapes devrai-je passer pour atteindre mon objectif?

Qui peut m'aider à le faire?

Quels sont les gens à qui il me faudra demander de l'aide en cours de route?

De quoi aurai-je besoin pour le faire?

De quelles ressources naturelles aurai-je besoin?
De quels outils aurai-je besoin?

Où pourrai-je le faire dans les meilleures conditions?

Dans un endroit dont je peux déjà disposer?
Dans un espace qu'il me faut aménager?

Combien cela coûtera-t-il pour le faire?

De combien d'argent aurai-je besoin en tout?

Où obtiendrai-je l'argent?

Ai-je déjà suffisamment d'argent?
Ai-je besoin d'emprunter de l'argent?
Est-ce que je désire avoir des associés qui investiraient de l'argent dans le projet?

Combien faudra-t-il de temps avant que je ne rentre dans mes frais?

Quel prix demanderai-je?
Quel profit dois-je prévoir réaliser?

Même si vous avez le meilleur plan du monde, il vous faudra deviner quelques-unes des réponses. Devenir entrepreneur n'est pas sans risques. Faites du mieux que vous pouvez pour établir un plan complet et réaliste. Fixez-vous des objectifs. Dressez une liste des stratégies décrivant exactement la façon dont vous prévoyez atteindre ces objectifs. Déterminez un coût pour chaque stratégie et indiquez la date à laquelle vous espérez appliquer avec succès cette stratégie. Puis, une fois votre plan achevé, montrez-le à votre mentor pour savoir ce qu'il en pense. J'ai parcouru rapidement celui de Bill Swets. Ce plan de 4 ou 5 pages tapées à simple interligne répondait à toutes les questions énumérées plus haut. Comme la plupart des hommes d'affaires (et notamment des banquiers), j'étais intéressé par le résultat financier, je voulais savoir quel montant Bill croyait devoir investir dans la réalisation de son plan.

« Tu parles de 50 000 dollars ? » murmurai-je en le regardant un peu surpris. « C'est beaucoup d'argent.

— Je sais », répondit-il. « Les deux banquiers auxquels je me suis adressé pour obtenir un prêt ont dit la même la même chose — juste avant de tourner ma demande en ridicule. »

Plus tard, Bill m'avoua qu'il espérait que je prendrais le téléphone, que j'appellerais ces banquiers et que je me porterais garant de son emprunt. Au lieu de cela, je commençai à lui poser des questions. « Avez-vous besoin d'un tapis dans votre magasin, Bill ? Pourquoi pas un sol de ciment ? Et toutes ces cloisons de pierres sèches ? Pourquoi pas plutôt un magasin non cloisonné ? Et avez-vous vraiment besoin de trois machines à calculer et de deux caisses enregistreuses ? Une seule, ne serait-ce pas suffisant pour commencer ? »

Avant la fin de notre rencontre, Bill avait ramené le coût de démarrage à 5 000 $. Sans même que je l'appelle, le banquier de Bill consentit immédiatement à partager le risque. Aujourd'hui, quelques années plus tard, Bill Swets est propriétaire de 20 magasins d'exposition de meubles de location répartis dans quatre États. Il avait un plan simple qui, après quelques modifications mineures, fut une formidable réussite !

Quel est votre rêve ? Avez-vous un plan qui vous aidera à réaliser ce rêve ? Quels sont vos objectifs et quelles mesures ou dispositions prenez-vous pour les atteindre ? Il y a 20 ans, Rex Renfrow entendit parler du plan d'Amway et misa tout ce qu'il avait sur la réussite de ce plan. Aujourd'hui, Betty Jo et lui ont une entreprise de distribution très prospère avec des centres dans tout le pays et dans le reste du monde. Ils ont appris très tôt que la compassion les mènerait au succès. « Dans cette entreprise, les gens viennent en premier et les profits en second », nous dit Rex. « Dès le début, nos mentors nous ont démontré que nous satisferions nos besoins en aidant d'abord les autres à satisfaire les leurs. »

Mark Stefano et sa femme, Lynn, possédaient une petite pizzeria au Maryland, en banlieue de Washington. Mark faisait des pizzas et servait les clients 96 heures par semaine. Les affaires n'étaient pas florissantes. Son mariage était quasiment en train de craquer. Lynn préparait une maîtrise pour pouvoir subvenir à ses besoins lorsqu'elle serait séparée ou divorcée de son mari. Les enfants Stefano voyaient rarement leurs parents, et quand ils les voyaient, Mark et Lynn étaient généralement en train de se disputer.

Quand Rex et Betty Jo ont présenté pour la première fois notre plan aux Stefano, Mark a ri. « Nous n'avons pas le temps de vendre du savon », dit-il. Nous arrivons à peine à vivre pour l'instant. » Rex comprit le problème de Mark, se souvenant de sa propre expérience de travail au gouvernement fédéral. Mais pour Lynn Stefano, ce plan était une lueur d'espoir, et elle convainquit son mari qu'ils devaient tenter le coup.

« Mark avait été un délinquant juvénile », se rappelle Rex. « Il n'avait pratiquement aucune instruction et avait très peu le sens des affaires. Durant toute son enfance, son père l'avait traité de bon à rien et d'idiot. Il semble que personne ne croyait en lui. Et le pire, c'est que Mark ne croyait pas en lui-même. Mais je ne sais pas pourquoi, Betty Jo et moi avons cru en lui. Il était habile. Il était travailleur. Il avait vraiment les qualités voulues pour réussir. Nous lui avons donc dit et répété qu'il était intelligent, qu'il pouvait réussir, qu'un jour il ne serait plus esclave de ce four qui le faisait suer.

« Soir après soir nous nous rendions en voiture à cette petite pizzeria et aidions Mark à lire et à comprendre le manuel. Nous l'aidions à appeler ses amis pour les inviter à ses présentations. Nous l'aidions à faire les présentations. Nous faisions la navette entre le District de Columbia et le Maryland et aidions les Stefano à démarrer. Chaque jour, nous regardions Mark dans les yeux et lui souriions. Nous le serrions dans nos bras. Nous lui avons dit qu'il était merveilleux jusqu'au jour où il commença à le croire vraiment. »

« Je ne sais pas combien d'années cela a pris », dit Betty. « Mais nous aimions Mark et Lynn Stefano pour eux-mêmes et non pour leur rendement. Et peu à peu, ils ont commencé à produire. Leur entreprise a pris de l'expansion. Leur mariage fut sauvé. Les membres de leur famille ont commencé à s'aimer mutuellement. » Finalement, ils entrèrent dans l'entreprise. Ils se présentèrent sur la tribune sous les applaudissements à tout rompre de 2 000 autres personnes œuvrant dans l'entreprise. Derrière la scène, Mark pleurait.

« L'an dernier, à Noël », se rappelle Rex, « j'ai ouvert la porte d'entrée pour prendre le journal. Un beau gros bouquet de poinsettias auquel on avait attaché une note était là, au beau milieu de l'entrée. J'ai déplié la note et j'ai lu ces mots inoubliables : « Merci de m'avoir donné un nouveau mari. » Le petit mot était signé « Lynn Stefano ».

« Nous n'avions aucune garantie que Mark et Lynn réussiraient », nous rappelle Rex. « Mais l'expérience nous a appris que la compassion donne presque toujours des résultats positifs. Nous avons aidé les Stefano à se réconcilier, à se prendre en main et à réaliser leurs rêves, et cette aide s'est soldée par des profits pour l'entreprise et a contribué à la réalisation de nos propres rêves à long terme. »

Mais l'histoire ne finit pas là. Le 11 mars 1991, Rex et Betty Jo furent eux-mêmes frappés par une terrible tragédie. Leur fille adoptive, Melinda, mourut durant une crise d'épilepsie. Au bout de quelques minutes, les téléphones sonnaient partout en Amérique. Dès le lendemain, des fleurs, des cartes et des lettres commencèrent à arriver par centaines. Les amis que Rex et Betty Jo s'étaient faits dans l'entreprise se rendirent en voiture ou par avion à Fairfax, en Virginie, afin de partager le chagrin des Renfrow. Plus d'un millier d'amis envahirent l'église pour assister aux obsèques de Melinda.

« Nous avions aimé tous ces gens que nous avions connus dans l'entreprise », se rappelle Rex, « mais nous demeurions néanmoins stupéfaits devant tout cet amour qu'ils nous manifestaient en cette occasion. Au cimetière, à la fin de l'oraison funèbre, Betty Jo et moi étions debout près de la tombe de Melinda. Mark Stefano est venu alors vers nous, une rose à la main. Des larmes ruisselaient de ses yeux. Pendant un moment, il a essayé de parler. Puis, il a tendu simplement la rose à Betty Jo, m'a serré maladroitement dans ses bras et est retourné aux côtés de Lynn et de ses enfants.

« Si une entreprise est censée nous rapporter un profit », ajoute Rex pensivement, « alors à ce moment où je me tenais debout près de la tombe de ma fille ce jour-là, je suis devenu l'homme le plus riche du monde. »

CHAPITRE 12

Quelles attitudes, quels comportements et quels engagements nous aideront à réussir ? (L'a b c de la réussite)

CREDO 12

Nous croyons que certaines attitudes, certains comportements et certains engagements (reliés directement ou indirectement à nos tâches) nous aideront à atteindre nos objectifs.

Par conséquent, avec l'aide de notre mentor, nous devrions commencer immédiatement à maîtriser ces rudiments (l'a b c) qui nous aideront à réussir.

Un des dortoirs de l'université de la Caroline du Nord était particulièrement bruyant ce soir-là, en 1971, quand une poignée d'étudiants de troisième année décidèrent d'assister à une réunion tenue par Amway et qui devait avoir lieu au domicile de Bill et de Peggy Britt.

«Prenons quelques bières avant de partir», cria Paul Miller dans la salle de récréation, à l'adresse de ses vieux copains de l'équipe de football. Quelques secondes plus tard, la bière coulait à flots.

Il y avait de quoi fêter. L'année 1970 avait été pour le jeune Paul Miller et l'équipe «Tar Heel» la saison la plus excitante qu'ils aient jamais connue. Faisant preuve d'un cran incroyable, Paul réussit, à la suite d'une grave opération au dos, à effectuer un retour au sein de l'équipe nouvellement formée. «Vous ne rejouerez plus jamais au football», lui avaient dit ses médecins. «Vous vous trompez», pensait Paul, et à peine deux jours après sa sortie de l'hôpital, portant toujours une lourd appareil orthopédique dorsal, il commença à retrouver sa forme.

La même année, il mena ses coéquipiers de la Caroline du Nord à la victoire au championnat de la Côte atlantique et l'équipe remporta la coupe Peach en 1970. Au cours de sa dernière année d'études, il remporta encore de plus grandes victoires. Grâce à lui encore une fois, son équipe gagna la coupe Gator, et il fut sélectionné pour participer au match des «Coaches All-American» à Lubbock, au Texas, sous la direction des entraîneurs Bear Bryant et Bo Schembeckler.

«Je pensais que les recruteurs de joueurs de football professionnel feraient la queue pour me faire des offres», se rappelle Paul, «mais quand j'ai vu que le téléphone ne sonnait pas et que ma boîte aux lettres était vide, j'ai compris que le jeu était fini et qu'il me faudrait commencer à travailler. Malheureusement, comme beaucoup de mes camarades de classe, je n'avais pas de but dans la vie. Je pensais à me diriger vers les affaires ou le droit (plus tard, j'ai même obtenu mon diplôme de droit à Chapel Hill, j'ai réussi l'examen du Barreau et j'ai pratiqué le droit durant 16 malheureux mois), mais rien ne m'enthousiasmait vraiment jusqu'à ce que je songe à créer ma propre entreprise. C'est pourquoi j'ai été curieux d'en savoir davantage au sujet de cette société.

«Je ne sais pas quelle quantité de bière nous avons bue avant de trouver le chemin de notre première réunion», se rappelle Paul, «mais je sais que j'étais étourdi en arrivant. Nous nous sommes assis dans la dernière rangée, nous poussant du coude et pouffant de rire comme des fous», se rappelle-t-il. «Mais j'ai finalement acheté la trousse d'échantillons, qui revenait à 27 dollars, et j'ai repris le chemin du dortoir sans savoir ce que je devais faire avec. Je savais encore moins ce que je devais faire pour avoir ma propre entreprise et la faire prospérer.

Le lendemain même, Paul, et c'est tout à son honneur, prit la commande — une boîte de détersif — d'un inconnu sans méfiance. Mais il ne se rendait même pas compte que nous n'étions pas une entreprise de vente «porte à porte». Et même s'il avait conclu sa première vente de cette façon, il ne prit jamais la peine de faire parvenir la commande ou de livrer le savon.

Quelques années plus tard, après que Paul eut rencontré et épousé Debbie, il songea enfin sérieusement à bâtir une entreprise. «J'ai travaillé pour Peggy Britt, comme garçon de magasin, se rappelle Paul. Je déchargeais et j'empilais les boîtes, je prenais et je remplissais les commandes. J'observais de près les Britt et les autres qui prospéraient dans cette entreprise. Debbie et moi avons assisté à des réunions, nous avons écouté des enregistrements et lu des livres jusqu'à ce que nos cerveaux soient saturés. Finalement, un jour Debbie et moi avons cessé de nous dérober et avons commencé à mettre en application les principes de base appris et nous avons continué à les appliquer jusqu'à ce que notre entreprise prospère et que nos rêves se réalisent enfin.»

En moins de 20 ans, les Miller ont bâti l'un des plus vastes réseaux de distributeurs indépendants à avoir jamais été mis sur pied dans l'histoire de notre entreprise. Quand on leur demande comment ils ont fait, ils répondent sans hésitation: «Nous avons simplement continué à appliquer les principes de base.»

À l'époque où mon fils Dan avait un peu plus de 13 ans, il me demanda de lui apprendre à jouer au tennis. Quiconque m'a vu sur un court de tennis sait que je n'aurais jamais pu concourir au championnat de Wimbledon, mais j'avais appris les techniques de base et j'étais heureux de pouvoir les enseigner à mon tour. En théorie, je savais exactement comment lancer en l'air la balle pour effectuer un service parfait, comment tenir la raquette, comment me placer pour le retour de service et comment foncer vers le filet. Je connaissais les principes de base, mais Dan alla plus loin. Il pratiqua son service. Il apprit à se placer de façon à prendre le retour de son adversaire. Il acquit de la rapidité, de l'adresse et de l'endurance en pratiquant encore et encore les principes de base, et un jour, à mon vif dépit et à ma grande surprise, mon jeune fils me battit à plate couture.

Quelle que soit l'entreprise que vous êtes en train de bâtir, les *principes de base* sont à peu près les mêmes. Dans la partie suivante, consacrée à l'a b c de la réussite, j'ai tenté de résumer les principes de base que je connais et que j'ai mis en pratique. Dans les quelques pages qui suivent, je passe en revue 26 de ces attitudes, de ces comportements et de ces engagements que Jay et moi, ainsi que nos amis, avons appris au cours des années. Souvenez-vous simplement de ceci: connaître ces principes ne suffit pas. Quand vous aurez fait le saut, n'oubliez pas ces paroles de John Wesley: «Prenez garde de ne pas vous laisser trop accaparer par la lecture des livres. Car un gramme d'amour vaut un kilo de savoir.» S'il y a quelque chose que j'ai appris, c'est que lorsque toutes nos habiletés ou nos compétences semblent ne servir à rien, le labeur (application des principes de base) et la compassion nous permettent de mener à bonne fin nos projets.

L'adversité peut être votre alliée

Alors qu'elle n'avait que 16 ans, Lauri Duncan passa à travers le pare-brise d'une voiture au cours d'une collision de plein front. La vitre brisée la coupa profondément au visage. Après cette épreuve, à laquelle elle avait eu peine à survivre, la jeune femme commença à subir des opérations de chirurgie réparatrice qui devaient s'échelonner sur plusieurs années. Imaginez combien il doit être pénible pour une jeune fille de voir son visage marqué de profondes cicatrices.

«Au début, je regrettais de ne pas avoir été tuée dans l'accident», confesse Lauri. «Durant tous ces longs mois passés à l'hôpital, j'étais triste. Puis, quand je suis retourné à l'école, mes professeurs et camarades de classe me regardaient avec pitié. Les garçons que je trouvais séduisants ne jetaient même pas les yeux sur moi. Chaque opération équivalait à de nouvelles souffrances et de nouvelles vilaines cicatrices. Malgré tous mes efforts, je ne pouvais échapper à la tragédie qui me frappait. Je devais y faire face dans le miroir tous les matins et tous les soirs.»

À un moment ou à un autre, nous vivons tous des malheurs. L'échec d'une relation ou d'une entreprise, une tragique maladie, une blessure ou une mortalité, l'effondrement de certains espoirs ou l'écroulement de certains rêves apportent souffrance, détresse, soucis et chagrin.

«Maintenant, quand je repense à ma tragédie», dit Lauri avec satisfaction, «je me rends compte que j'en ai tiré deux leçons. Premièrement, j'ai appris à accepter les choses que je ne peux changer et deuxièmement, j'ai appris à faire ces choses qui peuvent être très importantes.» Puis, 9 ans plus tard, Lauri épousa Greg Duncan, et ensemble ils fondèrent une merveilleuse famille et bâtirent une entreprise très prospère.

«Si nous prospérons», reconnaît Greg, «c'est en grande partie parce que nous acceptons autant les malheurs que les bonheurs. «Quand nous considérons les mauvaises périodes comme des alliées et des occasions d'apprendre ou de grandir, elles ne nous semblent plus aussi mauvaises.»

Jeff Moore, un militaire et un boxeur, était certain de devenir membre de l'équipe olympique. Puis il reçut l'ordre — depuis longtemps attendu — de rallier son unité au Viêt-nam. Au cours d'une bataille, le véhicule de Jeff toucha une mine terrestre. Ses tympans éclatèrent. Une fois revenu chez lui, on lui apprit que ses blessures de guerre mettaient également fin à sa carrière de boxeur. Après avoir subi durant 6 mois d'inutiles opérations aux oreilles, Jeff et Andrea Moore s'en allèrent en Alaska pour travailler au pipeline. Ils achetèrent une maisonnette et mirent sur pied une épicerie, avec vente de gibiers et de poissons, qui était ouverte 24 heures sur 24. Croulant presque déjà sous le poids de dettes de plus en plus nombreuses, leur maisonnette et leur commerce furent réduits en cendres.

C'est à peu près à cette époque que Jeff et Andrea créèrent leur propre entreprise Amway. Ils ne cédèrent pas à la dépression ni à la peur. Ils tirèrent de grandes leçons de survie des malheurs qui les avaient frappés. Et même si Jeff avait peur qu'un huissier puisse se lever et l'interrompre au milieu d'une présentation, il ne s'arrêtait pas. Aujourd'hui, les factures de Jeff et Andrea sont payées. Ils possèdent une entreprise prospère et ont l'occasion de manifester de diverses manières leur compassion envers les gens de leur État d'adoption et de tout le pays.

«Malgré tout ce qui nous est arrivé», dit Jeff, nous n'avons jamais abandonné. En 1987, notre bébé nouveau-né est mort. Mais la vie ne s'arrête pas lorsque survient une tragédie. Dans cette entreprise, j'ai appris qu'en dépit des tragédies et des obstacles on doit se tenir de debout, continuer à faire ce qu'on doit faire et cesser de se lamenter sur son sort.»

Si vous avez fait face à l'adversité, tirez des leçons de ces périodes sombres et repartez à neuf. Si vous n'avez pas de diplôme universitaire, ou même si vous n'avez pas terminé vos études secondaires, tirez le maximum de ce que vous avez déjà. Si vous ne faites pas une seule vente aujourd'hui, vous en ferez une demain. Demandez-vous: quelle leçon puis-je tirer de cette tragédie? Que l'adversité soit votre alliée et une occasion d'apprendre!

**Les principes de base seront toujours bons.
Ne cessez pas de les appliquer!**

Dans une cabine insonorisée située sur le campus de l'université d'État de la Louisiane, un jeune homme prit place. Le bégaiement de Dan Williams avait depuis toujours influé sur ses relations avec les autres. Un thérapeute de l'université avait finalement enseigné à Dan une série d'exercices qui l'aidaient à corriger son problème.

« J'ai passé ma vie à pratiquer ces exercices », dit Dan aujourd'hui. « Les gens, pour la plupart, ne se rendent même pas compte que j'ai un problème de bégaiement. En fait, quand Billy Zeoli m'a invité à présenter un groupe de mes associés au président Gerald Ford, je n'ai pas bégayé ni balbutié une seule fois au cours de la rencontre, malgré mon excitation. J'ai pu contrôler mon bégaiement », explique-t-il, « parce que j'ai appris ces exercices de base et je n'ai cessé de les faire. »

Dan attribue même, en plaisantant, ses premiers succès à son bégaiement. « Les gens à qui je présentais le plan à l'époque où je bégayais encore », se rappelle Dan, « m'entendaient le redire 10 fois en réalité. » En observant Dan, j'ai constaté qu'il avait recours à ce genre d'humour pour capter l'attention et gagner le respect des auditoires à qui il s'est adressé partout au pays. On ne le devinerait pas à son débit rapide et spontané, mais au début il avait de la difficulté à se souvenir des blagues. Au cours des années, il les a donc notées, classées soigneusement et y a recouru avec beaucoup de succès pour bâtir une importante entreprise. Dan et Bunny Williams ont créé une entreprise de distribution très prospère à partir de leurs bureaux d'Austin, au Texas, parce qu'ils ont maîtrisé les techniques de base et les ont appliquées avec habileté et uniformité.

Bill et Sandy Hawkins sont deux de nos principaux distributeurs indépendants au Minnesota. Leur réussite leur a permis de réaliser un rêve que tous les capitalistes compatissants caressent à divers degrés. « Une fois que vous avez atteint un certain point », dit Bill, « l'argent devient de moins en moins important. Être en mesure de donner de l'argent est quelque chose qui nous rend vraiment heureux. Cette année, nous donnerons plus d'argent que nous n'en avons jamais donné », ajoute-t-il, « et cela nous fait juste plaisir ! »

La famille Hawkins a réalisé cet admirable objectif en appliquant sans relâche les principes de base. « Nous pouvons très mal agir quand nous sommes dans cette entreprise », dit Sandy. « Cela nous est sûrement arrivé. Mais si vous partagez avec générosité

votre chance avec d'autres, une foule de bonnes choses arriveront. »

Quels sont les principes de base sur lesquels repose votre
entreprise? Avez-vous déjà essayé de dresser la liste des actions
qu'il vous faut régulièrement accomplir pour réussir ou prospérer?
Si vous appliquez les principes de base avec constance et régularité,
votre entreprise prospérera. Si vous devenez paresseux et vous
laissez passer un jour, puis un autre et un autre, vous échouerez.

Comme Kaoru Nakajima le fait remarquer: «Un chien de
garde qui n'aboie qu'une fois ne réveillera jamais son maître ou ne
fera jamais assez peur à un voleur pour lui faire prendre la fuite. Un
bon chien de garde continuera d'aboyer tant et aussi longtemps
qu'il le faudra!» Vous voulez réussir en affaires? Continuez simplement d'aboyer! Appliquez ces principes de base chaque jour et
vous réussirez.

Comptez vos sous, et vos dollars ne seront jamais un problème

Vous vous souvenez de G.B. Garner, le père de Peggy Britt,
l'homme qui s'occupait de réparation d'appareils de réfrigération?
C'était un jeune homme au moment où les cours de la Bourse se
sont effondrés en 1929, et il donna un conseil très sage à sa fille.

«Mon père m'a appris à gérer mon argent de façon responsable», dit-elle. «Il me disait: «Si tu as aujourd'hui de l'argent à
dépenser, tu devras en mettre autant de côté demain.» »

En cette période où le déficit des individus et des pays va en
augmentant, il y a un vieux proverbe français dont il faut nous
souvenir: «Qui paie ses dettes s'enrichit!» Brian Herosian, ex-
joueur de football des Colts de Baltimore, l'a dit en ces termes:
«Toute ma vie, je me suis promené avec un sac d'argent troué
jusqu'au jour où j'ai compris qu'il me fallait boucher le trou moi-
même.»

Nous avons dépensé sans compter beaucoup trop longtemps,
nous imaginant que l'argent était inépuisable. Maintenant, il n'y en
a plus. Le moment ne serait-il pas venu de nous poser régulièrement ces questions: ai-je vraiment besoin de ceci ou cela peut-il
attendre? Ne serait-il pas temps que nous sortions nos cartes de
crédit de nos sacs à main et de nos portefeuilles et que nous les
remplacions par nos livrets de banque? Combien d'argent ai-je
économisé aujourd'hui? Ce mois-ci? Cette année? Nous devons
apprendre à mesurer notre réussite ou notre prospérité à l'argent

que nous avons mis de côté, et non pas à l'argent que nous avons dépensé.

Greg Duncan pose cette question: «Si on vous offrait une provision de 10 000 dollars par mois ou un sou le premier mois, deux sous le deuxième mois, quatre sous le troisième mois, huit sous le quatrième mois et ainsi de suite pendant trente mois, que choisiriez-vous?» Je n'ai pas fait le calcul, mais Greg vous exhorterait à prendre les sous. Il jure que si vous doublez ce que vous recevez chaque mois, vous aurez accumulé 10 737 418,24 $ au 30e mois.

Économisez vos sous. Remettez à plus tard les achats qui ne sont pas strictement nécessaires. Travaillez à la réalisation de vos objectifs à long terme. Vous ne réaliserez peut-être pas beaucoup de bénéfices au début, mais à la longue vous finirez par prospérer.

Déterminez ce qui est important pour vous et faites-le, peu importe le coût!

Notre bon ami Bill Nicholson, un de ceux grâce à qui notre société est entrée dans une période de prospérité incroyable, raconte ce fait émouvant à propos de son père. Lorsque Bill était encore jeune, son père et lui allèrent un jour pêcher. Ils avaient tous deux des activités qui les accaparaient beaucoup. C'était la première fois qu'ils passaient autant de temps ensemble. Ils avaient tant de temps à rattraper, tant de choses à vivre encore. Soudain, ce jour-là, dans le bateau, le père de Bill porta les mains à sa poitrine: c'était le début d'une crise cardiaque fatale. Les dernières paroles que Bill entendit de la bouche de son père furent: «Pas maintenant! Pas maintenant!»

Mark Twain a dit un jour: «Ne faites pas aujourd'hui ce que vous pouvez remettre à demain.» Ce n'est pas vrai. Nous nous fixons d'importants objectifs à long terme. Puis chaque jour quelque chose d'important, d'urgent, de crucial vient nous retarder. Si c'est important pour vous, arrangez-vous pour vous y mettre dès aujourd'hui! Nous ne savons pas à quoi le père de Bill songeait à cet instant où il était sur le point de mourir. Nous savons juste qu'il a dit: «Pas maintenant! pas maintenant!» Chaque fois que j'entends cette histoire, cela m'incite une fois de plus à passer le temps qu'il me reste à faire ce qui est important pour moi.

Chaque personne que vous rencontrez a plus de capacités que vous imaginez!

Dans un discours applaudi et acclamé qu'il prononça un jour dans un amphithéâtre rempli, Chris Cherest a dit: «Si ces deux garçons hollandais de Grand Rapids, au Michigan, ont pu, après avoir fait faillite et naufrage, mettre sur pied une entreprise évaluée à des milliards de dollars et, en plus, une équipe de basket-ball aujourd'hui membre de l'Association nationale de basket-ball, alors n'importe qui peut le faire.» Je dois reconnaître qu'il a raison.

Un chauffeur de camion désireux de saisir l'occasion de lancer sa propre entreprise s'adressa un jour à Brian Hayes. «Je pensais que c'était un pauvre type voulant faire quelques dollars supplémentaires», se rappelle Brian. «J'ai failli le congédier. Dieu merci, j'ai écouté sa présentation du plan d'Amway.» Aujourd'hui, grâce à un chauffeur de camion sans «généalogie» et sans vêtements de luxe, Brian, le plus jeune président que la société Motorola ait jamais eu, et sa femme, Margaret, ont une entreprise de distribution très prospère, ce qui leur donne la possibilité de travailler pour les œuvres humanitaires qu'ils soutiennent financièrement, comme le Christian Children's Fund et l'Armée du Salut.

Quand Dan et Jeanette Robinson rencontrèrent Richard, ils ne furent pas impressionnés. «Richard était «inspecteur de cirage à chaussures», se rappelle Jeanette en souriant. «Il était même incapable de vous regarder dans les yeux. Il avait les cheveux jusqu'aux épaules, une barbe enchevêtrée et hirsute. Il conduisait une vieille bicyclette sale et marmonnait plus qu'il ne parlait. Mais nous avons quand même fait notre présentation, et Richard et sa femme ont décidé sur-le-champ de lancer leur propre entreprise.»

«Nous sous-estimions vraiment notre ami Richard», reconnaît Dan. «Après quelques semaines, il se rasa la barbe et put s'acheter son premier complet et sa première cravate. Son estime de soi grandissait au fur et à mesure de nos rencontres. Aujourd'hui, sa femme et lui possèdent une entreprise prospère et ils ont acquis aussi une nouvelle vitalité.»

Il est difficile de juger un livre d'après sa couverture, dit un vieux dicton. Souvenez-vous toujours que la personne qui vous semble la plus destinée à réussir peut abandonner ou échouer, et que la personne qui vous semble la plus destinée à échouer peut se révéler être une «gagnante». Misez sur les «perdants». Vous serez

surpris de voir que, souvent, ils se transforment en «gagnants» —
à l'avantage de l'entreprise.

L'échec mène à la réussite. Risquez!
Tirez des leçons de vos échecs!

Dans notre entreprise, comme dans la vôtre, les histoires de
gens qui ont d'abord échoué mais qui ont triomphé par la suite
sont légion (et souvent très drôles). Celle de Joe Foglio n'est qu'un
exemple. Un soir, à San Diego, Joe montrait notre plan de marketing à quelques couples réunis autour d'une grande table de salle à
manger, chez un voisin. Tandis qu'il parlait, le chien du voisin, un
énorme chien Rottweiler s'excita, alla soudain sous la table et fit
ses besoins aux pieds de Joe. Peu après, il visita la maison d'un
psychiatre et fut invité à faire sa présentation dans un grand jacuzzi
où ses hôtes et ses amis l'attendaient, nus. La troisième fois, il ne
fut pas plus chanceux. Le lieu où il devait faire sa présentation était
situé dans un quartier sombre et isolé. Dans l'obscurité, Joe eut
peine à trouver la maison et une fois qu'il fut entré et qu'il eut
allumé la lumière, il s'aperçut que ses hôtes vivaient dans un
immeuble condamné sur lequel était collée une affiche défendant
d'entrer. Lors de sa quatrième présentation, qui avait lieu dans un
studio du centre-ville transformé en entrepôt, Joe s'excusa avant de
commencer sa présentation, entra dans la salle de bain et, après
avoir allumé la lumière, vit dans la baignoire un gros crocodile qui
le lorgnait d'un air méchant...

Chris Cherest présenta le plan de marketing 150 fois sans
succès. Jim Dornan se souvient que ses premiers mois dans l'entreprise furent marqués par une succession d'échecs. «Nous faisions
tout de travers», se rappelle-t-il, «et nous faisions les mêmes
erreurs au moins deux fois juste pour être sûrs que c'étaient bien
des erreurs.» Mais Joe, Chris et Jim ne renoncèrent pas. Ils firent
des erreurs. Les échecs s'accumulaient. Mais ils tiraient une précieuse leçon de chacun de ces échecs. Ils en examinèrent les causes
et finirent par bâtir des entreprises très prospères.

Frank Morales a une petite formule originale qui l'a aidé à ne
pas se laisser arrêter par ses propres échecs. «SW-SW-SW», dit-il.
«Some will. Some won't. So what?* » Se basant sur leur expérience,
Frank et Barbara affirment qu'un tiers des personnes contactées

---

*   «Certains le feront. D'autres pas. Et puis après?» (N.d.T.)

seront intéressées. Un tiers de ces personnes intéressées «feront le plongeon». Et seulement un tiers de ces personnes qui auront fait le plongeon finiront par prospérer dans l'entreprise. Que vous enregistriez ou non les mêmes moyennes — dans votre entreprise ou dans la nôtre — ne vous tourmentez pas au sujet des échecs. Chaque personne qui dit «non» vous rapproche de cette personne dont le «oui» transformera votre vie et la sienne.

Huw Wheldon, une personnalité britannique et un directeur de télévision, a déjà dit à un groupe de futurs producteurs: «Le crime, ce n'est pas d'échouer. Le crime, c'est de ne pas se donner la chance de réussir.»

D'abord les objectifs. Tout le reste viendra par la suite!

Margaret Hardy, née dans les Antilles, est venue à New York à l'âge de 15 ans. Son mari, Terral, est originaire de Spartanburg, en Caroline du Sud. Depuis leur enfance, on leur avait dit à tous deux que les hommes noirs et les femmes noires ne pourraient jamais atteindre des sommets aussi élevés que les Blancs. Ils se sont joints à nous parce que nous évaluons tout le monde en fonction d'une seule norme. Si vous produisez, vous serez récompensé quelle que soit votre race ou votre religion.

Néanmoins, les Hardy avait été marqués par une vie de limitations ou de restrictions. Ils se souviennent encore du jour où leur fils adolescent, Quentin, déjà intéressé par notre entreprise, jeta à terre tout à coup notre revue *Amagram* et marmonna en pleurant: «Nous ne serons jamais «Diamants», n'est-ce pas?»

«Tout à coup», explique Terral, «Margaret et moi avons réalisé que notre fils avait raison. Nous n'atteindrions jamais le niveau «Diamant» parce que nous n'avions pas fixé d'objectifs à notre mesure. Nos objectifs étaient trop modestes. Ce soir-là, tous ensemble, en famille, nous avons déterminé et noté un objectif à long terme qui changea nos vies. Nous atteindrons dans l'entreprise Amway le niveau «Diamant» d'ici 12 mois.» Margaret et Terral ont atteint ce niveau et l'ont dépassé. Leur fils Quentin, aujourd'hui diplômé d'université, possède une entreprise en expansion. Et tout cela a commencé quand ils ont finalement décidé de se fixer un objectif et de l'atteindre, peu importent les coûts.

David Humphrey exerçait encore la médecine lorsqu'il lança une entreprise de distribution. Une infirmière présenta notre plan à Dave et l'invita à un séminaire organisé par des gens de l'entreprise. Là, le docteur Humphrey devint tellement enthousiaste à l'idée de posséder sa propre entreprise qu'il se leva devant l'auditoire et annonça qu'il atteindrait le niveau « Diamant » — un exploit difficile à accomplir — en très peu de temps.

Descendant de l'estrade dans un état d'excitation et de confusion, il s'adressa à la première personne qu'il rencontra et lui demanda timidement : « Qu'est-ce que je viens de faire ? » La personne sourit et répondit : « Je ne sais pas, mais ça va être la performance de l'année. »

Si vous avez vraiment l'intention de réaliser vos objectifs, ce qui pourrait vous aider serait de le dire aux autres en termes clairs et non équivoques. Vous devriez du moins faire part de vos objectifs à quelqu'un qui puisse vous encourager et vous donner son avis de temps à autre. Les Humphrey ont non seulement réalisé leurs objectifs, mais ils ont ensuite atteint dans l'entreprise des niveaux encore plus élevés de réussite ou de performance.

Les limites qui nous inhibent sont, pour la plupart, des limites que nous nous sommes nous-mêmes fixées. Nous n'avons pas d'objectifs à long terme clairs. Alors ne soyons pas surpris si nous ne les atteignons pas. Quels objectifs voulez-vous atteindre cette année ? En cette décennie ? Les avez-vous notés ? Avez-vous dessiné la courbe de vos progrès et « changé de cap » si besoin est ? Si vous n'avez pas d'objectifs qui puissent orienter vos actions et vos décisions, il y a de fortes chances que vous n'arriviez à rien. Si c'est le cas, vous ne devez vous en prendre qu'à vous-même.

Il faut travailler dur et faire des sacrifices si on veut réussir !

Kenny Stewart continuait à travailler le jour dans la construction et travaillait tard tous les soirs et tous les week-ends à l'édification de son entreprise.

Alors qu'il jouait toujours avec les Colts de Baltimore, Brian Herosian passait deux soirs par semaine à l'université afin d'obtenir son diplôme de comptabilité et il bâtit son entreprise dans ses heures libres. Ron et Toby Hale prirent tout l'argent qu'ils avaient pour acheter 25 exemplaires de l'enregistrement « Selling America », qu'ils distribuèrent ensuite à leurs amis. Al Hamilton avait tellement peur au début, quand il faisait ses présentations, qu'il tremblait littéralement avant de commencer. Cet ancien outilleur-ajusteur qui avait travaillé pour Ford était timide, inexpérimenté et terrifié à l'idée de parler en public, mais il l'a quand même fait.

À Hiroshima, au Japon, Shuji et Tomoko Hanamoto voulaient «sortir de leur petite cage dorée» où leurs emplois dans l'industrie les retenaient prisonniers et «être libres de voler dans le grand ciel bleu». Ils durent renoncer à tous leurs avantages et petits bénéfices — le salaire régulier, les excursions de plongée à Okinawa payées par l'entreprise, les prestations et les primes — pour pouvoir se consacrer à la mise sur pied de leur propre entreprise. Pire encore, quand le père de Shuji apprit que celui-ci était entré dans notre entreprise, il employa une vieille expression japonaise pour manifester sa colère et sa déception. «Ne franchis plus le seuil de cette maison*», dit-il à son fils. Il n'y a pas de plus grand sacrifice que d'aller contre les désirs d'un parent; mais Shuji Hanamoto avait un rêve et était prêt à payer ce prix.

Ces gens ont travaillé dur et sacrifié beaucoup de choses; leurs entreprises devinrent rapidement très prospères. Aujourd'hui, ils ont une sécurité financière, ils sont libres de travailler moins d'heures et de jouir davantage de la vie. Un dernier mot: Shuji Hanamoto invita son père à un rassemblement à Hiroshima où 2 000 personnes applaudissaient et acclamaient debout Shuji et Tomoko au moment où ils recevaient les reconnaissances pour leur réussite. Dans la première rangée, le père de Shuji leva vers son fils un visage rayonnant et se mit à applaudir lui aussi.

Si vous vous préoccupez des autres, les autres se préoccuperont de vous!

Stan Evans fit une fois une erreur. Un distributeur avait commandé 19 litres de savon liquide pour voitures qui ne furent pas expédiés à la date prévue. Quand il téléphona pour se plaindre, Stan lui répondit sans hésiter un seul instant: «Vous avez raison. J'ai fait une erreur. Je me mets en route.» Ce distributeur était éloigné de 320 kilomètres, mais Stan Evans tint parole et livra lui-même le produit en voiture. Il fit l'aller-retour: 640 kilomètres. Ce distributeur ne l'oubliera jamais.

«Ma parole est sacrée», dit Stan. «Quand je promets quelque chose, je le fais. Les gens veulent être sûrs qu'ils peuvent vous faire confiance. Une fois qu'ils ont confiance, ils seront à jamais loyaux envers vous. Si je dois à quelqu'un un boni de 1,50 $, je le lui enverrai à temps, peu importe qu'il soit peu élevé, car je sais que ce

---

*   Dans l'édition originale anglaise: «Don't come through my gate.» (N.d.T.).

distributeur me traitera avec la même courtoisie et le même respect.»

Deux des distributeurs de Bill et de Peggy, établis à Florence, avaient des problèmes conjugaux. Bill et Peggy ouvrirent leur maison au jeune couple. «Nous avons passé, durant les mois suivants, plus d'une douzaine de soirées à les conseiller», se rappelle Peggy. «Nous croyons au vieux principe biblique selon lequel les dirigeants sont en réalité des serviteurs. Notre tâche n'est pas seulement de faire des ventes, mais d'aider les gens à aller où ils veulent aller, c'est-à-dire à atteindre le but qu'ils se sont fixés dans la vie.»

«Dans cette entreprise», ajoute Bill, «nous avons vu des douzaines de mariages sauvés et des familles ressoudées, parce que ce sont les personnes, et non les produits, qui passent en premier. Une fois que les blessures ont cessé de saigner et qu'elles se sont cicatrisées, les gens reprennent le travail avec un enthousiasme renouvelé. Leurs entreprises prospèrent. En les aidant à obtenir ce qu'ils veulent, nous voyons à notre tour nos propres rêves se réaliser.»

Faites-le, tout simplement.
Si vous n'agissez pas, vous ne saurez jamais.

Il y a, au-dessus de Times Square, un panneau d'affichage «Nike» d'une hauteur de 8 étages. «Just do it[*].» Nous sommes si souvent indécis, pesant indéfiniment le pour et le contre des choses. Ésope a écrit: «Je n'ai rien à faire d'un homme qui peut exhaler un souffle chaud et froid en même temps.» Dans le dernier livre du Nouveau Testament, Jean écrit: «Tu n'es ni froid ni chaud, ainsi je vais te vomir de ma bouche.»

Dan Robinson était marchand de papier en gros quand sa femme, Jeanette, et lui lancèrent leur entreprise, en 1979. «L'inflation nous écrasait», se rappelle Dan. «Nous avions construit la maison de nos rêves, mais nous l'avons perdue quand nous n'avons plus été en mesure de supporter les taxes. Il fallait faire quelque chose et vite.» Dan et Jeanette ont fait le plongeon et depuis ce jour excitant, ils passent chaque année à un niveau supérieur dans notre entreprise.

---

[*] «Faites-le, tout simplement» ou «Allez-y» ou «Passez à l'action». (N.d.T.).

Tim Bryan enseignait à une classe de cinquième et sa femme, Sherri, travaillait comme secrétaire juridique quand ils ont vu notre plan la première fois. « Je voulais rester à la maison avec les enfants », se rappelle Sherri. « Je ne voulais pas être absente durant ces premières années de leur croissance. L'idée de démarrer une toute nouvelle entreprise me faisait peur, mais nous l'avons fait et nous n'avons jamais regardé en arrière ou éprouvé de regrets, ne serait-ce qu'un seul instant. »

Un travail désagréable vous attend? Faites-le, tout simplement. Une mesure difficile doit être prise? Prenez-la, tout simplement. L'idée de tenter telle ou telle aventure vous excite, mais vous avez peur? Tentez-la, tout simplement. Vous voulez lancer votre propre entreprise? Vous voulez demander à votre patron une augmentation? Ou à votre contremaître un nouveau poste dans la chaîne de montage? Où à votre collègue de travail de baisser son appareil stéréophonique? Ou, ou, ou... Faites-le, tout simplement! Si vous n'agissez pas, vous ne saurez jamais. Si vous n'agissez pas maintenant, vous n'agirez peut-être jamais.

Les enfants devraient également être mis à contribution !

Greg et Lauri Duncan, tout comme la plupart de nos distributeurs prospères, ont fait participer leurs enfants à leur projet d'entreprise dès le premier jour. « Alors que Devin avait tout juste 8 ans et que Whitney, notre fille, avait 6 ans », explique Greg, « ils ont appris à répondre au téléphone et à prendre des messages importants. Ils venaient avec nous aux réunions. Ils entendaient les histoires de réussites et cela les excitait. Ils ont voulu lancer leur propre entreprise. Ils vendaient du Active-8 [l'un de nos jus de fruits] sur la pelouse avant. »

L'objectif des Duncan était d'atteindre, dans leur entreprise, un niveau supérieur dans un laps de temps très court. « Pour réaliser cet objectif, nous avons mis nos enfants à contribution », explique Lauri, « et lorsque nous avons échoué, nous nous sommes d'abord sentis gênés, comme si nous avions manqué à nos engagements envers eux. En fait, ce n'était absolument pas le cas. Avec le recul, nous avons compris combien il était important pour nos enfants de nous voir échouer aussi bien que de nous voir réussir; car, un jour, eux aussi subiront des échecs, et en nous voyant recharger et réarmer nos armes, viser et faire feu à nouveau, ils apprendront comment « recoller les morceaux » de leurs propres échecs et recommencer. »

Bill et Peggy Florence, deux de nos distributeurs les plus prospères, vivent à Athens, en Géorgie, avec leurs trois enfants. Je suis fier de dire que Bill et Peggy ont donné à leurs deux beaux fils les noms de Rich et de Jay; à leur fille ils ont donné un nom bien choisi : Hope. Les trois enfants ont été actifs au sein de l'entreprise dès leur plus tendre enfance. Hope, qui a maintenant 16 ans, a gagné suffisamment d'argent en travaillant pour s'acheter une voiture (elle a déjà effectué le premier versement).

« Ceux qui dirigent dans cette entreprise nous ont appris », déclare Peggy, « à ne pas donner à nos enfants tout ce qu'ils veulent. Nous les aidons plutôt à apprendre et à mettre en pratique les principes de la réussite. Nous les laissons surmonter leurs difficultés — ou les nôtres — pour qu'eux aussi comprennent qu'il faut se battre pour réussir. »

« Nous n'avons pas été trop durs avec eux », s'empresse d'ajouter Bill. « Les enfants sont bien récompensés de leur travail. » En fait, Rich, Jay et Hope Florence ont accompagné leurs parents en Australie, à Hawaii, en Europe et partout aux États-Unis, à des événements organisés par l'entreprise. Quel que soit le genre d'entreprise que vous possédiez, laissez vos enfants y jouer un rôle. Laissez-les apprendre ce qu'est la vraie vie pendant que vous êtes encore là; applaudissez leurs victoires et aidez-les à se remettre de leurs échecs.

Chuck et Jean Strehli sont un autre exemple de parents qui ont fait jouer un rôle à leurs enfants au sein de cette entreprise et qui les ont fait collaborer à la réalisation des profits. « Il y a 10 ans », se rappelle Jean, « alors que Tamara avait tout juste 14 ans et que son frère avait 13 ans, nous leur faisions déjà part de nos objectifs professionnels. Pourquoi nos enfants devraient-ils être laissés dans l'ignorance et ne jamais savoir vraiment ce que font leurs parents ? » demande-t-elle à juste titre.

« C'est sur nous, principalement, qu'ils prennent exemple », ajoute Chuck. « Ce qu'ils sauront à propos de la vie, ils l'auront appris de nous. Depuis le début, nous avons essayé de leur enseigner l'importance de prendre des engagements et de toujours les respecter par la suite. »

En 1980, la famille entière passa 7 mois en Allemagne, où elle travailla à la mise sur pied de son entreprise européenne. Ils ont appris ensemble la langue et les coutumes de ce pays. Aujourd'hui, bien que les enfants soient adultes, ils retournent encore à l'occasion en Europe pour leurs affaires, pour visiter ou pour skier dans les Alpes.

Parlant d'enfants, il me serait difficile de ne pas glisser au moins un mot sur les nôtres. Les 8 rejetons de Jay Van Andel et de Rich DeVos travaillent dur pour améliorer notre entreprise. Nous formons, nos enfants, Jay et moi-même, le conseil de formulation des politiques du conseil de famille. Nous nous réunissons une fois par mois pour échanger nos idées et planifier à long terme. Nos enfants sont devenus nos égaux: ils nous aident à déterminer l'orientation de l'entreprise et chacun d'eux a un rôle particulier à jouer dans la préparation de l'avenir d'Amway.

Steve Van Andel est actuellement le vice-président et l'agent de liaison pour l'Amérique. Nan Van Andel est actuellement la vice-présidente des communications. David Van Andel est le directeur de notre division fabrication. Et Barbara Van Andel administre deux importants biens immobiliers d'Amway, l'Amway Grand Plaza Hotel et le complexe de la station balnéaire de Peter Island, dans les îles Vierges britanniques.

Helen et mes enfants se dévouent, eux aussi, à la société Amway et à plus de deux millions de distributeurs disséminés partout dans le monde. Bien que Dick possède sa propre société d'investissement, il est un membre très actif du conseil de famille qui préside les réunions des dirigeants de la société. Doug est l'agent de liaison de nos distributeurs européens. Dan joue un rôle similaire auprès de nos distributeurs au Japon et dans le reste de l'Asie. Et Chris (DeVos) Vanderwide a, jusqu'à ce qu'elle choisisse de se consacrer davantage à son mari et à ses enfants, utilisé ses talents dans le domaine de la mode et des couleurs pour améliorer et mettre à jour notre gamme complète de produits «Artistry Cosmetic».

Qui n'aimerait pas que ses enfants deviennent des adultes aussi responsables, créatifs et dévoués? Il est très important que vos enfants aient, dès le début, un rôle à jouer dans votre entreprise si vous voulez qu'ils acquièrent de la maturité et de la compréhension. Si vous les excluez aujourd'hui, ils ne seront peut-être jamais intéressés ou aptes à se joindre à vous, et encore moins à trouver leur propre voie dans le monde des affaires.

L'amour des autres est la clé du succès!

Tom Michmershuizen, Ken Morris, Gary Smit, Larry Miller, Jack Wright, Larry Shear ainsi que les frères Bob et Jim Rooker sont au service d'Amway depuis 30 ans ou plus. Leurs gestes d'amour généreux envers Jay et moi, envers leurs collègues de travail, envers nos distributeurs indépendants et envers nos clients, ainsi que les sacrifices que supposent ces gestes, nous en ont appris beaucoup au sujet de l'amour des autres.

En voici un exemple. En 1963, Tom Michmershuizen reçut un soir un coup de fil d'un gardien de nuit qui lui demandait de faire visiter en pleine nuit l'usine d'Amway à un policier de Rome, New York. Le jeune officier s'intéressait à notre entreprise, mais devait retourner en voiture à New York la nuit même pour son tour de service du matin. Sans se plaindre aucunement, Tom s'habilla, descendit en vitesse et trouva Charlie Marsh dormant à l'arrière d'une vieille Nash Rambler.

Tom réveilla notre visiteur nocturne et, enthousiaste et plein de prévenances, lui fit visiter nos deux bâtiments. L'officier Marsh était fasciné par notre produit « Shoe Glow » et voulut en acheter et en rapporter deux caisses pour en vendre aux autres agents de son secteur. Tom dut lui expliquer que les produits d'Amway sont vendus par des distributeurs indépendants et qu'il devait s'adresser à la personne qui le parrainait pour acheter le produit. Charlie Marsh eut alors une inspiration. Il rentra à Rome et fit part de son idée à sa femme, Elsie. Ensemble ils mirent sur pied un organisme de distribution qui, à un moment donné, conclut à lui seul plus de la moitié de toutes nos opérations commerciales.

Que serait-il arrivé si Tom Michmershuizen avait été un homme peu porté à se préoccuper des gens? Que serait-il arrivé si, cette nuit-là, il avait raccroché brutalement et était retourné se coucher au lieu de faire visiter l'usine à un inconnu. Amway aurait peut-être perdu Charlie et Elsie Marsh.

Dave Taylor nous rappelle que la réussite dépend de l'application d'une règle sacrée: « Aime les autres et sers-toi de l'argent », dit-il, « et non pas: aime l'argent et sers-toi des autres. » Traitez-les tous avec amour: clients, fournisseurs, entrepreneurs en construction, camarades de travail, patrons et employés. Donnez de l'amour, et en retour il vous sera donné, comme dit la Bible, « une bonne mesure, tassée, secouée, débordante ».

«Où allez-vous lorsque vous voulez solidifier votre mariage?» demande Dave. «Où allez-vous lorsque vous voulez recommencer à avoir confiance en vous? Où allez-vous lorsque vous voulez entendre des gens vous dire que vous êtes un gagnant et que vous pouvez faire quelque chose de votre vie? On ne nous enseigne pas ces choses dans les écoles», remarque-t-il. «Trop souvent, elles ne nous sont pas enseignées dans nos foyers ni dans nos églises. Il nous faut nous les enseigner mutuellement et alors nos employés deviennent plus loyaux et plus travailleurs, et notre entreprise prospère.»

Les mentors savent ce que vous ne savez pas. Écoutez-les!

Quand Renate Backhaus décida de créer sa propre entreprise en Allemagne, elle exerçait déjà comme médecin spécialisé dans la médecine des sports. «Mon mari, Wolfgang, et moi étions tous deux excités en pensant à la liberté que nous apporterait une entreprise prospère», explique-t-elle. Nous sommes allés aux réunions. Nous avons essayé les produits et les avons aimés. Nous avons étudiés le plan de vente. Nous avons foncé et avons échoué», avoue-t-elle.

«Maintenant, avec le recul, nous voyons très bien ce qui n'allait pas au début. Je venais d'obtenir un diplôme de troisième cycle qui couronnait sept ans d'études. Nous avions été tous deux si longtemps à l'université, nous pensions que nous savions tout. Nous n'avons pas écouté notre mentor. Nous croyions être plus intelligents que lui. Quand nous nous sommes enfin arrêtés pour écouter, notre entreprise a pris rapidement de l'expansion.»

Tout comme Peter et Eva Mueller-Merekatz, Wolfgang et Renate Backhaus se sont rendus dans l'est de l'Allemagne réunifiée et y ont créé de grandes entreprises. «Sans les conseils de notre mentor», reconnaît madame Backhaus, «nous aurions échoué. Grâce à ses conseils, nous avons prospéré plus encore que nous l'espérions.»

Dans *La Cerisaie*, d'Anton Tchekhov, une femme riche demande à un jeune homme: «Es-tu *encore* étudiant?» La réponse du jeune homme aurait été aussi la mienne: «Je crois que je serai étudiant jusqu'à la fin de mes jours*.» Jay et moi avons enseigné à des dizaines de milliers d'hommes et de femmes d'affaires prospè-

---

* Traduction libre. (N.d.T.)

res. Mais alors même que nous partagions avec eux les leçons que nous avions tirées de nos expériences, ils partageaient avec nous les leçons qu'ils avaient tirées des leurs.

Ne regardez jamais en arrière.
Continuez à avancer, un pas à la fois !

Lew Riggan travaillait comme pilote pour American Airlines. Sa femme, Darlene, était styliste et coordonnatrice de mode. Tous deux était reconnus dans leurs domaines respectifs et bien rémunérés pour leurs efforts. Ce fut tout un choc quand Lew, debout devant les distributeurs de son entreprise Amway, leur annonça qu'il renonçait à ses fonctions de pilote pour travailler à plein temps dans notre entreprise.

« Il y avait un millier de pilotes faisant la queue pour prendre ma place », se rappelle-t-il. « Dès le moment où je suis parti, la compagnie aérienne m'a remplacé. Ils n'avaient pas le choix. Je ne pouvais pas hésiter. Je ne pouvais pas regarder en arrière. Mais nous caressions un rêve et nous ne pouvions réaliser ce rêve à temps partiel. »

« Et nous n'avons jamais eu de regrets », ajoute Darlene. « Nous avons eu des moments d'insécurité et d'incertitude, mais nous avons néanmoins continué à poursuivre notre but qui était de devenir financièrement indépendants. Nous étions fatigués de nous voir uniquement « sur rendez-vous ». Nous voulions être libres de travailler ensemble et avoir une sécurité financière suffisante pour être en mesure de soutenir les causes auxquelles nous étions attachés. »

Aujourd'hui leurs rêves se sont en partie réalisés parce qu'ils ont coupé les ponts et qu'ils n'ont jamais regardé en arrière. J'aime bien le conseil que Dave Severn donna un jour à son groupe de distributeurs : « Ne soyez pas comme ce laveur de vitres de tours à bureaux ou d'habitation », dit-il, « qui recule pour admirer son travail. »

On n'a pas beaucoup le temps, dans cette entreprise (comme dans n'importe quelle autre, d'ailleurs), de reculer pour admirer son travail ou pour se demander si on est dans la bonne voie. Évidemment, il faut être prudent, il faut tirer des leçons de ses erreurs et de ses échecs, mais on n'a pas le temps de ruminer. Quand vous remportez une victoire, applaudissez-vous, prenez cinq minutes pour la célébrer, puis remettez-vous au travail.

Quand vous subissez un échec, pleurez un bon coup, puis essuyez vos larmes. Il y a du travail qui vous attend. Il y a des frontières à explorer. Il y a de nouvelles limites à expérimenter et d'extraordinaires victoires à remporter.

L'occasion se présentera bientôt! Soyez prêt à la saisir!

Jack Daughery nous a appris ce dicton: «Quand l'étudiant est prêt, le professeur arrive.» J'ai beaucoup médité sur la sagesse de ces paroles. Il y a partout autour de nous des occasions, mais c'est seulement quand nous serons prêts que nous pourrons en saisir une et que nous ne regretterons jamais ce qui aurait pu être.

Que veut-on dire par «se préparer à saisir les occasions qui se présenteront»? Ce n'est pas grâce à un diplôme universitaire que vous serez prêt, bien que cela puisse aider. Et bien que l'argent soit important, ce ne sont pas les liquidités que vous avez en banque qui vous paveront la voie. Des amis haut placés? Un réseau de relations influentes? Un curriculum vitae en béton? De nombreuses lettres de recommandation?

Non, ce qui vous prépare à reconnaître et à saisir l'anneau d'or quand il vous apparaîtra soudain, c'est quelque chose de mystérieux, quelque chose de puissant au fond de vous et qui dit: «Je peux le faire et je le ferai.» C'est un cadeau que nous nous donnons les uns aux autres. C'est un cadeau qu'il faut parfois se faire à soi-même. Il peut y avoir des périodes difficiles financièrement, mais les occasions de réussir votre vie aujourd'hui sont aussi nombreuses que par le passé, peut-être plus nombreuses. Préparez-vous. Trouvez un ami ou un groupe d'amis qui croient en vous, et un jour, bientôt, vous croirez en vous-même. Ce jour-là, l'occasion se présentera, le professeur arrivera et vous serez prêt.

Angelo Nardone terminait une maîtrise en éducation spécialisée à l'American University quand la chance frappa à sa porte. Un compagnon d'études lui parla de notre plan de marketing et de distribution. Il se précipita chez lui pour en parler à sa femme, Claudia, secrétaire au ministère de la Défense. Ils firent immédiatement le plongeon et en très peu de temps, ils montèrent une entreprise prospère. «Prenez le contrôle de votre vie», conseille Angelo. «Contrôlez les circonstances, ne laissez jamais les circonstances vous contrôler.»

Les gens passent avant les produits.
Les choses les plus importantes d'abord

Dans toute entreprise où le succès à long terme est important, les gens passent avant les produits. Et néanmoins, combien d'heures passons-nous parfois à réarranger nos documents sur nos étagères tandis qu'à notre porte des gens attendent qu'on les écoute, qu'on les aime, qu'on les mobilise et qu'on les forme. Laissez vos documents. Passez du temps avec les gens et vous verrez avec quelle rapidité votre entreprise prospérera.

Craig et Carole Holiday, deux amis qui habitent San Juan Capistrano, en Californie, et qui travaillent chez nous résument très bien ce principe. «C'est notre rêve qui nous pousse à aller cogner aux portes des autres», dit Craig. «Mais après cela, nous devons partager leurs propres rêves. Lorsque nous entrons dans la maison ou dans l'entreprise d'un autre, nous laissons nos rêves à l'entrée pour nous mettre à l'écoute des rêveurs qui sont à l'intérieur et collaborer à la réalisation de leurs rêves.»

«Vous vous dites», pousuit Carole: «Bon, je veux réussir; je vais donc parcourir tous ces kilomètres et me présenter chez tous ces gens. Mais une fois que j'y serai, je me demanderai: «Quel est leur rêve? Quel est leur objectif, et comment puis-je les aider à le réaliser?»

Au cours des derniers mois, ma fille, Cheri Vanderwide, a pris une décision difficile qui remettait en cause ses grands objectifs. Cheri a énormément de talent pour la mode et le stylisme. Après l'avoir vu transformer notre gamme de produits cosmétiques, je suis persuadé qu'elle pourrait rapidement accéder à une carrière dans n'importe lequel des nombreux domaines qui y sont liés. Mais quand son premier enfant vint au monde, elle décida de n'exercer sa profession qu'à temps partiel afin de réaliser ses objectifs comme épouse et comme mère, ses objectifs plus personnels qui lui tenaient à cœur.

Quels sont vos objectifs? En avez-vous fait une liste par ordre d'importance? Aujourd'hui, par exemple, qu'est-ce qui apparaît en tête de votre liste et que vous voulez accomplir, et quelles sont les personnes qui peuvent vous y aider? Aider les gens à s'aider eux-mêmes, voilà la clé du succès! Êtes-vous convaincu? Est-ce que vous le faites? Ce qui nous semble urgent prend si facilement la place de ce qui est vraiment important dans nos vies. «Et cependant », comme l'a écrit Virgile, « le temps fuit, le temps fuit irrémédiablement. »

Si vous abandonnez, cela signifie que vous n'avez pas vraiment essayé. Persévérez jusqu'à ce que cela arrive !

À l'époque où Jay et moi montions cette entreprise, je me suis rendu à Phoenix pour présenter le plan de marketing et de distribution d'Amway. Une seule personne, Frank Delisle Sr, assista à la conférence. Parti d'une ville lointaine, il avait voyagé par autobus et s'était arrêté, en s'en venant, à un magasin Lucky où il avait encaissé un chèque pour payer ses frais. Frank savait que son chèque était sans fonds et qu'il ne pourrait pas l'approvisionner avant son retour, prévu le lundi suivant, mais il arriva à la conférence et s'assit, seul, dans la salle de conférence de l'hôtel que nous avions louée.

J'aurais pu annuler cette conférence, m'excuser auprès de Frank, sauter dans le prochain avion et rentrer. Au lieu de cela, j'ai fait la présentation complète devant Frank. Il fit un signe de tête approbatif, me serra la main avec enthousiasme, et nous nous séparâmes. Je pensais que tout ce voyage n'avait servi à rien. Que c'était un bon moment pour laisser tomber. Mais Frank rentra chez lui, partagea son enthousiasme avec sa femme, Rita, et ensemble ils créèrent ce qui devint l'une des plus grosses organisations dans l'histoire de notre société. Il alimenta aussi à temps le compte sur lequel son chèque avait été tiré, et durant des années je l'ai appelé « Lucky » afin que nous nous rappelions tous deux ce jour décisif où nous nous sommes rencontrés.

Lorsqu'on se lance dans une nouvelle entreprise, il y a toujours des moments où l'on se demande si l'on n'a pas fait une terrible erreur. Un autre de mes amis d'Amway, un entrepreneur prospère, appelle cette période « période de confiance ». Il se souvient de ses premiers jours dans l'entreprise avec sa femme « quand nous travaillions et avions l'impression de n'arriver à rien, de ne faire aucun progrès ». Ce sont des périodes difficiles, à n'en pas douter, mais elles passeront. « Persévérez ! » conseille mon ami. « Continuez à faire ce qu'il faut faire et de bonnes choses se produiront. »

Ceux qui abandonnent trop tôt se demandent toujours ce qui aurait pu se produire s'ils avaient continué. Mais ceux qui persévèrent et continuent à travailler jour après jour, ne comptant pas les heures qu'ils consacrent à l'entreprise, appliquant les principes de base, refusant d'abandonner, ceux-là se joindront un jour prochain aux millions d'autres personnes qui font partie du cercle des gagnants.

L'envie d'abandonner est le dernier obstacle entre vous et vos rêves : la nouvelle maison, la nouvelle voiture, l'argent en banque, les vacances en Europe ou à Tahiti. Accrochez-vous. Il nous arrive à tous d'avoir, à l'occasion, envie d'abandonner. Ne cédez pas à cette envie.

Risquez tout afin de réaliser vos objectifs !

« Qui ose gagne ! » Les histoires de ceux et celles qui ont réussi dans notre entreprise confirment toutes cette vérité. Je ne connais pas une seule personne qui n'ait risqué quelque chose avant de réussir.

Pour certains, c'est de l'argent. Angelo et Claudia Nardone avaient tous deux un emploi stable au gouvernement, à Washington, mais ils étaient insatisfaits de leurs revenus limités. Ils ont donc couru le risque de perdre leur travail et ils ont lancé une entreprise de distribution. Non seulement ont-ils prospéré, mais ils ont récolté des millions de dollars au cours de notre campagne en faveur de l'Easter Seal Society (la société du timbre de Pâques).

Pour certains, c'est la réputation de la famille. Midori Ito était issue d'une famille riche et bourgeoise. Un ancien premier ministre et le gouverneur de Tokyo comptaient au nombre de ses ascendants. En mettant sur pied sa propre entreprise — un réseau de vente — elle faisait mauvaise figure. Elle courut ce risque et gagna !

Pour certains, c'est la célébrité. E.H. Erick était l'animateur d'une émission de télévision à succès au Japon quand l'occasion se présenta à lui. Risquant sa célébrité, il lança sa propre entreprise et gagna !

Pour certains, c'est la sécurité. Pendant 30 ans, Frank Morales occupa un poste de cadre à Diamond International. Sa femme, Barbara, était directrice des opérations à la National Bank of Southern California, ainsi que l'une de ses cofondateurs. Risquant tout cela, ils lancèrent leur propre entreprise et gagnèrent !

Quel est votre rêve professionnel ? Que seriez-vous prêt à sacrifier pour poursuivre votre rêve ? « Qui ne risque rien n'a rien », dit le vieil adage. On pourrait ajouter : « Risquez beaucoup et vous aurez beaucoup. »

Semez assez de graines et votre moisson sera abondante !

Il y a 3 000 ans, le roi Salomon écrivait : « Lance ton pain sur l'eau, et à la longue tu le retrouveras. » Dans l'ancienne Égypte, quand le niveau des inondations hivernales le long du Nil avaient commencé à descendre, les fermiers savaient exactement quand répandre leurs semences sur la mince couche de limon qui restait. Quelques fermiers attendaient un meilleur moment. D'autres se contentaient de semer un peu ici et là. Mais ceux qui semaient assez de graines au bon moment et au bon endroit étaient assurés d'une riche moisson.

Souvenez-vous de Chris Cherest, qui a fait sa présentation 150 fois et à qui tout le monde disait non. « Cela me prenait, à l'époque, deux heures et demie », se rappelle Chris. « Durant presque huit mois, soir après soir, je suis allé de maison en maison et personne n'a dit oui.

« Mais j'avais un rêve d'avenir », explique Chris. « Et mon rêve était si grand que je n'avais pas d'autre endroit où le mettre. Finalement, j'ai compris que mon rêve ne suffisait pas. Il fallait que je me mette d'abord à l'écoute des rêves des autres. J'essayais de réaliser mon rêve et c'est ce qui me poussait à aller frapper aux portes, ignorant que c'est en essayant de réaliser *leurs* rêves que je pouvais obtenir leur oui. Une fois que j'eus compris cela, tout changea. Quand j'ai essayé pour la 151e fois, le jeune couple a dit OUI, et vous savez le reste. »

Au Canada, André et Françoise Blanchard ont beaucoup à nous apprendre au sujet des semailles. André travaillait comme superviseur pour une chaîne d'alimentation du Québec, sa province natale. Avec sa 7e année et sa connaissance limitée de l'anglais, André avait atteint la limite salariale de sa profession, qui était de 97 dollars par semaine. Françoise gagnait davantage comme secrétaire juridique, mais même combinés, leurs salaires étaient insuffisants pour régler les factures.

« Durant 13 ans », se rappelle André, « nous avons passé chacun de nos moments libres à semer des graines. Nous avons présenté le plan de vente et de marketing à des centaines de personnes. Nous avons fait des milliers d'appels téléphoniques et parcouru des centaines de milliers de kilomètres. Il y a eu des moments de doute et d'incertitude. Il y a eu des moments où, fatigués ou abattus, nous étions prêts à abandonner. Mais nous n'avons pas cessé de semer, et la moisson a été plus abondante que nous ne l'aurions jamais cru. »

Aujourd'hui, André et Françoise vivent au sommet d'une montagne, dans une maison avec piscine intérieure. Mais ce qui est encore plus important que la sécurité financière qu'ils ont acquise, c'est qu'il leur est maintenant possible de passer du temps avec leurs enfants et de mettre leur vie au service des enfants du Québec. « Semez suffisamment », a écrit le prophète ancien, « et votre moisson sera abondante. » Cessez de semer, aurait-il dû ajouter, et rien du tout ne croîtra.

Donnez un dixième de votre revenu à ceux qui sont dans le besoin et de grandes choses se produiront !

Dans notre entreprise, il y a des distributeurs indépendants de toutes les couleurs. Toutes les races et toutes les religions sont représentées dans les nombreuses villes et pays du monde où notre entreprise est implantée. Il n'y a pas de règles concernant les dons, pas de normes d'établies. Mais au fil des années, nous avons appris, l'un après l'autre, que plus nous sommes généreux envers ceux qui sont dans le besoin, plus nous devons être généreux.

Au XVIᵉ siècle, Francis Bacon a dit: «Dans le domaine de la charité, il n'y a point d'excès.» Helen et moi disons: «Vous ne pouvez donner plus que Dieu ne donne.» Quand Helen décida que nous donnerions chaque mois à notre église et à des institutions charitables un chèque représentant 10 % de notre revenu brut, j'estimai que c'était là une décision sage et utile. Essayez. Soutenez un cause humanitaire quelconque. Voyez ce que cela vous apporte ou vous rapporte, à vous, à votre famille ainsi qu'à votre entreprise, d'aider ceux et celles dont les besoins sont plus grands que les vôtres.

Comprenez les principes de base avant de vous lancer !

Invariablement, vous verrez que ceux qui réussissent en affaires ne se lancent pas avant d'avoir répondu à plusieurs questions importantes. Vous vous rappelez lesquelles? Qui? Quoi? Où? Comment? Quand? Pourquoi? Et combien? Quand vous vous asseyez avec quelqu'un faisant la promotion de nos produits, de notre plan de vente — ou de n'importe quoi d'autre du reste — ne soyez pas satisfait tant que vous n'aurez pas obtenu des réponses franches, honnêtes et étayées à toutes vos questions.

Linda Harteis se souvient qu'elle avait peu confiance en sa capacité d'assumer son rôle dans l'entreprise que son mari, Fred, et elle avaient mise sur pied. «J'ai appris qu'on ne nous demande pas, en réalité, d'assumer de responsabilités tant que nous ne sommes pas prêts», dit Linda. «Au début, je n'aurais pas pu faire ce que je peux faire maintenant. Les responsabilités viennent à «petites doses», et si nous prenons le temps et nous faisons l'effort d'apprendre comment accomplir chaque nouvelle tâche, nous réussissons bientôt à faire ce que nous n'avions jamais pensé pouvoir faire. Nous avons tous deux continué à penser à ces choses que nous voulions pour nos enfants, et le soir, pendant que Tonya, Freddie et Angela dormaient, nous bâtissions l'avenir de notre famille.»

Il existe une légende à propos d'un saint français qui aurait, dit-on, marché 9,6 kilomètres en portant sa tête après avoir été exécuté. Après avoir entendu cette histoire, une femme de la noblesse répondit: «La distance importe peu; c'est seulement le premier pas qui est difficile.» Faites le premier pas avec prudence. Soyez sûr que vous comprenez ce qu'il faut faire. Puis, persuadez-vous que vous pouvez et vous voulez le faire. Une fois que vous savez où vous allez, mettez de côté les vieilles questions et lancez-vous dans l'aventure. Vous aurez amplement le temps de répondre aux nouvelles questions qui vous viendront à l'esprit en chemin.

Par-dessus tout, sachez apprécier l'amitié!

Dans le livre des Proverbes, Salomon nous donne ce conseil: «N'abandonne pas ton ami, ni l'ami de ton père; à la maison de ton frère ne va pas au jour de ton affliction. Mieux vaut un ami proche qu'un frère éloigné*.» Quand je repense à ces années où j'ai travaillé dans cette entreprise, je me rappelle surtout les moments passés en compagnie de Jay Van Andel, mon associé de toujours et mon plus ancien ami. Nous assumions ensemble nos échecs et nous nous réjouissions ensemble de nos réussites. Bien sûr, disions-nous. Bien sûr, il y eu de bonnes périodes et de moins bonnes. Mais si nous n'avions pas vécu tous ces moments ensemble, j'aurais trouvé tout cela tellement moins exaltant!

---

* Dans la Bible qu'utilise l'auteur, ce passage (Proverbes 27, 10) se lit ainsi: «Forsake not your friend, for there is a time of calamity at hand and you'll need a house to flee to.» Le sens n'est pas tout à fait le même que celui de la phrase française. (N.d.T.)

Dès le début, nous nous sommes entendus pour ne jamais dire: «Je te l'ai dit». C'est là un des secrets de notre amitié. Il y eut au cours des années des moments difficiles où nous n'étions pas d'accord sur une décision à prendre. Quand le verdict était rendu et que je me rendais compte que j'avais pris la mauvaise décision, Jay ne me faisait jamais me sentir stupide ou coupable. Durant toutes ces années, je ne l'ai jamais entendu dire: «Je te l'ai dit.» Et croyez-moi, il y eut des moments où il aurait eu bien raison de me le dire.

Repensant à son mariage avec Charles Lindbergh ainsi qu'à l'enlèvement et au meurtre de son enfant, Anne Morrow Lindbergh décrit parfaitement le rôle d'un de ses amis durant ces moments difficiles: «Nous tâtonnons tous deux et sommes un peu perdus, reconnaît-elle, mais nous sommes ensemble.»

Au fil des années, je me suis fait des milliers d'amis dans cette entreprise et en dehors de cette entreprise. Et cela est tellement plus important que tout l'argent que nous avons fait ou que nous ferons ensemble. Comme je me sens triste chaque fois que j'apprends le décès d'un de ceux que j'appelle mes amis! Helen Keller disait: «Chaque fois qu'un ami que j'aimais mourait, une part de mon être était enterrée avec lui, mais je me disais qu'il avait contribué à me rendre heureuse, forte et compréhensive, et cette contribution demeure et me soutient dans ce monde changeant.»

Avez-vous un ami dans l'entreprise où vous travaillez? Que faites-vous pour entretenir cette amitié? Avez-vous appelé votre ami récemment pour savoir comment il va? Avez-vous déjeuné ou dîné ensemble? Lui avez-vous envoyé des fleurs ou une carte avec ce simple mot: «Bonjour, cher ami. Je pense à toi»? Je commence à croire que notre tâche la plus importante, c'est peut-être de conserver au moins un bon ami. Les amis nous réconfortent quand nous avons besoin d'être réconfortés et nous secouent quand nous avons besoin d'être secoués. Les amis nous aident à ne pas perdre de vue nos objectifs. Et l'on peut être sûr qu'ils nous diront toujours la vérité.

Les gagnants sont remarqués! Les geignards sont ignorés!*

La plupart d'entre nous aiment les gagnants. Lors des événements qui rassemblent des gens de notre entreprise, nous recon-

---

* Dans l'édition originale anglaise: «Winners Heeded! Whiners Ignored!» À remarquer le jeu de mot (Winners — Whiners), qui donne à la formule une certaine force d'impact. (N.d.T.).

naissons les réussites ou les accomplissements de ceux et celles qui ont de bonnes performances. Nous applaudissons, nous crions à tue-tête et nous sautons sur nos pieds comme une bande d'enfants fous, manifestant ainsi notre appréciation à ceux d'entre nos amis qui, dans l'entreprise, ont atteint les objectifs qu'ils s'étaient fixés.

Ce sont des gagnants. Ils croient en eux-mêmes. Et plus vous vous tiendrez auprès des gagnants, plus vous croirez que pouvez vous aussi être un gagnant.

Fréquenter, au contraire, des gens qui se lamentent sans arrêt peut avoir des conséquences tragiques. Dans *Henri IV*, Partie 1, le jeune prince, qui voit sa vie sens dessus dessous, s'écrie: « C'est la compagnie, la mauvaise compagnie, qui a été ma ruine. » Fréquentez des geignards, des critiqueurs, des pleurnicheurs, des prophètes de malheur, des négatifs, des mécontents, des racistes, des gens qui jugent ou qui haïssent les autres et vous finirez exactement comme eux. Fréquentez des gagnants et un jour vous serez applaudi et acclamé!

Les excuses ne servent à rien. Pardonnez! Oubliez! Allez de l'avant!

Don et Nancy Wilson se souviennent des trois excuses qu'ils invoquaient pour expliquer pourquoi ils croyaient ne pas pouvoir mettre sur pied leur propre entreprise:

« Excuse numéro 1 », se rappelle Don: « nous n'avions pas assez de temps. Nancy travaillait 10 heures par jour et je consacrais 60 ou 80 heures par semaine à mon travail d'entraîneur. Excuse numéro 2: nous ne nous voyions pas vendeurs. Nancy était si timide qu'elle ne pouvait même pas faire prier en silence un groupe, et j'étais mal à l'aise à l'idée de lancer un produit plutôt qu'une balle de base-ball. Enfin, excuse numéro 3: nous ne croyions pas pouvoir réussir. »

« Don était un sportif », ajoute Nancy, « et moi j'étais grande, mince et dégingandée, une sorte d'intellectuelle peu attirante. Nous ne croyions pas en nous-mêmes. Nous sommes donc restés assis à ne rien faire, estimant que nous avions de bonnes excuses.

« Puis Dexter Yager est arrivé », dit Nancy d'une voix laissant deviner un sentiment de reconnaissance. « Il nous aimait. Il nous a dit que nous pouvions y arriver. Il nous a apporté des livres à lire et des enregistrements à écouter. Nous avons posé des questions et nous avons appris comment l'entreprise fonctionnait. Quand je lui ai dit que je ne pourrais jamais me lever pour parler devant un auditoire, Dexter a ri et a dit : « Imaginez-les simplement tous assis là, en sous-vêtements. » La première fois que je me suis levé devant un auditoire après qu'il m'eut dit cela, je n'ai pas eu peur et j'ai presque éclaté de rire. »

« Nous avons fait quelques appels », se rappelle Don. « Notre première présentation fut un succès, ainsi que la suivante. Chaque victoire nous rendait plus confiants et Dexter, qui croyait en nous et qui nous aimait, était toujours là pour nous apprendre des choses et nous pousser vers nos objectifs. » Aujourd'hui, Don et Nancy Wilson ont une entreprise prospère. Leur vie a commencé quand ils ont cessé de se trouver des excuses.

John Crowe est un homme qui a une foule de raisons de s'apitoyer sur lui-même, mais comme les Wilson il ne croit pas aux excuses. Le 15 juin 1981, sa femme, Jennie Belle, passait le week-end chez ses parents avec son plus jeune fils, John Crowe III, qui était né avec une grave malformation. John rentra chez lui vers minuit, après avoir montré à des gens notre plan de vente dans une ville des environs. Sur les lieux, 4 ou 5 hommes défoncés au PCP* l'attaquèrent dans sa propre allée. Ils l'obligèrent à entrer dans la maison et menacèrent de le tuer s'il ne leur donnait pas exactement ce qu'ils voulaient.

« Au fond de mon cœur, je savais qu'ils allaient me tuer », nous disait John. « Je me suis donc élancé sur le voleur qui était le plus proche de moi. Durant la bagarre qui s'ensuivit, j'ai réussi à faire feu trois fois sur un des voleurs, mais l'un deux m'a tiré à bout portant avec un Magnum 357 et j'ai moi-même été atteint à la tête et à la main gauche. Quand la police est arrivée, j'étais presque mort. Une équipe de réanimateurs est parvenue, je ne sais comment, à me ranimer et j'ai été transporté par hélicoptère à un hôpital situé à proximité. En 24 heures, mes amis de l'entreprise avaient donné au total l'équivalent de 946 litres de sang. Nombre d'entre eux ont fait la queue des heures, attendant d'avoir la chance de donner de leur sang pour me sauver la vie. Dans les 6 mois qui ont suivi, encore 2 365 litres de sang furent donnés. »

La police prévint John que sa vie allait de nouveau être en danger puisqu'il pouvait identifier les criminels. Ses amis dans

---

*   Phencyclidine : dérivé de $C_{17}H_{25}N$, utilisé médicinalement comme anesthésique et parfois illicitement comme drogue psychédélique provoquant des hallucinations et des images mentales viv es. (N.d.T.)

l'entreprise non seulement assurèrent sa protection jour et nuit à l'hôpital mais ils nourrirent, réconfortèrent et protégèrent sa femme et sa famille. « Avant la fusillade, j'étais gymnaste », explique John. « Après, je me suis retrouvé paralysé et j'ai dû lutter pour survivre. »

À l'hôpital, John se sentait abandonné de Dieu. À peine 6 mois avant la fusillade, son fils était né avec une grave malformation. Maintenant John était paralysé. S'adressant à Dieu, il lui demandait alors : « Pourquoi devrais-je T'aimer, alors que Tu as permis que tout cela m'arrive ? »

Durant ces heures difficiles et solitaires, John se rappelait sans cesse cette première nuit au service des soins intensifs, alors que son mentor, Bill Britt, qui avait pris l'avion pour se rendre à l'hôpital et qui s'était arrêté en chemin pour prendre sa femme et son fils, lui avait murmuré à l'oreille cette phrase du Nouveau Testament : « Nous savons qu'avec ceux qui l'aiment, Dieu collabore en tout pour leur bien, avec ceux qu'il a appelés selon son dessein. »

John Crowe comprit que Dieu Se manifestait à travers sa famille et ses amis pour le réconforter et l'encourager. Il ne lui fallut pas beaucoup de temps pour se rendre compte que Dieu était là, au milieu de sa souffrance, qu'Il Se manifestait à travers les personnes qu'il aimait.

« Mon choix était simple », se rappelle John. « J'aurais pu m'apitoyer sur moi-même et laisser tomber l'entreprise. Ou je pouvais être reconnaissant d'avoir eu la vie sauve, recoller les morceaux et recommencer. Avec l'aide de nos amis, j'ai recommencé. Helen Keller a dit une phrase que j'ai fait imprimer et que j'ai fixée au mur de mon bureau : « Si tu gardes la tête tournée vers le soleil, tu ne verras jamais les ombres. » Ainsi, chaque jour, quand les ombres menacent de plonger mon univers dans la noirceur, il me suffit de tourner la tête vers le soleil pour que ma vie soit de nouveau remplie de lumière. »

Malgré sa paralysie, John Crowe, avec l'aide attentionnée de sa femme, Jennie Belle, a créé une entreprise de distribution qui est un modèle pour tous nos amis de l'entreprise. « Nous ne l'avons pas fait pour pouvoir nous payer de grandes maisons ou de grosses voitures », admet-il. Quand la vie de votre nouveau-né est menacée par un œsophage trop court de seulement 1,27 cm, vous ne pensez pas aux Cadillac ni aux belles résidences. Mais grâce à la sécurité financière que nous avons acquise, nous pouvons procurer à notre fils les soins dont il aura peut-être besoin toute sa vie et, le plus important, nous sommes disponibles et sur place quand il néces-site ce genre d'amour qui lui permet de rester fort. »

Carpe diem, a écrit le poète romain Horace. « Mets à profit le jour présent ! » Les excuses sont comme une plaie ouverte. Elles laissent s'échapper notre sang ainsi que nos forces, jusqu'à ce que nous mourions. Et pendant ce temps, la pendule continue de marquer les minutes et les heures. Quelles sont les « raisons » qui vous empêchent d'essayer ? Sur qui rejetez-vous la responsabilité de vos échecs ? « Mets à profit le jour présent ! » Si les excuses sont pour vous des obstacles, voyez-les comme il convient de les voir : comme de simples excuses. Tendez la main vers une personne qui pourra vous guider. Ayez foi en vous-même et « mettez à profit le jour présent ! »

Vous pouvez le faire !
Ne cessez jamais de croire en vous-même !

Brian Herosian avait tout ce qu'il avait toujours voulu : un contrat pour jouer au football avec les Colts de Baltimore, une belle épouse, Jane, et un premier fils qui était sur point de naître et qu'ils appelleraient Ben.

« Presque du jour au lendemain, mon univers parfait s'est effondré », se rappelle Brian. « Les Colts m'ont largué. Je me suis retrouvé sans emploi et je n'étais pas vraiment préparé à trouver un bon emploi, et encore moins un travail qui payait autant que le précédent. Pour comble de malheur, mon fils est né sans pieds et avec une seule main. Le syndrome « Möebius », m'ont dit avec tristesse les médecins. « Très rare. Seulement trois cas dans tout le Canada. »

« Puis, en 1979, ma femme a perdu le contrôle de notre voiture et a heurté de front une semi-remorque alors qu'elle roulait à 105 kilomètres à l'heure. Coincé à côté d'elle dans l'auto démolie, je pouvais voir qu'elle était morte. Au service des soins intensifs, les médecins m'ont dit que mon cou était cassé et que je serais chanceux si j'arrivais à parler de nouveau un jour. »

Si jamais vous trouvez difficile d'avoir confiance en l'avenir, pensez à Brian Herosian. Il se releva comme un phénix des ruines de ses rêves. « Cela n'a pas été facile », se rappelle Brian. Sans l'aide de Dieu et de mes amis de l'entreprise, j'aurais peut-être succombé sous le poids des doutes et des déceptions. »

Mais Brian n'a pas succombé. Nous lui avons demandé comment il est parvenu à tenir le coup durant ces jours sombres et solitaires. « J'ai dû tout recommencer », nous a-t-il dit. « J'étais bon au football. Je pouvais bloquer, plaquer et courir, mais je ne connaissais pas grand-chose à la libre entreprise. J'ai donc été bientôt avide de connaissances. Je lisais un livre par semaine et j'écoutais chaque jour une nouvelle cassette. J'ai rencontré des mentors, des gens qui menaient la vie que je rêvais moi-même de faire. Je n'avais pas peur de leur poser des questions. J'étais ouvert, j'apprenais facilement. J'avais confiance en Dieu pour me soutenir chaque jour et je n'ai jamais cessé de croire en moi-même. »

Aujourd'hui, Brian Herosian possède une entreprise prospère, il est marié à une autre belle femme, Deidre, et chef d'une famille qui s'agrandit. Son fils Ben, qui a 15 ans, a aussi vaincu son handicap. Aujourd'hui, c'est un étudiant qui réussit bien dans ses études et qui a l'ambition de devenir écrivain.

Qu'est-ce qui poussé Brian à continuer de croire en lui-même ? C'est là un mystère. Mais c'est la clé de votre avenir, comme ce fut la clé de l'avenir de Brian. Si vous avez foi en vous-même, vous réussirez. Si ce n'est pas le cas, suivez les conseils de Brian. Lisez les histoires de ceux et celles qui ont triomphé de leurs malheurs. Écoutez les histoires enregistrées qui vous inspirent et qui peuvent vous servir d'exemples. Joignez-vous à un groupe de personnes positives et qui croient en vous. Ayez confiance en Dieu et ayez foi en vous-même. Et comme Brian, vous renaîtrez de vos cendres et vous verrez vos nouveaux rêves se réaliser.

Remettez-vous-en à Dieu quand vous recommencez à zéro, et un nouveau monde s'ouvrira à vous !

Quand Jay et moi avons lancé notre entreprise, nous n'avions rien. Nos autres projets commerciaux, le service de transport aérien, le restaurant pour automobilistes et la vieille goélette s'étaient soldés par des échecs, et nous avons dû chaque fois repartir à zéro. Mais nous avons continué à croire en nous-mêmes et à avoir confiance en Dieu. Je ne sais pas en qui ou à quoi vous croyez, mais il ne nous a jamais suffi, à Jay et à moi, de croire en nous-mêmes. Nous croyions aussi en un Créateur plein d'amour caressant pour nous des rêves beaucoup plus grands que ceux que nous nourrissions nous-mêmes. Maintenant, regardez ce que nous — Dieu et nous tous — avons accompli ensemble.

Je voudrais trouver encore d'autres façons de remercier les millions de personnes qui ont fait prospérer notre entreprise, mais nous serions tous embarrassés de nous attribuer le mérite d'avoir fait ce que Dieu a fait. Toutes les ressources naturelles que nous utilisons dans cette entreprise sont la création de Dieu, pas la nôtre. Toute l'énergie humaine déployée dans les différents services, à partir de la recherche en passant par le développement du service à la clientèle jusqu'à la livraison au client, est un cadeau que nous avons tous reçu de Dieu. Et les outils du capitalisme, les biens qui ont été produits et les services qui ont été offerts résultent directement de la volonté de Dieu qui invite chacun d'entre nous à soumettre la terre et à utiliser les produits façonnés avec nos mains et nos cœurs pour honorer notre Créateur.

En 1981, lors de l'ouverture à Grand Rapids de l'Amway's Grand Plaza Hotel, j'étais debout dans un escalier circulaire entre mon associé, Jay Van Andel, et l'ex-Président Gerald Ford. C'était le moment pour moi de couper le ruban et d'ouvrir officiellement cet hôtel pour gens d'affaires. En cette grande occasion, une foule importante formée d'amis et de collègues de l'entreprise s'était rassemblée. Les cadreurs derrière leurs caméras de télévision et les photographes attendaient tous que je parle. Je n'avais pas pensé aux paroles que je prononcerais à cette occasion, mais tout à coup, du fond de mon cœur, les mots sont venus: «Rendons gloire à Dieu! Il a fait de grandes choses!»

Souvent, au bas de ses compositions, Johann Sebastian Bach griffonnait ces mots: *Deo Gloria*. «Rendons gloire à Dieu!» Si j'avais une plume assez grosse, j'écrirais ces mots sur les façades de toutes nos usines, de tous nos entrepôts et de tous nos édifices à bureaux. «Rendons gloire à Dieu! Il a fait de grandes choses!»

Si rien ne va, financièrement, spirituellement et psychologiquement, n'ayez pas peur. Remettez ce que vous avez entre les mains de Dieu et attendez de voir ce qui arrivera. Vous serez surpris. En 1939, au moment où les forces de l'Axe dirigées par Adolf Hitler menaçaient de faire régner la tyrannie sur le monde entier, le roi George VI, qui adressait à la radio un discours au peuple anglais à l'occasion de Noël, lut cette histoire:

«Et j'ai dit à l'homme qui était au seuil de la nouvelle année: «Donne-moi une torche, que je puisse marcher sans risque dans l'inconnu. » Et il a répondu : « Sors dans la noirceur et mets ta main dans la main de Dieu. Pour toi, ce sera mieux qu'une torche, et Il te montrera un chemin plus sûr que tous les chemins connus. »

En conclusion

Debout près de la porte, une femme âgée, un torchon à vaisselle à la main, regardait au loin en se protégeant les yeux du soleil.

« Voilà encore ce « gourou », dit-elle sur un ton de remontrance maternelle.

Don Wilson se précipita vers la porte ouverte de sa petite maison de ferme délabrée accrochée au flanc d'une colline parsemée de broussailles, dans le Maine. Une longue voiture blanche venait de quitter la route de campagne et roulait dans leur direction.

« Dans un sens », se rappelle Don, « ma mère avait raison. Dexter Yager fut mon gourou les premières années. Dexter, tout comme quelques autres mentors importants, dont Rich DeVos et Jay Van Andel, m'a appris presque tout ce que je sais au sujet des principes de base de cette entreprise. »

Pendant des années, la femme de Don, Nancy, qui était une infirmière diplômée d'État, avait travaillé dans une grande clinique du New Hampshire où elle assistait les chirurgiens qui pratiquaient des opérations à cœur ouvert. Don était professeur et entraîneur de l'équipe de basket-ball dans une école secondaire. De plus, il administrait les programmes locaux d'activités sportives Peewee. Les Wilson avaient tous deux de l'instruction et de l'expérience sur le marché du travail mais même avec deux salaires, ils parvenaient à peine payer leurs factures.

« Un autre enfant », se rappelle Don, qui n'en revient pas encore, « et nous aurions eu droit aux bons de nourriture pour indigents. Nous nous sommes donc engagés chez Amway, espérant qu'en possédant notre propre entreprise nous aurions ce dont nous avions besoin, c'est-à-dire un revenu stable et assuré. »

« Au début, cela a été un fiasco », reconnaît Nancy. « Don disait que nous étions la « merveille de 90 jours ». Après 90 jours dans cette entreprise, nous nous demandions ce que nous faisions là. Après 21 mois, nous n'arrivions toujours pas à gagner notre vie. C'est alors que Dexter Yager est venu nous trouver et nous a montré la voie à suivre. »

«Il croyait en nous», dit Don, reconnaissant. «Il était convaincu que si nous apprenions seulement les principes de base, nous pourrions ensuite atteindre des sommets.» Dexter Yager savait qu'il n'existe pas de court chemin pour réaliser ses rêves. Avant de réussir dans notre entreprise ou dans n'importe quelle autre, il vous faudra apprendre et mettre en pratique certaines techniques et certaines disciplines. Dexter a appris ces techniques et ces disciplines aux Wilson, et ils finirent par bâtir une entreprise prospère.

Ce soir-là, Don et Nancy dînaient dans un petit restaurant du Maine avec les parents de Don. La cabane «rustique» dans le Maine était chose du passé. La vieille voiture de sport brune, avec ses 285 000 kilomètres, avait été mise au rancart. Toutes les factures accumulées avaient été payées. Avec Dexter Yager comme mentor, Don et Nancy avaient prospéré.

«J'avais peur que ce ne soit qu'un autre gourou attendant quelque chose de vous», dit grand-mère Wilson qui, se souvenant de ces première visites, sourit timidement. «C'était notre gourou, maman», répondit Don. «Il nous a appris comment faire prospérer notre entreprise.»

«Et il attendait bel et bien quelque chose de nous», ajoute Nancy d'une voix calme «que nous fassions de notre mieux.»

Mme Wilson dressa la tête comme un jeune chien et se contenta de sourire. «Je connais ce regard», se rappelle Don. «Maman souriait de cette façon quand son appareil acoustique acheté dans un magasin bon marché fonctionnait mal ou était détraqué. «Maman a besoin d'un nouvel appareil acoustique, papa», ai-je dit sans y réfléchir. «C'est que je n'ai pas les moyens d'en acheter un», a-t-il répondu, sur la défensive.» Les Wilson recevaient l'aide sociale. Avec leur revenu fixe, ils ne pouvaient se permettre aucune dépense supplémentaire importante. Don et Nancy commençaient tout juste à prospérer, à connaître la joie d'avoir un peu d'argent supplémentaire.

«Combien coûte un bon appareil acoustique?» demanda Don à son père. «Au moins 500 dollars», répondit son père. Don ne réfléchit pas. Il plongea simplement la main dans sa poche, sortit son portefeuille, en retira 5 billets de 100 $ et les poussa vers le centre de la table.

Le père de Don était offensé. «Nous n'avons pas besoin de ton argent», dit-il en repoussant l'argent vers son fils. «Prends-le quand même», répliqua Don en poussant une fois de plus l'argent vers son père. Il y eut alors un silence. Puis, Don reprit : « Papa, ne serait-ce pas gentil de permettre à maman de mieux t'entendre ? » Soudain, son père s'attendrit. Il n'était pas facile d'accepter l'argent de son fils, mais sa femme trouverait cela tellement merveilleux de pouvoir à nouveau mieux entendre. Alors qu'il étendait le bras pour prendre l'argent, ses yeux se remplirent de larmes. « Merci, mon gars », dit-il. Madame Wilson mit sa main sur celle de son mari. Elle aussi commença à pleurer. Au moment où la serveuse revint avec les plats qu'ils avaient commandés, tout le monde autour de la table pleurait.

« Jusqu'à ce moment-là », se rappelle Don, « je ne m'étais jamais douté que j'aurais un jour tant de joie à sortir de ma poche mon portefeuille et à tendre 5 billets de 100 $ à mes parents. Grâce à notre entreprise, nous avons pu être tranquilles financièrement et aider ceux que nous aimons à l'être eux aussi. Nous leur avons payé une nouvelle voiture et des vacances à Hawaii, en Grande-Bretagne ainsi qu'en Europe. »

Pour Don et Nancy Wilson, pour Paul et Debbie Miller et pour des millions d'autres comme eux, tout a commencé quand ils ont décidé de s'y mettre sérieusement. Ils ont appris les principes de base et les ont suivis rigoureusement. Et la suite, comme on dit, est connue. Vous pouvez réussir, vous aussi. Mettez à profit le jour présent. Trouvez-vous un mentor. Apprenez l'a b c de la réussite et bâtissez-vous un avenir en le mettant en pratique. Essayez. Qu'avez-vous à perdre, sinon l'occasion de réaliser vos rêves et d'aider les autres à réaliser également les leurs ?

Durant ces années d'université, alors que Paul Miller et les Tar Heels de la Caroline du Nord participaient avec enthousiasme au championnat de la saison, le préposé au vestiaire de l'équipe était Morris Mason, un Noir plein de bonté et de sagesse et qui demeura au service des joueurs 40 longues années.

« Il a passé sa vie à aider les athlètes et leurs entraîneurs », se rappelle Paul. « Je n'étais qu'un adolescent quand je suis arrivé à Chapel Hill. Je me sentais inférieur, j'avais une terreur folle de ne pouvoir jamais me joindre à l'équipe, mais chaque fois que Morris Mason me regardait droit dans les yeux et m'appelait « monsieur Miller », je redressais la tête et je reprenais espoir. Il faisait tellement plus que distribuer des serviettes ou masser des corps fatigués. Les paroles gentilles qu'il nous adressait et les doux sourires qu'il nous faisait alors que nous étions tous stressés et tendus régénéraient aussi nos âmes. »

En 1982, quand Paul et Debbie Miller entendirent dire que Morris Mason était sur le point de prendre sa retraite, ils décidèrent de lui rendre hommage en fondant une bourse d'études portant son nom. Les employés de l'université planifièrent un banquet en son honneur pour le remercier de ses années de service. Des athlètes et des entraîneurs de tout le Sud revinrent à Chapel Hill pour l'occasion.

« Je n'oublierai jamais cette soirée », dit Debbie. « Paul et moi étions assis à la table principale, près de monsieur Mason et de sa femme. Quand nous avons annoncé la fondation de la Morris Mason Memorial Scholarship, les gens se sont levés et ont applaudi. Monsieur Mason était assis et les regardait en spectateur, bouche bée. Il souriait, mais des larmes coulaient sur ses joues et tombaient sur son complet gris uni. « Merci ! » a-t-il dit finalement. « Merci beaucoup ! »

« Nous avons gagné beaucoup d'argent dans cette entreprise », dit Paul. « Grâce au capitalisme, nous avons pu nous offrir des voitures grand luxe et de belles maisons. Mais ce soir-là, dans une petite salle de banquet à proximité du campus de l'université, j'ai vu ce que le capitalisme avec compassion peut faire. J'oublierai à la longue les voitures grand luxe et les belles maisons mais je me souviendrai toujours du regard de monsieur Mason au moment où ses yeux étaient voilés de larmes. « Ça, par exemple ! » a-t-il dit. « Tous ces enfants qui étudient dans cette grande université et qui se souviennent de mon nom. Comment est-ce possible ? Comment est-ce possible ? »

Partie IV

L'objectif : nous aider nous-mêmes et aider les gens

CHAPITRE 13

Pourquoi devrions-nous aider les gens à s'aider eux-mêmes ?

CREDO 13

Nous croyons qu'il faut aider les gens à s'aider eux-mêmes. Quand nous partageons notre temps et notre argent avec quelqu'un d'autre dans le but de l'aider, de le former et de l'encourager, nous rendons tout simplement une partie de ce qui nous a déjà été donné.

Par conséquent, soyez un mentor. Qui pourriez-vous aider à atteindre ses objectifs, à réaliser ses rêves ?

Willie Bass n'était pas un bel homme. Il n'avait que 52 ans, mais il avait le visage ridé et semblait fatigué et usé. Sa vie n'avait pas été facile. Son visage portait les cicatrices d'innombrables bagarres de bar. «Je ne leur inspirais pas de l'amour», dit-il en souriant malicieusement. Willie était un garçon de la campagne issu d'une famille pauvre de fermiers établie en Caroline du Nord. Il portait une salopette trop grande et ses vieux vêtements rapiécés, qui dissimulaient ses maigres épaules et son corps décharné, le faisaient ressembler à un épouvantail.

Willie avait été soudeur toute sa vie. Il passait ses journées penché sur l'acier chaud, derrière son masque de protection, maniant son chalumeau. Au fil des années, des vapeurs de métal provenant d'innombrables baguettes de soudure s'était infiltrées dans ses poumons. L'inhalation de vapeurs nocives eut pour effet de réduire la capacité de ses poumons de 50 %.

Sa curieuse apparence et sa déficience pulmonaire étaient toutefois compensées par son caractère. Il se dévouait corps et âme à sa femme, Naomi, et à leurs enfants. Willie savait que sa famille dépendait de lui, et quand les médecins lui dirent qu'il était beaucoup trop malade pour continuer à travailler comme soudeur, il refusa d'abandonner. Il se traînait en haletant jusqu'à l'arrêt d'autobus. Jour après jour, Willie mettait son masque de soudeur, prenait son chalumeau et travaillait en respirant ces vapeurs toxiques pour faire vivre les êtres qui comptaient pour lui. Il ne manquerait pas à ses engagements envers ceux et celles qu'il aimait. Plutôt mourir.

Il payait sa modeste maison en effectuant de modestes versements mensuels de 112 $, mais si Willie laissait son travail, ses rentes d'invalidité ne seraient que de 186 $. La famille ne pouvait survivre avec une si petite somme. Il se trouva donc pris au piège, coincé entre son incapacité à travailler et son besoin d'argent. Il n'entrevoyait aucun espoir. Tous les matins, il allait travailler en trébuchant, et tous les soirs il remontait en chancelant les marches de sa maison, mort de fatigue et se tordant de douleur.

Que devrait-on faire pour Willie Bass?

Nous pourrions prétendre ne pas avoir remarqué Willie. Nous pourrions passer à côté et continuer notre chemin en espérant qu'un bon Samaritain le verra à temps, pansera ses blessures avant qu'il ne meure à bout de sang, le fera monter sur son âne, le conduira à une auberge et paiera l'aubergiste à l'avance pour ses services.

Nous pourrions faire la charité à Willie. En le voyant assis au bord de l'autoroute, brandissant un carton sur lequel est écrit à la main «Soudeur sans emploi veut travailler pour manger», nous pourrions baisser la vitre, lui tendre un billet de 1 $ ou de 5 $ et espérer qu'il pourra s'en sortir grâce à un programme gouvernemental d'aide sociale, obtenir des bons de nourriture et un abri provisoire pour sa famille.

Ou *nous pourrions aider Willie à s'aider lui-même.* C'est exactement ce que fit Ron Hale il y a plus de 15 ans. C'est de cette façon que nous avons su l'histoire. Willie Bass et Ron Hale étaient voisins. De temps à autre, Ron observait Willie alors que celui-ci se rendait lentement à l'arrêt d'autobus ou en revenait. Le cran dont Willie faisait preuve ainsi que sa démarche l'avaient frappé. Quand les Hale s'étaient eux-mêmes trouvés à court financièrement, ils avaient mis sur pied leur propre entreprise de distribution. Plus ils en apprenaient au sujet de Willie, plus ils constataient qu'il lui fallait absolument trouver une issue pour mettre un terme à son désespoir. Finalement, les Hale résolurent de faire ce qu'ils pouvaient pour aider Willie à s'aider lui-même. S'il leur faisait confiance, ils seraient ses mentors.

Jim Floor réussissait bien. Il était membre d'un groupe de pression en faveur de l'entreprise de gaz du sud de la Californie. Il était l'officier de liaison qui agissait au nom de la compagnie auprès du conseil municipal de Los Angeles, du bureau du maire et du ministère de supervision du comté de L.A. Contrairement à Willie, Jim et Margee Floor menaient la belle vie. Ils avaient une grande résidence dans une belle banlieue du comté Orange, et Jim avait un salaire impressionnant, une allocation de voyage et une généreuse indemnité pour frais professionnels.

En apparence, Jim Floor et Willie Bass n'ont rien en commun. Mais en réalité, Jim était insatisfait lui aussi. Il caressait, pour lui-même et sa famille, des rêves qu'il n'arrivait pas à réaliser. Fred Bogdanov, un des amis et collègues de travail de Jim, commença à s'intéresser vivement à lui. Fred, qui possédait sa propre entreprise, commençait tout juste à recueillir le fruit de son labeur, et il inscrivit le nom de Jim Floor au haut de la liste des personnes qu'il était intéressé à initier.

En une décennie et demie, d'étonnantes choses sont arrivées dans les vies très différentes de Willie Bass et de Jim Floor. Et j'espère que ce qui leur est arrivé vous déterminera à devenir mentor et vous incitera à joindre les rangs de ces gens passionnants qui aident les autres à s'aider eux-mêmes.

Étape 1. Un mentor croit aux possibilités de réussite d'une personne. « Quand nous avons regardé Willie », se rappelle Ron, « nous n'avons pas vu un vieil homme vaincu et invalide. Nous avons vu une personne doté de grandes possibilités qui avait pris une mauvaise direction et qui avait besoin qu'on l'aide à retrouver le bon chemin. »

« Quand nous avons vu Jim et Margee Floor », se rappelle Fred, « nous avons vu deux personnes comme nous, dont la réussite et l'ambition correspondaient en tous points aux normes auxquelles se réfèrent la plupart des gens mais qui caressaient de plus grands rêves et qui étaient incertains du moyen à prendre pour les réaliser. »

Les gens qui aident d'autres personnes à s'aider elles-mêmes doivent d'abord essayer de les voir comme Dieu les voit. C'est pourquoi, au début de ce livre, j'ai parlé des rêves que notre

Créateur caresse pour chacun d'entre nous. Peu importe que nous ayons gâché notre vie (ou que notre vie soit gâchée à cause d'autres personnes ou de circonstances défavorables), Dieu continue de croire en nous. Quel que soit le niveau de réussite que nous ayons atteint dans la vie, Dieu sait que nous sommes capables de faire beaucoup plus et que nous méritons beaucoup plus. Voilà la bonne nouvelle (et voilà où commence le processus d'entraide). Si Dieu continue de croire en nous, nous sommes libres d'avoir confiance, nous aussi, dans les capacités des autres.

Jusqu'à l'intervention de Ron, presque personne ne croyait que Willie avait des possibilités, même pas Willie. Mais Ron voyait au-delà de ses limites. Un homme travaillant aussi dur pour respecter ses engagements envers sa famille devait être un être spécial. Il croyait en Willie et en son avenir. Et il était disposé à agir en conséquence.

Il était beaucoup plus facile pour Fred de croire en Jim Floor. Jim avait déjà réussi. Il n'y avait apparemment pas de raisons qu'il ne puisse continuer d'aller de succès en succès. Mais il n'était pas facile pour Jim de se convaincre qu'il pouvait ou devait aller plus loin. Il s'en tirait déjà pas mal, merci. Pourquoi se donner encore la peine de monter une entreprise, courir de nouveaux risques, sortir de la routine et donner une nouvelle direction à sa vie ? Jim avait toutes sortes d'arguments pour se justifier, et Fred devait, d'une façon ou d'une autre, vaincre ses résistances s'il voulait réussir en tant qu'ami et mentor de Jim.

Bien que Willie et Jim fussent manifestement différents l'un de l'autre, ils avaient une chose en commun. Chacun avait quelqu'un qui croyait en leurs chances de réussite, et pour Willie et Jim, ainsi que pour des millions d'autres, une aventure nouvelle et régénératrice a commencé quand quelqu'un a enfin cru en eux.

Étape 2. Un mentor a le courage de dire à cette personne qu'elle a des possibilités. Croire que Willie avait des possibilités, c'était une chose mais le convaincre, c'en était une autre. Peu importe à quel point vous croyez en quelqu'un, tant que vous ne le lui aurez pas dit et que vous ne l'aurez pas aidé à croire en lui-même, ce sera simplement prendre vos désirs pour des réalités.

Pendant plusieurs semaines, Ron tenta de convaincre Willie de créer sa propre entreprise et lui parla de l'espoir et de la liberté que lui apporterait la responsabilité d'un territoire. Willie se contentait de sourire et de hocher la tête. Il n'était pas stupide. Il savait bien que tout était contre lui. Lancer une entreprise à son âge et dans son état semblait un rêve tout à fait irréalisable. Les Hale parlèrent. Willie écouta et peu à peu l'espoir naquit et commença à grandir dans son cœur.

«Quand Fred Bogdanov, un collègue de travail de Southern California Gas, m'invita la première fois pour me parler de la possibilité de lancer ma propre entreprise», se rappelle Jim, «je ne savais rien au sujet d'Amway, jamais on ne m'en avait parlé, ni en bien ni en mal; je lui ai donc promis que je viendrais, puis j'ai raté la réunion. Mon vieil ami Fred était déterminé à devenir mon mentor; il m'a donc fait une offre que je ne pouvais pas refuser. Il est venu chez nous et a présenté le plan. Il risquait d'essuyer un refus ou d'être mis dans l'embarras en venant vers nous.»

Durant les 2 heures et 30 minutes que dura sa présentation, Fred sembla nerveux, ce qui est compréhensible, mais sincèrement préoccupé de l'avenir de Jim. Jim respectait et appréciait Fred pour l'intérêt que celui-ci lui témoignait et il pouvait voir comment se faisaient les calculs, mais il ne ressentait tout simplement pas le besoin de lancer une entreprise. C'est du moins ce qu'il dit à Fred.

«En réalité, j'avais un grand besoin de sécurité financière», reconnaît aujourd'hui Jim, «et j'avais aussi besoin de la liberté que cette sécurité m'assurerait. Je ne pouvais tout simplement pas lui avouer que j'avais un besoin, pas à lui. Nous étions des collègues et des amis. J'étais trop orgueilleux pour être honnête.»

Aujourd'hui, presque 14 ans plus tard, Jim et Margee Floor sont très prospères au sein de notre entreprise; ils sont devenus eux-mêmes des mentors expérimentés et efficaces. «Quand il a décidé d'être mon mentor», reconnaît Jim, «Fred eut à faire face aux deux problèmes majeurs qu'un mentor doit surmonter.»

D'abord, les gens n'aiment pas admettre que la vie qu'ils mènent n'est pas celle qu'ils souhaiteraient. Devant cette résistance, le mentor doit être honnête et patient. Le mentor devrait raconter sa propre expérience. Il devrait confesser ses propres doutes, avouer ses propres faiblesses. Donnez du temps à la personne. Ne bousculez rien. Une fois qu'ils auront vraiment confiance en vous, ils confesseront probablement leurs besoins, eux aussi.

Le second défi du mentor, c'est de les amener à ouvrir leur esprit à ce qui est nouveau ou différent. La romancière britannique Rosamond Nina Lehman a dit: «On peut offrir aux gens des chances. On ne peut pas les forcer à les saisir s'ils ne se sentent pas à la hauteur. » Là encore, ne vous pressez pas. Dites clairement ce que vous avez à dire. Puis donnez-leur tout le temps dont ils ont besoin. Écoutez attentivement leurs questions. Répondez-y honnêtement et sans détours. Donnez des exemples tirés de votre propre expérience et peu à peu les esprits fermés s'ouvriront.

Willie Bass et Jim Floor étaient deux hommes vivant dans deux mondes opposés, mais ceux qui voulaient devenir leurs mentors avaient beaucoup de travail à faire pour vaincre les résistances de l'un et de l'autre. Affectueusement, patiemment, Ron et Fred attendirent que Willie et Jim n'aient plus de doutes, de questions et de craintes. C'est alors seulement qu'ils purent tenter l'aventure et rejoindre les rangs de ceux et celles qui aident les autres à s'aider eux-mêmes.

Étape 3. Un mentor propose un plan pratique et collabore à la mise en œuvre de ce plan. « Cela m'a pris trois mois juste pour le convaincre qu'il pouvait y arriver », admet Ron. Même après que Willie eut accepté de faire un essai, il était trop timide pour parler aux gens. Il n'avait jamais fait cela avant. « Durant environ huit ou neuf mois », se rappelle Ron, « nous avons aidé Willie à appeler les gens et à les réunir. Nous avons parlé à sa place lors des réunions — à toutes les heures du jour et du soir — et nous avons maintenu une liaison avec ceux et celles qui avaient des questions au sujet de nos produits ou de notre plan de distribution, ou qui s'y intéressaient. »

Tandis que Ron guidait Willie, Fred Bogdanov en avait plein les bras avec Jim Floor. Fred n'était lui-même qu'un novice. Mais il était intelligent. Quand il ne connaissait pas la réponse à l'une des questions difficiles de Jim ou de Margee Floor, il invitait d'autres personnes plus expérimentées à y répondre. Fred donna aux Floor des cassettes audio, des livres et des brochures qui leur permettaient de mieux comprendre le monde des affaires et qui pouvaient les inspirer. Et une fois par mois, il les emmenait à des réunions où des conférenciers chevronnés donnaient des conférences et livraient leurs témoignages sur la gestion des entreprises prospères.

Les premiers mois, le mentor doit travailler dur, de longues heures. Dans le processus qui consiste à aider les gens à s'aider eux-mêmes, c'est l'étape qui prend le plus de temps, qui met le plus à l'épreuve sa patience. Après tout, les gens qui n'ont jamais vraiment cru en eux-mêmes auparavant, comme Willie Bass, sont comme des nouveaux-nés. Ils ont besoin d'être nourris tant qu'ils ne sont pas en mesure de se nourrir eux-mêmes. Ils ont besoin de nous pour les transporter tant qu'ils ne peuvent pas marcher. Et surtout, ils ont besoin qu'on les prenne dans nos bras et qu'on les aime beaucoup. Et des gens comme les Floor, qui croyaient en eux-mêmes mais qui ne connaissaient rien aux affaires, avaient autant besoin d'être aimés et « nourris » que des enfants nouveaux-nés.

« Il est difficile pour n'importe qui de devenir prospère sans aide dans ce monde de compétition régi par la loi de la jungle », nous rappelle Jim Floor. « Nous avons besoin les uns des autres, pas seulement durant cette période difficile de mise sur pied de l'entreprise mais toute notre vie. Il est difficile d'aider les gens à réaliser combien nous sommes plus forts en travaillant ensemble, combien nous pouvons faire plus collectivement qu'individuellement. C'est l'esprit qui anime cette entreprise », ajoute Jim. « Les mentors se trouvent bientôt eux-mêmes pris en main par un autre mentor. Ceux qui sont guidés par un mentor finissent bientôt par enseigner aux maîtres. Bientôt, tout le monde en tire avantage. Les gens qui aident les gens à s'aider eux-mêmes passent ainsi continuellement du rôle de mentor à celui d'élève et du rôle d'élève à celui de mentor. »

Finalement, Willie eut le courage de faire les présentations lui-même. Sa première présentation fut pour le moins « originale », se rappelle Ron. « Malgré ses poumons malades, Willie parla d'une voix forte mais hésitante. Il n'avait jamais suivi de cours d'expression orale. Ce n'était pas un vendeur qui avait du bagout. N'ayant pas cette élégance, cette distinction qu'ont en général les gens de la bonne société, sa présentation fut mémorable, naturelle et franche. Mais Willie disait la vérité pure et simple. Son langage était très « coloré ». Et il n'hésitait pas à employer des adjectifs, avec beaucoup d'enthousiasme, que la plupart des gens n'auraient *jamais* eu l'idée d'employer pour qualifier des produits tels que du savon ou de la cire pour auto.

La première présentation de Willie fut un succès, non pas parce qu'il avait eu la parole facile, mais parce qu'il avait été sincère. Les gens avaient pu sentir l'espoir que son message communiquait. Mais qui lui avait communiqué cet espoir? Les Hale et d'autres. C'est le cadeau le plus précieux que vous puissiez recevoir des gens qui croient en la nécessité d'aider les autres à s'aider eux-mêmes. Ils croient en vous et finalement vous commencez vous aussi à croire en vous-même. Ils entrevoient votre avenir avec espoir, et peu à peu vous commencez à partager cet espoir.

Pour Jim et Margee Floor, les présentations furent plus faciles. Jim avait de l'expérience en tant qu'orateur et même si Margee n'était pas une très bonne communicatrice, elle finit bientôt par manifester, lors de ses présentations du plan de marketing, des aptitudes pour l'art oratoire. Leur entreprise commença bientôt à prospérer. «Au début, nous faisions 400 ou 500 dollars supplémentaires par mois», se rappelle Jim. «Peu après, nous avions triplé ce bénéfice et nous avons commencé à nous rendre compte que posséder notre propre entreprise signifiait qu'il n'y avait pas de limites, hormis celles que nous nous imposions.»

À peu près à cette époque, Jim Floor fut promu et obtint, à la Southern California Gas in Sacramento, un poste comportant encore plus de responsabilités. Son revenu monta en flèche. Les Floor emménagèrent dans une maison chère et pleine de coins et de recoins située dans une banlieue prestigieuse de la ville. Maintenant, ils brassaient des affaires plus ou moins louches avec les plus importants dirigeants de leur État, du gouverneur aux membres de la législature de l'État.

«Pendant un certain temps», se rappelle Jim, «notre nouvelle vie dans la capitale de l'État m'a ébloui et absorbé. Je ne me voyais plus dirigeant ma propre entreprise. J'ai cessé d'élargir ma clientèle et j'ai arrêté petit à petit de faire des présentations. Mais mon bon ami Fred, celui qui avait été mon premier mentor, veillait sur moi. Cliff Minter, mon nouvel ami, est devenu mon second mentor. Il m'appelait et m'écrivait, il m'exhortait à ne pas renoncer à mon rêve et à continuer de le poursuivre. Quand il m'appelait pour savoir comment cela allait, je mentais. «Ça va», lui disais-je, prétendant que je poursuivais toujours mon but, alors que je m'en écartais.»

«Puis je suis allé à une réunion qui avait lieu à Redding, à trois heures d'auto. J'ai écouté Dave Severn, qui parlait de ceux qui commencent une tâche et ne se donnent jamais la peine de la mener à terme. À la fin de sa causerie, Dave a fait une pause, puis s'est remis à parler comme s'il s'adressait à moi. «Il y a quelqu'un dans cette salle qui gaspille le don qu'il a reçu de Dieu, et cela me rend malade de penser à ce qui aurait pu arriver si seulement il n'avait pas perdu de vue son objectif». Ce conférencier ne me connaissait pas», dit Jim, «mais ses paroles me sont allées droit au cœur. Je suis rentré à Sacramento, j'ai dressé la liste de toutes les personnes que je connaissais ou que j'avais simplement rencontrées dans cette ville et j'ai commencé à les appeler une par une. »

Étape 4. Les mentors, ceux et celles qui sont guidées et les autres, tout le monde en bénéficie. Il peut être difficile d'aider les gens à s'aider eux-mêmes, surtout au début, mais à long terme, on en retire tous de très grands avantages. Il n'y a pas que le mentor et ceux et celles qu'il conseille qui partagent ces avantages: ceux-ci, par un effet de contagion, s'étendent à tous.

Il y a des avantages pour ceux et celles qui sont guidés. Puisque le but premier est de faire plus d'argent, voyons d'abord quels sont les avantages financiers. Des gens chanceux comme Willie et Jim qui ont des mentors pour les aider à découvrir leurs potentialités, qui ont ensuite le courage d'agir en vue de tirer profit de ces potentialités et qui réussissent — mêmes si leurs réussites sont modestes — réaliseront des gains financiers surprenants.

Voyez ce qui est arrivé à Willie Bass. Seulement 13 mois après avoir lancé sa propre entreprise, il devint distributeur (vendant directement aux clients) dans notre entreprise. Son revenu doubla, puis tripla. Il laissa son travail de soudeur. Il avait assez d'argent pour se payer l'aide médicale dont il avait besoin et pour améliorer ses conditions d'existence ainsi que celles de sa famille. Pour la première fois de sa vie, après que les factures furent payées, Willie put commencer à mettre de l'argent en banque afin que sa famille ne manque de rien après sa mort.

Tout comme Willie Bass, Jim et Margee Floor obtinrent des résultats financiers étonnants quand ils ont recommencé à travailler sérieusement à la prospérité de leur entreprise. «Nos profits faisaient des bonds», se rappelle Jim. «L'argent continuait à rentrer même quand nous ne travaillions pas, ce qui n'était jamais arrivé. Parce que nous possédions notre propre entreprise et que nous partagions les profits à long terme, notre investissement de temps et d'énergie continua à rapporter année après année. J'ai avisé par écrit l'entreprise de gaz du sud de la Californie que je résiliais mon contrat. Je n'aurais plus jamais à travailler pour quelqu'un d'autre. Et Margee et moi avons vu notre rêve de sécurité financière se réaliser. »

Mais aider les gens à s'aider eux-mêmes, c'est beaucoup plus que les aider à faire de l'argent. Imaginez le sentiment de satisfaction de soi que Willie a dû éprouver quand il sortit du cycle du désespoir dont il avait été prisonnier la majeure partie de sa vie adulte. Imaginez l'espoir nouveau dont son cœur fut rempli quand il envisagea de mettre définitivement de côté son chalumeau. Imaginez le nouveau sentiment de liberté qu'il éprouva lorsqu'il n'eut plus chaque jour à marcher avec peine et en haletant jusqu'à l'arrêt d'autobus, et sa joie quand il comprit qu'il pourrait passer les années qui lui restaient à vivre avec sa femme et sa famille. Il n'a pas gagné que de l'argent. Gagner de l'argent lui a apporté un nouvel espoir, une nouvelle liberté et une nouvelle joie. Que pourrait-on demander de mieux?

Jim et Margee Floor ont compris, eux aussi, qu'il n'y avait pas que des avantages financiers, loin de là. «Nous étions libres», se rappelle Jim. «Nous pouvions rester ensemble, en famille. Nous pouvions établir notre propre horaire. Nous passions enfin du bon temps ensemble. Évidemment, il nous fallait consacrer beaucoup de temps et d'énergie à notre nouvelle entreprise, surtout durant les deux ou trois années de démarrage, mais nous étions néanmoins libres d'aller et venir, de voyager ou de rester chez nous comme bon nous semblait.

«Et l'un des plus grands avantages», se rappelle Jim, «fut de nous faire de nouveaux amis. Les raisons qui les poussaient à créer leurs propres entreprises étaient à peu près les mêmes que les nôtres. Ils voulaient reprendre le contrôle de leurs vies financièrement de façon à pouvoir reprendre le contrôle de leur vie également dans les autres domaines. Nos valeurs et nos rêves communs nous rassemblaient.

«Il est difficile de décrire l'atmosphère d'entraide que l'on crée en allant rencontrer des personnes partageant les mêmes valeurs que soi», ajoute Jim. «Rich et Jay, nos principaux mentors, nous ont légués les principes qui guidaient autrefois toute la nation: avoir foi dans le potentiel humain, payer ses factures et remettre de l'ordre dans ses finances, se fixer des objectifs, les noter, ne pas céder à l'envie de faire des achats pas strictement nécessaires afin d'atteindre ces objectifs, être honnête; de continuer de rendre compte à un groupe de personnes qui ont à cœur nos intérêts et qui ne nous jugent pas à cause de nos défauts, de personnes qui aident les gens à s'aider eux-mêmes...

«Ces principes ne sont plus enseignés dans nos écoles», dit Jim. «Même dans les foyers et les églises de notre pays, souvent on omet de les enseigner à nos enfants. Le plus grand avantage que nous avons retiré de cette expérience, ce fut de trouver un nouveau cercle d'amis qui pensaient comme nous, des amis que nous aimerons toujours.»

Il y a aussi des avantages pour les mentors. Willie et Jim ont créé leurs propres entreprises, mais leurs mentors, Ron Hale et Fred Bogdanov, ont eu part aux profits monétaires et autres. Dans un système de commercialisation reposant sur un réseau ou comportant plusieurs niveaux, les mentors tirent de grands avantages de la réussite de ceux ou celles qu'ils guident.

Les Hale n'ont-ils eu que de l'argent en récompense de leur labeur? Aider Willie Bass était une tâche longue et difficile. Durant des années, les Hale se sont consacrés avec amour à Willie et sa famille, et leur ont accordé toute leur attention. Ils ont cru en lui, l'ont «éduqué» et ont été à ses côtés. Et les Bogdanov? Que gagnaient-ils à tendre la main à Jim et Margee Floor et à devenir leurs mentors? Et pourquoi Fred a-t-il continué à jouer son rôle même après que les Floor eurent déménagé à Sacramento et cessé de se consacrer à la réalisation de leur rêve? L'a-t-il fait pour l'argent ou y avait-il quelque chose d'autre?

Ce que je m'apprête à vous dire ne vous semblera peut-être pas croyable. C'est bien. Je comprends. Je pense que je n'y aurais pas cru moi non plus, au début. Mais les Hale, les Bogdanov et maintenant les Floor, ainsi que d'autres couples comme eux qui ont réussi dans cette entreprise, ont encore plus de joie à aider les gens qu'à faire de l'argent. Croyez-le ou non, ils ont constaté que voir les rêves d'une autre personne se réaliser leur donnait un bien plus grand sentiment d'auto-satisfaction et d'accomplissement que tout l'argent qu'ils pouvaient faire en aidant cette personne à réussir.

Je pourrais vraiment m'enflammer ici. Je suis tenté de crier mon enthousiasme pour ces millions de personnes prospères qui possèdent des entreprises de commercialisation comportant plusieurs niveaux ou qui sont à la tête de réseaux de distributeurs. Mais je ne le ferai pas. Le cas de Willie Bass et celui de Jim Floor parlent d'eux-mêmes. Qu'est-ce que vous pensez que Willie dirait de ce soutien? Qu'éprouvait-il, croyez-vous, quand il pensait aux Hale et à la façon dont ils avaient contribué à transformer sa vie?

«Treize ans plus tard», dit Ron, «quand Willie est mort, je suis resté près de sa tombe, repensant à lui. Combien de fois avait-il pris ma main dans ses grosses mains à la peau tannée!

Combien de fois m'avait-il regardé droit dans les yeux, cherchant une façon de m'exprimer son amour et sa reconnaissance? Combien de fois m'avait-il dit: «Merci, Ron»? Puis, ne parvenant pas à exprimer l'émotion qui lui gonflait le cœur, il restait tout simplement là, debout, tenant ma main serrée et me souriant à travers ses larmes.»

Les Hale et d'autre couples comme eux ailleurs dans le monde font beaucoup d'argent en aidant les gens à s'aider eux-mêmes. Si ceux et celles qu'ils ont aidés leur sont reconnaissants de leur assistance, qui a le droit de douter de leurs motifs? Les Hale travaillèrent dur pour réaliser leurs rêves. En aidant Willie Bass, ils ont accompli ces rêves et bien plus encore.

Le monde entier en profite quand des gens aident d'autres gens à s'aider eux-mêmes. En quoi le monde a-t-il changé en mieux quand la vie de Willie fut transformée? Les effets positifs ne sont pas seulement une production accrue, un plus grand pouvoir d'achat, une source de nouvelles contributions fiscales pour le gouvernement ou des dollars supplémentaires donnés en dîme à l'église. Ce qui est arrivé à Willie et à chaque homme et à chaque femme qui apprend à se débrouiller seul a des conséquences sur nous tous. De même qu'une pierre jetée dans un étang provoque des ondulations s'élargissant à la grandeur de l'étang, de même la régénération d'une personne contribue à donner espoir au monde entier et à le régénérer.

Pensez aux membres de la famille de Willie, par exemple. Pensez au nouvel espoir qui dut les animer une fois que Willie eut à nouveau le cœur rempli d'espoir. Leurs vies à eux aussi furent changées, et leur influence s'exerça sur toutes les personnes avec qui ils étaient en rapport. Les voisins de Willie? Quel effet cela leur fit de voir Willie se tenant droit dans son nouveau complet, ou au volant de sa nouvelle voiture après toutes ces années où ils l'avaient vu marcher péniblement jusqu'à l'arrêt d'autobus, haletant et respirant comme un asthmatique? Et les camarades de travail de Willie, son contremaître, son patron? Ne les entendez-vous pas «prêcher la bonne parole»: «Qu'est-ce qui est arrivé au vieux Willie?» et «Si cela a pu lui arriver, cela peut m'arriver!»

Le dicton favori des Hale est: «Quand vous aidez des gens, *vous* devenez le héros, mais quand vous aidez des gens à s'aider eux-mêmes, *ils* deviennent les héros.» Que serait-il arrivé si les Hale, pour aider Willie, s'étaient contentés de lui donner de l'argent, ou de le conduire au travail, ou de le diriger vers un programme d'assistance sociale? On les aurait loués à juste titre de leurs bonnes actions. Mais Willie? Les gens l'auraient-ils loué? Selon toute probabilité, il aurait fini par redevenir le même homme fier mais épuisé et désespéré qu'il avait été. Et pire, l'action charitable des Hale l'aurait peut-être fait se sentir encore plus désespéré et dépendant. Il se serait peut-être même senti avili.

Les Hale ont donné à Willie un cadeau infiniment plus précieux: ils l'ont rendu capable de s'aider lui-même. Et avec ce cadeau sont venus d'autres cadeaux précieux: la reconnaissance de ses mérites, les récompenses, la liberté et l'espoir. Plutôt que de rendre Willie esclave ou dépendant, ils lui ont appris comment devenir libre. Ils lui ont donné ce cadeau: l'indépendance.

Pour devenir indépendants, nous avons besoin les uns des autres

Les êtres humains ont toujours aspiré à l'indépendance ou à l'autonomie. Être fort et indépendant est un thème qui revient souvent dans notre culture, mais ce qu'on nous dit moins souvent, c'est comment le devenir. On ne naît pas courageux, intègre et plein d'espoir. On ne décide pas tout simplement un jour d'être fort et indépendant. Il nous arrive à tous, en cours de route, quelque chose qui nous donne la force et nous rend capables d'être indépendant. Comment cela arrive-t-il?

La réponse est simple mais pas facile. C'est grâce aux autres que chacun d'entre nous peut devenir confiant en soi. Au cours des années, mon ami Fred Meijer a permis à des milliers de ses employés de le devenir. Le père de Fred, Hendrik Meijer, est une légende dans notre ville. Parti de sa Hollande natale, Hendrik arriva à Holland, au Michigan, en 1907. C'était un ouvrier d'usine de 23 ans nourrissant une profonde aversion pour le capitalisme. Néanmoins, ce jeune rebelle portant des sabots de bois ouvrit une épicerie durant la grande Crise et, grâce aux gains qu'il avait réalisés, transforma ce magasin en une chaîne de supermarchés et de grands magasins de vente au rabais dont le succès fut énorme: la chaîne Meijer, maintenant dirigée par son fils, le propriétaire.

Fred a beaucoup de talent pour le marketing et la gestion, mais une histoire en particulier illustre son don spécial à enseigner aux gens à avoir confiance en eux. Entre le milieu des années cinquante et le milieu des années soixante, notre pays était déchiré par des conflits raciaux. À Montgomery, en Alabama, après que Rosa Parks fut arrêtée et emprisonnée pour ne pas s'être rendue à l'arrière d'un autobus, les Noirs commencèrent à boycotter les commerces de cette ville. Un prédicateur baptiste du Sud, Martin Luther King structura ce boycottage et le transforma en un mouvement en faveur des droits civils qui s'étendit à tout le pays.

À peu près à la même époque, Fred Meijer eut besoin d'une réceptionniste à son bureau principal, de Grand Rapids, où il y avait beaucoup de travail. Trois femmes, dont l'une était noire, posèrent leur candidature. Quand son directeur des ressources humaines l'assura que les trois femmes étaient également qualifiées, Fred Meijer dit simplement : «Alors engagez madame Pettibone.» «Mais c'est la femme noire», répondit le jeune homme. «Elle sera la première personne que tout le monde verra.» «Je sais», répondit Fred. «Engagez-la.» «Mais pourquoi?» insista le jeune homme. «Parce que les deux femmes blanches peuvent se trouver un emploi n'importe où ailleurs mais pas madame Pettibone.»

Faites un effort de mémoire. Essayez de vous souvenir des hommes et des femmes courageux et prévenants qui vous ont tendu la main et vous ont donné une chance de faire vos preuves. Soyez reconnaissant envers eux. Les histoires impressionnantes des grands hommes et des grandes femmes sont véritablement constituées de douzaines d'interventions d'autres hommes et d'autres femmes qui ont contribué à leur «grandeur».

Helen Keller devint aveugle et sourde dans son enfance. Elle se retrouva isolée du reste du monde, envahie par un sentiment de colère et de peur. Aujourd'hui son nom est révéré des écoliers et des écolières de tout le pays. Mais Helen Keller n'a pas réussi toute seule à sortir de l'obscurité et du silence. Tout d'abord, ses parents ont supplié Alexander Graham Bell de les aider. Grâce à sa contribution, Helen eut un professeur, Anne Sullivan, à moitié aveugle elle-même. Anne nourrissait de grands rêves pour sa jeune élève farouche. Elle fut pour Helen un mentor loyal et courageux durant toutes ces années d'enfance. En 1904, Helen Keller obtint son baccalauréat avec mention au collège Radcliffe.

Aujourd'hui ses paroles de sagesse sont citées dans le monde entier, mais c'est grâce à son mentor, Anne Sullivan, et à d'autres mentors de l'école pour sourds Horace Mann à Boston et de la Wright-Humanson Oral School à New York, qu'elle est devenue une grande femme. Ce ne fut pas une autodidacte. Sans ses mentors, Helen Keller serait morte dans son monde d'obscurité et de silence.

Chacun de nous est redevable de son indépendance à quelqu'un. Ne croyez pas un seul instant que nous sommes parvenus seuls au point où nous sommes. Il est non seulement présomptueux mais dangereux et fallacieux de croire même un seul instant que nous n'avons pas besoin les uns des autres. Regardez en arrière. Essayez de vous rappeler. Qui vous a aidé à cultiver cette qualité en vous qui vous a mené au succès? John Donne a écrit ces mots célèbres: «Aucun homme n'est une île, un tout refermé sur lui-même; chaque homme est une parcelle du continent, une partie de l'océan.»

Le dicton: «Aide-toi, le Ciel t'aidera» ne vient pas — comme beaucoup le croient à tort — de la Bible, mais des *Fables* d'Ésope, écrites au VIe siècle avant Jésus-Christ. En réalité, il s'agit là d'une pensée totalement à l'opposée de notre tradition judéo-chrétienne. Croyez-vous qu'Ésope savait combien il est difficile pour une personne de s'aider elle-même sans qu'une autre personne lui montre le chemin? Croyez-vous qu'il réalisait combien chacun de nous doit compter sur les autres pour apprendre comment nous pouvons devenir confiants en nous-mêmes? Croyez-vous qu'il connaissait la joie d'*aider les gens à s'aider eux-mêmes*?

C'est ainsi que va le monde: une génération aide la suivante à se débrouiller seule. Les parents apprennent à leur enfants à être autonomes. Les enfants enseignent ces mêmes vérités à leurs enfants et leurs petits-enfants. Et au fil des siècles, les gens aident d'autres gens à s'aider eux-mêmes.

Quand Jésus a dit: «Aimez-vous les uns les autres», il nous a fourni le fondement sur lequel nous bâtissons toute notre argumentation. Aider les gens à s'aider eux-mêmes est la meilleure et la plus belle façon de «nous aimer les uns les autres».

Je suis toujours stupéfait quand j'entends quelqu'un dire: «Pourquoi Machin Chouette ne se prend-il pas en main?» Ma réponse est: «Pourquoi ne *montrez*-vous pas à Machin Chouette comment se prendre en main?» Personne ne sait en naissant comment devenir indépendant. Les gens ne savent pas toujours comment s'aider eux-mêmes. Au cœur même du capitalisme avec compassion, il y a ce désir d'enseigner aux gens le chemin du succès, ce que les Hale ont enseigné à Willie.

Notre entreprise repose sur la croyance que si l'on peut montrer aux gens comment s'aider eux-mêmes, ils y arriveront. Les discours que je prononce partout dans le monde sont basés sur ces deux thèmes simples: «Vous pouvez le faire!» et «Voici comment!» Cela nous semble être une affirmation bien fondée et digne de confiance. Pourtant, les gouvernements et nombre d'institutions privées (sciemment ou inconsciemment) mettent toutes leurs énergies à rendre les gens dépendants et incapables de s'aider eux-mêmes. Ma conviction est que la plupart des tentatives visant à aider les gens mais n'ayant pas pour résultat de les rendre autosuffisants sont vouées à l'échec.

Faire seulement la charité, ce n'est pas être compatissant. Un homme d'église anglais du XIXe siècle s'est mis dans le pétrin quand il a dit: «Personne ne fait autant de mal que ceux qui s'occupent de faire le bien.» Je crois en la charité. La compassion est le thème de ce livre. Je sais que des gens en ce monde ne peuvent s'aider eux-mêmes et ne le pourront peut-être jamais. Ces gens aussi méritent que nous les aimions, que nous nous intéressions à eux, que nous les aidions concrètement et que nous fassions des sacrifices pour eux. Dans le prochain chapitre, je vais vous exposer cette vision et vous raconter les histoires passionnantes de capitalistes compatissants qui y ont adhéré.

Mais en attendant, souvenez-vous que les aumônes peuvent amener les gens à se dévaloriser. Elles peuvent avoir un effet dévastateur sur l'estime de soi de ceux et celles qui les reçoivent, même si elles partent d'un bon sentiment. En faisant la charité aux gens, on ne réussit souvent qu'à les rendre incapables de résoudre leurs propres problèmes et à leur enlever toute motivation.

Ce n'est pas de la compassion. Le gouvernement a été particulièrement lent à apprendre cette leçon. Pendant des décennies, il a dépensé de l'argent pour régler les problèmes sociaux, sans grand résultat. Le gouvernement a confondu la création d'une bureaucratie de services sociaux avec la compassion. Souvent, ces institutions, malgré leurs bonnes intentions, rabaissent ou détruisent tout l'amour-propre des gens qu'elles veulent aider. Leur intention est d'être des véhicules de compassion, mais elles finissent par échouer.

La véritable compassion, c'est d'aider les gens à s'aider eux-mêmes. Tout autre sorte de compassion est de la fausse compassion. La véritable compassion, c'est de faire plus qu'apporter une aide temporaire. L'aide financière est au mieux une solution temporaire. Elle ne change en rien les problèmes de fond qui sont les causes de l'indigence ou de la pauvreté des gens. Et les coûts de cette solution à court terme sont élevés. Certaines personnes croient que les prestations sociales ne coûtent rien à la société, ce qui est faux. Elles coûtent cher. Elles ont pour effet de faire monter le prix des produits et des services et de rendre les gens dépendants encore plus dépendants.

La compassion se traduit souvent au début par des dons ou des actes charitables faits dans le but de répondre à des besoins urgents, mais la vraie compassion, c'est plus que cela. Apporter aux gens une aide provisoire n'est pas suffisant. La vraie compassion, c'est d'aider les gens à s'aider eux-mêmes tout le reste de leur vie.

Que feriez-vous si en sortant de chez vous un matin, vous trouviez le petit livreur de journaux étendu sur votre pelouse et perdant son sang? Vous vous précipiteriez pour l'aider, n'est-ce pas? Ça, c'est de la charité. Spontanément, vous feriez tout ce qui serait en votre pouvoir pour sauver la vie de ce garçon. Quand nous nous trouvons devant quelqu'un en situation désespérée et dont la vie est menacée, nous tentons de le secourir. Nous ne demandons rien en retour.

Mais quand leur vie n'est plus en danger, une autre sorte de compassion est nécessaire: la compassion à long terme — *aider les gens à s'aider eux-mêmes*. Comment le livreur de journaux a-t-il été blessé? De qui était-ce la faute? Si c'était un chauffard qui, en heurtant violemment la bicyclette du garçon, l'avait presque tué, il faudrait rechercher des témoins, identifier le propriétaire de la voiture à partir du numéro d'immatriculation et traduire le coupable en justice. L'automobiliste imprudent et irresponsable devrait alors être puni.

Mais si c'était le garçon qui avait été imprudent, s'il n'avait pas regardé avant de traverser la rue ou s'il avait transporté une trop grosse charge pour sa petite bicyclette, dans ce cas, la compassion consisterait à lui montrer qu'en agissant comme il l'a fait il a causé l'accident et à lui expliquer ce qu'il doit faire pour que cela n'arrive plus.

Nous devons faire de notre mieux pour arrêter l'hémorragie partout où des gens souffrent, que ce soit dans l'ex-Union soviétique ou dans les quartiers délabrés de nos propres villes où habitent des gens désespérés. Le capitalisme avec compassion exige de nous rien de moins que cela. Mais nous devons avoir le courage d'aller encore plus loin, d'aider les gens à s'aider eux-mêmes pour qu'ils n'aient jamais plus à endurer de telles souffrances.

Dans un système véritablement compatissant, tous les efforts concourent à rendre les gens indépendants et capables de voler de leurs propres ailes. La compassion a pour effet de créer de nouveaux emplois qui procurent à ceux et celles qui les occupent un sentiment de satisfaction et d'estime de soi. Dans un système véritablement compatissant, on doit donner aux gens l'occasion de travailler, puis les récompenser lorsqu'ils font bien leur travail. Nous *devons* récompenser les gens qui travaillent. Voilà ce qu'est la compassion active ou agissante. La compassion passive — celle qui n'exige rien de nous — n'a aucun sens. Le capitaliste véritablement compatissant offre vraiment aux gens la possibilité de devenir des gagnants dans la vie.

Les gens veulent bien travailler dur s'ils croient avoir une chance de réussir. Et en contrepartie, s'il n'y a pas de sanction pour refus de travailler, certaines personnes n'essaieront même pas. Sans l'une et l'autre, vous avez deux raisons de ne pas faire de qu'il faut. En dernière analyse, les gens *doivent* travailler et commencer à s'aider eux-mêmes.

Alors qu'il était interviewé par un journaliste de la revue *Fortune*, le sociologue Christopher Jencks, professeur à la Northwestern University, dit en réponse à une question sur la réforme du système d'aide sociale américain: « La première chose que nous devons faire est de mettre en place des programmes qui récompensent ceux et celles qui ont une conduite que la société approuve. La société a parfaitement le droit d'insister pour que les bénéficiaires de l'aide publique travaillent et soient respectueux des lois (...) Un véritable programme anti-pauvreté récompenserait ceux et celles qui travaillent plutôt que de les pénaliser (...) Nos politiques actuelles coupent l'herbe sous les pieds de ceux et celles qui voudraient essayer de devenir indépendants. »

Quand on aide les autres à s'aider eux-mêmes, on les récompense pour leur travail. On leur apprend à devenir indépendants. Dan Minchen, un employé de Xerox, est une de ces personnes qui aident les autres à devenir indépendants. Dan fut le sujet d'une chronique dans le *Los Angeles Times*. Il était reporter pour une station radiophonique de Buffalo, dans l'État de New York. En 1971, on lui demanda d'assurer le reportage sur l'émeute dans la prison d'État d'Attica. Ce qu'il vit au cours de ce reportage lui est resté longtemps en mémoire par la suite. Les hommes qui se trouvaient à l'intérieur des murs étaient littéralement prisonniers de leur désespoir. Même après leur mise en liberté conditionnelle, ces murs restèrent.

Après tout, qu'est-ce qu'une personne ayant été en prison devrait faire lorsqu'elle en sort? Qui lui montrera comment trouver du travail, régler ses problèmes personnels, repartir à neuf et mener une vie honnête? Qui sera son mentor? Eh bien, Dan Minchen, entre autres. Lui et d'autres participent à un programme de service communautaire financé par son entreprise. Xerox et quelques autres sociétés, comme IBM, ont mis en place des programmes permettant aux employés d'obtenir un congé exceptionnel et de travailler à temps plein pour des organismes communautaires. Quelle magnifique idée!

Dans le cas de Dan Minchen, Xerox a continué à lui verser son salaire régulier quand il est allé travailler pour Cephas Attica, Inc., un organisme de service religieux qui aide à préparer les ex-détenus à la vie à l'extérieur des murs. Cephas administre des centres de réadaptation, assure la formation professionnelle de ces ex-prisonniers et donne des conseils à ceux qui veulent reprendre leur place dans la société. Dans l'article du *Times*, Dan Minchen dit: « Quand vous vous assoyez près de quelqu'un qui purge une peine de 30 ans, que vous le regardez et que vous voyez à quel point il vous ressemble (...) cela ne vous donne pas vraiment le goût d'abandonner les prisonniers (...) Il est très important d'être en rapport avec des gens qui sont différents.» Quand on aide une personne à s'aider elle-même, on établit une relation qui enrichit autant notre propre vie que celle de cette personne.

Notre entreprise a pour fondement ce principe: aider les gens à s'aider eux-mêmes. Nos distributeurs ne réussissent que lorsque tous ceux et celles qui sont au-dessous d'eux réussissent. Les distributeurs prospères savent cela. Rex Renfrow le sait très bien. Le don qu'il a d'aider les autres est à l'origine de sa réussite.

«On doit se réserver du temps pour les autres», dit Rex. «Plusieurs fois, je suis allé aider les autres à faire leurs présentations alors que je n'en avais pas envie. Je savais que je devais aller à un autre endroit le matin, et je conduisais pendant une heure ou même deux heures quelquefois. J'allais aider des personnes auxquelles la plupart des gens n'auraient pas consacré de temps durant la journée. Aider les gens est tellement important! Quand on s'intéresse à une personne, qu'on la regarde droit dans les yeux et qu'on lui dit : «Je vais vous aider», cela a un effet puissant sur cette personne. Parfois, on peut aider les gens d'une façon très particulière et combler certains de leurs besoins qu'on n'aurait jamais pensé pouvoir combler.

« En donnant le premier, on y gagne. Nous tendons continuellement la main aux autres et nous sommes continuellement en relation avec eux. Nous donnons de notre personne. Et quand nous faisons cela, quand nous aidons les gens de cette manière, ils apprennent à faire de même et ils savent que vous vous souciez d'eux. Le fondement de leurs propres entreprises sera donc le même. Ils apprennent, eux aussi, à aider les autres à s'aider eux-mêmes. »

Des dizaines de milliers d'entreprises américaines, grandes et petites, adhèrent à ce même principe (aider les autres à s'aider eux-mêmes). La véritable compassion commence quand vous devenez mentor et apprenez aux autres à réussir. Comme dit une vieille expression: «Donnez la main et non une aumône.» La plupart des gens qui sont dans les rues, brisés et affamés, veulent qu'on leur donne un moyen de subvenir à leurs besoins, et non simplement qu'on leur fasse la charité, ce qui ne les aide que temporairement.

Xerox et IBM aident des gens en prêtant leurs employés et en faisant bénéficier d'autres institutions de l'expertise de ces derniers. Donner de l'argent à des organismes sans but lucratif est nécessaire et utile, mais en leur fournissant l'expertise de vos meilleurs employés, vous transmettez un héritage durable. Les gens pourront se transmettre les techniques et les connaissances qu'ils auront acquises. Depuis 1971, Xerox a prêté ainsi plus de 400 de ses employés à des organismes dont les œuvres sont méritoires. IBM, qui a un programme en place depuis 21 ans, a mis plus d'un millier de ses employés les plus expérimentés au service de la communauté.

Notre réussite dépendra directement de la façon dont nous aiderons les autres à réussir. Quand nous tendons la main aux autres pour les aider à prospérer, nous prospérons nous-mêmes. Et s'ils ne prospèrent pas, nous savons que nous avons essayé. Parfois, nous consacrons du temps à des gens qui n'irons pas très loin. Il est triste de voir une personne ayant des aptitudes qui refuse d'aller de l'avant. Mais il est encore plus triste de voir des gens ayant des aptitudes faire de leur mieux et échouer. Cela arrive, mais pour chaque personne qui échoue, il y en aura beaucoup d'autres qui réussiront.

Récemment au Mexique, Amway parrainait des concerts de la Mexican State Symphony, un merveilleux orchestre dirigé par un chef talentueux qui me demanda, lors d'une réception qui suivait un concert, pourquoi nous affections ainsi des fonds de notre entreprise au financement d'événements culturels ou de concerts de bienfaisance. « Parce que nous croyons qu'il faut restituer aux communautés où nous sommes implantés ce qu'elles nous donnent », répondis-je. « Mais vous ne faites même pas encore d'argent au Mexique », s'exclama-t-il. « Vous venez à peine de commencer à faire des affaires ici. » « Et nous ne ferons pas d'argent au Mexique », répondis-je. « Jusqu'à ce que des milliers de Mexicains fassent de l'argent avec leurs propres entreprises, nous ne ferons pas de profits. Mais en attendant, nous sommes confiants et nous croyons qu'un jour nous réaliserons des profits ici aussi. Jusque-là, il est à notre avantage d'être généreux. »

« La plupart des entrepreneurs mexicains auraient besoin qu'on leur enseigne cela », dit le chef d'orchestre, mais qui le leur enseignera? » « Vous ! » dis-je. « Moi ? » répondit-il avec un air surpris et quelque peu effrayé. « Oui, vous ! » dis-je. Après une longue pause, il reprit: « M'aiderez-vous? Viendrez-vous rencontrer les gens riches pour leur faire partager votre rêve. »

Vers la fin de l'année 1991, je suis retourné au Mexique. Mon nouvel ami et moi avons rencontré des dirigeants d'entreprises et des banquiers. Je n'ai pas fait grand-chose. Je me contentais d'applaudir intérieurement pendant que le chef d'orchestre sollicitait avec passion l'aide financière des gens d'affaires. Ces gens d'affaires fortunés furent émus par sa présentation et répondirent généreusement. Ce fut le début de quelque chose de merveilleux. Donner de l'argent à cet orchestre n'était que la première étape. Il fallait ensuite que cet orchestre et son directeur apprennent à s'aider eux-mêmes.

Je suis content chaque fois que j'ai l'occasion d'aider d'autres personnes à s'aider elles-mêmes, parce que d'autres personnes nous ont aidés, Jay et moi, il n'y a pas de doute. La réussite de Willie Bass et celle de Jim Floor faisaient partie d'une longue chaîne reliée d'abord aux Hale et aux Bogdanov, puis à leurs mentors et ainsi de suite.

On ne parvient jamais à réussir seul. Je ne connais aucune personne prospère qui n'ait été guidée à un moment ou à un autre. Je ne comprends pas que des gens prospères n'éprouvent pas le désir d'aider les autres. En refusant de les aider, ils rompent le cycle de la compassion qui permet à chaque nouvelle génération de réussir. Un manque de compassion dans une génération a toujours des conséquences sur celles qui suivent. En aidant les autres à s'aider eux-mêmes, on met un terme au paternalisme et à la dépendance dégradante qui a caractérisé tant de tentatives visant à mettre fin à la pauvreté.

Même s'il était prospère, Willie n'a pu s'acheter de nouveaux poumons. Mais cela lui a permis d'avoir l'esprit tranquille et de jouir d'une sécurité financière pendant 13 ans. Les Hale ont donné à Willie un cadeau : ils l'ont aidé à s'aider lui-même. Et lui, à son tour, nous a donné un cadeau : l'espoir.

Jim Floor nous a raconté une histoire émouvante qui illustre mon propos. Il y a 2 ans, revenant de Los Angeles où il avait assisté à une réunion, un couple possédant une entreprise de distribution prospère faisait route vers leur domicile situé à Sacramento. Le père était fatigué et demanda à sa fille de 16 ans de conduire pendant qu'il ferait un somme. Embrouillée par les indications de son père, la jeune fille tenta tout à coup d'effectuer un virage rapide. La voiture capota. Les deux parents furent tués. La fille et son jeune frère de 12 ans survécurent, mais cet événement tragique les avait marqués et ils éprouvaient une terrible impression de vide.

« Mais ces enfants vivaient dans cette atmosphère d'entraide que j'ai décrite », nous dit Jim. « Immédiatement, ils furent littéralement adoptés par les mentors de leurs parents, qui n'avaient pas d'enfants. Tout de suite après la mort de leurs parents naturels, ces deux enfants ont eu de nouveaux parents qui les ont aimés, chéris et conseillés. »

L'histoire ne finit pas là. La conseillère psychologique qui aida les enfants durant les premières étapes de leur deuil fut tellement impressionnée par les gens compatissants qu'elle rencontra qu'elle trouva un mentor et démarra sa propre entreprise, simplement pour faire partie de cette grande famille où régnait l'amour.

Soyez un mentor. Aidez les autres à s'aider eux-mêmes. Vous en retirerez des avantages surprenants pour le reste de vos jours.

Par contre, si vous ne leur tendez pas la main, cela aura de graves conséquences. Les besoins de l'humanité sont grands, mais on ne peut aider qu'une personne à la fois. Dans le Talmud, on peut lire ces mots: «La maison qui n'est pas ouverte aux indigents sera ouverte au médecin.» Soyez un mentor. Régénérez-vous et aidez le monde à se régénérer.

CHAPITRE 14

Pourquoi devrions-nous aider les gens qui ne peuvent pas s'aider eux-mêmes ?

✧   ✧   ✧

CREDO 14

Nous croyons à la nécessité d'aider les gens qui ne peuvent s'aider eux-mêmes. Quand nous partageons notre temps et notre argent avec ceux et celles qui sont dans le besoin, nous renforçons notre propre sentiment de dignité et d'estime de soi, et nous mettons en branle des forces positives qui apportent l'espoir au monde et le régénèrent.

Par conséquent, donnez. De quelle façon contribuez-vous à mettre fin à la souffrance dans votre entourage ou ailleurs dans le monde ?

Il était minuit. Dans les longs corridors blancs de l'hôpital attendaient encore de nombreux parents anxieux. Des pères, une tasse de café refroidi à la main, allaient et venaient, impuissants, dans les couloirs et les sombres salles d'attente bondées. Des mères effrayées berçaient dans leurs bras des bébés qui pleuraient. Des infirmières allaient d'une pièce à l'autre d'un pas rapide, distribuant ici et là des paroles de réconfort. Des chirurgiens, portant encore leurs bonnets et leurs sarraus de travail verts et autour desquels se groupaient des familles et des amis inquiets, s'efforçaient de leur expliquer des maladies qui avaient des noms que personne ne peut épeler et qui menaçaient la vie d'enfants innocents.

« Spina bifida ? » dit Jim Dornan d'une voix calme, et sa femme, sans ciller des yeux, raconta l'expérience d'un autre parent dont l'enfant nouveau-né avait donné à la naissance des signes inquiétants qui laissaient présager une vie de souffrance ou même une mort prématurée. «Nancy et moi écoutions le médecin avec une appréhension grandissante», se rappelle Jim. «Nous n'avions pas d'assurance-maternité. Nous avions mis tout juste assez d'argent de côté pour permettre à Nancy de rester 3 jours à l'hôpital. Nous avons été admis seulement après avoir remis une petite boîte pleine d'argent, les frais d'hospitalisation étant payables à l'avance.»

Eric Dornan n'était au monde que depuis 24 heures lorsqu'il subit une opération qui dura 8 heures. Presque immédiatement, une hydrocéphalie se déclara et on emmena l'enfant d'urgence dans l'unité de chirurgie cervicale pour lui fixer une valve dans le cerveau et lui sauver ainsi la vie. Ce traitement échoua. Finalement, Eric fut transféré à l'hôpital pour enfants de Los Angeles. Au cours des 9 premiers mois, il eut 9 opérations au cerveau. «Durant les 12 premiers mois de sa vie, notre fils n'est presque jamais venu à la maison», se rappelle Nancy Dornan. «Nous avons donc campé là, dans sa chambre, près de lui.»

Au bout de quelques années, les frais médicaux accumulés s'élevaient à 100 000 $ et les Dornan n'en voyaient pas la fin. Jim et Nancy sont devenus aujourd'hui des entrepreneurs prospères, mais quand Eric est venu au monde, ils venaient tout juste de démarrer leur petite entreprise. Les Dornan arrivaient à peine à rembourser par versements mensuels leur emprunt hypothécaire au moment où ils durent faire face à ces énormes dépenses imprévues.

«Nous nous sommes presque aussitôt retrouvés endettés jusqu'au cou», se rappelle Jim. «Nous ne pensions pas aux manteaux de vison, ni aux Rolls-Royce, ni aux grandes maisons, ni aux vacances coûteuses. Tout ce que nous voulions, c'était assez d'argent pour sauver la vie de notre fils, lui donner ce dont il avait besoin sans avoir à nous tourmenter au sujet de chaque nouvelle dépense et être libres de rester avec lui dans les moments où il souffrait.»

En réalité, la plupart des capitalistes sont comme Jim et Nancy Dornan. Ils travaillent pour satisfaire leurs besoins et améliorer la qualité de la vie de ceux et celles qu'ils aiment. Sylvia Pankhurst, une socialiste anglaise bien connue, a dit: «Je vais combattre le capitalisme, même si cela doit me tuer. Il est injuste que des gens comme vous soyez à l'aise et bien nourris, alors qu'autour de vous des gens crèvent de faim.»

Sylvia Pankhurst avait tort au sujet du capitalisme. Au cours des deux derniers siècles, les capitalistes compatissants ont fait plus que tous les adversaires du capitalisme réunis pour combler les besoins des affamés, des sans-abri, des malades et des mourants. Il y a eu, et je suppose qu'il y aura toujours, des capitalistes cupides qui ont refusé d'aider ceux et celles qui étaient dans le besoin, mais ne laissons pas leur souvenir ternir la mémoire des générations de capitalistes dont la générosité a apporté espoir et soulagement à des millions de gens qui ne pouvaient s'aider eux-mêmes.

Ce besoin de compassion est toujours aussi pressant aujourd'hui. Avec la démographie galopante qui mène à la pauvreté, à la famine, au vagabondage et à la maladie, aggravés par les conflits régionaux et ethniques, par les épidémies de sida et par les catastrophes naturelles, les besoins de l'humanité sont plus grands que jamais. Et le capitalisme avec compassion est le meilleur sinon le seul moyen d'apporter l'espoir au monde et de le régénérer.

Le monde est aux prises avec d'énormes problèmes. C'est pour notre propre bien que nous devons résoudre ces problèmes maintenant, pendant que nous en avons encore la possibilité. Nous ne devons pas être cyniques ou pessimistes. Nous n'avons pas à tout faire nous-mêmes ni à le faire aujourd'hui même. Tout ce que la compassion exige de nous, c'est que nous fassions le premier pas (un petit pas, en réalité).

L'aide apportée aux hommes et aux femmes qui ont récemment mis un terme à la tyrannie communiste s'est déjà révélée être une épreuve décisive et concluante qui a confirmé le pouvoir qu'ont les capitalistes compatissants de régénérer et de changer le monde. Nous ne pouvons nous permettre de nous réjouir avec malveillance de l'échec des idées de Karl Marx. Les conséquences du communisme ont été tragiques pour des millions de gens — privés du droit à une vie décente, privés du droit à la dignité, réduits au désespoir et parfois même assassinés. Notre attitude envers eux doit maintenant être inspirée par l'amour et par la compassion.

Mais que signifie être compatissant envers nos anciens « ennemis » ? Ce n'est pas une question à laquelle il est facile de répondre. Évidemment, nous ne pouvons laisser nos amis mourir de faim sur leurs terres froides et improductives, alors même qu'ils commencent à faire l'expérience de la liberté. Et il est de notre devoir de faire tout ce que nous pouvons pour les aider à faire la difficile et dangereuse transition du totalitarisme à la démocratie, du communisme à la libre entreprise.

Vous n'avez toutefois pas besoin de traverser l'Atlantique pour trouver un grand nombre de gens innocents vivant dans une indigence terrible et luttant pour passer à travers ces temps difficiles que nous connaissons. Au cours des dernières décennies, les espoirs de millions de nos propres concitoyens et concitoyennes se sont envolés. Maintenant nombre de nos quartiers pauvres ressemblent à des zones de guerre. Partout dans nos rues, la criminalité, la drogue et les gangs font des victimes, jeunes et âgées. Il y a des parents sans emploi ou sous-employés. Il y a des enfants qui ne reçoivent pas une instruction décente ou les soins de santé adéquats. Des familles entières traînent dans les rues, affamées.

Il faudrait sérieusement méditer sur le vieux dicton « Charité bien ordonnée commence par soi-même ». Si nous ne nous occupons pas de nous-mêmes, combien de temps pourrons-nous continuer à nous occuper des autres ? Il y a des gens innocents chez nous et à l'étranger qui se trouvent dans une situation désespérée et dont la vie même est menacée. Nous devons tous contribuer à améliorer leur situation en donnant de notre argent, de notre temps et de notre énergie.

À l'époque où Helen et moi étions de jeunes mariés, elle insista pour que nous donnions en dîme 10 % de notre revenu brut à l'église locale. « Voici l'enveloppe de la dîme », me dit-elle un dimanche matin. « Désormais, 10 % de ce que nous gagnons ira là-dedans ! » Pour Helen, donner une dîme n'était pas quelque chose de facultatif. Et une fois que l'argent était dans l'enveloppe de la dîme, personne n'osait y toucher. Nous gagnions 100 $ par semaine, et donner 10 $ n'était pas une bagatelle. Maintenant, nous gagnons beaucoup plus. La petite enveloppe est devenue une fondation. Mais Helen vérifie encore les livres pour s'assurer que l'on donne une part équitable de nos revenus à l'église et aux fondations charitables d'ici et d'ailleurs que nous soutenons financièrement.

Ainsi que la plupart des sociétés commerciales américaines, nous croyons qu'il est nécessaire de soutenir des œuvres de charité. En Malaisie, j'étais un jour à un banquet, assis près d'une princesse. Elle nous avait accordé une audience spéciale en raison de l'œuvre que notre entreprise accomplissait auprès des enfants de la rue. Comme des centaines d'entreprises multinationales qui apportent volontairement leur aide dans divers pays du monde, nous finançons en Malaisie des garderies et des maisons de santé, ainsi que des centaines d'autres projets similaires dans les pays où nous faisons des affaires. C'est le moins que nous puissions faire. Quand j'expliquai cela à la princesse, elle me fit une réponse qui me surprit. «Je ne peux vous dire à quel point il rare», dit-elle, «de voir une entreprise utiliser une partie de ses profits pour aider les enfants.»

En réalité, il n'est pas rare que des individus et des entreprises jouissant des avantages de la libre entreprise partagent leurs revenus avec ceux et celles qui sont dans le besoin. Chaque année, en Amérique du Nord, en Europe et maintenant au Japon, des individus et des sociétés commerciales généreux donnent des milliards de dollars à des églises et à des synagogues, à des œuvres charitables et culturelles. La charité est nécessaire, et durant ces 200 dernières années, les capitalistes du monde entier ont fait davantage pour les gens dans le besoin que ce qui avait été fait au cours des siècles précédents.

Ce que je sais au sujet de la compassion, je l'ai appris en grande partie de ma famille et de mes amis de Grand Rapids. Ces hommes et ces femmes de ma ville natale ne sont peut-être pas aussi connus que ceux et celles dont j'ai déjà raconté les histoires, mais je les connais davantage et ils sont davantage connus dans notre communauté en raison de l'œuvre exemplaire qu'ils ont accomplie auprès de nos nécessiteux.

Gretchen Bouma, qui dirige bénévolement les Gleaners of West Michigan, reçoit de la nourriture des restaurants et entreprises, qu'elle donne ensuite aux pauvres et aux affamés.

Billie Alexander, l'un des fondateurs du Project Rehab, consacre sa vie aux gens de la région aux prises avec des problèmes d'alcool, d'abus de médicaments et de toxicomanie.

Betsy Zylestra, qui est aujourd'hui entrepreneure sociale à plein temps au Grand Rapids Center for Ecumenism, a travaillé longtemps comme bénévole pour l'Habitat pour l'humanité, section de Grand Rapids, un organisme qui se consacre à la construction de foyers pour les sans-abri de notre ville.

Et ma femme, Helen, la première capitaliste véritablement compatissante que j'ai connue, faisait ce qu'elle prêchait. Tous les dimanches, même quand nous n'avions pas d'argent en banque, elle faisait un chèque à l'ordre de l'église de notre ville et dont le montant équivalait à 10 % de notre revenu.

« Est-ce que nous ne pourrions pas attendre que notre situation financière s'améliore avant de donner à l'église, ou du moins donner un peu moins ? » demandai-je calmement un dimanche matin. Pour toute réponse, Helen sourit doucement et mit l'enveloppe dans le plateau. Je voudrais pouvoir nommer toutes les femmes et tous les hommes qui, au cours de ma vie, m'ont enseigné à être plus compatissant en tant que capitaliste. Je n'y suis pas encore arrivé mais, grâce à eux, je suis sur la bonne voie.

Depuis le début de mon association avec Jay Van Andel, celui-ci et sa femme, Betty, ont été pour moi et pour cette communauté des modèles de compassion agissante. Ils ne se contentaient pas de soutenir financièrement les causes en lesquelles ils croyaient. Ils ont dirigé des douzaines d'organismes locaux et nationaux, de la fondation 4-H à la bibliothèque Gerald Ford, de la chambre de commerce américaine, à la fondation nationale pour la démocratie. Ils ont donné de leur temps à ces institutions auxquelles ils ont soumis des idées valables. Récemment, on a rendu hommage à Jay pour le rôle qu'il a joué en tant que président de la campagne de financement en faveur du nouveau et splendide musée public de Grand Rapids, situé en bordure d'une rivière. Ce n'est là qu'un de ses innombrables dons de temps, d'argent et de créativité ayant contribué à transformer notre ville et à lui redonner vie.

Mais ses actes de compassion les plus dignes d'admiration passent souvent inaperçus et sont rarement reconnus. Il adhère sans réserve à ce conseil qu'on retrouve dans la Bible au sujet des dons faits par charité : « Que ta main droite ne sache pas ce que fait ta main gauche. » Jay agit souvent spontanément, faisant ce que lui dicte son cœur, même si cela est contraire à ce que lui dicte sa raison.

Tom Michmershuizen détient deux records. Un premier record pour ses 30 et quelques années de loyaux services et de compassion et un deuxième pour son nom, qui est le plus long à avoir jamais paru sur nos registres du personnel. Tom se souvient de Jay et de ses innombrables gestes de compassion généreux et spontanés durant les premiers temps difficiles d'Amway.

« Nous en étions à notre deuxième année d'activité », se rappelle Tom en souriant. « Je conduisais l'autobus d'occasion que nous avions acheté et qui était rempli de nos meilleurs distributeurs et de représentants de l'entreprise quand le moteur a fait un bruit terrible et nous a plantés là, au bord d'une route de campagne. Jay a été le premier à débarquer. Après avoir regardé sous le capot pendant de longues minutes, il a grogné, a demandé la boîte à outils, a sorti le rotor et à commencé à le réparer tandis que nous le regardions, impressionnés et admiratifs.

«Au milieu de toute cette confusion, Jay remarqua que j'avais de la graisse sur mon veston. «Je regrette que ton veston soit sali», dit Jay. «Fais-le nettoyer demain et envoie-moi la facture.» Puis, deux semaines plus tard, alors que je ne m'y attendais pas du tout, j'ai reçu de lui une note écrite à la main. «Je suis désolé pour ton complet», avait-il écrit. «Fais un saut au magasin de vêtements pour hommes George Bulliss, sur la rue Wealthy, et choisis un autre veston.» Au moment où je me suis présenté, l'air plutôt timide, au magasin de vêtements pour hommes le plus chic de la ville, les vendeurs avaient été prévenus. Se conformant aux directives de Jay, ils m'ont pourvu d'une garde-robe complète: complet, chemises, cravates, souliers et même un pardessus digne d'être porté par un président d'entreprise.»

Nous connaissons tous la prévenance de Jay. Je me souviens en particulier du jour où il apprit que les deux fils d'un de nos distributeurs indépendants se mouraient d'une maladie héréditaire incurable. Simplement dans le but d'apporter un peu de joie dans leurs vies, Jay fit faire aux garçons un tour d'avion (il avait réservé à cette fin un avion de l'entreprise) au-dessus du lac Michigan. Les deux enfants eurent tant de plaisir que Jay décida sur-le-champ de les conduire en avion, ainsi que leur famille, au Disney World, à Orlando, de façon qu'ils puissent visiter le Magic Kingdom avant de mourir. Jay paya le voyage, et après avoir été remercié par les enfants, il me raconta l'histoire, les larmes aux yeux. Les deux enfants moururent peu après, et Jay se rappelle encore la joie que leur excitation et leur reconnaissance lui avaient apportée.

Beaucoup de nos amis de Grand Rapids ont été des capitalistes compatissants agissants. Alors qu'il n'était encore qu'un jeune artiste tirant le diable par la queue, Paul Collins utilisait déjà ses talents avec compassion. Aujourd'hui Paul vend des tableaux aux enchères, crée des affiches et des réclames et organise même des expositions dans le but de récolter des fonds au profit des causes qui lui tiennent à cœur et de sensibiliser davantage le public à ces mêmes causes.

Mon cher ami Ed Prince, fondateur et président du conseil d'administration de la Prince Corporation, est l'un des capitalistes les plus compatissants que j'aie jamais connus. Ed n'avait que 12 ans lorsque son père mourut. Il travailla pour payer ses études à l'université du Michigan et très tôt dans sa vie, jura que si jamais il faisait de l'argent, il le partagerait.

Ed et Elsa Prince ne donnent pas à leur église seulement 10 % de leur revenu personnel, mais également 10 %.du revenu de leur société. Outre les centaines de causes importantes qu'ils ont soutenues financièrement et auxquelles ils ont consacré de leur temps au cours des années, ils ont fondé le Evergreen Commons, un des plus importants centres pour personnes âgées aux États-Unis avec un service de plus de 1 000 bénévoles. Ce centre est la matérialisation d'un rêve qui a commencé si simplement. Cet exemple fascinant démontre bien que les entrepreneurs commerciaux peuvent être en même temps des entrepreneurs sociaux.

Un dimanche après-midi, Ed et Elsa emmenèrent une inconnue en promenade sur leur bateau. Ils se promenèrent sur le canal de Holland, dans l'État du Michigan. «Merci», dit la gracieuse vieille dame quand ils eurent regagné la rive. «Je n'avais jamais fait de promenade sur le lac avant.»

Ed et Elsa furent surpris d'apprendre que des centaines de personnes âgées qui avaient toujours vécu à Holland n'avaient jamais eu la chance de se promener sur le lac. Ils achetèrent donc un ponton et offrirent des promenades gratuites aux gens âgés de la communauté. Leurs filles, Emily et Eileen, faisaient monter les personnes âgées dans la fourgonnette familiale, les conduisaient au hangar à bateaux, leur faisaient faire un tour d'une heure sur le lac et, comme il n'y avait pas de toilettes sur leur bateau, ne leur servaient de la citronnade et des petits gâteaux que 15 minutes avant la fin de la promenade.

En promenant ainsi sur le lac des personnes du troisième âge (plus de 500 personnes), Ed et sa famille furent mis au courant des besoins des gens âgés. Finalement, Ed, Elsa et Marge Hœksma, une organisatrice d'activités pour personnes du troisième âge, s'assirent ensemble pour discuter de la façon dont ils pouvaient contribuer à mieux combler ces besoins. Le centre Evergreen Commons, qui accueille aujourd'hui plus de 3 500 personnes âgées par mois, a vu le jour parce que 2 capitalistes compatissants et au moins un millier de bénévoles ont été à ce point sensibles aux besoins de cette catégorie de la population qu'ils ont décidé d'agir.

Un autre de mes amis proches, Pete Cook, fondateur et président du conseil d'administration de la Mazda Great Lakes Corporation, s'illustra en tant que capitaliste compatissant durant de nombreuses années, à Grand Rapids. Pete est issu d'un milieu modeste. Il travailla comme concierge pour payer les études qu'il poursuivait au collège Davenport. Après avoir obtenu son diplôme, Pete créa ce qui devint l'une des plus grandes sociétés commerciales du Michigan. En reconnaissance des bienfaits qu'il avait reçus de Dieu et des avantages que le système de libre entreprise lui avait procurés, il fit don à son *alma mater* d'un bel et vaste immeuble où de jeunes gens apprennent l'art du capitalisme avec compassion : le Peter C. Cook Entrepreneurial Center. Ce n'est là qu'un des nombreux cadeaux permanents que Pete a fait à notre communauté et au monde entier. La vie d'innombrables nécessiteux a été adoucie grâce aux millions de dollars que Pete et Pat Cook ont donnés à cette communauté et aux milliers d'heures qu'ils lui ont consacrées.

Marvin DeWitt est un ami et capitaliste compatissant originaire de Zeeland, au Michigan. Le Northwestern College à Orange City, en Iowa, qui n'est qu'une des nombreuses institutions religieuses et d'enseignement qui se tournent vers Marv et Jerene DeWitt lorsqu'elles ont besoin de conseils et d'un soutien financier, l'a honoré en donnant son nom à 2 immeubles. Marv et son frère, Bill, sont éleveurs de dindes. En 1938, quand ils ont lancé la Bil Mar Corporation, ils avaient 17 dindes. « En fait, 14 femelles et 3 coureurs de jupons », se rappelle Marv en souriant. « Et afin de pouvoir conclure le marché, j'ai dû emprunter les 30 dollars que ma sœur avait mis de côté. Elle faisait des ménages, ce qui lui rapportait 4 dollars par semaine. »

L'entreprise d'élevage de dindes de la famille DeWitt a traversé bien des tempêtes : maladies de dinde, marasmes économiques et un incendie dévastateur qui détruisit 90 % de leurs moyens de production et à cause duquel plus d'un millier de leurs employés se sont retrouvés sans travail. Repensant à toutes ces années, Marv dit : « Dieu a été bon envers nous. » Et quand on lui demande ce qui l'a mené au succès en affaires, il ajoute : « Nous travaillions dur et nous ne dépensions pas plus d'argent que nous n'en gagnions. »

Récemment, Marv et son frère ont cédé Bil Mar et leur exploitation «Mr. Turkey» à la Sara Lee Corporation pour 160 millions de dollars. Dans un geste de bonne volonté et de générosité sans précédent dans le milieu des affaires en Amérique, les DeWitt prélevèrent 5 millions de dollars sur l'argent de la vente et les répartirent entre les employés en tenant compte du salaire et des années de service de chacun. Quelques mois après la vente de leur entreprise à Sara Lee, Marv et Jerene DeWitt avaient déjà donné des millions de dollars à des individus et à des institutions.

Un autre ami qui m'en a appris sur la compassion, c'est John Bouma, un entrepreneur et promoteur de construction prospère établi à Grand Rapids. Son père était le gardien de l'église Grandville Christian Reformed. «Ma vie tournait autour de cette église», se rappelle John. «À certains moments, je me demandais si je pourrais un jour voyager au-delà des limites du quartier où elle était située.»

Ses talents de constructeur et de gestionnaire l'ont mené au succès en affaires et l'ont amené à voyager à travers le monde, mais ce n'est pas la perspective de réussir financièrement ou de voir le monde qui l'a motivé à entreprendre une carrière dans la construction. Auteur de structures dont bon nombre sont parmi les plus belles de notre ville, John m'a donné la meilleure de toutes les définitions du capitalisme avec compassion. «L'une des principales raisons pour lesquelles j'ai démarré cette entreprise», dit-il, «c'était d'aider les gens.» La générosité de John a eu une influence positive qui s'est fait sentir bien au-delà des limites de Grand Rapids. John et Sharon Bouma profitèrent des occasions que leur offrait le système de libre entreprise. En travaillant dur et en planifiant soigneusement, ils ont pu élever leur niveau de vie et, en même temps, aider ceux et celles qui souffrent dans le monde.

Comme eux, Jim et Nancy Dornan ont démarré une entreprise dans le but d'aider quelqu'un d'autre. Dans ce cas, c'était leur fils, Eric, né avec une moelle épinière imparfaite. Déjà enfant, il avait subi plusieurs crises, puis une attaque d'apoplexie. Pendant un certain temps, il ne put se servir de sa main droite. Puis, ses jambes faiblirent. Juste au moment où il commençait à reprendre des forces, la valve qu'on avait introduite dans son cerveau faisait de nouveau défaut et il était emmené d'urgence à l'hôpital où il subissait une nouvelle opération majeure. À 17 ans, Eric ne pesait que 25 kilos et avait déjà subi 30 opérations graves au cerveau. Au cours des 18 dernières années, les Dornan avaient dû assumer des frais médicaux élevés : 3 000 $ en appareils orthopédiques, 7 000 $ en fauteuils roulants, 500 $ par semaine pour la physiothérapie, une spondylodèse avec des tiges introduites dans le dos du cou à la taille, et des frais de chirurgie et d'hospitalisation s'élevant à des centaines de milliers de dollars.

« Nous avons une assurance-maladie aujourd'hui », explique Jim, « mais elle comporte une franchise de quelques dizaines de milliers de dollars. Si nous n'avions pas eu notre propre entreprise, nous n'aurions pu payer les factures. En fait », ajoute-t-il tristement, « nous avons appris que 70 % des pères dont les enfants ont des handicaps congénitaux permanents finissent par quitter leurs familles tout simplement parce que leur douleur et leur sentiment de culpabilité deviennent trop forts et qu'ils ne peuvent assumer leur faillite financière. Mais grâce à notre entreprise », dit Jim plein de reconnaissance, « non seulement nous continuons à assumer les frais occasionnés par la condition physique d'Eric, mais nous pouvons tendre la main à ceux et celles qui ne sont pas aussi chanceux que nous l'avons été et les aider. »

Durant ces dernières années, les Dornan ainsi que leurs amis du réseau 21 ont contribué, par leur soutien financier, au maintien de l'Olive Crest Treatment Center, un programme pour les enfants victimes d'abus et dont les parents violents se sont vus retirer la garde par les tribunaux. « Il y a des enfants de tous âges, de jeunes enfants qui commencent à marcher et des adolescents », explique Nancy. « Don et Lois Velour, les fondateurs de l'Olive Crest Treatment Center, ont acheté 25 maisons situées dans des quartiers sûrs et agréables. L'État assume les frais de base pour chaque enfant. C'est aux bénévoles qu'il revient de se procurer l'argent supplémentaire. »

Ce sont en partie Jim, Nancy et leurs amis qui ont subvenu aux besoins de ces enfants et les ont pris en charge. Beaucoup d'entrepreneurs sociaux, comme les Velour et leur Olive Crest Treatment Center, s'emploient à temps plein à combler les besoins humains et environnementaux. Que feraient-ils sans le soutien de capitalistes compatissants comme John et Sharon Bouma, Ed et Elsa Prince, Pete et Pat Cook, Jim et Nancy Dornan et de millions d'autres comme eux en Amérique et ailleurs dans le monde ?

Ces hommes et ces femmes travaillant à temps plein dans le secteur privé ou public, dans le domaine des sports ou des arts, ne semblent peut-être pas aussi héroïques ou engagés que les entrepreneurs sociaux à plein temps, mais je sais bien tout le temps et l'argent, toutes les idées et l'énergie qu'ils consacrent aux œuvres sociales. Pour moi, ces capitalistes compatissants sont les héros non chantés de la guerre contre la souffrance.

Si vous êtes déjà un capitaliste compatissant, donnant de son temps et de son argent pour aider ceux et celles qui ne peuvent s'aider eux-mêmes, je vous tire mon chapeau. Dans le cas contraire, pourquoi ne pas vous joindre à nous? Je sais que s'occuper de causes comme les enfants victimes de sévices ou les gens atteints du sida ou les handicapés mentaux ou physiques (peu importe la gravité de leur handicap) pourra vous sembler coûteux. Vous penserez peut-être que cela demande qu'on y consacre beaucoup de temps. Mais quelle que soit la cause dont vous vous occuperez, à la longue vous verrez que ce sera le meilleur investissement de temps et d'argent que vous aurez jamais fait.

Devenir un capitaliste compatissant. Pour devenir un capitaliste compatissant, il est nécessaire de suivre six étapes. Peu importe, en réalité, la façon de les franchir ou l'ordre dans lequel on les suit, mais il est indispensable de les surmonter toutes si on veut vraiment changer un jour la vie des gens qui souffrent.

1.   Nous devons cesser de nous trouver des excuses.

2.   Nous devons croire en nous-même.

3.   Nous devons nous familiariser avec les besoins humains.

4.   Nous devons rechercher une cause.

5.   Nous devons mettre au point un plan.

6.   Nous devons travailler fort pour le réaliser.

Nous devons cesser de nous trouver des excuses

Trop de gens, malheureusement, comptent sur les autres pour résoudre les problèmes auxquels ils font face. Ils espèrent que d'autres êtres humains ou d'autres institutions se mobiliseront pour combler les besoins. Ils restent assis et attendent, pointant du doigt les autres et construisant leurs murs quand, en fait, il n'y a plus de temps à perdre, personne d'autre à blâmer et aucun mur assez haut pour les protéger des conséquences de leur inaction. On ne peut continuer à invoquer ces excuses familières pour ne pas aider ceux et celles qui ne peuvent s'aider eux-mêmes.

Quels problèmes? Je ne vois pas de problèmes? Nous nous plaisons à dire que les problèmes disparaîtront si nous les négligeons assez longtemps. Certaines personnes réussissent même à les ignorer si longtemps qu'elles finissent vraiment par se convaincre qu'ils n'existent pas.

En Floride, après que l'ouragan Andrew eut fait ses terribles ravages, j'ai vu une femme portant un T-shirt aux couleurs vives et sur lequel était imprimé: «*I Am Queen of Denial**.» Ne pas voir les problèmes à long terme nous aide parfois à surmonter notre stress. Mais plus souvent qu'autrement, la négation de la vérité constitue un obstacle majeur à la mise en œuvre du pouvoir de la compassion.

C'est leur faute, pas la nôtre. «Ce sont eux qui ont créé le problème», crient les gens lors des rassemblements politiques ou derrière les clôtures des jardins, «c'est à eux de le résoudre.» Comme il est facile d'accuser! «Les pauvres ne veulent pas travailler», ai-je déjà entendu. «Les riches ne paient pas assez d'impôts», rétorquent d'autres aussitôt. On n'arrivera à rien en blâmant les autres, riches ou pauvres. Après avoir accusé, nous tentons de mettre fin à l'injustice par une loi, par une nouvelle taxe ou en imposant une limite. «On doit obliger les pauvres à travailler», disent certains. «On doit limiter les revenus des riches», répliquent d'autres. C'est ainsi que les accusations mènent à des mesures désespérées, inutiles, qui ne règlent pas les problèmes et qui ne comblent pas les besoins.

Imaginez ce qui arriverait si les joueurs du Magic d'Orlando, mon équipe de basket-ball, membre de l'ANB, venaient se plaindre à moi au sujet de la rapidité et de l'adresse de Michael Jordan des Bulls de Chicago, et l'accusaient d'être responsable d'un revers. «Il saute trop haut», diraient-ils peut-être, ou «Il court trop vite. Ce n'est pas juste. Attachez-lui des poids aux pieds. Donnez un coup de sifflet quand il court à une vitesse dépassant 24 kilomètres à l'heure. Pénalisez-le s'il saute plus haut que 1,52 mètre.»

Une telle attitude serait ridicule. Quand Michael Jordan saute en l'air, toute notre équipe (ainsi que les millions d'admirateurs qui le regardent) rêve de sauter comme lui. Michael a reçu de Dieu des dons merveilleux mais lui, il a perfectionné et il a cultivé ces dons. Aujourd'hui il est en train d'établir un modèle difficile à surpasser, un modèle pour nous tous. Par son exemple, Michael Jordan nous invite à prendre conscience de *nos* dons, à les perfectionner et à les

---

*   Littéralement: «Je suis la reine de la négation». (N.d.T.)

cultiver. N'essayons pas de limiter Michael Jordan. Que ses performances sportives, au contraire, nous stimulent. Inspirés par son exemple, nous chercherons nous-mêmes à atteindre de nouveaux niveaux d'excellence.

C'est le problème du gouvernement, pas le nôtre. Trop de gens croient encore que la solution des problèmes est la responsabilité exclusive des gens de Washington ou de ceux de la capitale de l'État ou de ceux de l'hôtel de ville. Des organismes sont constitués. Des postes sont créés. Les bureaucraties s'agrandissent. Des impôts sont levés. Des milliards sont dépensés. Mais rien ne semble changer. Les problèmes continuent de prendre de l'ampleur, mais on s'en occupe de moins en moins. Le gouvernement semble créer plus de problèmes qu'il n'en résout. En fait, dans beaucoup de domaines, le gouvernement *est* le problème.

On a déjà assez de faire marcher notre entreprise. Jim Janz, un de nos distributeurs canadiens les plus prospères, donne cet avertissement: « Le danger, quand on travaille dans sa propre entreprise, c'est d'être occupé à un point tel à aider d'autres personnes à bâtir leurs entreprises (parce qu'ainsi elles nous aident elles aussi à bâtir la nôtre) qu'on oublie les indigents vivant autour de nous. Il ne suffit pas de rendre service à ceux ou celles qui nous le rendront. »

Nous le ferons plus tard. La plupart des gens ont le désir d'aider ceux et celles qui ne peuvent pas s'aider eux-mêmes, mais nous avons tendance à tout remettre au lendemain. Tant de gens parmi nous voudraient donner généreusement de leur temps et de leur argent, mais ils attendent d'être plus importants ou plus riches, ou plus libres. Nous attendons, attendons et attendons jusqu'à ce que tout à coup il soit trop tard. « Si nous ne sommes pas compatissants avant même que ne se développe notre entreprise, nous prévient Jim Janz, il est probable que nous le soyons un jour. »

Les gens invoquent une infinité d'excuses pour ne pas agir avec compassion. Voici encore quelques exemples d'excuses que nous avons tous données à un moment ou à un autre: *« J'aimerais les aider, mais je suis trop occupé maintenant... »* *« Je suis un peu en retard dans le paiement de mes factures... »* *« Je ne sais tout simplement pas par où commencer... »*

Quand Jim et Nancy Dornan ont entendu parler des 160 enfants victimes d'abus qui avaient été placés dans le foyer Olive

Crest, ils auraient pu se trouver une infinité d'excuses pour ne pas agir. Ils prenaient déjà soin de leur propre fils Eric. N'était-ce pas assez? Ils devaient déjà assumer des frais de chirurgie et d'hospitalisation de plusieurs centaines de milliers de dollars. Comment pouvaient-ils donner davantage dans le but d'aider les autres? Au cours d'une période où l'état d'Eric était inquiétant, Jim Dornan dormit dans la chambre d'hôpital, à côté de son jeune fils, durant trois bons mois. Où pouvait-il trouver l'argent supplémentaire pour aider ces enfants victimes d'abus?

Les Dornan avaient des raisons de ne pas consacrer de temps et d'argent à ces enfants, mais ils n'ont pas voulu que ces raisons deviennent des excuses. Ils ont donc décidé de tendre la main et cela a changé leur vie et celle des enfants. Ce qui nous mène à la seconde étape.

Croyez en vous-même

On devient capitaliste au moment où l'on décide de changer la vie d'autres personnes. On n'a pas à résoudre tout seul les problèmes de l'humanité. Mais l'on doit croire suffisamment en soi-même pour être convaincu qu'on peut faire quelque chose.

«Au début, nous n'avions aucune idée de la quantité d'argent que nous pouvions nous procurer au profit de cette cause ni du nombre d'heures que nous pouvions y consacrer», se rappelle Jim. Nous ne croyions pas pouvoir faire beaucoup, mais en voyant les visages de ces enfants, nous avons voulu faire quelque chose. La première chose que nous avons su ensuite, c'est que nous avions récolté des centaines de milliers de dollars pour cette cause. Quelle joie et quelle satisfaction éprouvées alors!»

Croyez-vous en vous-même? Êtes-vous convaincu que vous pouvez changer la vie des autres? Êtes-vous disposé au moins à essayer? Si oui, vous êtes prêt à passer à l'étape 3.

Nous devons nous familiariser avec les besoins humains

À force de ressasser dans notre tête les besoins de l'humanité, nous pouvons nous embourber au point de devenir paralysé, incapable de contribuer à en combler un seul. Nous pourrions essayer de soutenir toutes les causes. Mais il est alors probable que nos ressources financières fondraient lentement comme neige au soleil et que nous finirions par être épuisé, par devenir partie intégrante du problème auquel nous voulions apporter un remède. Celui ou celle qui veut tout faire en même temps ne fait rien de bon.

Stan Evans a vu son père servir la communauté rurale dans laquelle ils vivaient. «Il travaillait dur pour subvenir à nos besoins et pour payer les factures», se rappelle Stan, «mais une fois sa journée de travail terminée, il faisait du bénévolat. Il a servi notre comté en tant que membre du conseil régional de la conservation du sol, de la commission scolaire et de la commission régionale des incendies. Il s'attaquait à un problème à la fois et les résolvait un à un. Mon père m'a appris que si on se consacre à trop de causes, on éparpille son talent, on fait du mal à sa famille et on finit par s'épuiser.»

On peut voir par les conseils d'administration dont il a choisi de devenir membre que le père de Stan Evans s'intéressait au produit de la terre, à l'éducation des enfants et à la sécurité de la communauté. Et, proposant des solutions pratiques, il résolut un à un ces problèmes dans sa propre ville natale. Quels sont les problèmes qui vous intéressent particulièrement? Quels sont les besoins que vous aimeriez contribuer à combler? Comprenez-vous ces problèmes? Avez-vous cherché à en savoir plus sur ces besoins?

Pour pouvoir contribuer à la solution d'un problème, il faut le comprendre. Les problèmes qui se posent à nous sont complexes et il est facile de faire des erreurs de jugement. C'est à nous de bien nous renseigner. Sinon, nous courons le risque de faire plus de mal que de bien. Les capitalistes compatissants sont bien informés.

Notre ami Kaoru Nakajima a vu un jour un chien d'aveugle guider son maître dans un aéroport du Japon. «C'est le premier chien-guide que je me souviens avoir vu dans ma vie», explique monsieur Nakajima. «J'étais ému rien qu'en regardant ce chien travailler. Quand je suis revenu de mon voyage, j'ai donc cherché l'adresse de l'association des chiens-guides au Japon. J'ai visité leurs locaux et j'ai vu comment se passait le dressage des chiens. J'ai parcouru leurs rapports annuels et j'ai compris à quel point cet organisme dépendait des dons. Une fois ma petite investigation terminée, je leur ai fait don d'un million de yens. L'autre jour, j'ai vu une jeune femme aveugle marcher d'un bon pas et sans crainte derrière son chien-guide dans les rues d'Osaka. J'ai éprouvé alors un sentiment de satisfaction et de contentement, sachant que d'une certaine manière j'avais un peu aidé cette femme qui n'aurait pu s'aider elle-même.»

Ce ne sont pas quelques bureaucrates du gouvernement qui trouveront les solutions aux problèmes de ce monde. C'est dans notre entourage ou notre voisinage que nous trouverons ces solutions. Faire des démarches en vue d'en apprendre davantage sur ces problèmes est le premier pas concret vers leurs solutions.

Il y a beaucoup de problèmes urgents dont il faudrait s'occuper sans délai, des problèmes qui touchent les gens et la planète. Nous avons besoin d'un environnement sain, mais nous voulons aussi une société juste. Nous ne voulons pas seulement un environnement planétaire sain. Nous voulons que les gens qui y vivent soient sains eux-mêmes. Examinons simplement quelques données.

Nous devons rechercher une cause

Les circonstances dans lesquelles les gens en viennent à agir au profit d'une cause ou d'une autre sont diverses. Quelquefois, nous sommes incités à agir par quelqu'un que le hasard a mis sur notre route. Sans l'avoir planifié nous nous intéressons de plus en plus à cette personne et à ses besoins. Cette personne devient bientôt une cause qui nous apporte de la joie et à laquelle nous consacrons du temps et de l'argent.

La pauvreté. En 1991, environ 36 millions d'Américains — 14,7 % de la population totale — vivaient dans la pauvreté. « Les pauvres sont nos frères et nos sœurs », écrit Mère Teresa. « Ce sont des gens qui ont besoin d'amour, de soins et dont on doit s'occuper. » *Quels sont les faits en ce qui a trait à la pauvreté? De quelle façon pouvons-nous contribuer à combler l'écart entre les riches et les pauvres? Dans notre ville, qui sont les pauvres qui ne peuvent s'aider eux-mêmes et que pouvons-nous faire pour les aider?*

La mortalité infantile. De tous les pays industrialisés, notre pays est celui où le taux de mortalité infantile est le plus élevé. *Quels sont les faits en ce qui a trait à la mortalité infantile? Pourquoi nos petits enfants meurent-ils? Et que pouvons-nous faire pour les sauver?*

Assurance-maladie inadéquate. Notre système de santé actuel est inadéquat. En effet, 37 millions de personnes n'ont pas d'assurance-maladie. Parmi les solutions proposées, beaucoup sont dangereuses et fallacieuses, mais on doit faire quelque chose. *Quels sont les faits en ce qui a trait aux soins de santé? Quels sont les gens et les organismes bénévoles qui tendent la main à ces millions de* *personnes pour les aider? De quelle façon pouvons-nous participer à cette action?*

L'analphabétisme. Nous avons un système d'éducation inapproprié et dont la qualité ne cesse de diminuer. Des diplômés d'école secondaire sont incapables de lire ou d'écrire. Les experts affirment que 20 ou 30 millions d'Américains sont des analphabètes fonctionnels. *Quels sont les faits en ce qui a trait à l'éducation? Que faut-il changer dans nos écoles? Pourrais-je offrir mes services gratuitement comme assistant ou assistante d'un professeur, entraîneur, tuteur, père ou mère d'une classe, ami ou amie de l'école ou de la bibliothèque du quartier? Quel genre d'aide pouvons-nous apporter?*

La criminalité et les drogues. Notre taux de criminalité et d'homicides reliés aux drogues est l'un des plus élevés du monde. *Quels sont les faits en ce qui a trait à la criminalité et aux drogues dans notre ville? Que doit-on faire pour aider les enfants et les autres victimes là même où nous vivons? Des représentants d'églises et d'organismes de même que d'autres personnes sont dans la rue, prenant des risques réels en aidant ceux et celles qui sont dans le besoin. Quels sont ces églises, ces organismes et ces personnes? Comment pouvons-nous les aider?*

Les sans-abri. Selon les estimations, il y aurait près de 3 millions de sans-abri aux États-Unis, dont l'âge moyen serait de 32 ans à peine, et les familles représenteraient 25 % de la population des sans-abri. *Quels sont les faits en ce qui a trait aux sans-abri dans ce pays? Qui sont les sans-abri dans notre ville? Que peut-on faire pour les aider à trouver des logements convenables et à redevenir productifs?*

L'humanité a désespérément besoin des capitalistes compatissants, lesquels peuvent l'aider à résoudre ses problèmes. Il y a partout des gens qui ont besoin d'une aide urgente sans laquelle ils ne pourront trouver le chemin menant à l'autonomie. Le gouvernement a fait quelques efforts modestes mais d'une façon générale, les bureaucraties gouvernementales ont échoué lamentablement. Créer pour nos voisins plus pauvres des occasions de jouir des avantages de la libre entreprise et les motiver à saisir ces occasions est un défi, un défi que nous devons relever. Les capitalistes compatissants doivent relayer le gouvernement dans les domaines où il a échoué et combler le fossé entre les riches et les pauvres avec de nouvelles idées et une action efficace.

La discrimination. La discrimination qu'elle soit raciale, religieuse, sexuelle, ou basée sur l'âge provoque des problèmes sérieux auxquels nous devons trouver des solutions humaines. Nous nous devons — et nous le devons aussi à notre pays — de nous informer pour en savoir davantage sur ces problèmes. Ne vous contentez pas d'explications simplistes ou partiales. Soyez un capitaliste compatissant bien informé et critique.

Quels sont les faits? Que puis-je faire au sujet de la discrimination dans notre école, dans notre église et dans mon quartier? Est-ce que je pourrais en définitive agir dans ces milieux?

Les relations entre la direction et les employés. Tant les employés que les administrateurs peuvent être des capitalistes compatissants. Chacun a une responsabilité envers l'autre. Un capitalisme véritablement compatissant pourrait exercer une influence révolutionnaire sur le monde du travail — une révolution que le marxisme ne pourrait jamais engendrer.

Quels sont les faits? Que faudrait-il faire pour améliorer les relations dans votre famille, entre les professeurs et les étudiants, entre votre patron et ses employés?

La responsabilité. Tout le monde poursuit tout le monde en justice parce que la société n'assume jamais la responsabilité de ses propres actions. Le problème de la responsabilité coûte des milliards de dollars à notre nation. Ce problème a pour effet de rendre les produits de consommation plus chers, d'empêcher que des innovations et de nouvelles inventions ne soient mises en marché, d'augmenter démesurément les coûts des soins de santé et de faire monter les taux d'assurance. Le capitaliste compatissant dit: de quelle façon pouvons-nous mettre fin à cette situation effrayante? Quel serait le moyen juste et équitable de régler les disputes et de donner aux gens de justes récompenses? De quelle façon pouvons-nous cesser d'encourager l'avidité?

Pourquoi, au fond, les gens se poursuivent-ils en justice les uns les autres? Que devrait-on faire quand on a été lésé? Pouvons-nous assumer la responsabilité de nos propres erreurs et cesser d'attendre que d'autres paient pour ces erreurs?

La dette nationale. Nous sommes habitués, nous, Américains, à rechercher le plaisir éphémère. Nous voulons tout et tout de suite. Nous n'aimons pas attendre. Nous achetons donc à crédit — avant même d'avoir réellement gagné l'argent. En comparaison avec les habitants des autres pays industrialisés, les Américains épargnent très peu. Pourquoi épargner quand on peut emprunter? C'est notre mentalité nationale. Faut-il s'étonner que nos hommes politiques fassent de même? Le capitaliste compatissant désire laisser un héritage aux générations futures: un budget national équilibré et des ressources naturelles abondantes.

Quels sont les faits en ce qui a trait à la dette de la nation? Que pouvons-nous faire pour la réduire? Est-ce que nous tâchons nous-même de ne pas nous endetter?

Avant de se consacrer aux enfants d'Olive Crest, Jim et Nancy Dornan ont lu sur le problème des abus d'enfants aux États-Unis, problème qui prend de plus en plus d'ampleur. Ils ont appris qu'un enfant sur cinq au pays est sérieusement blessé par son père ou sa mère avant d'avoir atteint l'âge de 5 ans. La réalité choquante de ces statistiques plutôt sombres leur est apparue quand ils ont visité un des centres pour jeunes enfants abusés et vu de leurs propres yeux les visages contusionnés et les membres brisés, les brûlures et les terribles cicatrices.

Quand nous allons nous rendre compte sur place des problèmes, quand nous rencontrons les gens dans le besoin et parlons honnêtement à ceux et celles qui sont «sur le terrain» pour tenter de les aider, quelque chose change en nous. Notre perception de la réalité devient plus claire. Nous cernons nos objectifs. Quand nous personnalisons les problèmes, nous sommes en position de changer les choses. Quand nous dépersonnalisons les problèmes, nous nous disons que ce sont les autres qui ont causé les dégâts et que c'est aux autres de les réparer. Voyez-vous la différence? Nous — vous et moi — avons chacun quelque chose à donner ou à apporter. Nous pouvons changer les choses, mais il nous faut d'abord nous renseigner.

J'ai énuméré plus haut quelques-uns des problèmes qui me préoccupent le plus et j'ai cité quelques faits ou statistiques qui m'aident à comprendre ces problèmes. Mais ce n'est qu'une liste sommaire. Y a-t-il un besoin dans votre quartier (ou ailleurs dans le monde) que vous aimeriez aider à combler? Se choisir une cause est la troisième étape de ce voyage excitant au terme duquel vous serez en mesure d'aider les gens qui ne peuvent s'aider eux-mêmes.

Parfois c'est une personne que nous rencontrons qui devient notre cause. Vous vous rappelez mon ami Dan Williams, ce bègue qui avait surmonté son défaut et qui est devenu par la suite un de nos distributeurs les plus prospères en Californie? Alors qu'il était en visite chez le président Ford, à Vale, au Colorado, il rencontra une famille dont la petite fille, Maggie, avait un sérieux problème de bégaiement.

« C'était une belle petite fille », se rappelle Dan. « Mais son bégaiement lui causait tant de gêne ! Ce jour-là, durant le déjeuner, j'ai parlé à Maggie de ma longue lutte pour surmonter mon propre bégaiement. Elle était fascinée. Nous sommes bientôt devenus amis. Ces dernières années, j'ai travaillé avec Maggie et ses parents. Aider cette enfant à surmonter son problème de bégaiement tout en conseillant ses parents est devenu pour moi une véritable cause. »

D'autres fois, c'est un besoin urgent. Il arrive que nous devions décider à l'improviste d'aider ou non des victimes. Max et Marianne Schwarz apprirent par leur voisin qu'une petite fille de leur ville natale, en Allemagne, avait besoin immédiatement d'une transplantation de moelle osseuse. Sans cette opération — grave et coûteuse — l'enfant était condamnée à mourir.

Dans le but de constituer un fonds d'urgence, des amis et des voisins avaient recueilli de l'argent, mais il manquait encore 40 000 marks (27 000 $) pour atteindre l'objectif visé. Il fallait que Max et Marianne prennent une décision. Cette petite fille deviendrait-elle une de leurs nombreuses causes ? Ils contribuaient déjà au financement d'un orphelinat près de leur ville natale et d'un hôpital pour enfants cancéreux en Allemagne de l'Est. « Nous avons fait le chèque », se rappelle Marianne. « Nous éprouvions de la reconnaissance, car nos affaires allaient bien cette année-là, et nous étions contents de partager nos profits avec une enfant dans le besoin. »

Après que l'ouragan Andrew eut ravagé la Floride et la Louisiane, la société Amway expédia d'urgence pour un million et demi de dollars de nourriture et de matériel de nettoyage dans la région dévastée. Des distributeurs bénévoles de tous les coins du pays se rendirent sur place à leurs propres frais pour distribuer des provisions, apportant avec eux de l'argent, des outils et du matériel pour prêter secours.

Bill Childers parlait au nom de tous les distributeurs quand il a dit : « Nous ne sommes qu'une petite pièce du puzzle. Il y a tellement d'autres gens dévoués qui ont apporté leur contribution. Nous avons travaillé côte à côte avec la Croix-Rouge, l'Armée du Salut, l'Aide internationale, des douzaines de sociétés commerciales, grandes et petites, et des bénévoles des quatre coins du pays qui ont compris les besoins urgents de ces gens et qui leur ont tendu la main. Je suis fier de nos gens d'Amway», ajouta-t-il. «Ils ont prouvé qu'ils sont sincères quand ils disent: «Si vous avez besoin d'aide, appelez-nous et nous serons là.»»

Parfois nous adoptons telle ou telle cause parce nous avons eu des proches dans la même situation. Peter et Eva Mueller-Meerkatz avait un enfant mentalement handicapé. Leurs expériences personnelles éprouvantes les ont amenés à adopter un groupe d'handicapés dans leur propre village.

«Nous soutenons cette petite communauté», dit Peter en souriant, «parce qu'ils ont besoin de nous. C'est tout. Autrefois, ces patients étaient des êtres humains intelligents et productifs ayant des diplômes et possédant leurs propres entreprises. Ces personnes ont toutes subi un traumatisme quelconque et c'est ce traumatisme qui est à l'origine de leur état mental ou émotionnel actuel. Elles ne pouvaient plus prendre soin d'elles-mêmes. Nous sommes donc intervenus.»

«La famille Mueller-Meerkatz soutient financièrement la corporation Rocco pour que celle-ci embauche ces hommes et ces femmes et leur donne un travail qu'ils sont encore en mesure d'accomplir. «Ils plient des lettres et les mettent dans des enveloppes», dit fièrement Eva. «Ils font des petits gâteaux. Ils font des calendriers. Nous essayons toujours de leur trouver des tâches qu'ils peuvent accomplir. Ces emplois les aident à subvenir à leurs propres besoins et, en même temps, à retrouver leur dignité et leur estime de soi.»

Jim et Nancy Dornan ont choisi de travailler auprès des enfants victimes de sévices pour une raison bien simple. «Nous aimons les enfants», explique Nancy, «et nous détestons les voir souffrir. Par ailleurs», ajoute-t-elle en souriant, «nous n'avions que deux fils, Eric et David, et une fille, Heather. Nous pouvions bien accepter 160 autres enfants!»

«Après mon pontage coronarien, j'ai réfléchi sur ce que cette expérience m'avait appris. Premièrement, j'ai compris à quel point les hôpitaux sont importants pour ceux et celles qui traversent une période de souffrance. Mais les hôpitaux et leur personnel ont besoin que nous les aidions nous aussi. Les nouvelles technologies médicales sont chères et souvent inaccessibles aux gens à faibles revenus. Pour prouver à l'hôpital Butterworth et à son personnel compétent et dévoué notre reconnaissance, Helen et moi avons fait don d'une nouvelle aile à cet hôpital. En hommage aux services rendus à notre communauté par ma femme, les administrateurs donnèrent à cette aile le nom de «Helen DeVos Women and Children's Medical Center.»

Deuxièmement, cette expérience m'a rappelé une fois de plus que les dons de temps et d'énergie sont souvent tout aussi importants que les dons d'argent. Nous vivons tous, employeurs comme employés, des vies chargées et stressantes. La plupart d'entre nous se réveillent le matin en courant et sont épuisés quand ils se glissent dans leur lit le soir. Et pourtant, le temps dont nous faisons don à titre de bénévoles aux institutions charitables et religieuses en lesquelles nous croyons — que ce soit pour mettre des lettres dans des enveloppes ou pour diriger des campagnes de financement — est tellement important pour la santé et le bien-être de nos communautés! Actuellement, j'essaie à ma manière de pratiquer ce que je prêche — encore une fois pour démontrer ma reconnaissance envers l'hôpital et son personnel — en présidant le conseil d'administration de la Butterworth Health Corporation.

Troisièmement, au cours de ma maladie, j'ai pris conscience que trop d'entre nous, y compris moi-même, n'en savent pas assez sur la médecine préventive. Le résultat, c'est que nous ne savons pas comment prendre soin de notre corps. Quand survient un problème, il est trop tard. C'est pour cette raison que j'ai invité Steve et Patricia Walters Zifferblatt à se joindre à notre groupe d'amis de Grand Rapids.

J'ai rencontré le docteur Zifferblatt à l'époque où il était directeur du Pritikin Health Institute de Santa Monica, en Californie, et Pat était la directrice de programme. Ils formaient à eux deux une équipe de professionnels de la santé, équipe qui a contribué à me sauver la vie. Même si je semblais me porter assez bien, Steve et Pat insistèrent pour me faire subir un examen médical complet alors que je visitais le Pritikin Center. Un électrocardiogramme révéla une irrégularité du rythme cardiaque. Peu après, je fus admis à Butterworth où je subis un sextuple pontage.

Steve et Pat aiment nous rappeler à tous le vieux dicton «Votre vie est entre vos mains». Après avoir mûrement réfléchi à mon offre, ils décidèrent de déménager à Grand Rapids et établirent le bureau central de leur institut, le Better Life Institute, dans l'Amway Grand Plaza Hotel. Les Zifferblatt représentent un troisième type de don, le don des idées et le pouvoir de changer (et de sauver) des vies. Cette année, Steve et Pat Zifferblatt ont voyagé dans tout le pays et à travers le monde à titre de représentants d'Amway et du Better Life Institute dans le but d'enseigner à nos amis d'Amway les meilleures techniques d'exercice, la façon de réduire son stress, de perdre du poids, d'adopter un régime de vie et un régime alimentaire sains. Le programme axé sur les foyers de groupe «7 jours» qu'ils ont mis sur pied à leur résidence administrative du Grand Plaza Hotel s'est révélé bénéfique et a probablement déjà sauvé des milliers de vies.

Je mentionne ces trois dons qu'Helen et moi avons faits à des institutions de santé uniquement pour montrer que c'est souvent à des organismes et à des individus qui nous ont tendu la main en premier et qui nous ont secourus quand nous avions besoin d'aide que nous donnons de notre argent et de notre temps et que nous proposons des idées.

Comme Albert Schweitzer disait: «Le but de la vie humaine est de servir les autres, de leur démontrer notre compassion et notre désir de les aider.» Cette conviction l'a conduit dans un village isolé d'Afrique. Quelle cause vous tient à cœur? Où cela vous conduira-t-il? Choisir une cause, peu importe laquelle, pourrait être pour vous, comme cela le fut pour tous ces gens, le début du voyage le plus excitant et le plus gratifiant de votre vie.

Nous devons mettre au point un plan

Une fois la cause trouvée, il faut rédiger un plan sérieux, un plan d'action. Il faut que nous notions nos objectifs spécifiques et que nous précisions quand et comment nous prévoyons les atteindre. Il faut se faire un graphique pour mesurer nos progrès, embaucher des gens qui nous aideront, changer de cap si besoin est et fêter quand nous menons à bien notre tâche.

Parfois nous partons de zéro. Dexter et Birdie Yager étaient décidés à mettre sur pied une colonie de vacances pour aider les enfants à comprendre le système de la libre entreprise et à y participer. Ils n'avaient jamais construit ni administré de colonie. Mais avec l'aide de leur famille, ils élaborèrent un plan. «Nous savions que nous ferions des erreurs», reconnaît Dexter, «mais nous suivons notre idée, et chaque jour nous nous rapprochons un peu plus de notre but.»

D'autres fois nous participons aux plans d'autres gens. Al et Fran Hamilton se sont intéressés au United Negro College Fund.

« Leur devise : « Gaspiller ses talents est une chose terrible », nous a vraiment emballés », se rappelle Al. « Nous avons donc décidé de contribuer à mettre fin à ce gaspillage. Depuis 7 ou 8 ans, nous collaborons avec Lou Rawls à son téléthon au profit du United Negro College Fund. Chaque année, nous organisons dans une de nos maisons un grand dîner dansant pour présenter à nos voisins et amis notre cause et les inciter à donner. Je crois que nous avons donné en tout près de 50 000 dollars ces dernières années. Et chaque fois que je vois un autre jeune homme noir ou une autre jeune femme noire obtenir son diplôme d'un grand collège ou d'une grande université pour Noirs, je me sens bien, car je suis conscient d'avoir un peu contribué à sa réussite. »

Après avoir vu sa première femme mourir et son fils Ben souffrir, Brian Herosian voulut contribuer à mettre fin à ce genre de souffrance. Durant 5 ans, Brian et Deidre Herosian furent les collecteurs de fonds nationaux de la Cystic Fibrosis Foundation. Aujourd'hui, ils travaillent auprès de malentendants.

« Quand ma famille souffrait », se rappelle Brian, « les gens me disaient souvent : « Quelque chose de bon sortira de tout ça. » Ces paroles ne m'aidaient pas beaucoup alors », admet-il. « En fait, il y avait des moments où j'avais envie de crier après eux ! Quel bien pourrait-il résulter de la mort de ma femme ou de la terrible souffrance de mon fils ? Tout le bien du monde ne suffirait pas. Je ne crois toujours pas que ce genre de paroles de « réconfort » nous soient d'un grand secours quand nous sommes en pleine crise mais aujourd'hui, avec le recul, j'estime que ce qu'ils disaient était vrai. La souffrance a ceci de positif qu'elle nous rend plus sensibles à la souffrance des autres. »

Depuis 1984, Amway et ses distributeurs indépendants ont ramassé 9 600 000 $ au profit d'Easter Seals (téléthon du timbre de Pâques). Ces millions de dollars sont la somme de milliers de petits dons que nos distributeurs ont faits ou collectés au moyen de dîners-bénéfice, de ventes aux enchères, de ventes de trottoir, de tombolas, de marathons de bowling organisés à cette fin, ou encore de contributions individuelles. Dans tout le pays, les distributeurs compatissants d'Amway ont organisé et mené à bien la campagne, et ont donné de leur temps et de leur argent pour que l'objectif soit atteint. Grâce à leur compassion, notre société est devenue l'une des 5 sociétés commanditaires qui composent le « Million Dollar Club » du National Easter Seal Society Telethon.

Une fois que Jim et Nancy Dornan se furent engagés à aider ces enfants victimes de mauvais traitements, ils commencèrent à rédiger un plan en vue de respecter leurs engagements. « Ils avaient besoin de plus de maisons d'accueil pour les enfants », se rappelle Jim. « Nous avons donc organisé un marathon de bowling et nous avons demandé aux joueurs de bowling bénévoles d'obtenir que les commanditaires donnent un peu d'argent pour chaque quille renversée durant la compétition. »

« En ce premier Noël, se rappelle Nancy, nous voulions être sûrs que chaque enfant aurait un beau cadeau sous son sapin de Noël. Nous avons donc demandé aux enfants de dresser eux-mêmes la liste des cadeaux qu'ils désiraient et nous avons ensuite distribué ces listes à des amis du Réseau 21 et à d'autres amis et voisins sensibilisés à cette cause. »

« Nous avons rédigé un plan et déterminé les étapes à suivre », dit Jim, « puis nous nous sommes mis à la tâche ! »

Nous devons travailler fort pour le réaliser

Se consacrer à une cause peut être dangereux. Je suppose que c'est la raison pour laquelle on trouve plus facile de laisser les autres s'en occuper. Quand on s'occupe de ceux et celles qui souffrent, on doit y consacrer tous ses loisirs, toutes ses économies et toute son énergie. La réalisation des rêves que nous caressons pour d'autres personnes exige autant de labeur et d'engagement de notre part que la réalisation de nos propres rêves.

Durant ses heures libres, Jan Severn assiste bénévolement des enseignants. « En raison d'une réduction sévère des budgets des écoles », explique-t-elle, « le nombre d'élèves par classe a augmenté et les charges des enseignants ont doublé. Si on veut que nos enfants reçoivent le genre d'éducation dont ils ont besoin, il va falloir qu'on s'y mette tous pour aider ces enseignants à bien remplir leur mission. »

C'est pour pouvoir consacrer plus de temps à son travail de recherche au profit des gens qui sont aux prises avec des problèmes d'insomnie que le docteur Stuart Menn a mis sur pied son entreprise. « Un médecin exerçant doit déjà consacrer beaucoup de temps et d'énergie à ses patients », explique-t-il. « En général, il ne lui reste plus de temps pour faire de la recherche et plus d'argent pour acheter du matériel de laboratoire ou pour engager des chercheurs. C'est pourquoi j'ai mis sur pied mon entreprise », explique-t-il. «L'idée de trouver un moyen d'aider ceux et celles qui ne peuvent dormir me préoccupe depuis l'époque ou je fréquentais l'école de médecine. À cette fin, j'ai donc employé tous mes moments libres à travailler au labo, à faire des recherches, à rédiger, à lire, à faire des expériences, des tests et des comptes rendus.»

« Ce n'est qu'à aider les autres que je suis heureux », explique Frank Morales. Quand sa femme, Barbara, et lui ont créé leur entreprise — devenue prospère — leur objectif premier était de consacrer leur temps libre et une partie de leur argent aux gens de leur communauté. En 1963, ils déménagèrent à Diamond Bar, en Californie. Depuis lors, Frank a exercé la fonction de président de l'association des propriétaires, a fondé un YMCA, a été nommé maire honoraire et a présidé pendant 13 ans le Walnut Valley Unified School District Board. Il a à son actif des milliers d'heures de bénévolat et on ne cesse jamais de solliciter son aide.

« C'est dur », reconnaît Frank, « mais il y a de petits avantages. Par exemple, c'est moi qui ai remis à mes propres enfants leurs diplômes de 8e et de 12e année », se rappelle-t-il. «C'est ce genre d'avantage ou de plaisir qu'on reçoit parfois quand on essaie d'aider sa propre communauté. Je n'essaie pas de devenir un héros», ajoute-t-il en souriant. «Je fais du bénévolat parce que je trouve cela amusant. Et quand vous considérez tout le bien que vous avez accompli, vous avez le sentiment que votre vie a servi à quelque chose.»

Sur le panneau accroché au-dessus de l'entrée du bowling, on pouvait lire: «*Bowl-athon Tonight**». À l'intérieur, il y avait sur les allées de quilles plusieurs bénévoles enthousiastes qui étaient venus de la part des enfants victimes d'abus. Le bruit des boules roulant de haut en bas sur les allées et renversant les quilles de bois était accompagné d'acclamations et d'applaudissements bruyants, de grands rires et de battements de pieds.

Vers le milieu de la soirée, Jim et Nancy Dornan poussèrent le fauteuil roulant d'Eric à travers la foule joyeuse et bruyante. Eric était un adolescent maintenant, mais il ne pesait que 32 kilos. La valve qu'on avait implantée dans son crâne drainait les fluides toxiques hors de son cerveau, mais il avait encore régulièrement des crises. Des tiges d'acier inoxydable étaient fusionnées avec sa colonne vertébrale du cou à la taille. Il avait pratiquement perdu

* Ce soir marathon de bowling. (N.d.T.).

l'usage de ses bras et de ses jambes à la suite d'une attaque d'apoplexie. Mais Eric était venu jouer aux quilles pour les enfants et il
était déterminé à faire sa part.

Jim et Nancy mirent leurs chaussures de bowling et, poussant
le fauteuil d'Eric, se frayèrent un chemin jusqu'à une des allées.
Durant un bref instant, la foule qui avait rempli le bowling demeura silencieuse. Jim choisit une boule de quilles et s'agenouilla à
côté de son fils. Eric tendit son bras faible et tremblant pour saisir
la boule.

«Tu es prêt, fiston?» demanda Jim d'une voix calme.

«Je suis prêt», murmura Eric en regardant les 10 quilles de
bois blanches au bout de la piste.

Nancy poussa le fauteuil d'Eric devant une piste de quilles.
Jim guida la main de son fils. Celui-ci visa soigneusement et la
boule de quilles rebondit légèrement sur le plancher de bois lisse
et commença à rouler. Ce soir-là, pendant que la boule roulait
lentement vers les quilles en décrivant une longue courbe, il n'y
avait pas dans la foule une seule personne qui ne priait pour qu'un
miracle arrive. Jim retenait son souffle. Nancy refoulait ses larmes.
Eric attendait en retenant son souffle.

«Un abat!» cria la foule à l'unisson, et les parents se penchè-
rent en même temps vers leur fils pour le serrer dans leurs bras.

«Pour les enfants!», dit Eric, levant les yeux vers son père et
affichant un sourire de champion.

Il y eut alors un tonnerre d'applaudissements. En entendant
Eric dire: «Pour les enfants!», les gens riaient, pleuraient et sor-
taient leurs portefeuilles.

«Nous avons ramassé 190 000 $ ce soir-là», se rappelle Jim.
«Nous avons pu ainsi verser un acompte sur 2 nouvelles maisons
pour enfants victimes d'abus. Une des maisons devait accueillir des
enfants entre 2 et 4 ans», dit-il. «On avait définitivement retiré la
garde de ces enfants à leurs parents pour mettre fin à leurs souffrances et leur sauver la vie. Un donateur remit au nom de McDon-
nell Douglas un chèque de 40 000 $», ajoute Jim, «mais aucun
cadeau n'était comparable à celui qu'Eric nous avait fait à tous ce
soir-là.»

Tout comme Jim, Nancy et leur fils Eric, vous et moi pouvons
changer la vie d'autres personnes. Il suffit d'y croire. Et quand nous
agirons, des vies seront transformées — les nôtres, notamment —
et les affamés seront nourris, les gens nus seront vêtus, les malades
et les mourants seront réconfortés.

CHAPITRE 15

Pourquoi devrions-nous contribuer à préserver et à protéger notre environnement ?

CREDO 15

Nous croyons qu'il est nécessaire de contribuer à sauver la planète, cet îlot où nous vivons. Quand nous participons, en donnant de notre temps et de notre argent, pour préserver l'environnement, nous contribuons véritablement à nous protéger nous-mêmes.

Par conséquent, devenez un ami de la terre. Comment pourriez-vous contribuer aujourd'hui même à préserver l'environnement ?

Assis à la lumière du soleil éclatant de l'Arctique sur un petit tabouret robuste, Matthew Ipeelie examinait soigneusement un petit ours d'ivoire. Sa peau parcheminée attestait des nombreuses saisons qu'il avait traversées, du soleil polaire brûlant et des vents froids et secs. Des rides profondes entouraient ses yeux sombres et intenses. Le tabouret de Matthew se trouvait juste à côté des marches conduisant à sa maison. Bien que moins élégante que ses ancêtres, celle-ci était bien adaptée au Grand Nord.

En raison du permafrost, la maison de Matthew était perchée sur de solides piliers de bois. Construite avec des matériaux modernes, elle constituait un véritable témoignage de l'ingéniosité inuit. Les piliers étaient d'une longueur telle qu'un homme avait assez d'espace pour ramper sous la maison, mais non un ours, ce qui était bien pensé. Les murs étant revêtus de contreplaqué et le toit, d'étain, la maison était bien isolée contre le froid. Pour chauffer, il y avait un poêle à bois.

C'est surtout en été qu'on pouvait jouir du privilège de s'asseoir à l'extérieur. En hiver, le temps était glacial et lorsqu'il était emmitouflé dans plusieurs couches de vêtements, Matthew ne pouvait sculpter quelque chose d'aussi petit et délicat que cet ours d'ivoire. Un malamut noir et gris dormait à côté de lui, à moitié sous la maison et à moitié au soleil. C'était la canicule d'été, en Alaska. Tout en examinant l'ours, Matthew marmonna quelque chose. Le chien dressa l'oreille. Dans les régions sauvages ou désertiques, les êtres humains et les animaux sont très attentifs les uns aux autres.

Après avoir examiné l'ours pendant cinq minutes, Matthew sortit un couteau à lame recourbée et à manche de bois épais. Avec soin, il fit une incision sur le museau de l'ours et l'ébauche d'une bouche apparut. Matthew s'arrêta, tint l'ours à bout de bras et contempla ce qu'il avait fait. Il était satisfait. Changeant de position, il repassa plusieurs fois la pointe de la lame dans l'entaille qu'il avait pratiquée, la creusant jusqu'à ce que la bouche lui semble parfaite. Puis il déposa sa sculpture. Son œuvre était achevée.

D'une certaine façon, l'ours semblait une pièce artisanale simple: il était petit et taillé grossièrement. Mais en fait, cette pièce n'était pas simple. Elle avait une très grande qualité, une qualité difficile à définir. Tout comme les peintures rupestres de la préhistoire, l'œuvre de Matthew semblait représenter l'essence même de l'animal.

«Un jour, je suis tombé sur un livre d'Audubon dans lequel il y avait des illustrations d'oiseaux», dit Matthew. «Je les ai aimés, mais il y avait quelque chose de faux. Les dessins, dont les détails témoignaient d'une grande habileté technique, étaient bons. Mais ils étaient sans âme.» Il s'interrompit un moment, pensif. Puis il ajouta: «L'esprit de l'oiseau était absent du dessin. Je veux montrer ou faire voir l'esprit de l'animal.

«Ici», poursuivit-il, «les gens croient que les animaux aussi ont une âme, pas seulement les gens. Nous croyons que la terre et toutes les créatures terrestres sont vivantes et si nous leur faisons du mal ou les détruisons sans raison, nous offensons l'Être suprême.» Matthew se leva de son petit tabouret. Ayant dû toute sa vie parcourir un terrain difficile où il n'y avait ni chemins ni routes, il se déplaçait, à 71 ans, avec une grande économie de gestes et de mouvements. Il marcha vers le côté de sa petite maison qui était exposé au vent et tendit son bras vers le nord. «Nous appelons cette contrée «Nanatsiaq», qui veut dire «la belle contrée».

La vue qui s'offrait à nous de ce côté de la maison était d'une beauté à couper le souffle. Au nord et à l'ouest, il y avait les montagnes aux contours déchiquetés formant la chaîne de Brooks, bien assise entre la toundra de la North Slope et les forêts aux arbres rachitiques du centre de l'Alaska. À l'est, coulaient d'innombrables rivières et ruisseaux dont plusieurs allaient se jeter dans des cours d'eau du Yukon, ce Yukon vaste et grandiose.

«Vous voyez au loin cette brume légère?» demanda Matthew. La visibilité était extraordinaire. On pouvait voir à 80 kilomètres ou à peu près. Mais quand on regarde au-dessus de l'horizon, la couleur change petit à petit. À l'horizon, le ciel a une teinte légèrement ambrée, très caractéristique. Plus haut dans le ciel, cette couleur passe graduellement à un bleu intense. «C'est ce que vous appelez le smog», explique Matthew. «La pollution. Je ne sais d'où il vient, mais il n'y en avait pas quand j'étais jeune garçon.» On peut difficilement ne pas être choqué à cette pensée. Du smog? Ici?

Matthew Ipeelie, artiste inuit et résidant d'une région désertique, nous révélait ainsi un fait très important. Même dans les régions les plus reculées du monde, même dans ces endroits que nous considérons comme les derniers refuges où nous pouvons nous retirer pour échapper à la pollution et au béton de nos grandes villes, il faudrait, semble-t-il, mieux gérer l'environnement.

Le style de vie de Matthew, harmonisé avec la terre et respectueux des créatures qui l'habitent, est un exemple pour nous tous. Non, nous ne pouvons pas tous vivre comme lui — je ne prêche pas un retour à la vie sauvage — mais nous pouvons faire nôtres quelques-unes de ses valeurs. De ses propos, on peut retenir ceci: «Chaque créature est une créature de Dieu, et la terre est un cadeau de l'Être suprême».

Il est vain de parler des possibilités de réussite ou des occasions qui nous sont offertes dans un système de libre entreprise tant que nous ne prenons pas conscience que c'est seulement dans la mesure où nous aurons su préserver la planète pour les entrepreneurs de demain que les gens des générations futures réussiront et auront des occasions. Pas de ressources, pas de richesses! La pollution qui était visible de la cabane de Matthew nous rappelle que ce que nous faisons peut parfois avoir des répercussions sur toute la planète.

Je ne sais pas ce qu'il en est pour vous, mais en ce qui me concerne je suis plutôt atterré quand je pense à quel point les questions reliées au problème de la gestion de l'environnement sont complexes et parfois controversées. Je n'ai pas de solution spécifique pour vous. Mais je puis vous dire ce que fait notre entreprise et peut-être pourrez-vous alors vous inspirer de nos expériences.

La politique de notre entreprise concernant l'environnement

La prospérité d'Amway repose en partie sur cet engagement : vendre des produits sans danger pour l'environnement. Nous ne voulons pas vendre de produits qui polluent nos villes ou affectent l'atmosphère de la planète — ou qui teintent d'ambre l'horizon en Alaska.

Pour être sûrs de ne pas oublier nos responsabilités, nous avons rédigé cette déclaration de principes dans laquelle est énoncée notre mission environnementale.

« La société Amway estime qu'il est du devoir tant de l'industrie que des individus d'exploiter et de gérer de manière responsable les ressources limitées et l'environnement de la planète. Amway et son réseau de vente directe de plus de deux millions de distributeurs indépendants demeure l'un des plus importants fabricants de produits de consommation. À ce titre, elle reconnaît qu'elle a une responsabilité et un rôle à jouer : favoriser et promouvoir une saine gestion de l'environnement. »

Cet énoncé simple, qui est l'un des credos d'Amway, souligne notre responsabilité à l'égard de la terre. Nous croyons que c'est la bonne chose à faire. Mais il ne suffit pas de le croire. De même que dans la tradition chrétienne on dit que la foi sans les œuvres est vaine, de même un credo n'a pas réellement de sens s'il ne se traduit pas par des actes. Mais par où commencer ? Comment éviter de se laisser décourager par les manchettes et les grands titres, par les sombres perspectives qu'on nous laisse entrevoir ?

Si vous commencez à penser à tous les problèmes du monde, vous vous rendrez compte qu'il s'agit en réalité de problèmes locaux. Si vous commencez à vous tourmenter au sujet des usines qui crachent leur fumée en Allemagne de l'Est, vous deviendrez déprimé. Il n'y a pas grand-chose que vous puissiez faire pour remédier à cette situation. Mais ce que nous pouvons faire, c'est régler les problèmes dans nos propres villes. Parfois, la solution d'un problème local finit par devenir une partie de la solution d'un problème planétaire. La « politique environnementale » de Matthew Ipeelie commence avec lui-même. En effet, il s'est engagé personnellement à faire ce qui est juste et à préserver ces choses qui enrichissent sa vie.

Mon « militantisme environnemental » a commencé également par un engagement personnel. Le premier produit mis en marché par notre entreprise fut un savon liquide naturel. Le L.O.C., comme nous l'appelons, était biodégradable, ne contenait ni phosphates, ni solvants, ni autres agents polluants, ce qui était nouveau à l'époque. Mais qu'est-ce qui nous a poussés à fabriquer et à mettre en marché en tel produit? Subissions-nous des pressions extérieures de groupes environnementaux? Non. Étions-nous liés par quelque énoncé de mission détaillé? Non. Avions-nous reçu un mandat du gouvernement? Non. La raison qui nous motivait était plus simple et plus personnelle.

Jay et moi nous étions engagés à toujours servir notre ville natale, Grand Rapids. Cette ville est traversée par la Grand River, d'où son nom. Aux alentours de notre siège social international, près d'Ada, et dans le centre du Michigan, d'autres rivières ainsi que des lacs et des ruisseaux égaient le paysage. Nous avons passé notre enfance et notre adolescence à pêcher, à nager et à jouer dans ces lacs et dans ces ruisseaux. Mais au cours de la période où nous passâmes de l'adolescence à l'âge adulte, nous avons remarqué des changements qui nous ont inquiétés.

Des résidus sous forme de mousse commencèrent à s'accumuler au bord de certains ruisseaux et de certaines rivières. Ces résidus affectaient la vie des poissons et des plantes, en plus d'être dégoûtants et de sentir terriblement mauvais. Nous ne voulions fabriquer aucun produit qui aurait pu contribuer à aggraver le problème. Après tout, c'était notre communauté. Nous avons donc conçu un produit qui ne polluait pas l'eau, qui ne mettait pas en péril la vie des poissons et des plantes et qui ne laissait pas non plus de mousse sur les rives des rivières. Nous voulons que nos petits-enfants et que les enfants de nos petits-enfants aient comme nous la chance de jouer dans de beaux cours d'eau non pollués.

L'écologisme véritable prend naissance quand des individus décident d'agir ou de prendre des mesures dans leurs propres villes. Cela commence par des gestes très simples. Ce que nous devons

faire pour commencer, c'est de ramasser les papiers dans nos propres rues. Les petits gestes sont importants. On ne peut discuter
des grandes questions ou des grands problèmes tant qu'on n'a pas
fait d'abord le «ménage dans sa cour». On ne peut nettoyer ou
épurer le monde tant qu'on n'a pas soi-même nettoyé ou épuré son
propre quartier. C'est en faisant dès maintenant tout ce qu'il nous
est possible de faire dans nos villes respectives que nous contribue-
rons à nettoyer la planète.

Mais nettoyer nos propres villes ne veut pas dire que nous ne
soutenons pas les grandes causes environnementales. Nous les
supportons. Il importe de peser les décisions que nous prenons
chaque jour. Si nous achetons des produits sans effets négatifs sur
l'environnement, nous contribuons positivement à la préservation
de l'environnement de la planète. Nous consommons sans pour
autant aggraver les problèmes. Nous agissons de façon responsable. Les capitalistes compatissants doivent être aussi des consommateurs compatissants.

Nous avons fait bien plus que fabriquer un savon biodégradable. La plupart de nos produits sont biodégradables. Nos produits
sont concentrés, de sorte que les consommateurs en utilisent une
moins grande quantité à la fois. Nos emballages sont jetables. Si
vous les jetez au feu, ils se transformeront donc en cendres. Ils ont
donc une durée de vie limitée, contrairement aux emballages de
plastique rigide. Nous ne testons pas nos produits sur des animaux. Il n'y a pas de combustible susceptible d'endommager la
couche d'ozone dans nos bombes aérosol. Nous appliquons une
politique de recyclage dans nos bureaux. Les montagnes de boulet-
tes de polystyrène qui remplissaient nos boîtes de marchandises
ont été remplacées par un matériel d'emballage biodégradable que
nous avons créé à partir de produit de soja.

Notre but n'était pas de provoquer une «révolution verte».
Nous ne faisions que ce qui nous semblait juste. Mais en même
temps que notre entreprise se développait, nos décisions environnementales avaient de plus en plus d'impact. En 1989, les Nations
unies ont accordé à Amway le U.N. Environmental Programme
Achievement Award. Le secrétaire général des Nations unies, Javier
Perez de Cuellar nous a remis ce prix, à Jay et à moi, au siège social
des Nations unies à l'occasion de la Journée internationale de
l'environnement. Pour vous dire la vérité, j'étais surpris. Nous
étions la 2e société commerciale à recevoir ce prix.

Mais j'étais surpris, aussi, parce que ce que nous faisions ne me semblait pas si extraordinaire. Notre politique me semblait juste, tout simplement. La solution des problèmes d'environnement est simple: les gens devraient poser un geste de compassion. Cela ne demande pas, me semble-t-il, un effort particulier. Il suffit d'être convaincu. La compassion dont nous avons fait preuve envers notre communauté a eu encore plus d'impact quand il fut possible à d'autres gens de notre entreprise d'agir à leur tour avec compassion. Les capitalistes compatissants donnent aux gens la possibilité de contribuer à assainir et à préserver l'environnement.

En 1990, Amway fut le principal parrain de la célébration de la Journée de la terre qui eut lieu aux Nations unies dans le cadre du U.N. Environmental Programme. En recueillant de l'information et en enquêtant sur les conditions prévalant dans le monde entier, les Nations unies font une œuvre utile. Cet événement m'a rappelé que depuis que je vis sur cette terre de sérieux progrès ont été faits dans le domaine de la protection et de la préservation de l'environnement.

Mais comparée à la première célébration de la Journée de la terre, celle-ci fut un événement plutôt solennel. La première célébration eut lieu le 22 avril 1970, à New York et à Chicago. Cette journée fut aussi célébrée dans des villes et des villages des quatre coins du pays. Plus de 20 millions de personnes s'étaient rassemblées. Je dois avouer que ce que je vis à la télévision me surprit assez.

Vous vous souvenez de la scène? Ils arrivèrent vêtus de jeans à pattes d'éléphants et de T-shirts; ils portaient la barbe et avaient les cheveux longs. Les femmes étaient en mini-jupes et avaient les cheveux coupés ras. Des hommes, des femmes, des enfants et des chiens auxquels on avait mis des foulards — une véritable ménagerie d'animaux et de gens de toutes tendances politiques. Il fallait voir ça!

Cette première célébration attira une foule de gens très différents et dont les tendances étaient très diverses. On discuta de la préservation de la planète. Un mouvement fut lancé. Mais, c'est triste à dire, les gens ne s'engagèrent pas à fond et leur action ne suffit pas à provoquer les changements nécessaires — et qui sont toujours nécessaires aujourd'hui. Les véritables progrès en matière de protection et de préservation de l'environnement ne résulteront pas de grands rassemblements ou d'interminables et inutiles sessions d'élaboration de lois. On ne progressera pas non plus en pointant continuellement les autres du doigt ou en brandissant sans cesse des slogans. C'est grâce à l'action de personnes compatissantes qu'il y aura des progrès réels.

Liste des problèmes environnementaux à l'échelle de la planète

Alors, par où commencer? Les Nations unies ont identifié de graves problèmes reliés à l'environnement de la planète. Tous ces problèmes me préoccupent, mais je n'ai aucune solution à proposer. Notre société parraine divers projets de recherche dans le monde entier dans l'espoir de trouver des réponses. D'ici là, il est important que nous sachions tous quels sont les problèmes. Le destin du capitalisme est étroitement relié à l'avenir de l'environnement.

Le déboisement. Les forêts constituent la matière première la plus précieuse du monde après le pétrole et le gaz naturel. Mais leur rôle de «mainteneurs» de la vie sur cette planète est encore plus important. Elles fournissent un habitat à des millions d'espèces animales, empêchent le sol de s'éroder et contribuent à réguler le climat terrestre. Mais les forêts disparaissent à un rythme inquiétant — partout, y compris aux États-Unis.

Quand Christophe Colomb découvrit l'Amérique, nos forêts s'étendaient sur 3 198 650 kilomètres carrés. Aujourd'hui, on pourrait parler de 220 150 kilomètres carrés environ. Au siècle dernier, dans la région de ma ville natale, 100 000 arbres ou plus étaient débités en rondins chaque année, et aucune replantation n'était entreprise. Aujourd'hui, on fait davantage d'efforts, du moins autour de Grand Rapids. Mais le problème demeure, et il est sérieux.

La dégradation des terres arables. En 1963, eut lieu une révolution, la «révolution verte». La culture de nouvelles variétés de riz élaborées scientifiquement et d'autres céréales entraîna une augmentation de plus de 140 % de la production alimentaire mondiale. C'était un bonne chose, mais qui avait son mauvais côté.

On constata bientôt que ces nouvelles plantes étaient bien voraces. Il leur fallait beaucoup d'eau, d'engrais et de pesticides. La production céréalière augmenta de 50 %, mais il fallait parfois 4 500 % plus d'engrais pour les nourrir!

On sait depuis toujours qu'une bonne nouvelle s'accompagne souvent d'une mauvaise. Toute cette eau, tous ces engrais et tous ces pesticides endommagèrent bientôt le sol. La nappe phréatique fut polluée par ces produits chimiques. Et cette grande quantité d'eau fournie aux terres laissait des sels dans le sol.

L'extinction d'espèces animales. Mes petits-enfants sont très inquiets au sujet des pandas, mais quel impact pourrait bien avoir la disparition des pandas sur nos vies? Si une obscure petite bestiole disparaît de la surface de la planète, pourquoi en faire tout un plat? Comme je dis aux enfants, c'est une question de *biodiversité*, notion qui renvoie à la variété des êtres vivants. La biodiversité est extrêmement importante — elle est le fondement sur lequel repose un certain nombre de «services» écologiques.

Ces «services» essentiels sont: l'épuration de l'air, le maintien de la température à la surface de la terre, le recyclage des déchets, la production de substances nutritives qui nourrissent le sol et le contrôle des maladies. Et pour parler franc, la biodiversité vaut aussi beaucoup d'argent.

L'érosion du sol. Cela se produit quand le vent balaie ou que la pluie draine la terre végétale. Cette terre végétale est alors perdue. Notons qu'il peut y avoir aussi d'autres causes. Naturellement, sans terre végétale (ou couche arable) il n'y a pas d'agriculture possible. On a besoin de terre arable surtout pour produire des aliments. Aux États-Unis, on perd chaque année environ 4 milliards de tonnes de terre végétale — ce qui remplirait un train de marchandises dont la longueur égalerait la longueur de la circonférence de la terre multipliée par 24.

Les pluies acides. C'est l'un des problèmes les plus difficiles et les plus controversés que nous ayons à résoudre. Les pluies acides sont le résultat de la pollution industrielle qui, s'élevant dans l'air, se mélange à l'eau de pluie. Dans certains endroits, notamment en Europe orientale, des chercheurs disent que les pluies acides ont des conséquences terribles. En Pologne, affirment-ils, la pluie est tellement acide qu'elle ronge les rails des voies ferrées. En Ontario, au Canada, certains disent que 300 lacs sont devenus si acides que les poissons ne peuvent plus y vivre. À Athènes, en Grèce, il semblerait que les monuments antiques se dissolvent lentement comme des cubes de glace au soleil chaque fois qu'il pleut. J'ignore encore, pour l'instant, si le problème est aussi sérieux qu'on le dit. Mais je suis ouvert à l'information que je continue de recueillir. On ne peut en demander davantage aux gens. Une fois qu'on a accumulé suffisamment d'informations de sources dignes de foi et qu'on est convaincu, il importe alors d'agir, peu importe ce que cela nous coûte.

La diminution de la couche d'ozone. Les scientifiques continuent de recueillir et d'analyser les données, mais il apparaît qu'on a déjà fait beaucoup de dommages à la couche d'ozone. En 1988, une étude faisant autorité et menée par un groupe de travail formé de 100 scientifiques concluait que la couche d'ozone a diminué de 3 % en 20 ans seulement. C'est beaucoup.

Certaines grosses entreprises, dans un geste de courage éthique, décidèrent d'arrêter progressivement de produire cette substance chimique appelée CFC pour essayer de mettre fin à la destruction de la couche d'ozone. Pourtant 10 ans plus tôt, notre entreprise avait déjà pris la décision d'éliminer progressivement les CFC de ses produits.

L'effet de serre. La terre a son propre système naturel de climatisation ou de conditionnement de l'air. En ce moment, le thermostat est réglé à environ 13 degrés Celsius. C'est la température moyenne sur terre. En comparaison, la température moyenne sur Vénus, par exemple, est de 459 degrés, ce qui est un peu plus chaud ! Soyez tranquille, la température sur terre ne montera pas aussi haut, mais tout semble indiquer que la terre se réchauffe lentement. Personne ne sait vraiment à quel rythme elle se réchauffe ou quelles conséquences entraînera ce réchauffement, mais les estimations vont de −16° C à −12° degrés Celcius. au cours des 50 prochaines années.

Cette montée de la température est causée par ce qu'on appelle l'« effet de serre ». Elle est attribuable à l'accumulation de gaz dans l'atmosphère, lesquels gaz retiennent la chaleur du soleil. Le principal coupable serait le gaz carbonique[*]. Ce gaz émane des voitures, des usines et de toute machine alimentée par un combustible fossile. Depuis 1800, la quantité de gaz carbonique s'est accrue de plus de 25 %. Avant 1800, le niveau était demeuré constant durant des milliers d'années.

La progression des déserts. Ce phénomène est appelé aussi « désertification ». On pourrait le décrire comme étant le processus de transformation d'une bonne terre fertile en un désert aride. La

---

[*]   Ou dioxyde de carbone. (N.d.T.).

désertification est le processus final de la dégradation des terres dont j'ai fait mention plus haut. En fait, elle est reliée à plusieurs des problèmes décrits plus haut, notamment au déboisement, à la salinisation et à l'érosion. Les Nations unies estimaient en 1980 que 26 milliards de dollars en produits agricoles étaient perdus à cause de la désertification.

La pollution de l'eau. D'abord, la bonne nouvelle. Il y a exactement autant d'eau sur terre aujourd'hui qu'il y en avait quand les êtres humains ont commencé à en consommer. Pas de perte, donc. Maintenant la mauvaise nouvelle. Une bonne partie de cette eau est contaminée (par des sels ou par des polluants industriels), inaccessible (sous forme de glaciers ou dans des réservoirs souterrains) ou difficile à récupérer (presque les deux tiers de l'eau qui coule dans les rivières et les fleuves de la planète est perdue à cause des inondations).

Seulement 3 % de toute l'eau de la planète est fraîche. Il est important de protéger la pureté de cette eau. Le ministère de l'Environnement a identifié plus de 700 produits chimiques dans l'eau potable de notre pays, dont 129 sont toxiques. Par ailleurs, 35 États ont constaté la présence de déchets ou de résidus industriels toxiques dans leurs nappes phréatiques.

L'eau est l'une de nos plus précieuses ressources. En fait, chez Amway, nous sommes si préoccupés par la question de l'eau que notre entreprise a financé un pavillon à l'Exposition internationale de Gênes. Mon associé, Jay Van Andel, fut l'ambassadeur officiel des États-Unis à cet événement important. La mission de ce pavillon était de faire comprendre aux gens l'importance de l'eau pour le développement des États-Unis et de les convaincre de la nécessité de protéger cette ressource précieuse.

Pour les Nations unies, ces problèmes sont catastrophiques. Mais le sont-ils vraiment? Les scénarios de fin du monde sont-ils réalistes? Une fois qu'on a décidé de devenir un capitaliste compatissant, on doit se faire un devoir d'en apprendre davantage sur le monde dans lequel on vit. Avant de pouvoir contribuer à résoudre un problème, on doit le comprendre. Les problèmes qui se posent à nous sont complexes et il est facile de commettre des erreurs de jugement.

S'informer

Il est de notre devoir de nous renseigner. Les capitalistes compatissants sont informés. Ils lisent beaucoup et choisissent judicieusement leurs lectures. Ils ont l'esprit critique. Être critique ne veut pas dire être tatillon ou négatif. Un esprit critique veut connaître les faits objectifs, poser les vraies questions et émettre des jugements justes.

Les capitalistes compatissants ont également l'esprit ouvert. Ils écoutent ceux et celles dont les positions sont opposées aux leurs. Ils ne sont pas loyaux envers une ligne de parti quelconque mais envers la vérité. Nous avons la faculté de penser tout seuls. Nous devons utiliser cette faculté.

Cultiver un scepticisme sain, particulièrement à l'égard des chiffres, est un bon début. «Vous savez qui les statistiques font vivre?» demandait un étudiant universitaire. «Les statisticiens!» ajouta-t-il aussitôt. Derrière cette blague innocente, il y a une vérité dangereuse. Les journaux et les revues, les reporters et les commentateurs sont tous prompts à lancer des chiffres. On peut lancer des chiffres pour prouver ou réfuter n'importe quoi. Soyez prudent. Vous savez bien ce qu'on dit par ailleurs à propos des statistiques : elles sont comme un bikini, ce qu'elles montrent est intéressant, mais elles cachent l'essentiel. Ayez l'esprit curieux. Voyez au-delà des chiffres. On a déjà dit que les faits parlent plus que les statistiques.

Quand vous cherchez à connaître les faits, n'ayez pas peur de «harceler» les gens. S'ils ne connaissent pas un problème dont ils prétendent connaître les données, insistez jusqu'à ce qu'ils le re-connaissent. D'autre part, si vous n'en savez pas beaucoup sur tel ou tel sujet, attendez d'en savoir davantage avant d'émettre vos commentaires. Cette attitude honnête incite les autres à être hon-nêtes eux aussi. Quand on affirme quelque chose, on doit pouvoir ensuite en répondre.

Une fois que l'on a décidé de rechercher les faits, on pourra dénicher beaucoup d'informations. Les capitalistes compatissants ne peuvent se permettre d'être ignorants. L'ignorance est dange-reuse. L'ignorance méconnaît les problèmes. On ne peut se permet-tre d'être comme cette personne que Dorothy Parker décrivait un jour ainsi : «Son ignorance était comme l'Empire State Building : sa grandeur forçait l'admiration.»

Nombreux sont les problèmes auxquels les capitalistes doi-vent trouver des solutions. Ces problèmes devraient nous préoccu-per. Après tout, notre avenir dépend de leur solution. Mais que faut-il d'abord faire pour résoudre tout ces problèmes environnementaux, sans parler des problèmes sociaux? Par où commencer? Comme je l'ai déjà dit, cela doit commencer par un engagement personnel envers sa communauté.

Malgré tous les problèmes, la terre est un endroit merveilleux. Dieu l'a dotée de ressources que nous n'avons pas encore découvertes. Nous, les êtres humains, avons sans doute nos faiblesses mais au cours des siècles, nous avons aussi démontré que nous pouvions être forts et que nous avions du ressort. Ne cédez pas au désespoir. Ne vous laissez pas effrayer par les prophètes de malheur. Il y a encore beaucoup d'espoir, beaucoup de possibilités, et nous avons toutes les raisons d'être optimistes face à l'avenir.

Mettez au point un plan d'action

Maintenant que nous en savons un peu plus au sujet des problèmes humains et environnementaux, il est temps d'élaborer un plan personnel précisant la façon dont vous contribuerez à les résoudre. Ce qui suit est un simple résumé des étapes que nous pourrions suivre pour élaborer un plan d'action.

1. Restreignez les possibilités à un besoin humain ou à un problème environnemental local auquel vous êtes sensible.

    Par exemple, non pas la faim dans le monde, mais *une famille affamée* que vous connaissez. Non pas l'analphabétisme dans le monde, mais *un étudiant* à qui vous pourriez donner des cours particuliers. Non pas les combustibles fossiles nuisibles à l'environnement, mais le *recyclage dans votre maison*. Non pas la pénurie d'eau, mais la conservation de l'eau que *vous consommez chez vous*.

2. Décidez de ce que vous voulez faire pour résoudre ce problème environnemental ou combler ce besoin humain.

    Une famille affamée: Fournissez-leur une réserve de vivres, de sorte qu'ils aient à manger pendant un bout de temps. Faites en sorte qu'ils aient accès à d'autres banques de nourriture, à des réserves de secours. Aidez-les à trouver un emploi temporaire ou permanent. Voyez quels sont leurs besoins en matière de santé, d'éducation et de transport.

    Un étudiant à qui vous pourriez donner des cours particuliers: Voyez si une école près de chez vous n'aurait pas mis sur pied un programme d'enseignement particulier bénévole. Calculez le nombre d'heures que vous pouvez consacrer à cette tâche. Une fois que vous avez un élève, respectez votre engagement.

Recyclage dans votre maison: Trouvez une brochure ou un article expliquant le recyclage. Partagez ce que vous aurez appris avec les autres membres de la famille et ensemble, formez une équipe. Recueillez le plus de renseignements possible sur le programme de recyclage de votre municipalité. Mettez des bacs de recyclage dans votre garage. Prenez des arrangements avec un service de ramassage ou allez porter régulièrement vos déchets recyclables dans un centre de recyclage.

Conservation de l'eau que vous consommez chez vous: Obtenez des copies de votre dernière facture d'eau. Déterminez la quantité d'eau que vous avez consommée. Présentez à votre famille votre plan d'économie d'eau. Munissez tous vos robinets de brise-jet. Aidez votre famille à se fixer des objectifs de réduction de consommation, comme la durée des bains et de nouvelle façons de se baigner; économiser l'eau en arrosant moins longtemps ou moins souvent le trottoir et l'allée; la durée du lavage de la vaisselle et du nettoyage dans la maison et de nouvelles façons de faire la vaisselle et de nettoyer. Vérifiez la prochaine facture et célébrez votre victoire.

3. Faites la liste des étapes que vous allez suivre. (Voir exemple ci-haut).

4. Déterminez le moment et l'endroit où vous franchirez chacune de ces étapes.

5. Chaque fois qu'une étape est franchie, cochez-la dans votre liste.

6. Célébrez vos succès avec ceux et celles qui vous ont aidé.

7. Tirez des leçons de vos échecs (pour faire mieux la prochaine fois).

8. Choisissez-vous une nouvelle cause environnementale ou sociale et recommencez.

La compassion commence chez soi. Si les exemples ci-dessus semblent plutôt banals, pardonnez-moi. Je sais que chacun de nous peut faire beaucoup plus pour contribuer à mettre un terme à la souffrance et au gaspillage dans le monde, mais j'estime qu'on ne peut contribuer à régler les problèmes dans le monde si l'on n'a pas d'abord contribué à régler les problèmes dans sa propre ville. Une fois qu'on a commencé à combler les besoins humains dans sa propre ville ou à résoudre les problèmes environnementaux locaux, alors on peut étendre son action à l'ensemble du monde.

Une étape à la fois. Je sais également que vous êtes capable de faire beaucoup plus dans votre communauté que simplement nourrir une famille affamée ou donner des cours particuliers à un étudiant faible, économiser l'eau ou faire recycler vos déchets de papier, de verre et de métal. Mais si vous ne contribuez pas d'abord à combler les besoins de l'humanité par de simples gestes comme ceux que je viens de décrire, allez-vous vraiment pouvoir contribuer à régler les grands problèmes actuels?

Et il y a tant de grands problèmes sociaux et environnementaux qui attendent d'être résolus. Notre compassion doit s'exercer également à une plus grande échelle. La pauvreté est une cause majeure de nombreux problèmes environnementaux. L'inadéquation et l'inefficacité des lois et des règlements en sont une autre. Libre marché et écologisme ne sont pas incompatibles!

Un article de *Business Week* affirmait récemment un principe que je défends depuis des années: «Vous voulez épurer l'air, sauver les forêts tropicales humides et cesser de vous en remettre à la bureaucratie gouvernementale immédiatement? Une bonne façon de faire tout cela est de mobiliser les forces du marché. D'abord, en trouvant et en vendant des produits qui ne polluent pas les régions menacées et grâce auxquels il ne sera plus nécessaire d'exploiter ces mêmes régions. Ensuite, en élaborant des lois comportant des mesures incitatives — et non des règlements coercitifs — pour remettre au pas les pollueurs.»

Lorsque cela est possible, nous devons trouver des façons d'inciter les gens à devenir autosuffisants. En 1987, la Commission mondiale de l'environnement et du développement affirmait que la pauvreté est aussi destructrice de la nature que l'industrialisation. Là où les gens sont prospères, ils ont plus de possibilités. Il n'y a pas que les exploitants qui déciment les forêts: les pauvres coupent les arbres des forêts de l'Amazonie pour pouvoir cultiver ou faire l'élevage de bovins et nourrir leurs enfants. Même si les conséquences sont catastrophiques, nous pouvons tous comprendre leurs motifs. Il est difficile de penser à long terme quand on est affamé.

Le capitalisme avec compassion offre à plus de gens la possibilité réelle de devenir autosuffisants. Aux États-Unis comme à l'étranger, la possibilité de devenir davantage autosuffisant n'est limitée que par notre manque d'imagination et de résolution. On doit trouver différentes façons d'encourager l'esprit d'entreprise et

la recherche de solutions applicables aux problèmes environnementaux.

Par exemple, Cultural Survival Enterprises est un organisme
dont la mission est d'aider les autochtones à former des coopératives pour récolter et vendre les produits de la forêt tropicale. Il vend
des fruits, des noix et des huiles de plantes et d'arbres tropicaux, et
remet ensuite l'argent aux autochtones. La première année, il a
vendu pour près d'un demi-million de dollars de ces produits. La
deuxième année, il en a vendu pour plusieurs millions de dollars.
Grâce à l'action du CSE, les ressources *inépuisables* des forêts
tropicales, comme les noix et noisettes du Brésil, ont acquis une
plus grande valeur que le bois d'œuvre.

Des solutions régionales comme les coopératives en forêt
tropicale sont beaucoup plus efficaces que les programmes gouver-
nementaux à grande échelle. Les solutions locales vont à la source
du problème. Plutôt que de se voir imposer des règles environnementales par une imposante et lourde bureaucratie, les pauvres et
les affamés ont la possibilité d'appliquer eux-mêmes leurs propres
solutions — et de gagner leur vie en même temps.

Ma propre expérience en affaires m'a appris que la motivation
est l'une des plus grandes forces naturelles. Si en récompensant les
gens, on peut les inciter à faire ce qu'il faut faire, ils s'en tireront.
Je ne crois pas qu'il y ait beaucoup de gens qui veuillent détruire
les ressources et les créatures de la terre. Je sais qu'il y a des êtres
cupides et d'autres qui sont tout bonnement stupides. Mais les gens
agiront généralement de façon responsable si on leur offre une
chance et si on les motive en les récompensant.

Les récompenses financières sont extrêmement motivantes,
mais il y a d'autres sortes de récompenses. La reconnaissance (être
reconnu, apprécié) peut être un puissant facteur de motivation, et
l'idéalisme est souvent sa propre récompense. La satisfaction de
faire quelque chose pour nos voisins et pour notre planète peut
devenir l'une des plus grandes récompenses. L'altruisme mène souvent à l'entreprise sociale.

Un certain esprit de compétition peut renforcer parfois la
motivation. Prenez par exemple Collin Meyers, originaire d'Osage,
en Iowa. En 1979, quelques professeurs de l'école secondaire locale
lancèrent un concours pour voir qui pourrait dépenser auprès des
entreprises de service public. Collin Meyers réussit à réduire ses
dépenses de 60 % en une année seulement. Il acheta un nouveau

réfrigérateur donnant à la fois un meilleur rendement et consommant moins d'énergie, il isola mieux certaines pièces de sa maison, calfeutra les fenêtres, installa une porte d'entrée isolante, remplaça sa vieille fournaise inefficace par une neuve, installa un chauffe-eau à haut rendement et acheta un fourneau à gaz pour remplacer son vieux fourneau électrique. Il aura fallu peu de chose pour pousser monsieur Meyers à agir!

L'amour du pays ou de la terre combiné à un besoin de combustible pour la cuisson peut également pousser des gens à agir. En 1985, préoccupées par le déboisement de leur pays (on coupait les arbres pour se faire des réserves de bois à brûler), un groupe de femmes kenyanes ayant mis sur pied un réseau d'aménagement du territoire, Maendeleo Ya Wanawake, lança une campagne auprès des 100 000 membres de leur association, campagne qui avait pour but d'encourager la construction de poêles de cuisine améliorés permettant d'économiser le bois. Grâce à leurs efforts, des milliers d'arbres, ainsi que la faune et la flore qui en dépendaient, furent sauvés.

Il importe de récompenser ce genre d'efforts. En fait, notre société a créé un fonds dans le but de récompenser les militants écologistes de base. Prenez, par exemple, Fred White, directeur du programme de recyclage du district Chicago Park. Monsieur White avait lu sur le «bois» de construction fabriqué à partir de plastique recyclé. «Pourquoi ne pas utiliser ce matériel pour reconstruire nos vieux terrains de jeu?» se demanda-t-il. Son intérêt pour le «bois» d'œuvre en plastique l'amena à mettre sur pied un programme à la grandeur de la ville et appelé «Plastics on Parks».

Dans le cadre de ce programme, communément appelé «POP», les contenants et récipients de plastique vides sont ramassés et transformés en «bois» d'œuvre. Les résidants de Chicago peuvent aller déposer leurs déchets de plastique dans 263 différents sites de collecte autour de Chicago et depuis 1989, ils en ont déposé des tonnes. Plus de 907 200 kilos ont été ramassés et convertis en matériaux de construction devant servir à rénover ou rebâtir plus de la moitié des 663 terrains de jeu de la ville. La récupération de tous ces «déchets», détournés ainsi des dépotoirs, a permis d'économiser de l'espace. Le «bois» d'œuvre en plastique est utilisé pour la construction des murs et des bancs des terrains de jeu. «Initialement», dit Fred White, «ce matériau revient plus cher mais à long terme, on économise de l'argent car il dure entre

30 et 40 fois plus longtemps.» Un autre avantage, c'est qu'il nécessite moins d'entretien et résiste aux graffitis.

Il n'y a pas longtemps, au cours d'une randonnée en canoë, David Kidd, un fervent adepte des activités de plein air, fut frappé par la beauté des bois bordant la rivière qu'il descendait. Il lui vint à l'esprit que toute cette beauté naturelle jouait un rôle important. «Les arbres sont comme des aspirateurs», dit David Kidd. «Chaque feuille aspire de l'air vicié et expire de l'air sain.» David Kidd décida alors sur-le-champ de faire planter des millions d'arbres.

Il apprit qu'on pouvait acheter de jeunes plants âgés de 2 ans à 10 cents la pièce. Mais l'achat de millions de jeunes plants dépassait ses moyens. Il sollicita donc l'aide des clubs Rotary locaux et d'autres groupes en vue d'acheter en grandes quantités de jeunes plants qu'il donnerait ensuite à quiconque promettrait de les planter. Le Kidd's American Free Tree Program, dont le centre d'opérations est situé dans le comté de Stark, en Ohio, est le plus grand projet privé bénévole à avoir vu le jour en Ohio ces dernières années. Les bénévoles ont planté plus de 826 000 arbres. En octobre 1990, David Kidd reçut des mains du président Bush le Teddy Roosevelt Conservation Award. David Kidd a déclaré fièrement: «Il faut faire comprendre à tous les gens de ce pays qu'il *est* possible d'améliorer la situation environnementale mondiale, car l'environnement n'est pas simplement un sujet de discussion, c'est le milieu dans lequel nous vivons.»

Le docteur Max Shauk, professeur de mathématiques à l'université Baylor, a commencé à penser à des sources de combustibles de substitution après les pénuries du pétrole des années 70. Il arriva à la conclusion que l'éthanol, une sorte d'alcool à base de produits agricoles pouvant remplacer les combustibles fossiles, constituait une solution de rechange viable. «Vous pouvez fabriquer de l'éthanol à partir de betteraves à sucre, de maïs, à peu près n'importe quoi qui contient de la fécule ou du sucre», dit le docteur Shauk. «En plus, c'est une source peu coûteuse, renouvelable et contenant moins de polluants.»

En 1980, Max Shauk commença à faire des vols d'essai à bord d'un avion expérimental en utilisant de l'éthanol comme carburant. Puis 9 ans plus tard, Max Shauk et sa femme, Grazia Zanin, franchirent les 9 656 kilomètres séparant Waco, au Texas, de Paris, en France, à bord d'un avion de construction artisanale baptisé «Velocity». Ce vol lui valut la plus grande récompense qu'on puisse recevoir dans le domaine de l'aviation, le Harmon Trophy — un prix qui fut également décerné à Charles Lindbergh, Amelia Eahart et Chuck Yeager. Max Shauk est aujourd'hui directeur des services de l'Aviation à Baylor où il continue de prouver la viabilité de l'éthanol en tant que combustible. «Le pétrole est une ressource limitée», dit Max Shauk, «mais presque tous les pays du monde ont les moyens de fabriquer de l'éthanol. »

Jim Alderman, professeur de biologie et d'océanographie au Cape Henlopen High School à Lewes, Delaware, a aidé des étudiants à mener à bien des expériences qu'ils peuvent ainsi raconter à d'autres au cours de leurs conversations. Les étudiants habitent en bordure de l'océan Atlantique et des Inland Bays. Sur le plan environnemental, c'est un point chaud. Au cours des années, les étudiants ont fixé les dunes par des plantations sur une longueur de plus de 4,8 kilomètres dans le but de stabiliser l'érosion des plages et se sont employés à rendre les Inland Bays plus accueillantes et hospitalières pour les oiseaux du littoral, menacés de disparaître rapidement.

Grâce aux efforts des étudiants, les perspectives semblent meilleures pour l'avifaune menacée des côtes du Delaware. Les étudiants ont «adopté» un cours d'eau qu'ils observent en vue de déceler d'éventuels signes de pollution, ont construit un passage à travers un point chaud du Prime Hook National Wildlife Refuge et ils ont analysé des échantillons de bactéries trouvées dans des lagons. Jim Alderman proclame avec fierté que «ces projets les aident vraiment à comprendre que nous vivons dans un environnement très fragile. »

Ces histoires me remplissent de fierté et d'espoir. Mais je ne veux pas suggérer qu'il est toujours facile de faire les bons choix. Il a quelquefois été difficile pour ma propre entreprise d'assumer les choix qu'elle a faits. Parfois, être un bon citoyen coûte cher. Si vous voulez pouvoir vous vanter un jour d'être « vert », il vaudrait mieux vous préparer à en payer le prix. Le prix que nous avons reçu des Nations unies nous a amené à faire un examen de conscience.

Quels produits vendions-nous qui étaient encore potentiellement nuisibles à l'environnement? Nous n'en avons pas trouvé beaucoup. Mais quelques produits, comme un liquide à nettoyer caustique de notre gamme de produits, semblaient potentiellement nuisibles. Nous l'avons laissé tombé. Cette seule décision nous a coûté plusieurs millions de dollars. Mais c'était la bonne décision.

Nous avons aussi décidé de changer certains de nos emballages afin de réduire le gaspillage et d'encourager le recyclage.

Je vais être honnête avec vous. Parfois, prendre une décision au bénéfice de l'environnement de la planète est coûteux. La seule récompense à court terme sera peut-être une conscience nette et durant un certain temps, vous aurez peut-être moins d'argent dans votre poche. Mais à long terme, c'est la bonne décision, à tous égards. À long terme, les ressources sont conservées, la richesse est accrue, les occasions pour les futures générations sont meilleures et un héritage est préservé.

En 1989, à la galerie d'art principale de l'Assemblée générale des Nations unies, à New York, l'Amway Environmental Foundation parrainait une exposition de chefs-d'œuvre artisanaux inuits contemporains de la collection d'Amway, exposition à laquelle nous avions donné le nom de « Masters of the Artic ».

L'exposition était consacrée à des artistes inuits comme Matthew Ipeelie dont les frères de race habitent le nord de l'Alaska, du Canada et de la Russie. Cette exposition a eu énormément de succès. On peut y admirer de nombreuses, belles et étonnantes images sculptées — des représentations d'ours, de phoques, de baleines, de caribous, de hiboux, de morses, toutes sortes de créatures. Les Inuits chassent la plupart de ces animaux, mais ils ont pour eux en même temps un grand respect et sont soucieux de ne prendre que ce dont ils ont besoin. Pour eux, les animaux sont plus comme des voisins qu'on doit traiter avec respect et même avec une crainte révérentielle que des animaux. Cette vision transparaît dans leurs œuvres et je crois que c'est la raison pour laquelle l'exposition a été si bien accueillie.

L'exposition s'est déplacée depuis 1989 et en juin 1992, je m'envolais vers Rio de Janeiro, au Brésil, où je devais l'inaugurer à l'occasion du Sommet de la Terre. J'arrivai tôt pour la voir en avant-première, comme je l'avais fait souvent déjà. L'exposition n'avait pas encore été officiellement ouverte — c'est à moi qu'incombait la tâche de l'ouvrir — et alors que j'arpentais la salle, je réalisai que j'étais seul. Sur un petit piédestal, je vis un petit ours blanc qui me rappela Matthew Ipeelie. Cet ours n'était pas en ivoire de morse, comme celui de Matthew, mais en marbre blanc et gris. Il était l'œuvre de Kaka Ashoona, un artiste inuit originaire de Cape Dorset, au Canada.

Mais comme l'ours de Matthew, il était plein de vie et, debout sur ses quatre pattes avec la tête penchée de côté, il semblait dire: «Hé, vous, regardez-moi!» Sa bouche était soigneusement sculptée, tout comme celle de l'ours de Matthew. Simple mais incroyablement expressive, cette sculpture avait été faite avec beaucoup d'amour et dénotait une profonde connaissance des ours. Kaka Ashoona, tout comme Matthew Ipeelie, connaissait vraiment son environnement et les créatures qui y vivaient.

Je pensai à la dédicace qu'on pouvait lire dans le premier programme de «Masters of the Artic»: «Par leur art et par l'exemple de leur histoire, les Inuits prouvent à un monde de plus en plus inquiet des conséquences de la dégradation de l'environnement qu'il est possible et même nécessaire de vivre en harmonie avec la nature. Cette coexistence exemplaire avec la nature est particulièrement significative si l'on considère qu'elle s'est poursuivie des milliers d'années durant dans un des milieux naturels les plus inhospitaliers de la planète et dont le climat est l'un des plus durs qui soient, milieu dans lequel les Inuits ont non seulement survécu mais produit un riche héritage artistique dont cette exposition donne un aperçu.»

Je caresse pour ma propre communauté — et pour ce pays et le monde entier — un rêve: qu'elle aussi survive des milliers d'années, tout comme les Inuits. Mais pour cela, nous devons connaître notre milieu aussi bien que Matthew Ipeelie connaît le sien. Nous devons le connaître parfaitement. Puis, nous devons contribuer à le préserver. C'est le moins que chacun de nous, comme individu, puisse faire. C'est dans sa propre communauté que chacun doit commencer à œuvrer.

Et chacun de nous doit également mettre tous les moyens en œuvre pour inciter et amener les autres à faire ce qu'il faut faire. On ne peut attendre du gouvernement ou d'un quelconque organisme qu'il fasse le travail pour nous. Chacun de nous doit prendre ses responsabilités. Peut-être que si nous faisons tous cela, les petits-enfants de Matthew Ipeelie pourront admirer un jour un ciel à nouveau tout bleu. Et peut-être nous souviendrons-nous tous alors de ce que tant de gens ont oublié: la terre et les créatures qui y vivent sont un don sacré de Dieu.

CHAPITRE 16

Qu'arrive-t-il quand nous tendons la main aux autres ?

✧   ✧   ✧

CREDO 16

Nous croyons que lorsque nous partageons notre temps, notre argent et notre expérience avec les autres en vue de les aider, nous complétons le cercle de l'amour qui nous mène à l'épanouissement et à la prospérité.

Par conséquent, quand vous vous lassez de faire le bien, souvenez-vous de la Loi de la compensation. À la longue, chacun de vos dons de temps, d'argent ou d'énergie vous rapportera des bénéfices.

Teddy Stollard, à ce qu'on raconte, était à 10 ans une « moche-té ». Son visage n'était jamais lavé, ses cheveux n'étaient jamais peignés et ses vêtements étaient toujours froissés. Les autres enfants l'appelaient parfois « Stinky »*. Il était l'enfant le plus laid de la classe de 5e, la classe de mademoiselle Thompson. Quand elle lui posait une question, il se penchait comme pour se cacher derrière son pupitre, marmonnait une réponse ou fixait le mur d'un air boudeur.

Mademoiselle Thompson s'efforçait vraiment de traiter tous les garçons et toutes les filles de la même façon. Mais il lui était difficile d'aimer Teddy, et elle manifestait à sa manière son senti-ment d'antipathie. Mademoiselle Thompson détestait questionner Teddy et les notes qu'elle inscrivait en rouge sur ses copies et ses

---

*   Puant (N.d.T.).

devoirs étaient en caractères plus grands et plus gras que celles qu'elle inscrivait sur les copies et les devoirs des autres élèves. «J'aurais dû mieux comprendre», admet-elle aujourd'hui. «J'aurais dû mieux étudier le dossier de Teddy.»

Première année: «Teddy donne des espérances. Il y a un conflit chez lui qui semble l'affecter profondément.»

Deuxième année: «Teddy semble doué mais distrait. Il semble que sa mère soit gravement malade. À la maison, il reçoit peu d'aide de ses parents.»

Troisième année: «Cette année-là, la mère de Teddy meurt. L'enfant est assez intelligent mais semble incapable de se concentrer. Le père ne nous rappelle pas.»

Quatrième année: «Teddy est lent mais se conduit bien. Il lui arrive de demander à grands cris sa mère. Son père ne lui manifeste aucun intérêt.»

Noël approchant, les élèves de la classe de mademoiselle Thompson avaient décoré un arbre. Sur le bureau de la maîtresse, il y avait une haute pile de cadeaux enveloppés dans du papier d'emballage coloré. Le jour précédant le début des vacances, tous les élèves de la classe se rassemblèrent autour de mademoiselle Thompson pour assister au déballage des cadeaux. Au bas de la pile, la maîtresse fut surprise de trouver un cadeau de Teddy Stollard. Alors que les autres cadeaux étaient enveloppés dans des feuilles d'or décorées de rubans luisants aux couleurs vives, celui de Teddy était enveloppé dans du papier brun ordinaire maintenu inégalement en place par du ruban adhésif et de la corde.

«Elle put lire ces mots que l'enfant avait griffonnés avec un crayon de couleur: «Pour mademoiselle Thompson. De Teddy.»

Elle ouvrit le cadeau et sortit le contenu de la boîte: un bracelet de faux diamants plutôt voyant et une bouteille de parfum bon marché. Il manquait la moitié des pierres au bracelet et la bouteille de parfum était presque vide. Les filles rirent. Les garçons ricanèrent. Mais comme c'était l'atmosphère du temps des fêtes, mademoiselle Thompson fit signe de faire silence d'un geste du bras. Devant les enfants qui la regardaient, elle passa le bracelet à son bras et étendit un peu de parfum sur son poignet.

«N'est-ce pas qu'il sent bon?» demanda-t-elle aux enfants. Ceux-ci, à l'exemple de mademoiselle Thompson, manifestèrent en chœur leur appréciation par des ooh et des aah. À la fin de la journée, une fois que les autres enfants furent partis en compagnie de leurs parents qui étaient venus les chercher, mademoiselle Thompson remarqua la présence de Teddy qui était encore assis à son pupitre et qui la regardait. Il souriait.

« Teddy ? » demanda-t-elle, sachant qu'il avait une longue marche à faire pour se rendre chez lui et se demandant pourquoi il n'était pas encore parti.

Lentement, Teddy se leva de sa chaise et s'avança vers sa maîtresse.

« Le bracelet de ma mère vous va bien », dit-il d'une voix qui était à peine plus qu'un murmure. « Et vous sentez presque aussi bon qu'elle maintenant, avec ce parfum sur votre bras. »

Soudain mademoiselle Thompson comprit que ces deux présents « bon marché » avaient été les biens les plus précieux du garçon. Elle eut peine à refouler ses larmes.

« Teddy », dit-elle en se penchant vers l'enfant, « merci pour tes cadeaux. Je les ai beaucoup aimés. »

« Ça va », répondit Teddy. Pendant un moment, l'enfant resta là, debout, souriant à sa maîtresse. Puis sans rien ajouter, il décrocha son paletot de la patère et quitta rapidement la salle.

C'est quelques années plus tard que finit l'histoire de Teddy Stollard. À la fin de ce dernier chapitre, je vous dirai ce que le simple geste de compassion de mademoiselle Thompson a changé dans leur vie à tous deux. En attendant, il importe de nous poser les questions suivantes : pourquoi Mlle Thompson, ou n'importe qui d'autre d'ailleurs, devrait-elle être compatissante ? Pourquoi n'a-t-elle pas pouffé de rire en même temps que ses élèves quand, après avoir ouvert l'emballage de papier brun uni, elle vit ces deux cadeaux qui semblaient sortis tout droit d'un bric-à-brac ? Pourquoi a-t-elle mis cet affreux bracelet et s'être aspergée un peu de ce parfum « usagé » sur son poignet ? Pourquoi a-t-elle imposé le silence aux enfants en levant la main et par son appréciation, les a-t-elle amenés à admirer les présents de Teddy ?

Heureusement, mademoiselle Thompson avait constaté à ce moment-là que Teddy avait un terrible ou douloureux besoin. Elle n'avait que quelques secondes pour décider ce qu'elle allait répondre. Il y avait deux réponses possibles. Une redonnerait vie à son élève. L'autre le condamnerait. Mais ce n'était pas uniquement l'avenir de Teddy qui était en jeu en cet instant. La décision de mademoiselle Thompson devait avoir des conséquences à long terme pour tous deux.

Qu'est-ce qui aurait pu arriver à Teddy (ou à mademoiselle Thompson) si elle avait ri de lui ou plus probablement, si elle avait tout simplement dissimulé les présents de Teddy sous la pile de cadeaux? Qu'est-il arrivé à Teddy (et à sa maîtresse) quand, à la vue de ce cadeau, elle manifesta son appréciation, amenant ainsi les autres enfants à faire de même. Bien que j'aie changé les noms, cette histoire est vraie. L'acte de compassion de la maîtresse changea la vie de Teddy et la vie de mademoiselle Thompson.

En ce moment, vous et moi nous trouvons dans une situation similaire. Pardonnez-moi de répéter ce qui peut sembler évident à tous, mais nous vivons une époque dangereuse et troublée. Tout comme Teddy, nos voisins ainsi que nos frères et sœurs du monde entier ont grandement besoin d'aide. Certains ont besoin qu'on les aide à s'aider eux-mêmes. D'autres ont simplement besoin d'aide. Comment leur répondrons-nous? Notre réponse, quelle qu'elle soit, aura des conséquences non seulement pour ceux et celles qui sont dans le besoin mais aussi pour chacun d'entre nous.

Un capitalisme sans âme ou sans conscience aurait, à long terme, des conséquences terribles pour nous tous, riches et pauvres. Mais le capitalisme avec compassion — se concentrer sur un besoin et tenter de le combler — transformera autant la vie de ceux et celles qui donnent que la vie de ceux et celles qui reçoivent. Nous savons tous combien il est agréable de recevoir, mais quelquefois nous oublions tous ces gens qui donnent. Ceux et celles qui travaillent dur, qui donnent généreusement de leur temps et de leur argent, et qui partagent le fruit de leur expérience seront récompensés au centuple pour leurs bonnes actions.

Il y a presque 2 000 ans, Jésus disait à ce propos: «Donnez, et l'on vous donnera; c'est une bonne mesure, tassée, secouée, débordante, qu'on versera dans les plis de votre vêtement; car de la mesure dont vous mesurez on mesurera pour vous en retour.» Ces gens étaient des agriculteurs. Ils échangeaient du poisson ou des fruits de leurs champs contre du grain. En échange, le marchand de grain versait dans leurs «plis» (qui étaient en fait des sacs à provisions en cuir portés par les petits propriétaires paysans) le contenu d'un panier de forme cylindrique qu'il avait rempli, puis tassé, puis rempli à nouveau, puis secoué, puis rempli à nouveau jusqu'à ce que le grain déborde. «Donnez, leur ordonne Jésus, et votre récompense sera une bonne mesure, tassée, secouée et débordante.»

Chez Amway, nous appelons cette promesse ou ce paradigme «Loi de la compensation». Jésus l'a ailleurs expliquée ainsi: «Semez suffisamment et votre moisson sera abondante.» C'est un vieil adage transmis de génération en génération. Et il ne s'agit pas seulement d'un idéal chrétien. Il est honoré par les adeptes de toutes les grandes religions. Les traditions bouddhiste, hindoue, islamique, juive et chrétienne adhèrent toutes, en effet, à l'idée que «Dieu aime et honore ceux qui donnent joyeusement». Les vieilles légendes, les contes de fées, les films modernes et même une ou deux séries télévisées illustrent ce fait: «Ceux et celles qui donnent recevront.» Même la culture pop clame: «What goes around, comes around.»

Chaque jour, en des circonstances diverses, nous nous trouvons devant le même choix qu'avait mademoiselle Thompson face à Teddy. Et le choix que nous faisons entraîne de sérieuses conséquences, tant pour la personne dans le besoin que pour nous-mêmes. C'est pour nous aider à comprendre cela que Jésus raconta la célèbre parabole des «talents».

Un homme riche sur le point de partir pour l'étranger appelle ses serviteurs et leur confie sa fortune. À l'un il remet 5 talents, 2 à un autre, un seul à un troisième. Le premier, en habile commerçant, doubla le nombre de ses talents. Le deuxième plaça ses 2 pièces d'or et en gagna ainsi 2 autres. Mais le troisième serviteur qui avait peur de courir des risques, de garder ce qu'on lui avait donné ou de le confier à d'autres alla faire un trou en terre, enfouit son unique pièce d'or et attendit le retour de son maître.

Quand l'homme riche revint de son voyage, il récompensa les deux premiers serviteurs pour leur bonne gestion de l'argent qu'il leur avait remis. «C'est bien, serviteur bon et fidèle, dit-il à l'un puis à l'autre, en peu de choses tu as été fidèle, sur beaucoup je t'établirai; entre dans la joie de ton seigneur.» Quand le troisième serviteur se présenta, tremblant, devant son maître, tenant serré son unique pièce d'or, il dit: «J'ai pris peur et je suis allé enfouir ton talent dans la terre: le voici.» L'homme riche était en colère. Ce serviteur n'avait pas été fidèle. «Enlevez-lui donc son talent, dit le maître, et donnez-le à celui qui a les dix talents.»

L'idée qui sous-tend cette dure parabole a «dérangé» bien des gens au cours des siècles. Dans la vie, dit Jésus, rien de ce que nous possédons n'est à nous. Dans la vie, tout ce que nous possédons est un don qui nous a été fait. Pendant quelques courtes années, nous sommes les intendants ou les gestionnaires (ou locataires) de ce qui nous a été donné. Il est de notre devoir d'investir prudemment ce que nous possédons et de le faire fructifier. Peu importe que nous en ayons peu ou beaucoup, nous devons bien gérer nos talents. Et Jésus nous prévient que nous devrons répondre de notre gestion. Que nous fassions des profits ou que nous fassions des dons, c'est le même principe qui s'applique. Quand nous plantons assez de grains, notre moisson est abondante. Ne pas semer mène à l'indigence, à la faim et à la mort.

Comme je vous l'ai déjà dit, j'estime que le capitalisme est notre seul grand espoir économique. Mais je crois également que le seul moyen de réaliser un jour cet espoir est de tenir compte de la Loi de la compensation et de pratiquer un capitalisme *compatissant*. Et je ne suis pas le seul à avoir cette conviction. Dans une récente déclaration, une encyclique ayant pour titre « Centième année », le pape Jean-Paul II approuvait formellement ce qu'il appelait une « économie d'entreprises », tout en prenant à partie les capitalistes d'autrefois pour ne pas avoir géré avec compassion notre richesse et notre liberté.

Même les plus ardents partisans du système capitaliste ont loué cette encyclique parce que, loin de ne traiter que de questions d'économie, elle abordait la question de la moralité et celle des valeurs. Bon nombre de conservateurs qui ont coutume de vanter les avantages du capitalisme plutôt que de s'attarder sur ses faiblesses reconnaissent la nécessité d'aborder les grands problèmes moraux liés au système de libre entreprise.

Depuis un certain temps, notre entreprise partage ces préoccupations. Nous aussi reconnaissons qu'une loyauté aveugle envers le système de libre entreprise peut être dangereuse. Le capitalisme n'est pas parfait. Nous ne devons pas vénérer les faux dieux de la « richesse par n'importe quel moyen » ou de la « concurrence à n'importe quel prix ». Une concurrence loyale et une richesse acquise de façon responsable sont avantageuses pour la société. Mais si l'on oublie la Loi de la compensation, on risque d'abuser de ces avantages du capitalisme et de bien d'autres. Si nous sommes compatissants, nous serons traités avec compassion. Si nous ne sommes pas compatissants, nous en souffrirons tous.

Le système de libre entreprise tel qu'il fut préconisé par Adam Smith il y a deux siècles n'est pas parfait ni imperfectible. Le capitalisme doit se transformer, évoluer, s'améliorer. La libre entreprise n'est pas un système figé. Comme pour les rosiers du jardin de ma femme, les vieilles branches mortes doivent être élaguées pour que de nouvelles branches vertes puissent croître et que des boutons parfumés aux couleurs vives puissent s'épanouir.

De nouvelles formes de capitalisme émergent partout dans le monde. Les capitalistes du Japon ou des Philippines se comportent différemment des nouveaux capitalistes de l'Union soviétique, de la Pologne ou de la Hongrie. Les capitalistes qui luttent pour se tailler une place dans les zones commerciales en Chine ne font pas les mêmes choses que leurs homologues établis dans les montagnes du Chili ou du Pérou. Même les capitalistes du Mexique, du Canada et des États-Unis, bien que voisins, pratiquent des formes de capitalisme différentes.

Néanmoins, quel que soit le genre de capitalisme qu'on pratique, ma conviction est qu'il n'y a qu'un seul principe auquel on puisse se fier et qui doive nous guider à chacune des étapes de notre route. Ce principe, c'est la compassion. Peu importe où vous vivez ou comment fonctionne le système de libre entreprise dans votre pays. Si nous voulons sauver le monde du chaos économique et du désespoir, nous devons tous et chacun apprendre (ou réapprendre) à pratiquer un capitalisme avec compassion.

Nous devons prendre soin des ressources naturelles et humaines de la planète, de l'air que nous respirons et de la terre que nous foulons, des mers, des forêts, des déserts, et de tout ce qui y vit. Nous devons prendre soin des produits que nous choisissons de mettre au point ou de commercialiser et des installations que nous construisons ou que nous louons. Les employeurs se doivent d'être plus compatissants envers leurs employés. L'esprit de compassion doit nous animer quand nous planifions l'emballage de nos produits, le marquage des prix et nos campagnes publicitaires. Et nous devons tous nous laisser guider par la compassion dans l'utilisation de nos profits, de nos salaires, de nos primes, de notre temps et de nos talents.

Saint Paul nous a donné des directives à suivre pour devenir plus compatissants. Elles s'appliquent aux hommes et aux femmes de toutes religions ou de toutes tendances idéologiques. Saint Paul les a énoncées la première fois dans sa lettre aux habitants de Galatie, province romaine de l'Asie Mineure centrale*, aujourd'hui

---

*   Le pays des Galates fut annexé en l'an 25 avant Jésus-Christ par l'Empire romain pour former la province de Galatie, qui comprit aussi la Lycaonie. (N.d.T.).

la Turquie. Deux millénaires plus tard, le petit chien Snoopy en cite une à son maître, Charlie Brown, au moment où celui-ci vient vers lui en marchant péniblement dans la neige pour lui donner son dîner, ce qu'il fait régulièrement. « Ne nous lassons pas de faire le bien », dit Snoopy, « car en son temps viendra la récolte, si nous ne nous relâchons pas. »

L'apôtre Paul et le chien Snoopy expriment la même idée. Encore une fois, c'est la Loi de la compensation : Faites le bien ! Consacrez-vous-y sans relâche ! Et vous serez récompensé !

Faire le bien. Durant ces derniers siècles, nous qui avons été avantagés par le système de libre entreprise nous sommes montrés plus généreux de notre temps et de notre argent que tout autre peuple dans l'histoire. Dans ce pays, l'année dernière seulement, 80 millions d'entre nous ont travaillé bénévolement pour le bien des autres. Ces bénévoles donnèrent en moyenne 4,7 heures de leur temps par jour, pour un total de 19,5 milliards d'heures de travail bénévole.

Bien que les rangs des bénévoles soient considérablement renforcés par la présence de millions de gens à la retraite expérimentés et énergiques, l'âge moyen des bénévoles se situe quelque part entre 35 et 49 ans. Et ce ne sont pas seulement les Américains qui ont d'amples revenus qui offrent leurs services comme bénévoles. Plus de 25 % de tous les bénévoles viennent de ménages dont les revenus sont de 20 000 $ ou moins.

Les capitalistes compatissants ont aussi démontré qu'ils étaient plus généreux de leur argent. En 1987, les habitants de ce pays ont donné au total 76,8 milliards de dollars. Ce chiffre ne représente peut-être que 2 % de ce que les donateurs individuels ont donné au total aux œuvres de charité, mais c'est un début. D'ailleurs, 75 % des familles américaines donnent en moyenne 790 $ par année. Selon la revue *Economist*, « les pauvres donnent une plus grosse proportion de leurs revenus que les riches et chose étonnante, tant les pauvres que les riches sont plus généreux que les gens à revenu moyen. »

Je suis fier et reconnaissant d'avoir eu au sein de mon entreprise des capitalistes compatissants qui ont montré le chemin et fait du bien en donnant du temps, de l'argent et de l'énergie et en partageant leurs idées. Dans les 15 derniers chapitres, j'ai raconté leurs histoires. Et ce n'est là qu'un tableau très sommaire. Il y en a tant d'autres dont j'aimerais mentionner les noms.

Al et Fran Hamilton font du bien quand ils amassent des fonds au profit des Easter Seals. Frank Morales fait du bien quand il travaille bénévolement au sein de la commission scolaire ou crée un YMCA dans sa communauté. Dan Williams fait du bien quand il aide un petit enfant à contrôler son bégaiement. Jody et Kathy Victor font du bien quand ils contribuent à financer une équipe médicale en Afrique, et Toshi et Bea Taba font du bien quand ils donnent de leur temps et de leur argent à leur église de Mililani, à Hawaii.

Je ne vais pas vous dire comment faire le bien à l'intérieur ou à l'extérieur de votre entreprise. Faire le bien, c'est quelque chose que vous devez définir vous-même. Sir Francis Bacon a dit : « On ne peut jamais faire trop de bien. » Nous sommes appelés à tendre la main aux autres et à employer notre vie à faire le bien sans compter. Dans les derniers chapitres, j'ai posé deux questions en rapport avec cet objectif : que faisons-nous pour aider les gens à s'aider eux-mêmes ? Et que faisons-nous pour aider les gens qui ne peuvent s'aider eux-mêmes ?

Une statistique inquiétante dont nous avons pris connaissance concerne le rôle des dons d'entreprises. En 1989, les dons d'entreprises américaines ne représentaient que 5 % du total de tous les dons dans le pays. Il semble que les contributions des entreprises, qui avaient soudainement augmenté dans les années 1980, aient diminué. Toujours selon *The Economist* : « Même quand les profits augmentaient, les contributions n'augmentaient pas. »

Je sais que l'économie est lente à se redresser. Je sais que les profits ont baissé et que les coûts et les frais ont augmenté. Je sais qu'il n'est pas facile d'être généreux à l'heure actuelle, au moment où de noirs nuages assombrissent notre avenir économique. Mais des entrepreneurs donnent encore l'exemple et que nous adhérions ou non aux causes qu'ils soutiennent, leur générosité et leur humanité devraient nous inspirer et nous stimuler. Leur exemple illustre encore une fois la Loi de la compensation. Donner généreusement est bon pour les affaires.

Ben Cohen et Jerry Greenfield, des entrepreneurs du Vermont, sont deux exemples fascinants. Ces deux anciens camarades d'école secondaire ont, vous vous en souviendrez, transformé un investissement de 12 000 $ (et un cours par correspondance de 5 $ sur la façon de faire de la crème glacée) en une entreprise de crème glacée valant plusieurs millions de dollars : la société Ben & Jerry's.

Évidemment, la réussite de leur entreprise est attribuable en grande partie à leurs nouveaux et délicieux produits. Si vous avez déjà goûté à leurs riches crèmes glacées aux noisettes, aux fruits secs et au chocolat et aux noms curieux comme Chunky Monkey et Cherry Garcia, vous serez d'accord. Lorsqu'on les questionne, les gens disent soutenir également Ben & Jerry's parce qu'ils « se sont engagés à contribuer à combler les besoins des gens dans le monde ».

Rain Forest Crunch utilise des noix et des noisettes des forêts tropicales d'Amérique du Sud, payant les cueilleurs directement. Chocolate Fudge Brownie distribue des gâteaux au chocolat et aux noix faits par les Yonkers, à New York, et dont les profits permettent de loger des sans-abri et de leur enseigner des métiers. « Cette année seulement, nous ferons 750 000 $ d'affaires avec eux », dit Jerry Greenfield. Pour « Georgia Peach Light », un nouveau parfum, on prendra des pêches ayant mûri dans des fermes familiales du sud.

En fait, 7,5 % du bénéfice avant impôts de l'entreprise sert à financer la Ben and Jerry Foundation qui soutient des activités communautaires par des prêts et par des subventions. Et dans un geste d'équité suscitant peu d'admiration chez les autres entrepreneurs, Ben et Jerry ont institué dans leur entreprise un rapport salarial de « 5 à 1 », en vertu duquel aucun employé de Ben & Jerry's, même pas un cadre, ne peut gagner plus de 5 fois le montant que gagnent les employés ayant le plus bas salaire.

Inutile de le dire, cette norme qu'ils ont établie a soulevé des controverses, notamment dans la presse écrite. Les éditeurs de la revue *Fortune* décrivent leur style « comme un spectre d'attitudes allant d'un militantisme doux à un militantisme déchaîné ou acharné. » La revue *Restaurant Business* cite des analystes qui disent que « la société a pris plus d'expansion que ne le souhaitaient ou que ne le rêvaient ses propriétaires qui se sont évertués à se singulariser et qui préfèrent nettement considérer ce qu'ils voient comme une responsabilité sociale plutôt que comme une réussite commerciale. » Quoi que vous pensiez des causes qu'ils ont épousées, vous devrez admettre qu'ils ont pris au sérieux la Loi de la compensation et dans un marché très compétitif, ils ont réussi à augmenter leurs profits et à se faire une réputation qui ne cesse de croître.

Nous, entrepreneurs commerciaux — quelles que soient nos politiques — avons une chance incroyable. Tous ces entrepreneurs sociaux, qui se trouvent en contact avec la souffrance et qui s'emploient sans cesse à faire le bien, ont besoin que nous les soutenions. Et toutes les personnes généreuses que je connais, dirigeants de sociétés ou donateurs individuels, qui ont tendu la main aux autres ont reçu en retour la même mesure «tassée, secouée, débordante».

C'est pourquoi il devient si important de se rappeler en ce moment même la Loi de la compensation. Croyez-vous que si vous semez suffisamment, votre moisson sera abondante? Alors commencez à semer dès maintenant. Pensez à une cause en laquelle vous croyez et consentez des sacrifices pour la soutenir. Trouvez un entrepreneur social dynamique et digne de confiance ou un organisme de services et adoptez-le. Quoi que vous fassiez, faites-le avec prévenance et générosité, et à la longue vous y gagnerez!

S'y consacrer sans relâche. Comment être à la hauteur de la tâche difficile qui nous attend et faire aussi bien que la plupart des capitalistes compatissants de ce pays? Si un bénévole typique consacre en moyenne 4,7 heures aux autres, combien de temps devons-nous nous-mêmes leur consacrer? Si une famille moyenne donne 2% de son revenu brut à des œuvres de charité, quel pourcentage devons-nous donner? Quels sont nos objectifs de dons de temps et d'argent? Les avons-nous mis par écrit? Combien d'heures par semaine voudrions-nous consacrer au bénévolat? Combien d'argent voulons-nous donner? Personne ne peut déterminer et poursuivre ces objectifs à notre place.

Personne ne peut vous dire combien de temps et combien d'argent vous devriez donner avant de pouvoir vous considérer comme un «intendant» ou un gestionnaire généreux, honnête et digne de confiance. Mais mes amis d'Amway ont de fermes convictions. Comme il est facile de se trouver des excuses à la fin de chaque mois pour affecter la totalité ou une partie du montant de la dîme à la consolidation de son entreprise ou au paiement de ses factures! On pourrait finir bien vite par ne plus rien donner, excepté une offrande symbolique à l'occasion ou un montant symbolique à une institution charitable locale. Mais comme Helen me l'a appris, si vous travaillez dur pour pouvoir payer régulièrement votre dîme, si vous prenez et respectez cet engagement quel qu'en soit le prix, vous serez surpris et content de voir les bénéfices que vous rapporteront vos efforts et votre constance.

Dave Severn, entrepreneur prospère et capitaliste compatissant engagé dit: «Dieu nous a bien fait comprendre que ceux et
celles qui sont capables de produire ont l'obligation de s'occuper de
ceux et celles qui n'en sont pas capables.» Quand vient le moment
de donner 10 % de son revenu brut, Dave est déterminé. «Ce 10 %
de l'argent que je gagne n'est même pas à moi», dit-il. «Il appartient à Dieu et je préfère vivre avec 90 % d'un revenu qui est béni
que le voler et vivre avec 100 % d'un revenu qui est maudit.»

Je respecte Dave pour sa conviction. Il ne s'étend pas longuement sur la partie «maudite», mais son exemple de détermination
me fait réfléchir. La plupart de mes amis qui ont démontré leur foi
dans le capitalisme avec compassion, y compris Dave et Jan Severn,
ne donnent pas vraiment de leur temps ou de leur argent par peur
ou par crainte. Ils le font parce que c'est agréable, parce que cela
leur procure un sentiment de satisfaction et parce que, à la longue,
cela rapporte des dividendes surprenants. Quand nous travaillons
dur pour voir nos rêves et les rêves que nous caressons pour nos
voisins se réaliser, cela ne nous semble pas du tout un dur labeur
ou une corvée.

Cependant vous et moi ne pouvons rien accomplir et n'ac-
complirons rien dans nos vies sans beaucoup d'effort. Je suis toujours surpris quand je parle à des gens qui croient en eux-mêmes,
qui entretiennent de grands rêves et qui font même des plans pour
les réaliser, mais qui semblent penser qu'ils y parviendront sans
travailler fort.

Travailler dur, cela veut dire travailler de longues heures. Si vous
voulez devenir un capitaliste compatissant prospère, il vous faut
prévoir travailler de longues heures. Même si vous allez à l'école, il
est possible de donner du temps et de l'argent si vous gérez bien
votre temps. Pour les gens qui prospèrent, le temps est précieux et
ils le planifient soigneusement. Ils ne passent pas leurs soirées
devant la télévision et les matinées au lit. Ils sont plus actifs ou
productifs parce qu'ils se réservent plus de temps pour produire.
Vous n'êtes pas obligé de vous lever tôt et de travailler tard, mais
vous n'êtes pas non plus obligé de réussir.

Si je travaille 40 heures par semaine et que vous travaillez 80
heures par semaines, pourquoi devrais-je être surpris que vous
gagniez plus d'argent ou que vous ayez plus d'argent à donner que
moi? C'est là un des stimulants du capitalisme avec compassion.
Nous avons l'occasion de gagner davantage en travaillant davan-

tage. Et en travaillant davantage, je peux épargner davantage et accumuler un montant — un capital — que je pourrai investir dans mon entreprise ou qui me servira à aider ceux et celles qui sont dans le besoin.

La réalisation de nos plans nécessite de longues heures de travail. L'économiste Milton Friedman, gagnant d'un prix Nobel, a popularisé le vieux dicton «Il n'y a pas de déjeuner gratuit». C'est une façon de dire qu'il n'existe pas de raccourcis. Le succès n'est pas gratuit, il faut travailler pour y parvenir. Les longues heures sont une partie du prix à payer.

Travailler dur, cela veut dire être persévérant. Être persévérant, c'est «continuer sans relâche de faire ce qu'on a décidé». On dit que développer un grand talent demande beaucoup de volonté. Une étoile de l'Association nationale de basket-ball, c'est quelqu'un qui a pratiqué quelque part sur un terrain de basket-ball des lancers francs et des sauts depuis le jour où il fut en âge de tenir un ballon de basket dans ses mains. Un pianiste de concert, c'est quelqu'un qui a pratiqué ses gammes et ses exercices plusieurs heures par jour depuis le jour où il fut assez grand pour se hisser sur un banc de piano. La persévérance est une des clés de la réussite. Pour devenir un capitaliste compatissant prospère, il faut avoir la volonté de continuer.

Presque tous sans exception, les gens qui ont réussi ont essuyé de nombreux échecs. Jay et moi en avons certainement subi. Mais nous n'avons pas abandonné et vous ne pouvez abandonner non plus. Peut-être étions-nous simplement têtus. L'entêtement et la persévérance sont étroitement liés. La persévérance pour une bonne cause est appelée «constance» et pour une mauvaise cause «obstination».

L'obstination est un trait associé aux mules. La constance est une qualité que l'on attribue aux saints. Il vaut mieux ne pas confondre. Que notre «entêtement» soit de la persévérance, le genre de persévérance qui ne renonce jamais à poursuivre un but utile. Il ne faut pas qu'elle dégénère en stupidité. Mais nous devons être persévérants dans la poursuite du succès. Le succès vient rarement du jour au lendemain. En étant persévérant, on finit par réaliser nos objectifs.

Travailler dur, cela veut dire s'imposer une discipline. Un écrivain du XVIe siècle a dit un jour: «Je suis vraiment un roi, car je sais me gouverner moi-même.» L'autodiscipline est une qualité indispensable pour devenir un capitaliste compatissant. Avoir de l'autodiscipline, c'est être maître de sa propre vie.

Je reconnais que le terme *discipline* comporte une connotation qui n'est pas de nature à susciter beaucoup d'enthousiasme. Ce qui est dommage. Je ne parle pas de la discipline que les autres nous imposent. Je parle de la discipline que l'on s'impose soi-même, ce qui est tout à fait différent.

Plus nous avons d'autodiscipline, moins nous sommes assujettis à la discipline des autres. Dans une société parfaitement autodisciplinée, nous n'aurions guère besoin de lois. Mais puisque la plupart des gens ne sont pas très autodisciplinés, nous en avons besoin.

Un entrepreneur autodiscipliné fixe ses propres règles. En menant une vie disciplinée, nous pouvons nous rapprocher de ces objectifs dont nous avons parlé. L'autodiscipline nous rend libres. Si nous ne faisons pas preuve d'autodiscipline, quelqu'un d'autre finira par diriger nos vies. À nous de choisir.

Travailler dur, cela veut dire garder la mesure. Dans « The Ballad of John Henry », la femme et l'enfant de John le regardent, impuissants, battre le métal de son marteau de forgeron dans une lutte désespérée contre un marteau à vapeur nouveau genre. John remporte l'épreuve, mais il en meurt.

Travailler dur ne veut pas dire se tuer à la tâche comme un esclave. Il ne faut pas que nous soyons toute notre vie les esclaves d'un rêve qui ne peut ou ne devrait pas se réaliser. Il faut rester vigilant. Ayez le sens de la mesure. Parfois il faut abandonner nos rêves et les remplacer par d'autres en cours de route.

Garder la mesure, savoir quand nous réussissons, savoir quand nous échouons et savoir quand il est temps d'abandonner un rêve pour en poursuivre un nouveau, suppose que nous nous sommes posé certaines questions brutales et que nous y avons répondu honnêtement: est-ce que j'aime ce que je fais? Est-ce que je le fais correctement? Ai-je un plan et est-ce que je travaille dur en vue de le réaliser? Quelles sont mes chances de réussite? Est-ce que je me tiens au fait des recherches qui se font dans mon domaine et des innovations et des nouvelles découvertes? Est-ce que je m'efforce d'améliorer mes techniques ou de développer mes aptitudes? Suis-je généreux envers ceux et celles qui travaillent avec moi?

Après qu'il eut subi une opération au cours de laquelle on lui avait enlevé 50 % d'un muscle essentiel du bras rongé par le cancer, le lanceur des Giants de San Francisco Dave Dravecky rêva de revenir au jeu. Après des mois de thérapie pénible, il joua brillamment durant 8 manches, infligeant ainsi un revers aux Reds de Cincinnati. La marque finale fut 4-3. Le rêve de Dave semblait se réaliser et le monde entier applaudit.

Puis, 5 jours après son triomphe, ce fut la tragédie. Lors de la 6ᵉ manche d'un match, à Montréal, le bras de Dave se cassa net. La déception et la souffrance du jeune athlète furent 2 fois plus grandes. Il ne réaliserait pas son grand rêve qui était de revenir au jeu. Il ne lancerait plus jamais. Pire, après des mois de radiothérapie et d'infections douloureuses, les médecins durent amputer son bras.

Mais quand son rêve fut mort, un autre prit naissance dans son cœur. Malgré ses déceptions, Dave eut le courage et la sagesse de renoncer à ses vieux rêves et d'en poursuivre un nouveau. Quel est votre rêve? Où le capitalisme avec compassion est-il en train de vous mener? Faites le bien! Travaillez dur! Et vous serez récompensé!

Le capitalisme avec compassion contribue à nous assurer un bien-être! À bien des égards, la compassion est le garant de notre liberté et de notre avenir. Comment cela? C'est simple. Si je vous traite avec compassion, il est très probable que vous me traiterez de la même façon. Si je suis cupide et je fais tout ce que je peux pour acquérir de la richesse en renforçant ou en étendant mon pouvoir et en exerçant des privilèges spéciaux, en d'autres mots si je restreins votre liberté, puis-je alors m'attendre à ce que vous respectiez la mienne? Si je n'ai pas de compassion, ma conduite ne fera qu'encourager la cupidité.

Mais qu'arrive-t-il si je suis compatissant envers vous et que je respecte votre liberté? Qu'arrive-t-il si je vous garantis les mêmes droits et privilèges que ceux que j'ai? Qu'arrive-t-il si je fais encore plus que cela? Si je fais véritablement la promotion de vos droits et privilèges? Dans ce cas, le souci que j'ai de votre bien-être aura pour effet d'augmenter vos chances de réussir et du coup, d'augmenter mes propres chances.

La compassion comporte des avantages tant pour celui ou celle qui donne que pour celui ou celle qui reçoit. La règle d'or: «Tout ce que vous désirez que les autres fassent pour vous, faites-le vous-mêmes pour eux» — est une autre façon de formuler la Loi de la compensation. Cette règle est à la fois une sentence religieuse profonde et un conseil très pratique. La compassion rapporte des «bénéfices spirituels», et il se trouve qu'elle sert en même temps au mieux nos propres intérêts.

John Hendrickson, ancien professeur d'école secondaire originaire du Wisconsin, et sa femme, Pat, ont bâti une entreprise très prospère. Les Hendrickson ont été généreux de leur temps et de leur argent et ce fut là l'un des grands secrets de leur réussite.

«Quelquefois», dit Pat, «la générosité ne paie pas. Par exemple, quand John était professeur au secondaire et directeur d'orchestre au Minnesota, les enfants l'adoraient. Grâce à ses qualités de chef, la formation acquit une réputation régionale en participant à des concours. Néanmoins, John comprit bientôt que, malgré la qualité de son travail, les contribuables n'accepteraient jamais qu'il gagne autant qu'eux. Quand il résilia finalement son contrat, ajoute Pat, même le principal le félicita. John aurait pu rester là pour toujours. Il aurait ainsi fait preuve de générosité envers la communauté de la région. Mais cela aurait été fatal pour notre avenir financier. Possédant notre propre entreprise, il nous est enfin loisible de nous montrer généreux de diverses façons envers les personnes et les causes auxquelles nous croyons.»

«Récemment, nous avons fait un voyage en Angleterre», explique John, «dans le but d'y animer des réunions auxquelles seraient invités quelques-uns de nos amis qui se lançaient en affaires. Ce voyage nous a coûté des milliers de dollars, mais nous l'avons fait, pas seulement par générosité mais aussi dans l'espoir que ce voyage nous rapporterait un jour des dividendes. Tous ceux et celles qui donnent généreusement le font pour une quelconque raison», ajoute John. «Je ne crois pas que donner de son temps ou de son argent soit aussi idéaliste que certains le prétendent. Nous donnons pour aider ceux et celles qui sont dans le besoin, bien sûr. Mais nous donnons aussi pour satisfaire nos propres besoins, et Pat et moi avons bel et bien constaté que plus nous donnons, plus nous recevons en retour.»

Le capitalisme avec compassion contribue à soulager une conscience troublée. Vous souvenez-vous à quel point, dans votre enfance, votre conscience semblait vivante et toujours présente? S'il vous arrivait de faire quelque chose de mal, vous étiez consumé par un sentiment de culpabilité. Les enfants sont incapables de dissimuler ce sentiment, car leur conscience est puissante. En vieillissant, notre relation avec notre conscience devient moins directe, moins intime.

Mais notre conscience est toujours là. Certains adultes parviennent à bannir définitivement la leur — ces gens sont les plus effrayants qui soient. Mais la plupart d'entre nous ne réussissent pas vraiment à la bannir. Nous entendons encore une voix. Shakespeare parlait pour nous tous qui sommes affligés d'une conscience tourmentée quand il écrivit (j'ai paraphrasé, je m'en excuse) :

« Ma conscience a des tas de langues différentes
Et chacune de ces langues relate un conte
Et chacun de ces contes me traite de misérable »

(Richard III, V:3)

Peut-être que votre conscience n'est pas troublée par la souffrance des autres. Je suppose qu'on ne peut rien y faire. Les actes de compassion naissent et prennent forme dans l'intimité de votre conscience. Personne ne peut leur donner forme à votre place.

Mais si je n'étais nullement troublé par ma conscience et si je pouvais regarder sans aucune émotion toute la souffrance autour de moi, cela seul me troublerait. C'est bon signe quand nous avons des remords de conscience. Il est payant d'en tenir compte. Au moins quand nous sommes troublés, nous sommes en vie. Une conscience troublée est comme un compas sur un bateau. Par temps orageux, dans la nuit noire, il nous indique le chemin du retour.

Le prix d'une conscience troublée, c'est l'absence de paix intérieure — un tas de voix intérieures qui nous condamnent. La compassion du cœur et la tranquillité de la conscience sont infiniment précieuses. Le capitalisme avec compassion et la paix intérieure vont de pair.

Le capitalisme avec compassion contribue à centrer nos vies. En d'autre mots : l'une des récompenses de la compassion est la paix qu'on éprouve quand on sait que ce que l'on fait est juste. Les personnes religieuses diraient peut-être qu'elles accomplissent la volonté de Dieu et qu'en récompense elles connaissent une paix intérieure. D'autres diraient peut-être que leur récompense, c'est d'être en harmonie avec le cosmos — les forces de la nature. Mais les avantages pratiques qu'il y a à être compatissant devraient aussi séduire les athées. Votre vie doit avoir un « foyer » ou un « centre ».

Le capitalisme avec compassion prend naissance dans nos cœurs. Si nous essayons de faire «ce qui est juste» sans réelle conviction, cela ne marchera pas. Ce que nous ferons nous semblera alors plus une obligation ou une corvée qu'autre chose. Ce ne sera pas de la compassion. Au bout d'une semaine, nous serons épuisés et bientôt nous nous haïrons nous-mêmes. Conditionnez-vous mentalement d'abord. Prenez un jour de congé. Promenez-vous dans les rues de votre village ou de votre ville. Voyez vos voisins dans le besoin. Voyez la tristesse et la souffrance dans les yeux de vos enfants et des enfants du monde. Que ces images pénètrent en vous jusqu'à ce que la passion commence à monter en vous. Attristez-vous. Fâchez-vous. Faites quelque chose. Vous en viendrez alors à aimer ce que vous faites. Votre cœur s'exaltera et, que vous réussissiez ou que vous échouiez, vous aurez la conscience en paix.

Mais ne croyez pas que compassion soit synonyme d'exubérance ou d'expansivité excessive. Neil Kinnock, le leader du parti travailliste britannique, a dit: «Être compatissant, ce n'est pas tomber dans la sensiblerie et larmoyer devant les gens déshérités ou malades (...) la compassion est une conviction tout à fait concrète.» Les capitalistes se passionnent pour les problèmes et surtout pour les gens. Ils voient un monde vivant, un monde pour lequel ils éprouvent des sentiments très forts.

Ceux-ci ont leur source dans une conscience mûre et informée — qui sait qu'un manque de compassion entraîne des conséquences pour le monde. La compassion est intelligente. Mais elle suppose des émotions. On ne peut être compatissant si on n'éprouve rien.

Le capitalisme avec compassion débouche toujours sur l'action! La compassion est plus qu'un engagement émotif. Elle comporte une deuxième étape. Vous devez agir selon vos convictions intimes. Je parle ici de l'*action*, cette composante de la compassion que nous avons mentionnée plus haut. La compassion n'est pas qu'un sentiment chaleureux, elle agit.

L'action «valide» notre engagement personnel. Le mot *valider* a un lien avec le mot *vaillance*. Ils viennent tous deux d'une racine qui signifie «fort». On emploie le mot vaillance en parlant des héros de guerre. Quand nous agissons, non seulement nous validons notre compassion, mais nous la renforçons. Si nous n'agissons pas, nous ne sommes que des charlatans, des amateurs.

Le capitalisme avec compassion nous aide à changer les choses. Quand vous agissez en vue de soulager la souffrance, peu importe laquelle, votre vie compte pour quelque chose. En agissant, vous vous faites un nom ou une réputation. Comme dit le vieil adage: « Ce n'est pas en restant assis qu'on laissera ses empreintes de pas dans le sable. » Si nous craignons qu'un peu de sable pénètre dans nos chaussures, il est improbable que nous laissions une empreinte.

Mais si vous agissez et foncez, vous contribuerez à changer les choses. Vous n'avancerez peut-être pas en ligne droite. En fait, la plupart des gens prennent des chemins détournés, s'égarent de temps à autre, reviennent sur leurs pas à l'occasion et, eh oui! s'assoient de temps en temps. Mais en agissant, en faisant de bonnes actions, vous accomplissez une œuvre dont vous pouvez être fier. Vous pouvez dire avec satisfaction: «J'ai fait quelque chose qui compte. »

Le capitalisme avec compassion n'exclut personne! J'ai de fermes convictions politiques, mais Amway est une entreprise commerciale. Les gens de toutes tendances politiques sont bienvenus et importants dans notre société et (j'espère) dans la vôtre. Quiconque se présente a le droit d'être respecté et accueilli, quel que soit son allégeance ou son engagement politique. Il y aura toujours des partisans ardents d'un parti, d'un candidat ou d'une solution. Une entreprise devrait prévoir des tribunes ouvertes où les gens puissent s'exprimer librement. Les capitalistes compatissants maintiennent que chacun a droit à ses convictions politiques et que ceux et celles qui soutiennent des opinions impopulaires ont le droit de se faire entendre comme les autres.

Il en est de même de la religion. Quand on célèbre notre système de libre entreprise et l'héritage grâce auquel il a pu s'édifier, tant aux États-Unis qu'au Canada, on célèbre en même temps l'histoire d'une lutte acharnée pour l'indépendance et la liberté religieuse. Ces pays furent fondés à l'origine par des gens qui étaient en quête de liberté religieuse. On ne peut embrasser le capitalisme avec compassion sans embrasser et défendre également la liberté religieuse pour tous. Amway est bien implanté dans au moins 60 pays et territoires. Chez nous, toutes les croyances religieuses sont respectées (de même que ceux et celles qui n'ont aucune croyance). J'adhère profondément à ma propre religion, mais je lutterai de toutes mes forces pour que votre droit de croire ou de ne pas croire soit protégé. C'est là un principe fondamental du capitalisme avec compassion, et nous ne devons jamais l'oublier.

Être compatissant maintenant, c'est investir dans son avenir. D'une certaine façon, c'est par égoïsme qu'on aide ceux et celles qui ne peuvent s'aider. Cette aide que nous apportons aux autres peut se révéler être à notre avantage. Si nous continuons à permettre que les autres souffrent, si nous ne leur tendons pas la main, nos univers confortables pourraient bien basculer.

Je n'ai jamais approuvé les violentes bagarres et les pillages qui ont eu cours dans les quartiers pauvres de nos villes ces dernières années, mais il est un fait troublant que nous devons reconnaître: beaucoup de nos frères et sœurs qui vivent dans ce grand pays commencent à croire qu'ils n'ont aucun moyen de s'aider eux-mêmes. Ils ont faim, sont sans abri et sans travail. Ils n'ont pas tellement la possibilité ou les moyens de s'instruire et leurs enfants ne bénéficient pas de soins de santé adéquats. Ils ont le sentiment d'être privés de droits civiques, de n'avoir aucune chance d'avoir un jour le privilège de gagner leur vie. Ils mènent une vie misérable et n'ont rien à léguer à leurs enfants, hormis cet héritage de souffrance.

Qui, parmi nous, ne comprendra pas qu'ils se tournent vers un tyran pour les commander? Qui ne peut arriver à comprendre pourquoi ils éprouvent de la colère et cherchent vengeance?

Qui peut les blâmer de réagir à un moment donné avec violence et de verser le sang? Il est plus que temps que ceux et celles d'entre nous qui ont des ressources partagent généreusement ce qu'ils ont avec ceux et celles qui n'ont rien.

Au cours du IIIᵉ Reich d'Adolf Hitler, un sage et courageux pasteur allemand, Martin Niemöller, écrivit ce texte où il décrit le citoyen allemand moyen:

> « D'abord ils sont venus pour les socialistes
> Et je n'ai pas pris leur défense, parce que je n'étais pas socialiste.
> Puis ils sont venus pour les syndicalistes,
> Et je n'ai pas pris leur défense, parce que je n'étais pas
> syndicaliste.
> Puis ils sont venus pour les Juifs,
> Et je n'ai pas pris leur défense, parce que je n'étais pas juif.
> Et puis ils sont venus pour moi,
> Et il n'y avait plus personne pour prendre ma défense. »

Le capitalisme avec compassion est une aventure de toute une vie. Personne ne peut vous dire où et de quelle façon vous devriez commencer. Mais souvenez-vous qu'un petit geste de solidarité, c'est déjà un début. Et ce petit geste quel qu'il soit aura sa récompense, et cette récompense vous incitera à faire toujours plus et mieux. La compassion est contagieuse. Une fois que vous aurez commencé, votre vie sera transformée à jamais.

Quel est le petit geste de compassion qui vous apporterait de la joie? Quelle est la cause qui vous tient à cœur? Connaissez-vous une personne qui fait quelque chose qui vous inspire? De quelle façon pourriez-vous aider cette personne?

Ce Noël-là, dans la classe de mademoiselle Thompson, un lien fut créé entre Teddy Stollard et sa maîtresse. Elle portait encore le bracelet sans valeur de Teddy et son poignet était encore imprégné de l'odeur forte du parfum bon marché qu'il lui avait offert quand elle décida de faire de son mieux pour aider ce petit garçon à améliorer sa vie. Tout à coup, elle vit en lui des possibilités qu'elle n'avait jamais vues avant. Elle imagina ce qu'il pourrait devenir et s'employa à l'aider à le devenir.

Presque tous les jours, à la fin de la journée, Teddy et mademoiselle Thompson travaillaient ensemble. Elle guidait sa main tremblante jusqu'à ce qu'il puisse écrire proprement et clairement. Elle lui faisait faire des exercices d'orthographe et de mathématiques. Elle lui lisait des textes et lui en faisait lire. Ils apprenaient par cœur des chansons, des poèmes et même des nouvelles et se les récitaient mutuellement. Mademoiselle Thompson mit de côté sa plume rouge, symbole de sévérité, et décora les devoirs et les copies de Teddy d'étoiles et de points d'exclamation. Chaque fois que l'occasion s'y prêtait, elle le louangeait, en privé ou devant la classe.

Vers la fin de l'année scolaire, Teddy Stollard avait fait de grands progrès. Il avait rejoint le niveau de la majorité des élèves de la classe, et ses notes se rapprochaient de plus en plus de celles des meilleurs. Un après-midi, alors qu'ils se disaient au revoir, elle prit sa main dans les siennes et dit: « Tu as réussi, Teddy, et je suis fière. » Elle fut très surprise quand l'enfant la reprit doucement. « Je n'ai pas réussi, mademoiselle Thompson. Nous avons réussi ensemble. »

Au cours de l'été, après que le père de Teddy eut perdu son emploi et déménagé, mademoiselle Thompson se dépêcha d'ajouter une longue note positive au dossier de Teddy.

Cinquième année: «Teddy est un enfant exceptionnel. Il a été affecté par la mort de sa mère et par le désintérêt de son père, mais il est en voie de reprendre le dessus. Quel que soit le temps qu'il vous faudra consacrer à Teddy, vous en serez récompensé.»

Maintenant la suite de l'histoire nous dira si la Loi de la compensation fonctionne vraiment. Quand nous investissons du temps, de l'argent et des efforts en quelqu'un d'autre, qu'est-ce que cela *nous* rapporte? Quand nous sommes compatissants, est-ce que cela *nous* rapporte réellement des dividendes durables?

Mademoiselle Thompson n'eut pas de nouvelles de Teddy pendant sept longues années. Chaque année, quand Noël approchait et que les enfants de sa classe de cinquième se regroupaient autour du bureau de la maîtresse pour la regarder ouvrir les cadeaux, elle leur racontait l'histoire de Teddy Stollard et du vieux bracelet et du flacon de parfum à moitié vide de sa mère. Et chaque année, elle se demandait si ses efforts pour l'aider avaient été inutiles.

Puis, un jour, elle reçut une courte note d'une ville lointaine. Elle reconnut la petite écriture de Teddy: «Chère mademoiselle Thompson, je voulais que vous soyez la première à savoir. Je termine mes études au lycée. Je suis arrivé 2e de ma classe. Merci, chère maîtresse. Nous y sommes parvenus. Affectueusement, Teddy Stollard.»

Puis, quatre ans plus tard, une autre note lui parvint: «Chère mademoiselle Thompson, on vient juste de me dire que je serai celui de ma promotion qui prononcera le discours d'adieu cette année. Je voulais que vous soyez la première à le savoir. Le cours à l'université n'était pas facile, mais nous avons réussi. Affectueusement, Teddy Stollard.»

Et quatre ans plus tard, une dernière note lui parvint: «Chère mademoiselle Thompson, aujourd'hui, je suis Theodore Stollard, docteur en médecine. Que dites-vous de ça? Je voulais que vous soyez la première à le savoir. Nous avons réussi. Je me marie le mois prochain, le 27 pour être exact. Je désire que vous veniez et que vous vous asseyiez là où ma mère se serait assise si elle était encore en vie. Mon père est mort l'année dernière. Vous êtes la seule famille que j'aie maintenant. Affectueusement, Teddy Stollard.»

Trouvez-vous étrange de terminer un livre sur le capitalisme avec compassion sur l'histoire de mademoiselle Thompson et de

Teddy Stollard? En réalité, quand j'ai lu pour la première fois cette histoire, qui à l'origine m'avait été racontée par mon ami Chuck Swindoll, elle m'apparut comme une parabole qui nous fait comprendre que notre vocation de capitaliste compatissant est simple et claire. Chaque jour, nous devons prendre une décision. Sur le chemin de la prospérité, poursuivrons-nous notre route en ignorant les besoins des gens et les problèmes de la planète, ou prendrons-nous le temps d'aider?

Mademoiselle Thompson a bien failli manquer l'occasion d'aider Teddy. Ses tâches quotidiennes l'occupaient déjà passablement. Teddy avait l'air d'un « perdant ». Il semblait inutile de lui consacrer du temps après l'école et de dépenser pour lui de l'énergie. Mais mademoiselle Thompson l'a quand même fait. Et sa récompense suprême fut de s'apercevoir que son acte de compassion aidait quelqu'un d'autre à s'aider lui-même. Vous voulez devenir un capitaliste prospère? Vous voulez réaliser un profit réel et durable? Laissez-vous guider par la compassion à chacune des étapes de votre voyage terrestre.

Les credos du capitalisme avec compassion

Credo 1

Nous croyons que chaque homme, chaque femme et chaque enfant est créé à l'image de Dieu et que, pour cette raison, chacun a de la valeur, une dignité et un potentiel uniques.

Par conséquent, nous pouvons légitimement entretenir de grands rêves pour nous-mêmes et pour les autres !

Credo 2

Nous croyons que la plupart des gens ont le sentiment de ne pas vivre la vie à laquelle leur potentiel leur permettrait d'accéder et acceptent avec reconnaissance toute aide pratique et réaliste susceptible d'améliorer leur condition.

Par conséquent, nous devons tous nous demander honnêtement où nous sommes, où nous voulons être et ce qu'il faudra plus tard modifier pour y arriver.

Credo 3

Nous croyons qu'un changement positif peut s'amorcer quand nous axons notre vie sur ces êtres et sur ces institutions auxquels nous tenons le plus, par exemple Dieu, le pays, la famille, l'amitié, l'école et le travail.

Par conséquent, nous devons déterminer ce que nous voulons être et ce que nous voulons faire, et nous fixer des objectifs en conséquence.

Credo 4

Nous croyons que la mise en ordre de nos finances — la liquidation de nos dettes, le partage avec les autres, les limites financières établies et le respect rigoureux de ces limites — est le premier pas vers la liberté qui nous permettra de changer nos conditions de vie.

Par conséquent, nous devons payer nos factures et mettre de l'ordre dans nos priorités financières.

Credo 5

Nous croyons que le travail n'est bon que s'il apporte au travailleur la liberté, la récompense, la reconnaissance et l'espoir.

Par conséquent, si notre travail n'est pas satisfaisant (financièrement, spirituellement et psychologiquement), il faut le laisser dès que possible et en trouver un autre qui le soit.

Credo 6

Nous croyons au capitalisme (autre nom pour désigner la libre entreprise) parce qu'il représente pour nous et le monde entier le plus grand espoir d'un redressement économique.

Par conséquent, si nous ne savons pas ce qu'est le capitalisme ou comment ce système fonctionne, il importe maintenant de l'apprendre. Notre avenir financier en dépend!

Credo 7

Nous croyons que l'application du capitalisme avec compassion est le secret d'une véritable prospérité.

Par conséquent, nous devons nous demander chaque jour: «Jusqu'à quel point suis-je compatissant envers mes collègues, mon supérieur, mon employeur ou mes employés, mes fournisseurs, mes clients et même mes concurrents, et quelle différence cela fait-il?»

Credo 8

Nous croyons que posséder sa propre entreprise (pour arrondir ou remplacer son revenu) est la meilleure façon d'assurer sa liberté et l'avenir financier de sa famille.

Par conséquent, nous devrions sérieusement envisager de lancer notre propre entreprise ou de devenir plus audacieux et dynamiques dans l'entreprise où nous travaillons actuellement ou dans l'exercice de notre profession.

Credo 9

Nous croyons qu'il est nécessaire de développer une attitude positive et optimiste pour atteindre nos objectifs.

Par conséquent, avec l'aide de notre mentor, nous devrions mettre au point un programme (en lisant, en écoutant des cassettes audio, en assistant à des conférences, à des réunions et à des événements spéciaux, en nous associant avec des amis et des camarades de travail, en prenant des loisirs et en pratiquant notre culte) qui nous aidera à développer une attitude positive, optimiste et productive par rapport à notre vie et à notre avenir.

Credo 10

Nous croyons qu'avant de réussir en tant que capitaliste compatissant, nous devons nous laisser guider par un mentor expérimenté.

Par conséquent, il nous faut trouver quelqu'un que nous admirons et qui a déjà réussi ou accompli ce que nous voulons réussir ou accomplir, et demander à cette personne de nous aider à atteindre nos objectifs.

Credo 11

Nous croyons que le succès sourit seulement à ceux qui se fixent des objectifs et qui travaillent avec assiduité en vue de les atteindre.

Par conséquent, avec l'aide de notre mentor, nous devons commencer immédiatement à déterminer des objectifs à court et à long terme, à les noter, à évaluer nos progrès à chaque étape, à fêter l'événement quand un objectif a été atteint et à tirer des leçons de nos échecs.

Credo 12

Nous croyons que certaines attitudes, certains comportements et certains engagements (reliés directement ou indirectement à nos tâches) nous aideront à atteindre nos objectifs.

Par conséquent, avec l'aide de notre mentor, nous devrions commencer immédiatement à maîtriser ces rudiments (l'a b c) qui nous aideront à réussir.

Credo 13

Nous croyons qu'il faut aider les gens à s'aider eux-mêmes. Quand nous partageons notre temps et notre argent avec quelqu'un d'autre dans le but de l'aider, de le former et de l'encourager, nous rendons tout simplement une partie de ce qui nous a déjà été donné.

Par conséquent, soyez un mentor. Qui pourriez-vous aider à atteindre ses objectifs, à réaliser ses rêves?

Credo 14

Nous croyons à la nécessité d'aider les gens qui ne peuvent s'aider eux-mêmes. Quand nous partageons notre temps et notre argent avec ceux et celles qui sont dans le besoin, nous renforçons notre propre sentiment de dignité et d'estime de soi, et nous mettons en branle des forces positives qui apportent l'espoir au monde et le régénèrent.

Par conséquent, donnez. De quelle façon contribuez-vous à mettre fin à la souffrance dans votre entourage ou ailleurs dans le monde?

Credo 15

Nous croyons qu'il est nécessaire de contribuer à sauver la planète, cet îlot où nous vivons. Quand nous participons, en donnant de notre temps et de notre argent, pour préserver l'environnement, nous contribuons véritablement à nous protéger nous-mêmes.

Par conséquent, devenez un ami de la terre. Comment pourriez-vous contribuer aujourd'hui même à préserver l'environnement?

Credo 16

Nous croyons que lorsque nous partageons notre temps, notre argent et notre expérience avec les autres en vue de les aider, nous complétons le cercle de l'amour qui nous mène à l'épanouissement et à la prospérité.

Par conséquent, quand vous vous lassez de faire le bien, souvenez-vous de la Loi de la compensation. À la longue, chacun de vos dons de temps, d'argent ou d'énergie vous rapportera des bénéfices.

Ce qu'ils disent au sujet du livre
Le capitalisme avec compassion

« Par les réussites et par les réalisations qui ont jalonné sa propre vie, Rich a prouvé que la compassion pour nos concitoyens est la clé du succès. »

Gerald R. Ford

« Cet ouvrage fournit la solution aux problèmes de l'avenir. »

Norman Vincent Peale

« Ce livre, écrit par un de nos plus distingués praticiens de la libre entreprise, est susceptible de nous inspirer. »

William E. Simon

« Dans ce livre fantastique, il nous explique ce qu'est le véritable capitalisme. C'est un credo dont nous tous, partout, pouvons tirer profit. »

Larry King

« Comment réaliser vos rêves... J'ai adoré ! »

Robert H. Schuller

Rich DeVos nous propose, à chacun d'entre nous, un credo sur lequel baser nos vies, un but à atteindre et une manière de nous aider nous-mêmes en aidant les autres. »

William L. Seidman

« Rich nous a éclairés en nous montrant la voie. »

Paul Harvey

« Un ouvrage que doivent lire tous ceux qui aspirent à devenir entre-preneurs ou qui ont accédé à la réussite en tirant profit de notre système de libre marché. »

Alexander Haig, Jr.

« Quiconque lit ce livre verra sa perception du temps, de l'énergie et de l'argent modifiée de façon définitive. »

Tom Landry

« L'amour qu'il porte aux autres et sa volonté de les aider à se réaliser pleinement m'ont profondément influencé »

C. Everett Koop

COLLECTION RÉUSSITE
Personnelle

CHEZ LE MÊME ÉDITEUR

Dans la même collection:

L'attitude fait toute la différence, Dutch Boling
Aidez les gens à devenir meilleurs, Alan Loy McGinnis
Osez rêver!, Florence Littauer
Les échelons de la réussite, Ralph Ransom
Le facteur réussite, Sidney Lecker
Lettres d'un homme d'affaires à son fils, G. Kingsley Ward
Lettres d'un homme d'affaires à sa fille, G. Kingsley Ward
Plan d'action pour votre vie, Mamie McCullough
Le succès de A à Z (tome A-H), André Bienvenue
Le succès de A à Z (tome I-Z), André Bienvenue
Stratégies pour conquérir la personne de vos rêves, Thomas W. McKnight
Vaincre les obstacles de la vie, Gerry E. Robert
Maîtrisez vos comportements sans les faire subir aux autres, Robert A. Schuller

En vente chez votre libraire ou à la maison d'édition
Prix sujets à changement sans préavis

Si vous désirez recevoir le catalogue de nos parutions,
il vous suffit de nous écrire à l'adresse suivante:
Les éditions Un monde différent ltée
3925, Grande-Allée
Saint-Hubert (Québec)
J4T 2V8
ou de composer le (514) 656-2660